御刻足本

三希堂法帖

国家行政学院出版社

御刻三希堂石渠寶笈法帖 第二十卯册

元饒介書

送孟東野序

大凡物不得其平則鳴
草木之無聲風撓
之鳴水之無聲
風蕩之鳴其躍

三希堂法帖
饶介·送孟东野序

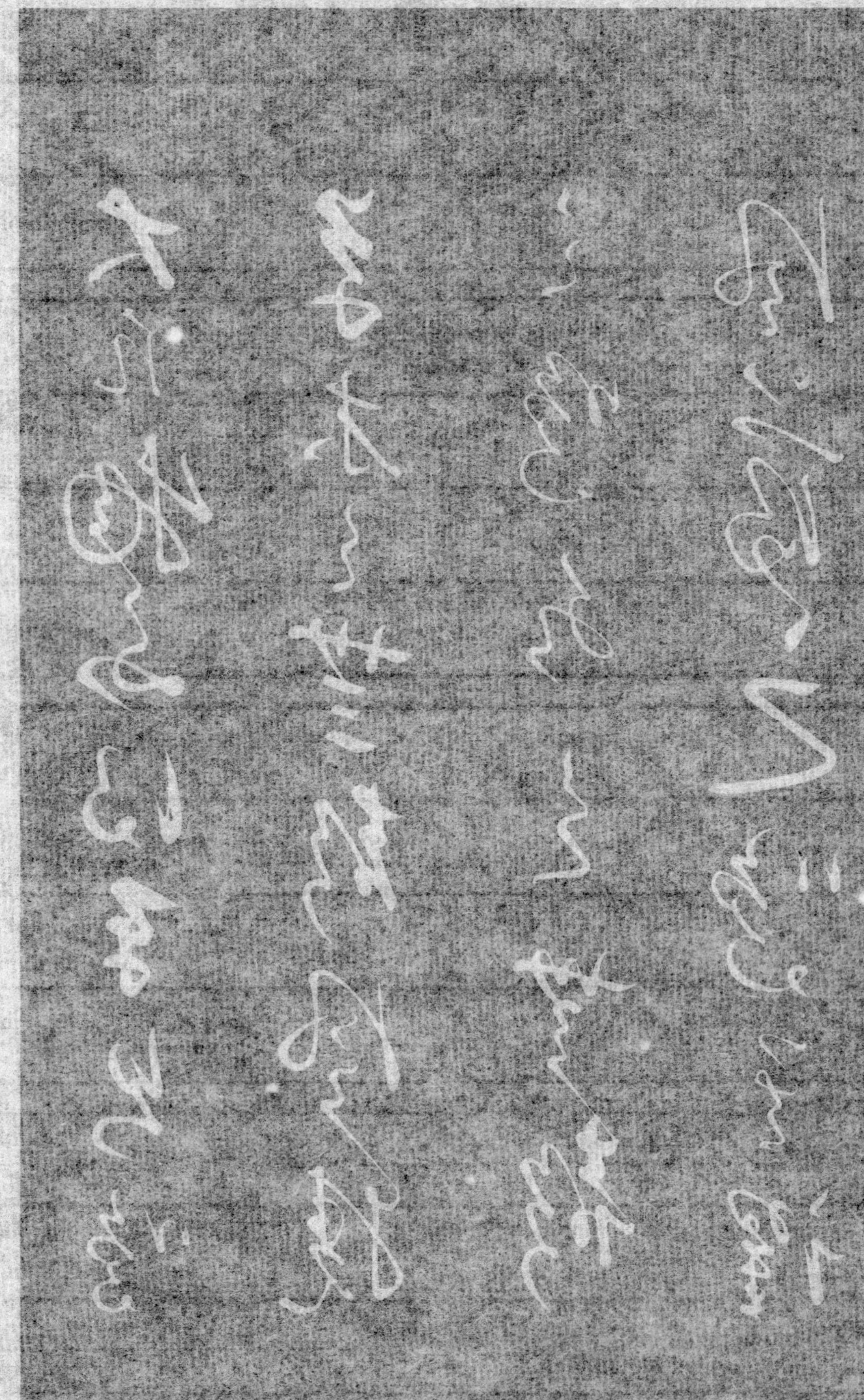

三希堂法帖 [illegible] 一六九六

三希堂法帖 [illegible] 一六九七

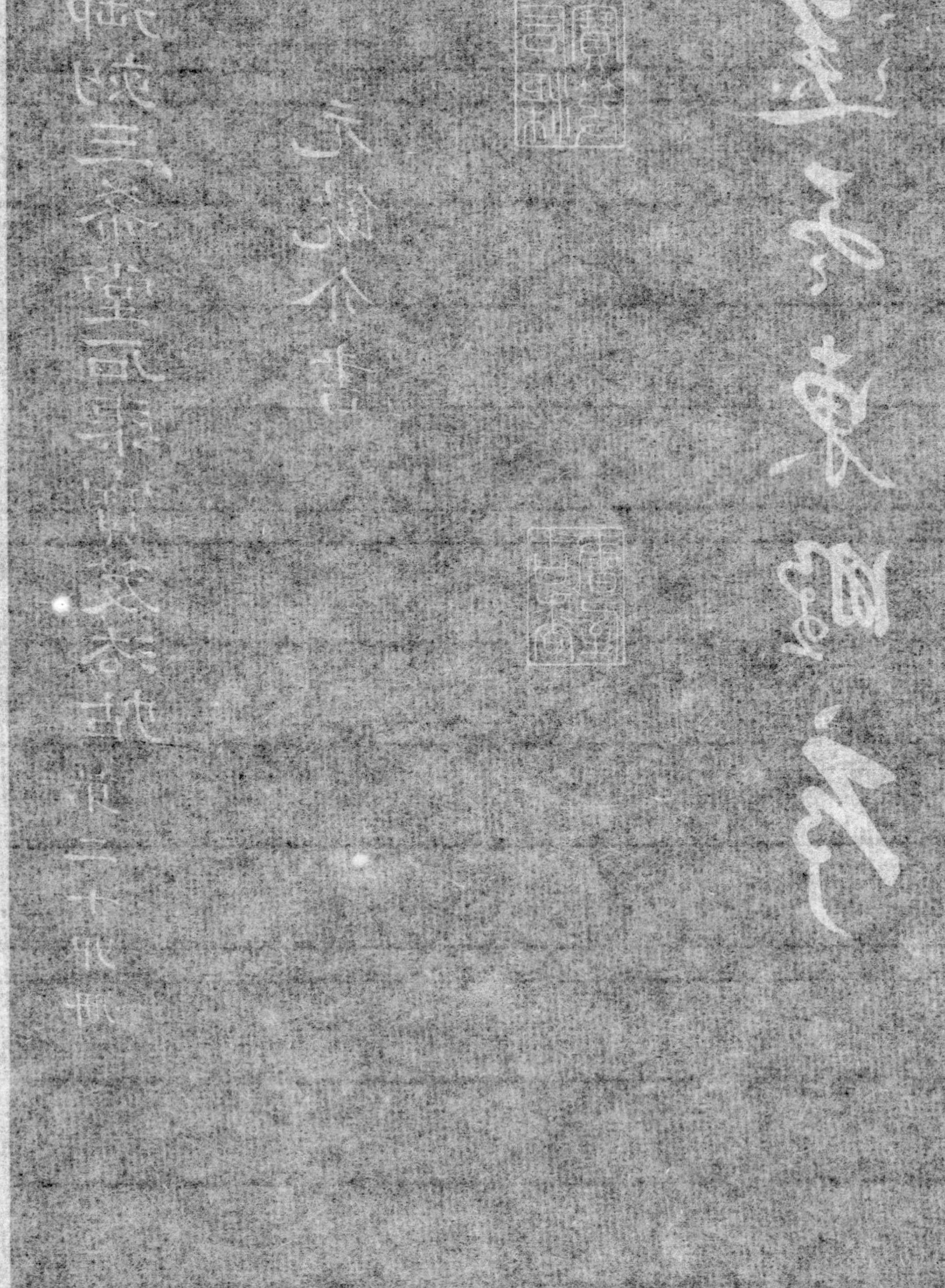

也或激之，其趋也或梗之，其沸也或炙之。金石之无声，或击之鸣。人之于言也亦然，有不得已者而后言。其歌也有思，其哭也有怀。凡出乎口而为声者，其皆有

三希堂法帖

饶介·送孟东野序

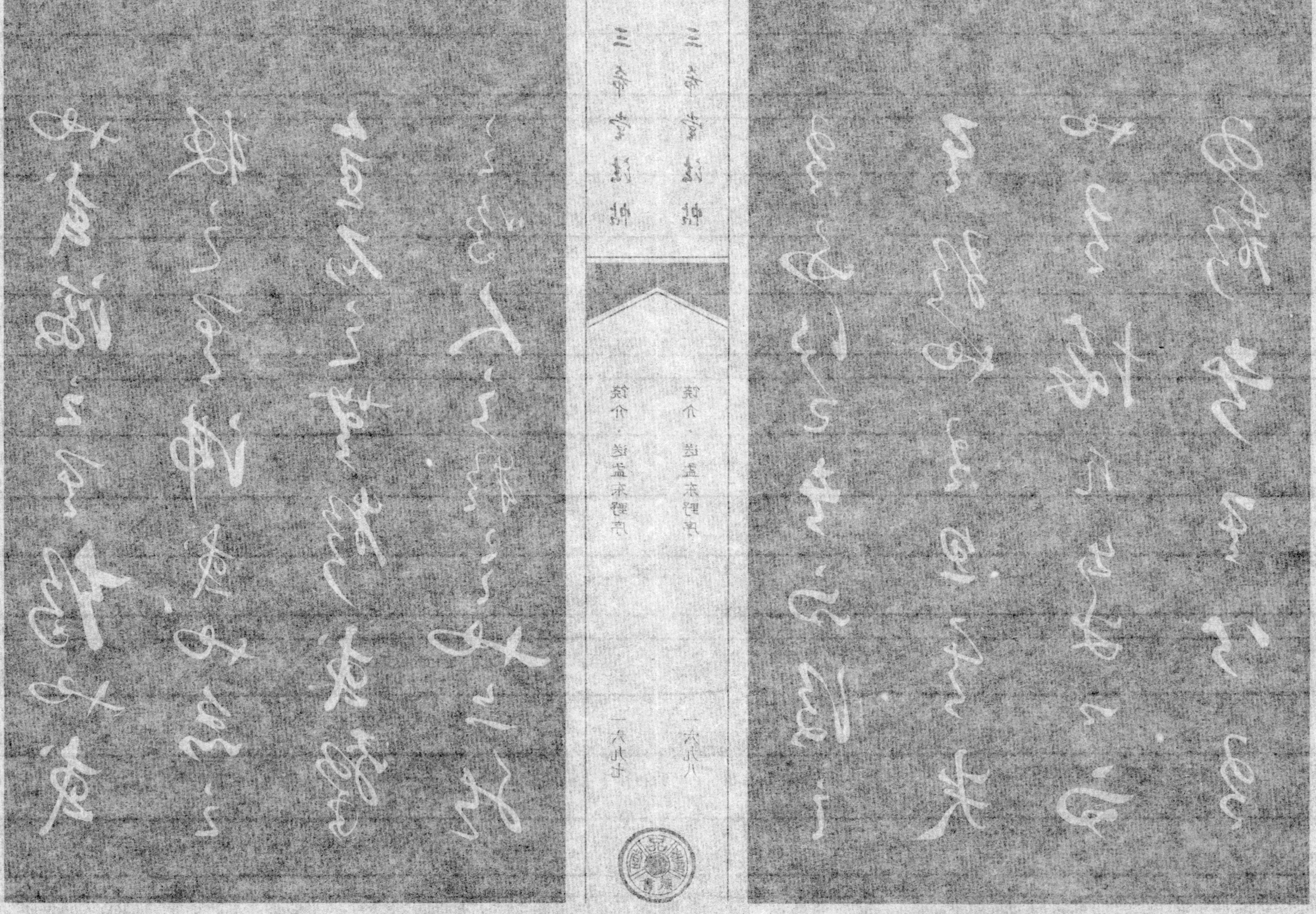

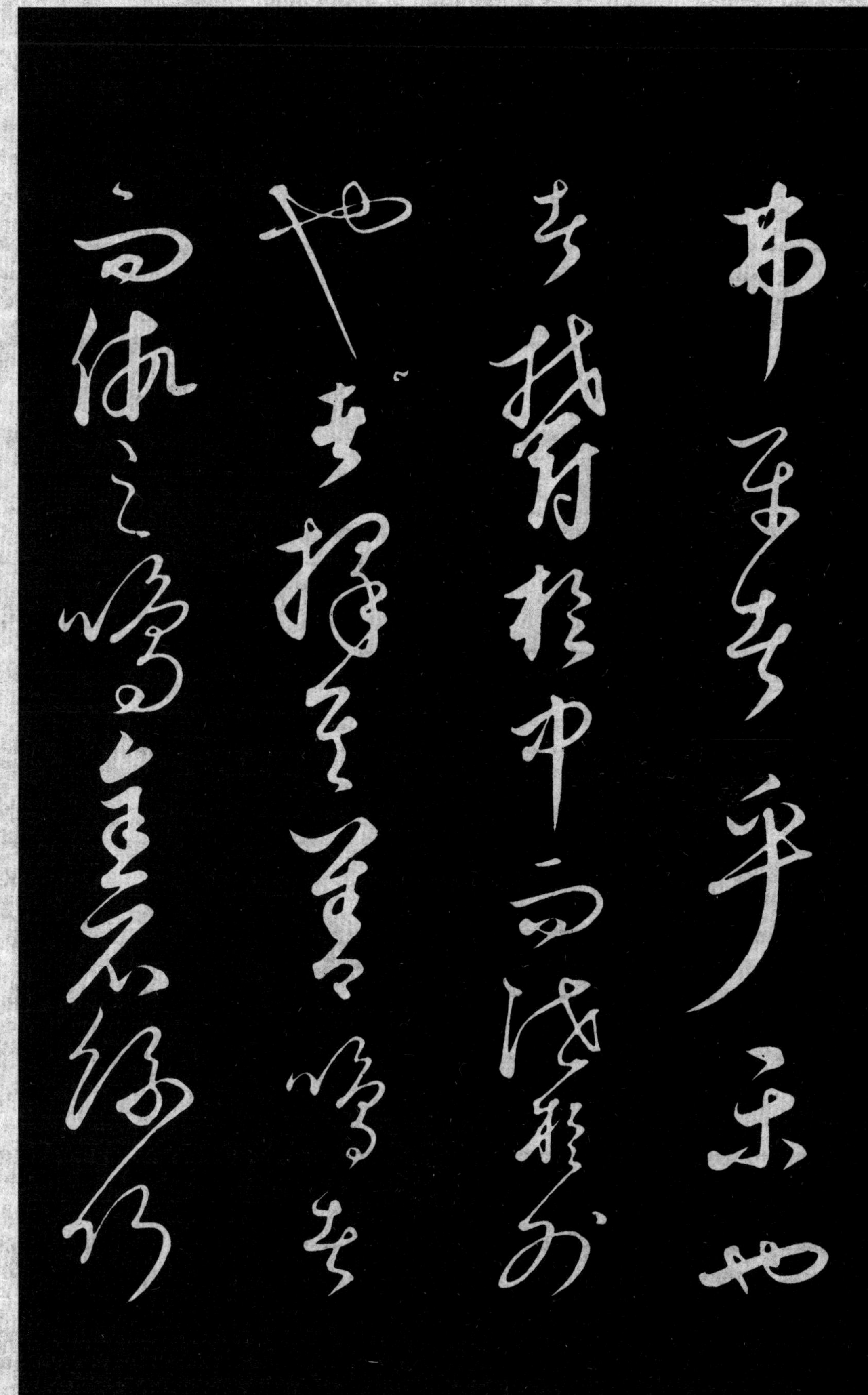
弗平者乎乐也
者郁于中而泄于外
者也择其善鸣者
而假之鸣金石丝竹

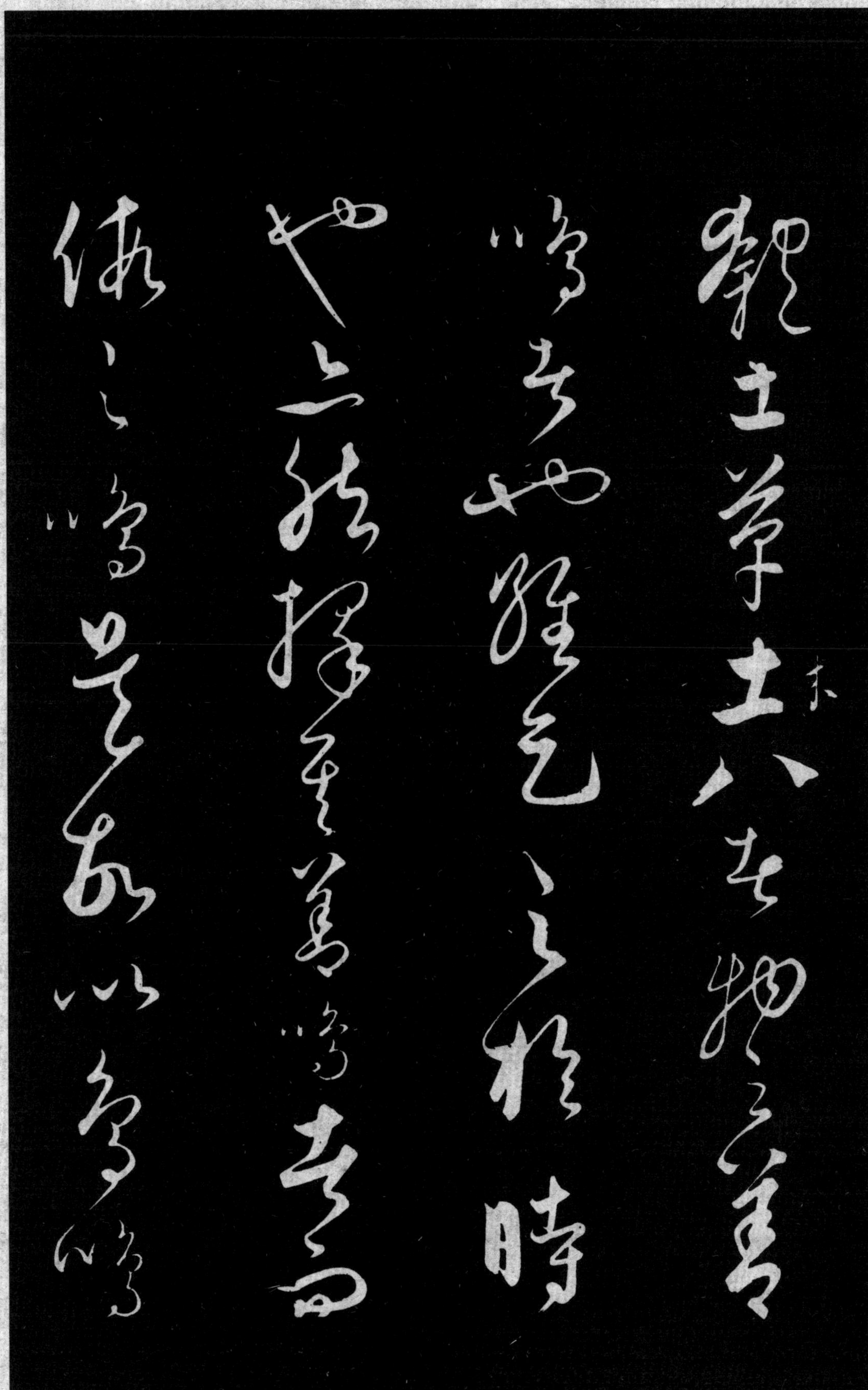
匏土革木八者物之善
鸣者也维天之于时
也亦然择其善鸣者而
假之鸣是故以鸟鸣

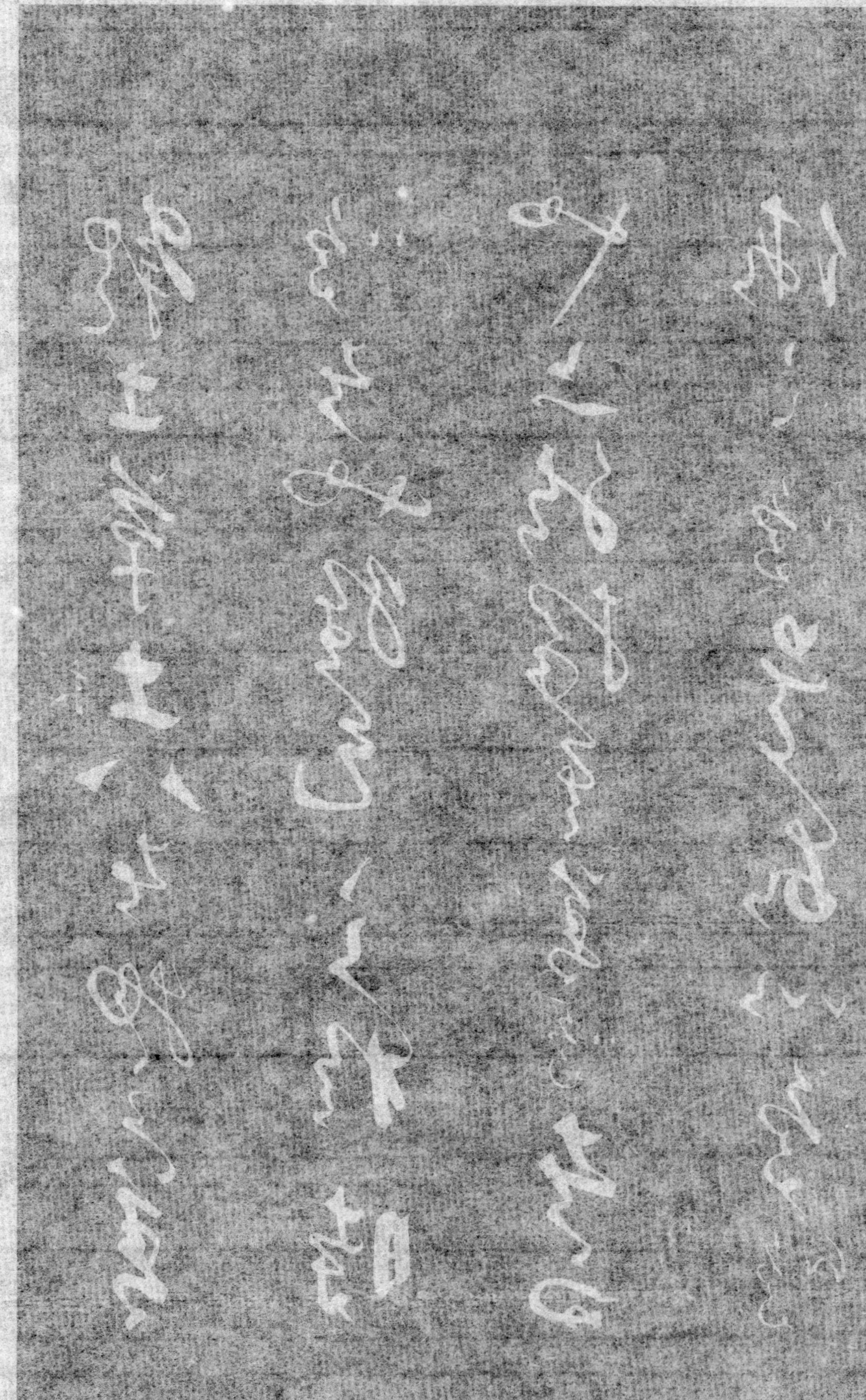

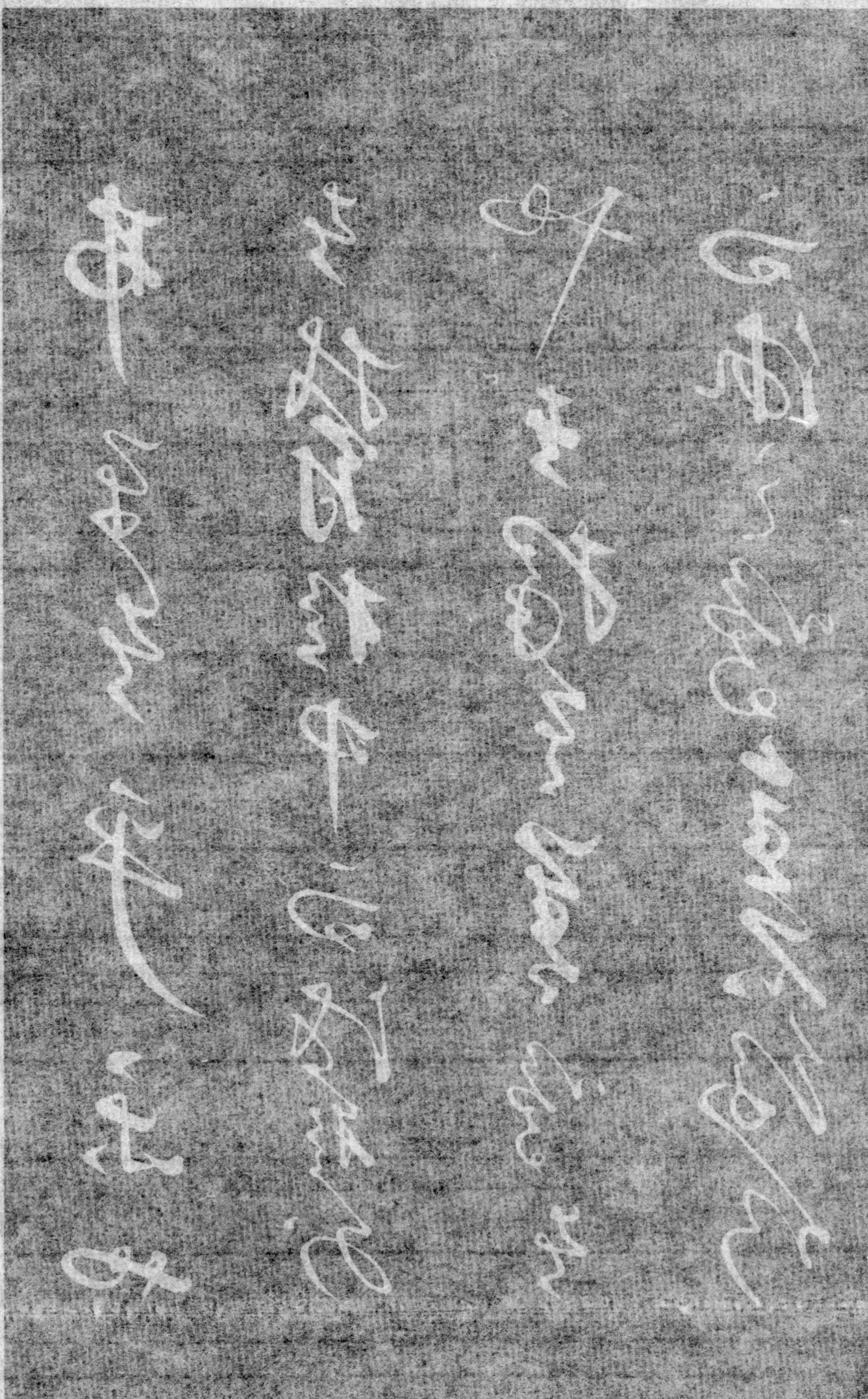

春以雷鸣夏以虫鸣
秋以风鸣冬四时之
相推敚其必有不得
其平者乎其于人也亦然

三希堂法帖

人声之精者为言
文辞之于言又其
精也尤择其善
鸣者而假之鸣其在唐

三希堂法帖　宋・米芾・送王涣之序　一〇七

三希堂法帖　宋・米芾・送王涣之序　一〇七

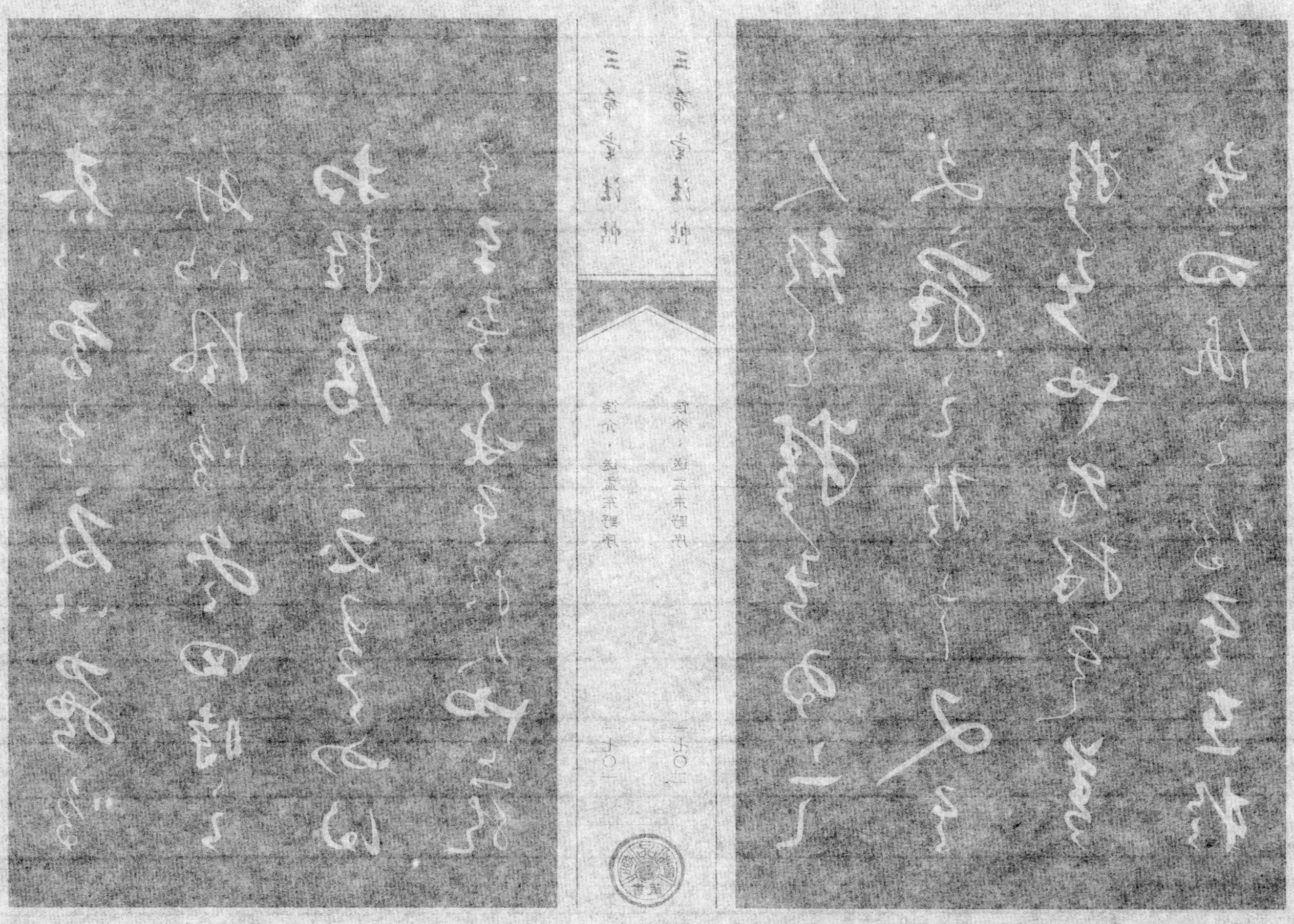

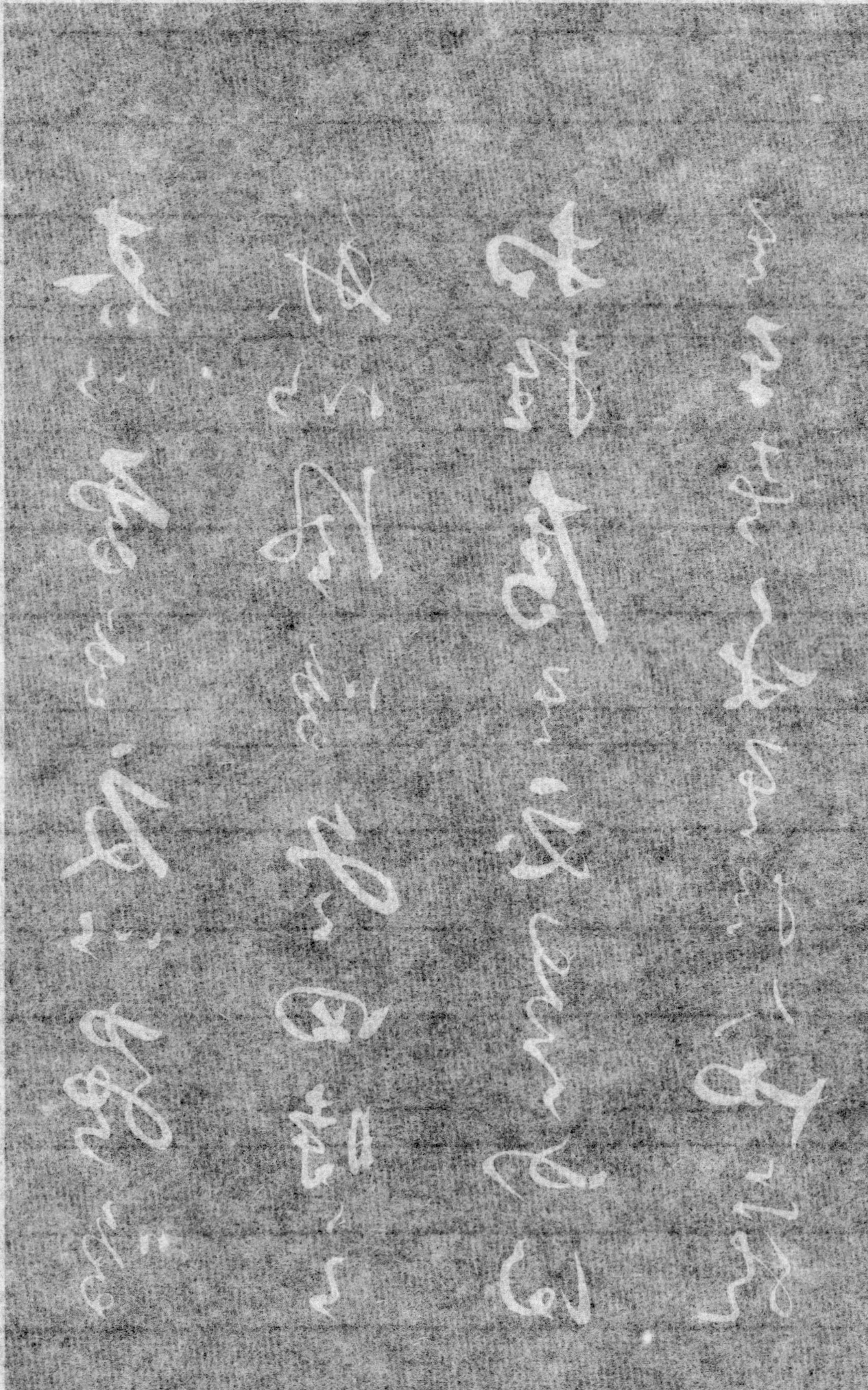

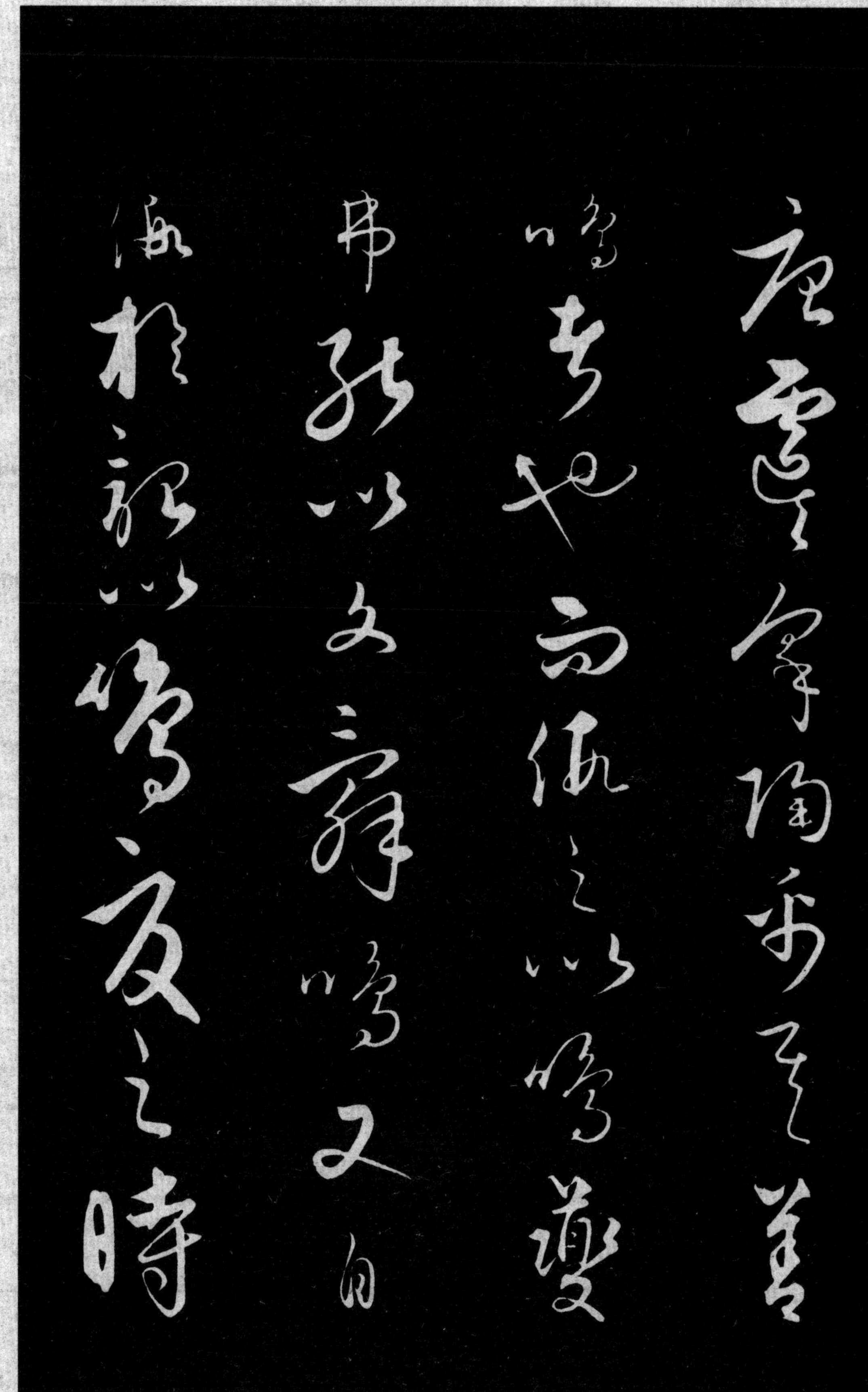

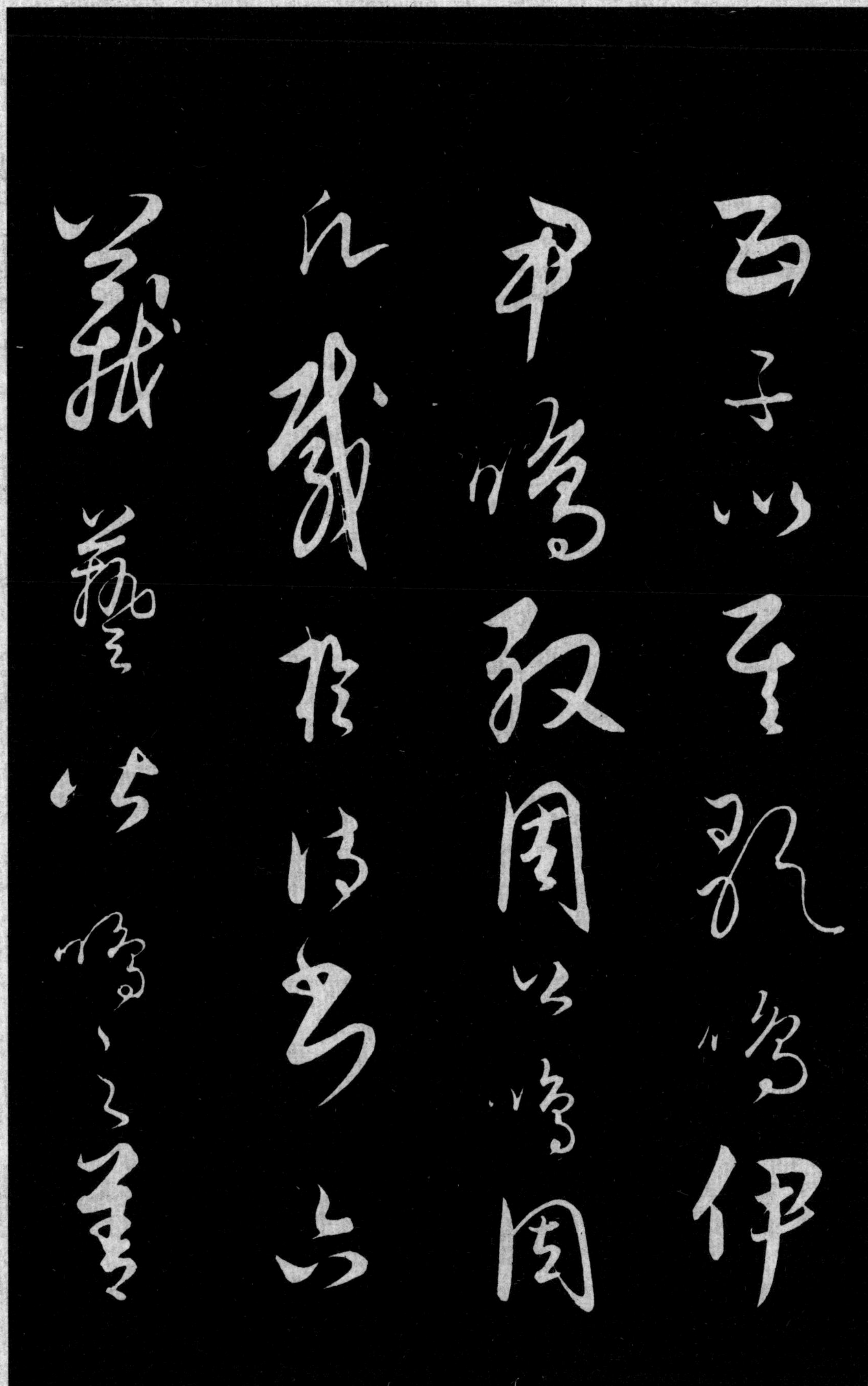

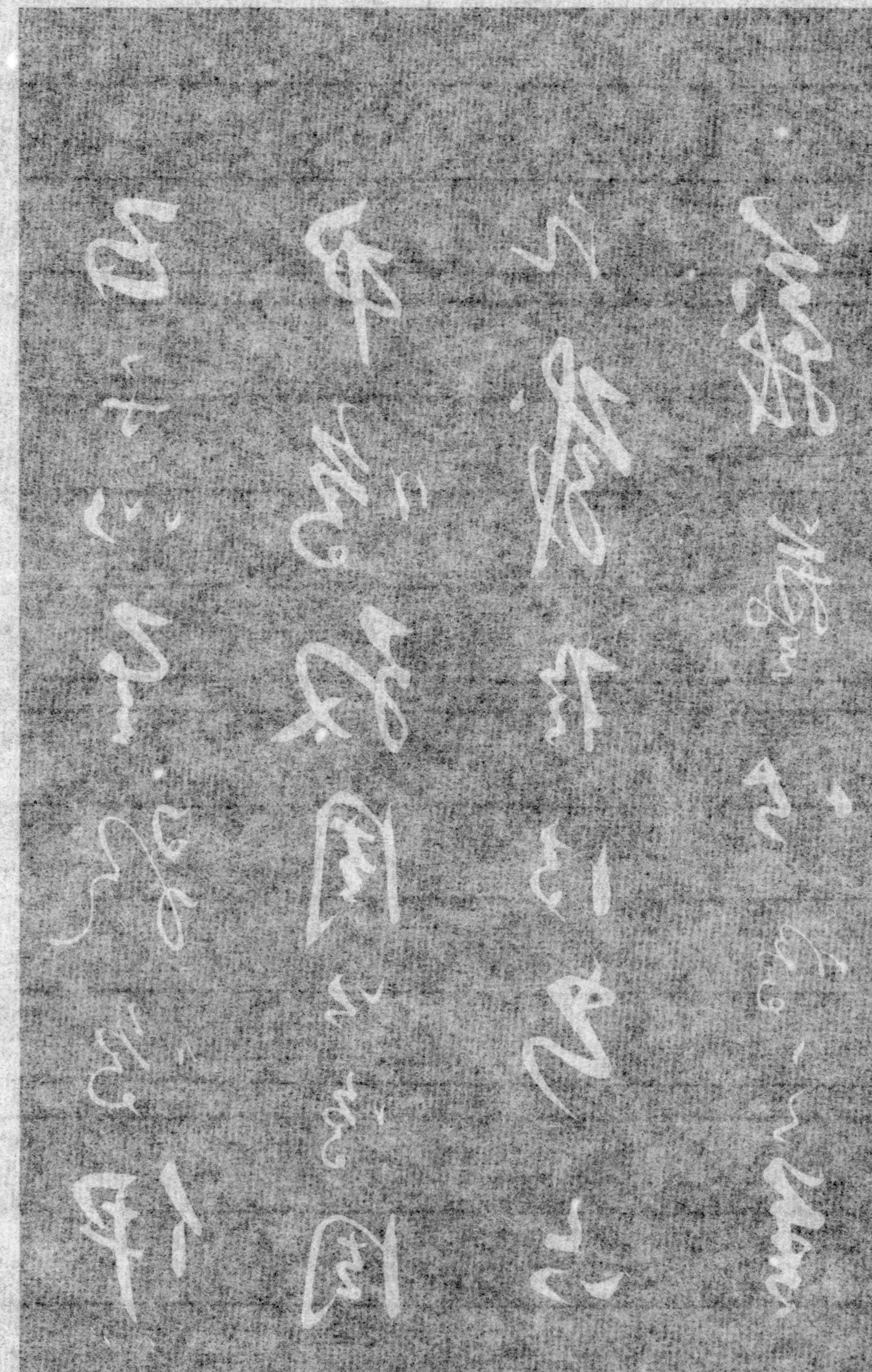

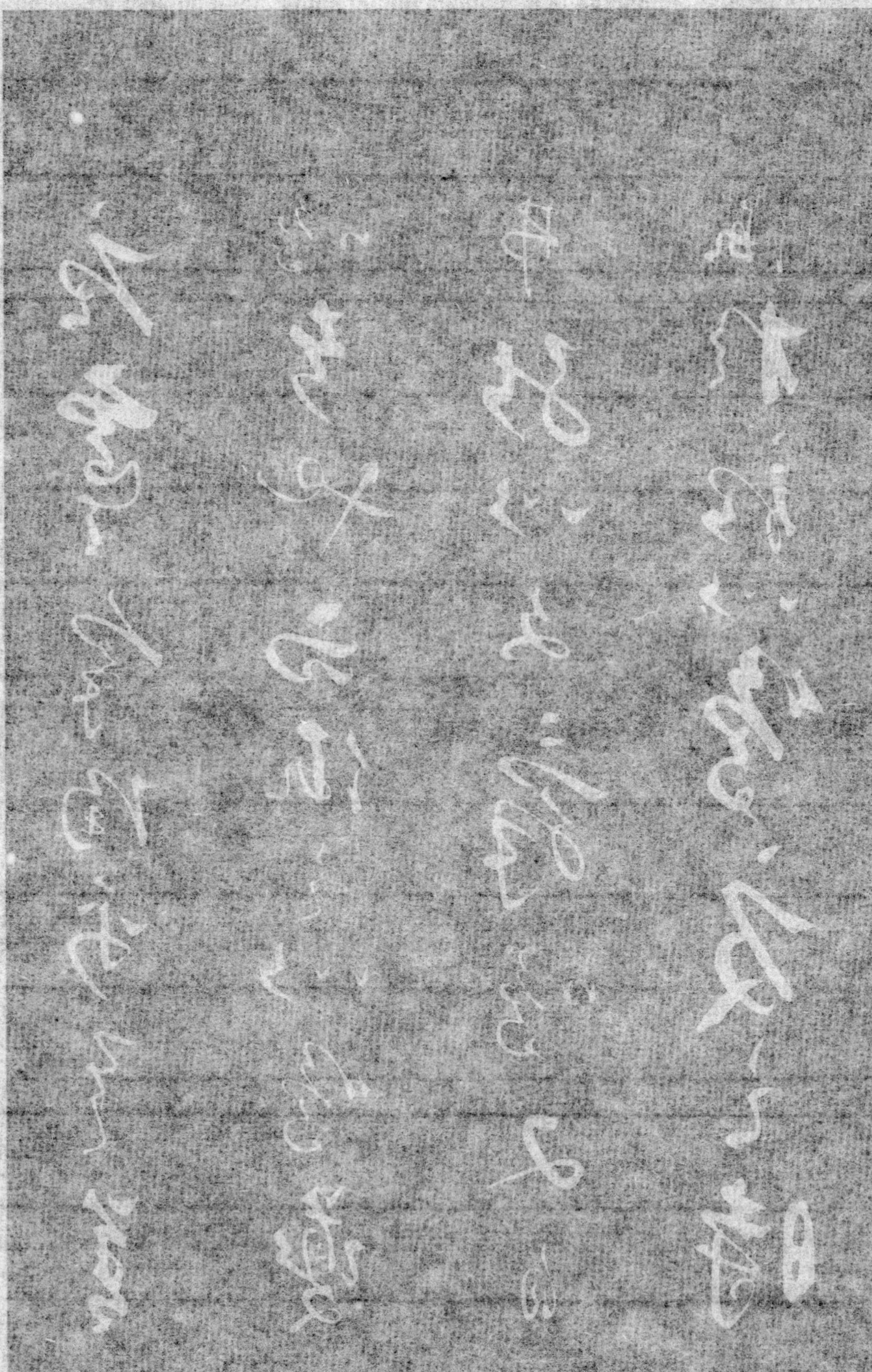

者也周之衰孔子之徒
鸣之其声大而远传
曰天将以夫子为木铎
其弗信矣乎其末也

三希堂法帖

庄周以其荒唐之
辞鸣楚楚大国也
其亡也以屈原鸣臧孙辰
孟轲荀卿以道鸣者也

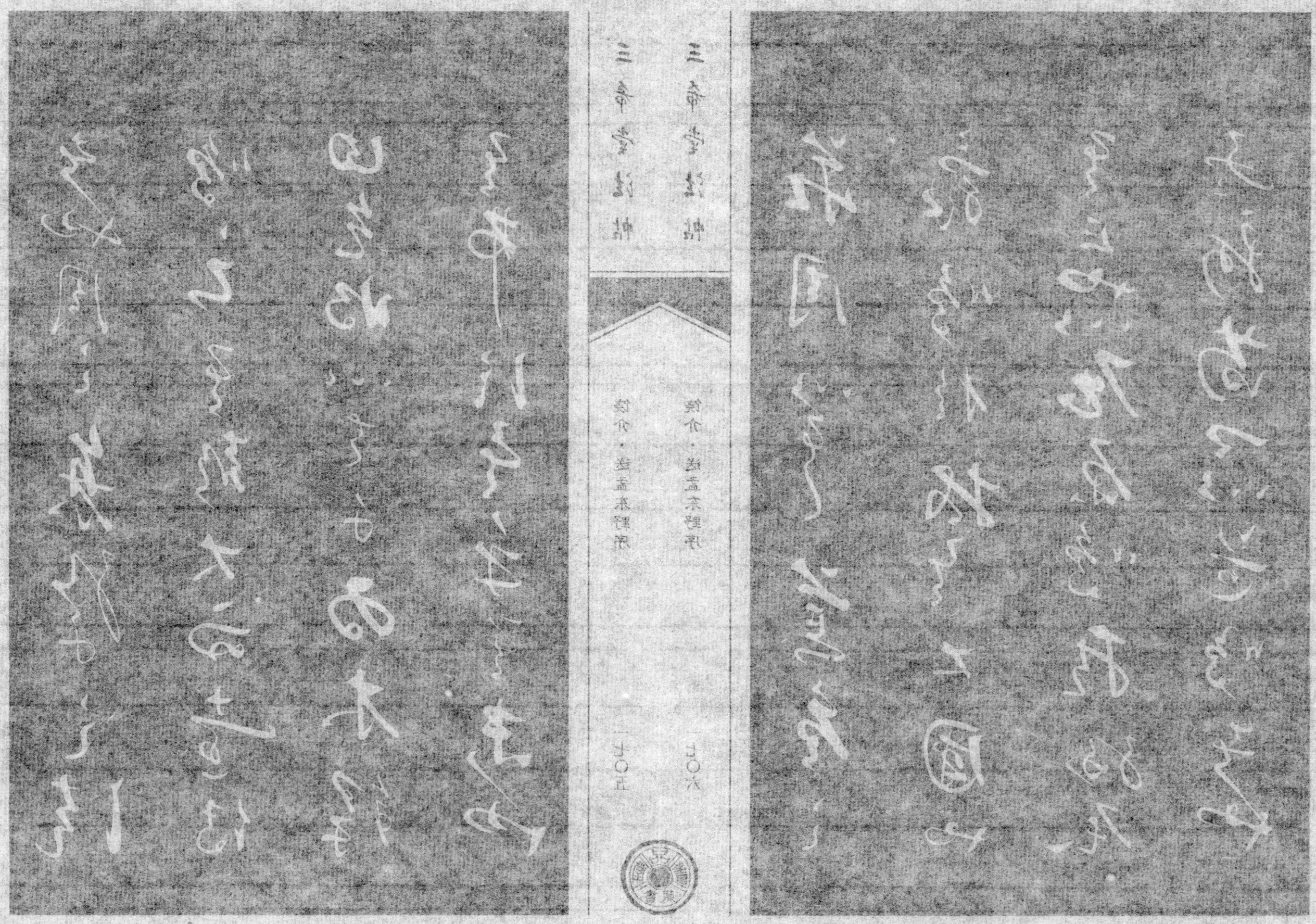

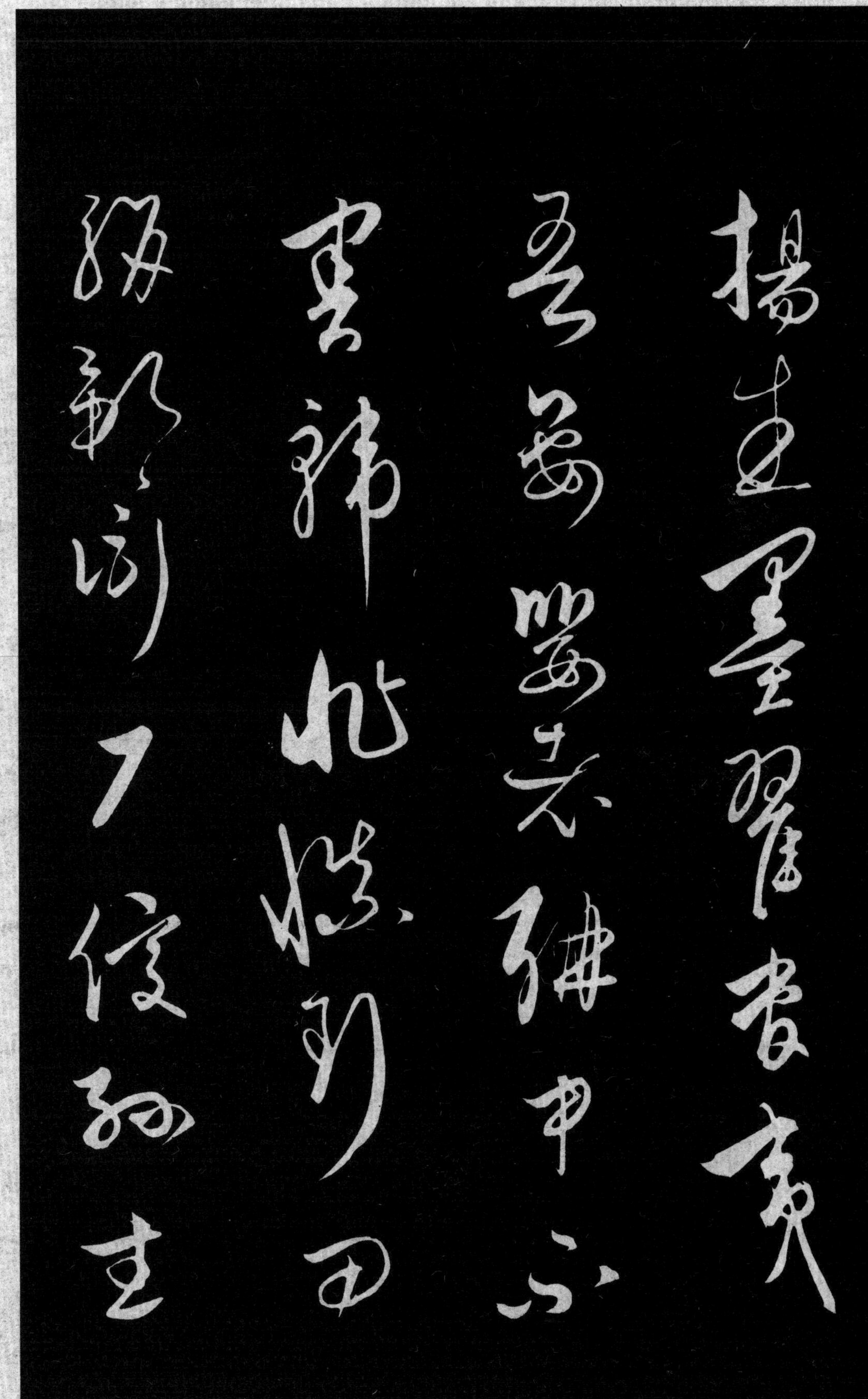
揚朱墨翟管夷
吾晏嬰老聃申不
害韓非慎到田
駢鄒衍尸佼孫武

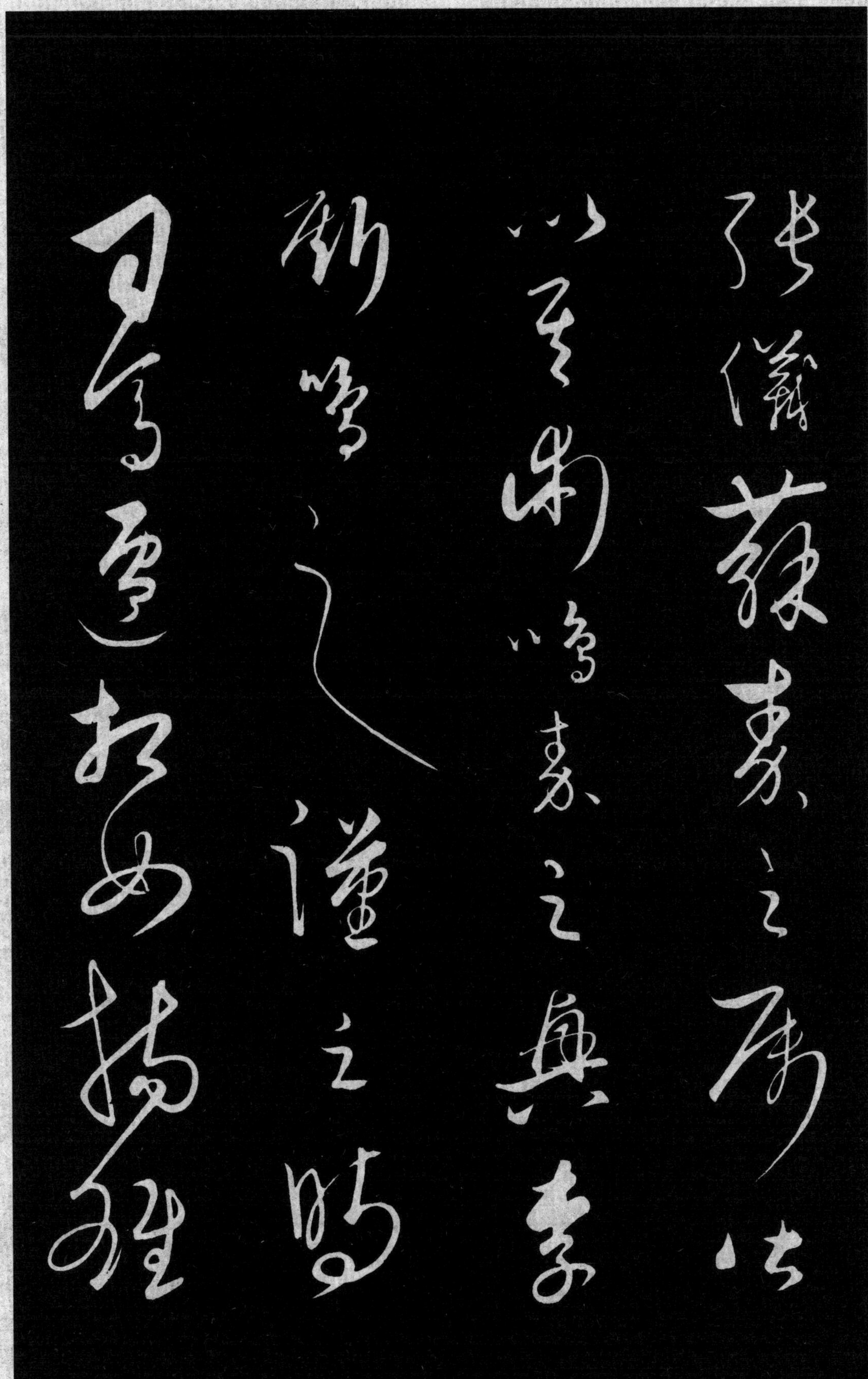
張儀蘇秦之屬皆
以其術鳴秦之興李
斯鳴之漢之時
司馬遷相如揚雄

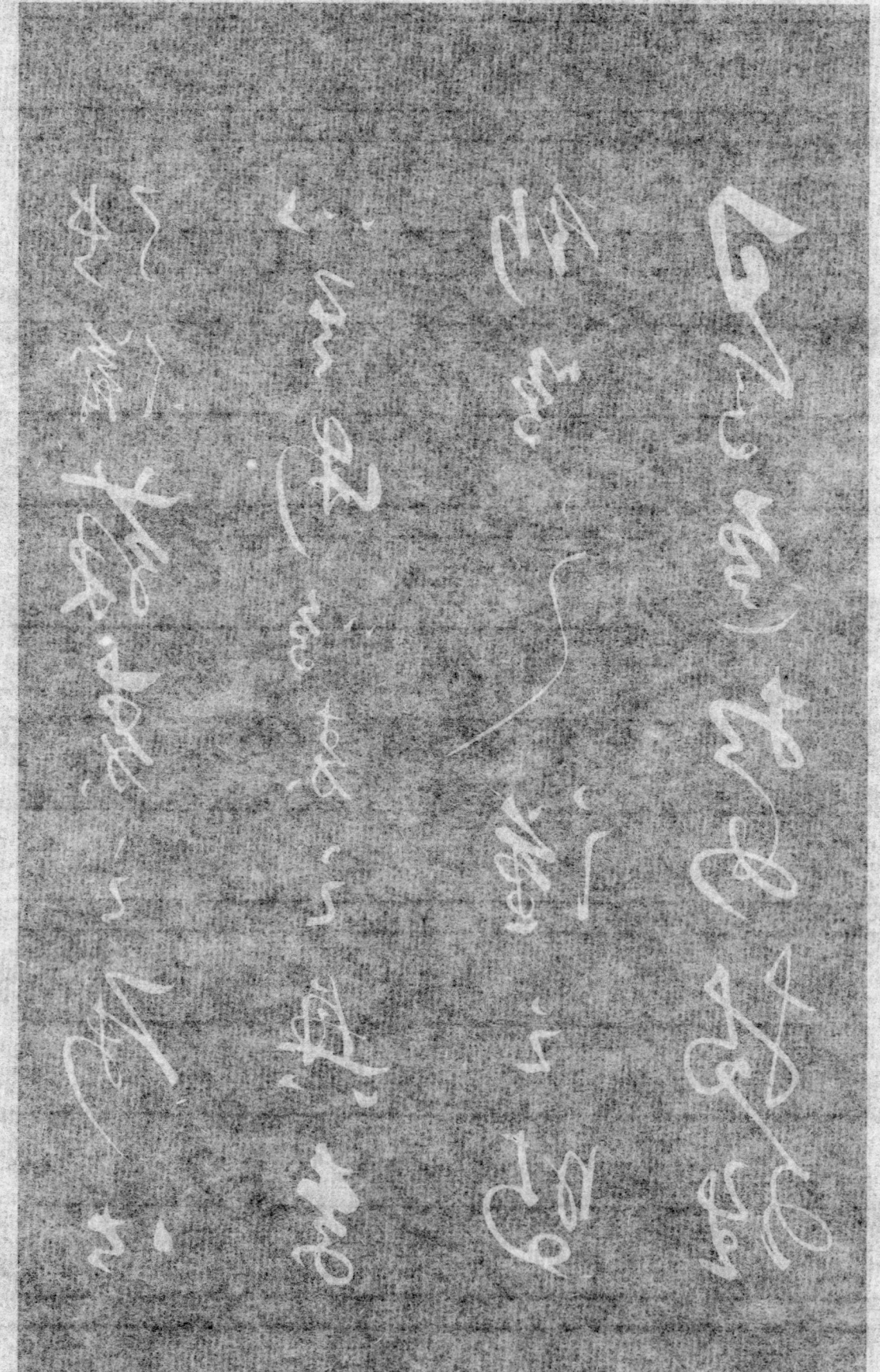

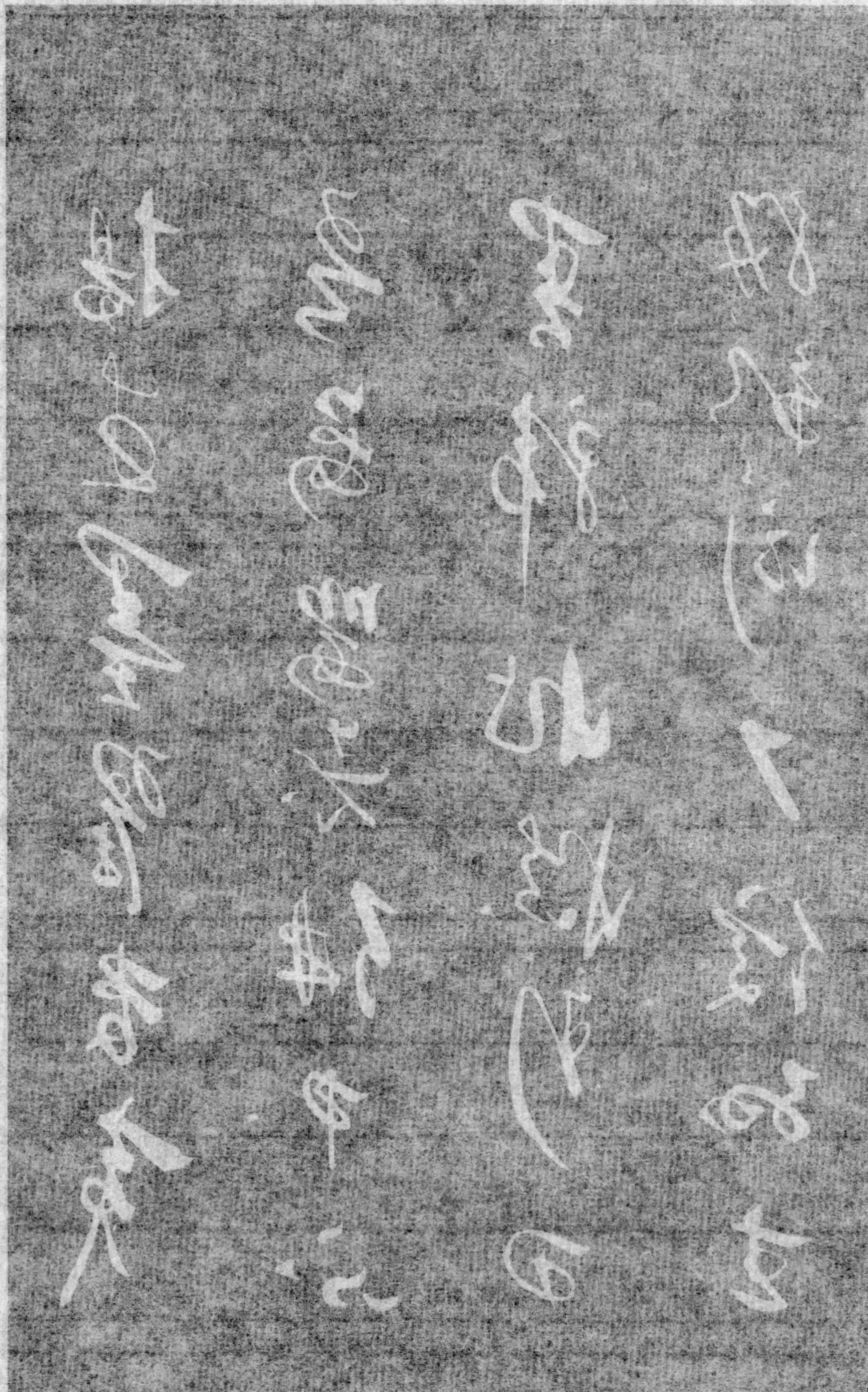

最其善鳴者也其下
魏晉氏鳴者不及
於古然亦未嘗絕也
就其善鳴者其聲

清以浮其節數以急
其辭淫以哀其志弛
以肆其為言也亂雜
而無章將天醜其

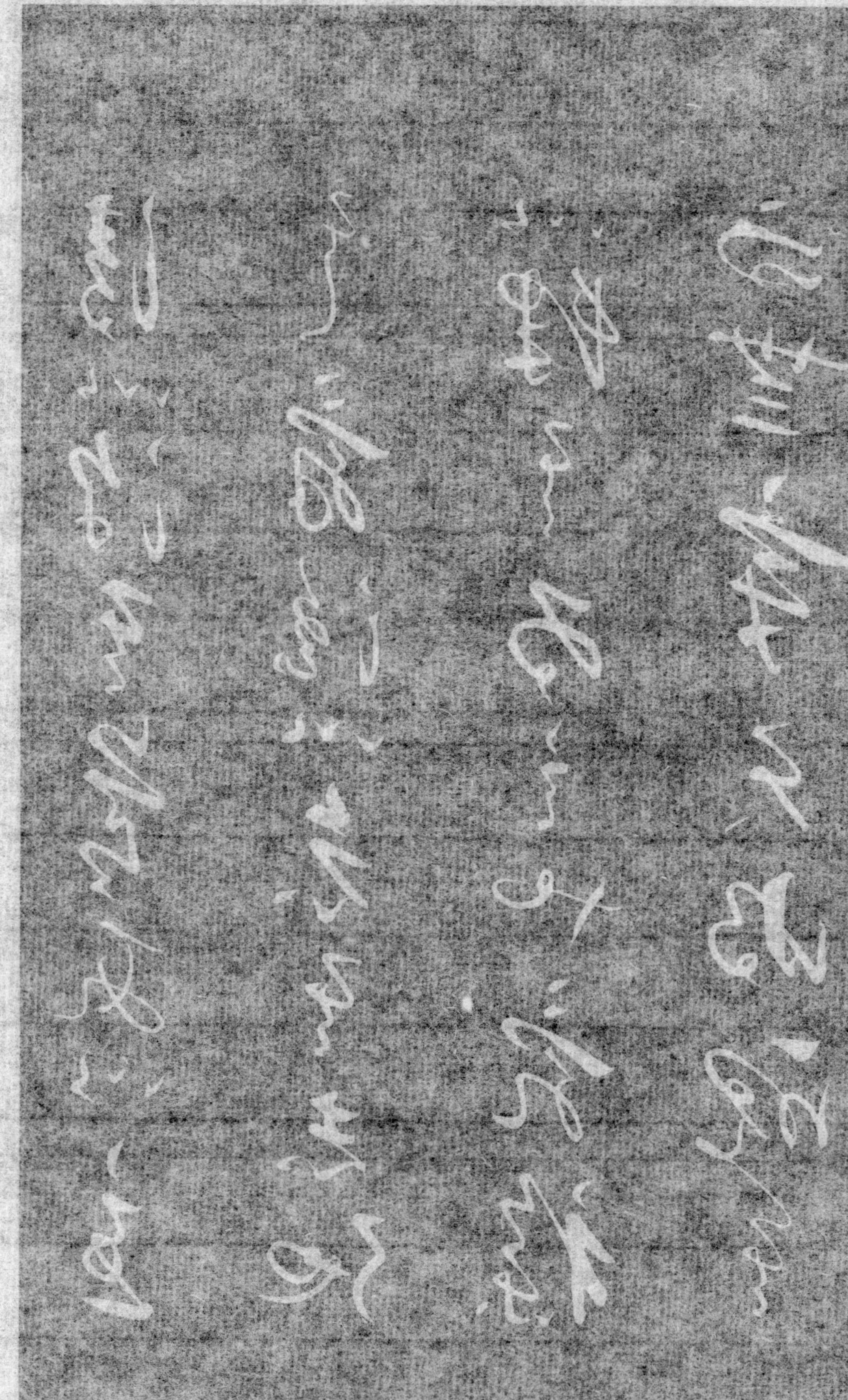

三希堂法帖　陳介　送孟東野序

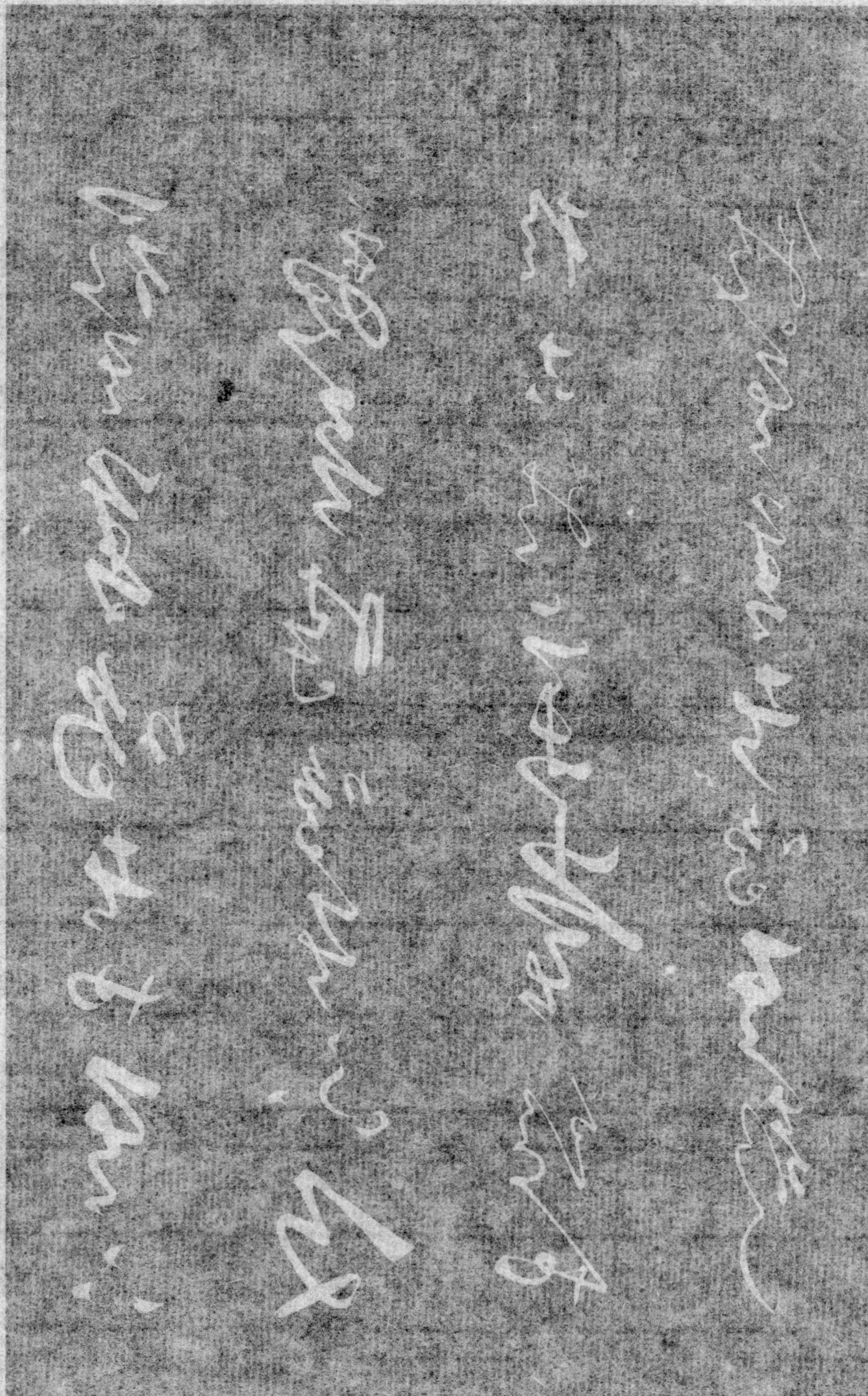

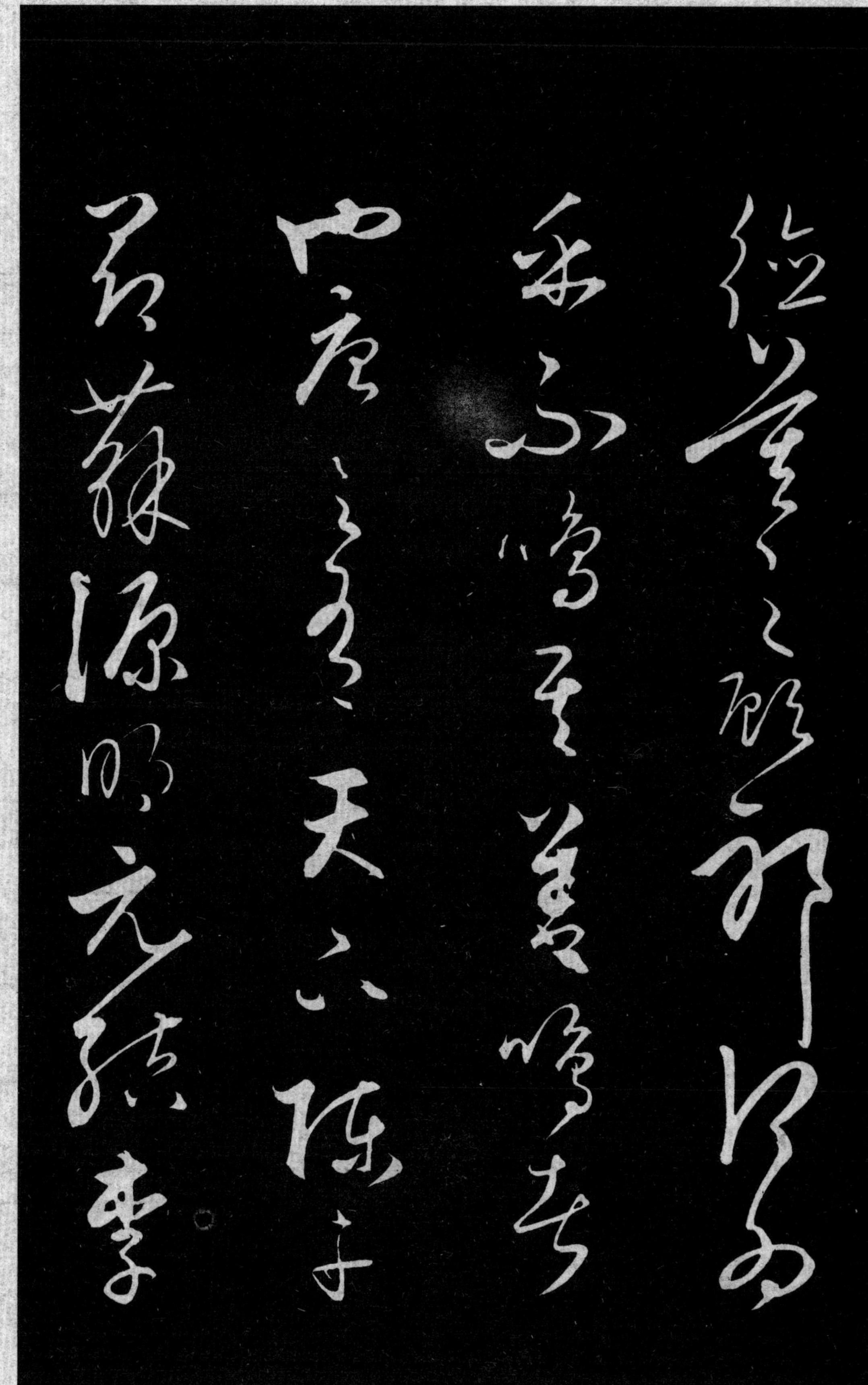
德莫之顧邪何為
乎不鳴其善鳴者
也唐之有天下陳子
昂蘇源明元結李

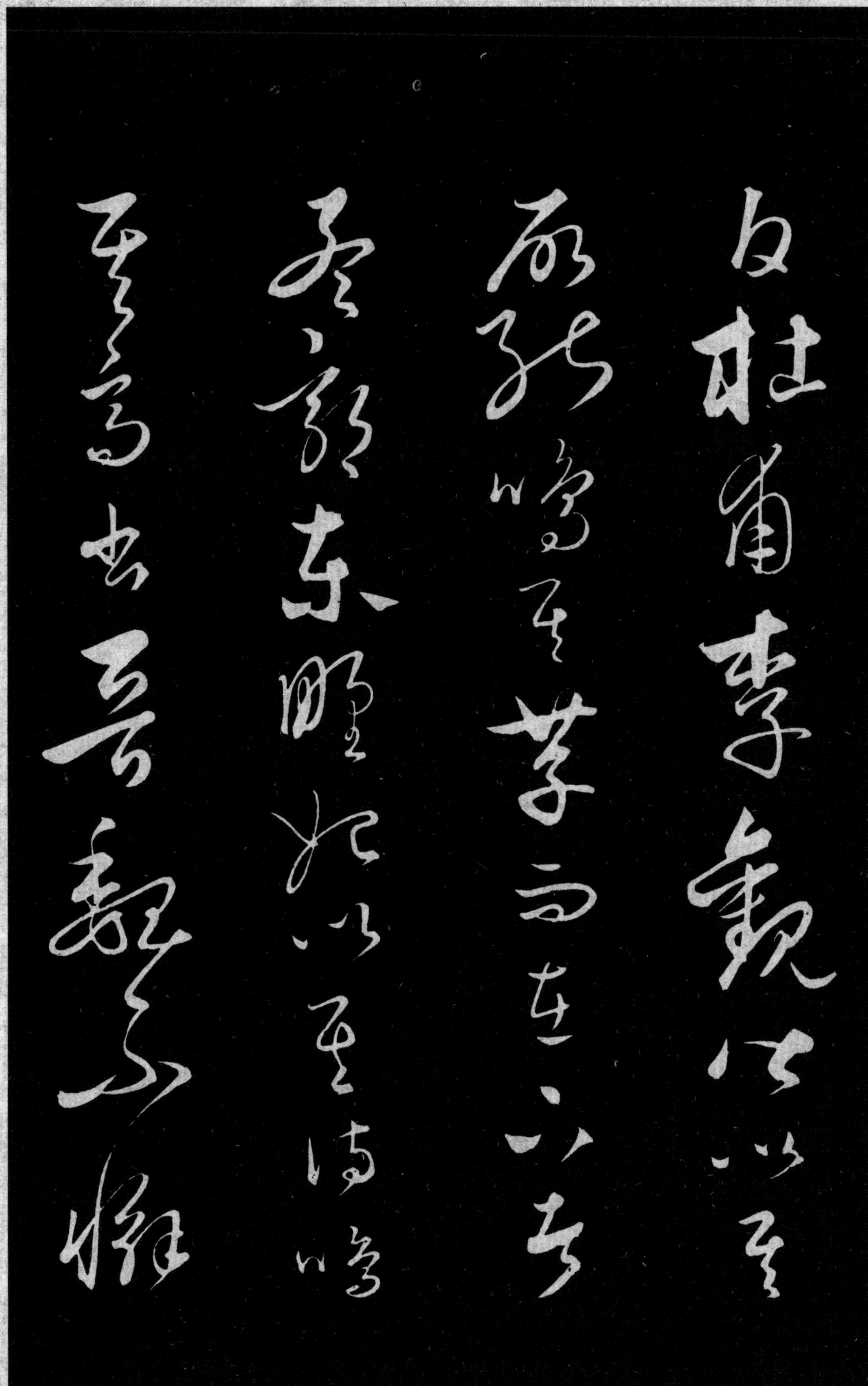
白杜甫李觀皆以其
所能鳴其存而在下者
孟郊東野始以其詩鳴
其高出魏晉不懈

三希堂法帖
十七

而及於古其他浸淫
乎漢氏矣從吾
遊者李翱張籍其尤
也三子者之鳴信

善鳴矣抑不知天
將和其聲而使
鳴國家之盛邪抑
將窮餓其身思愁

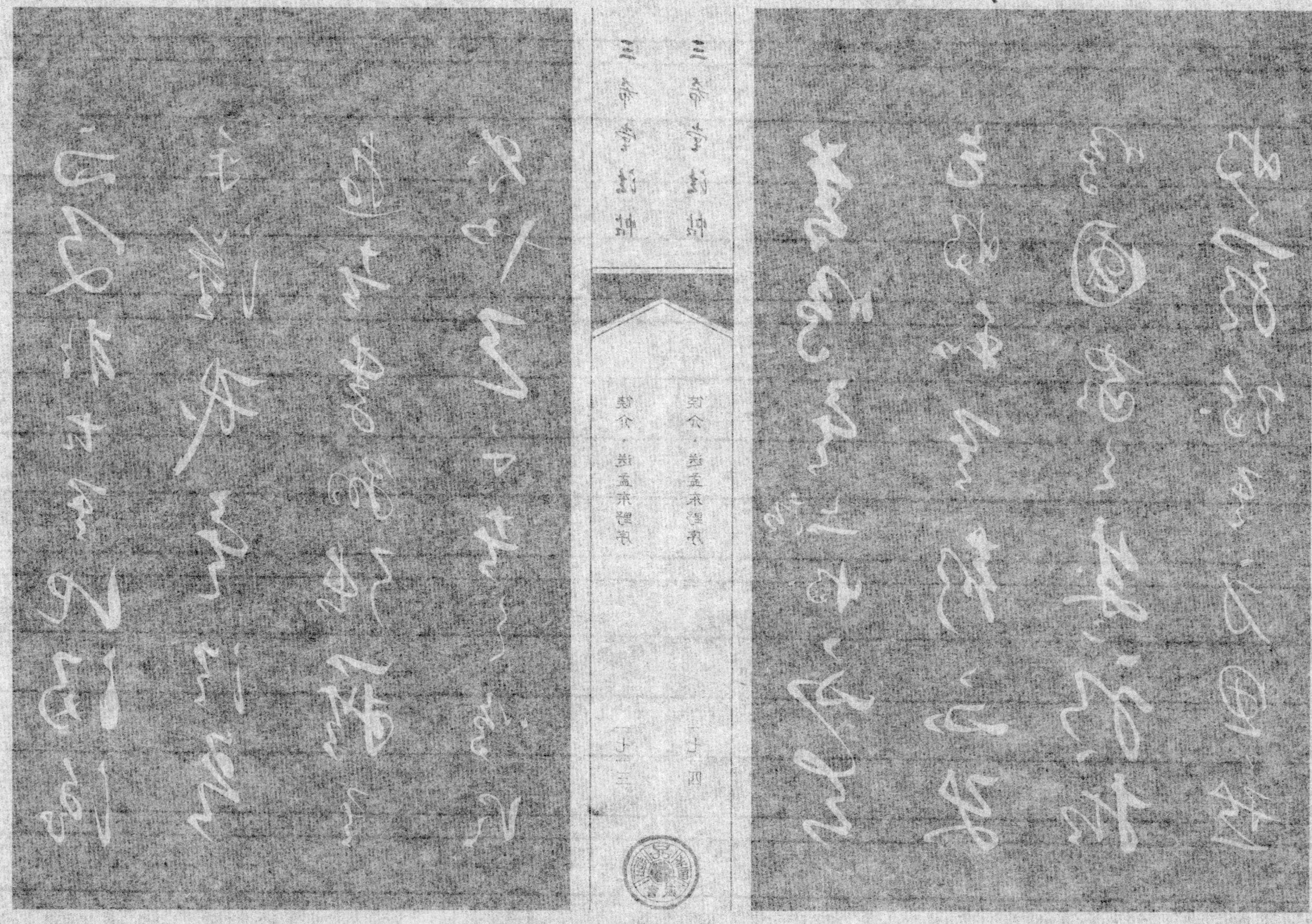

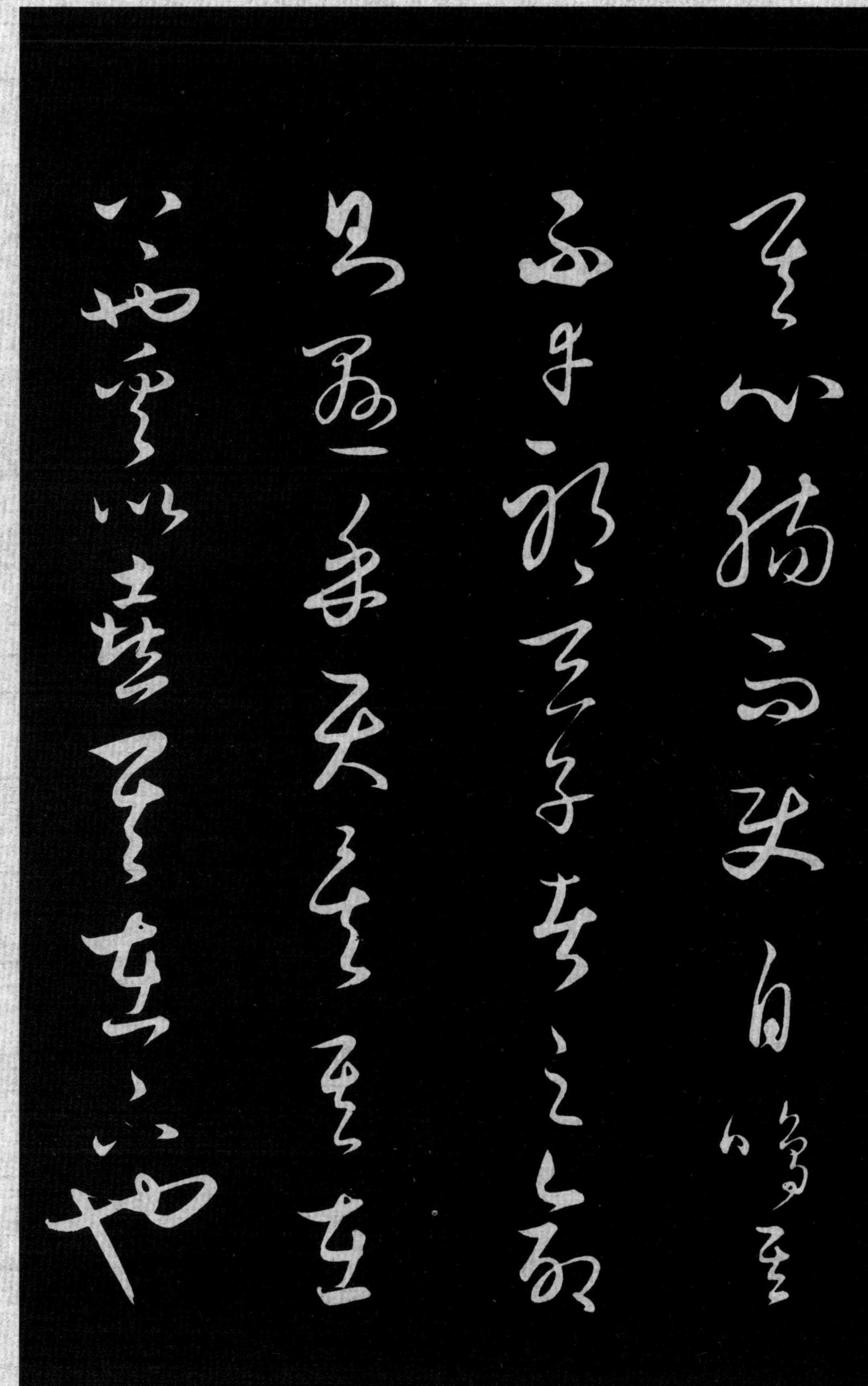

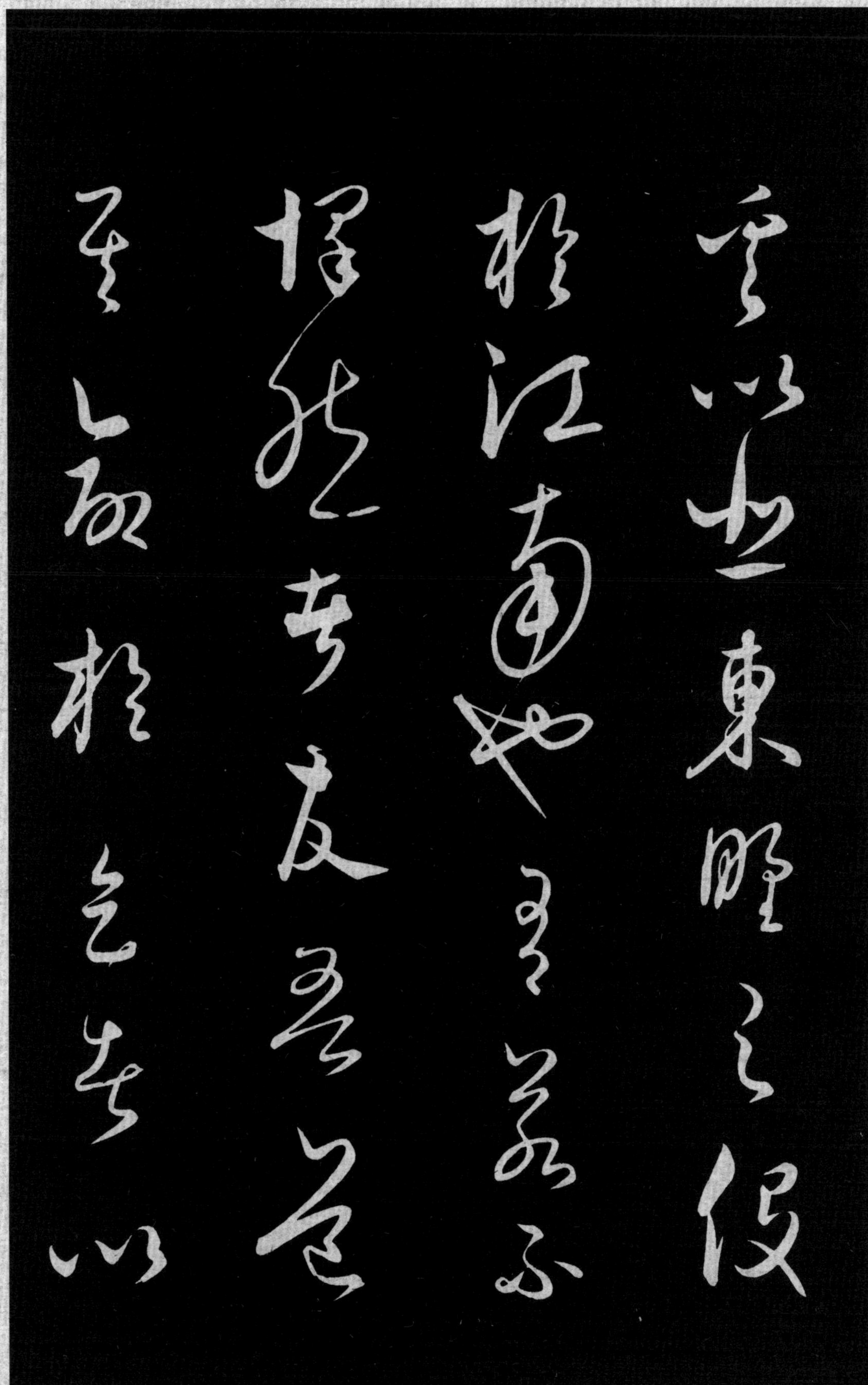

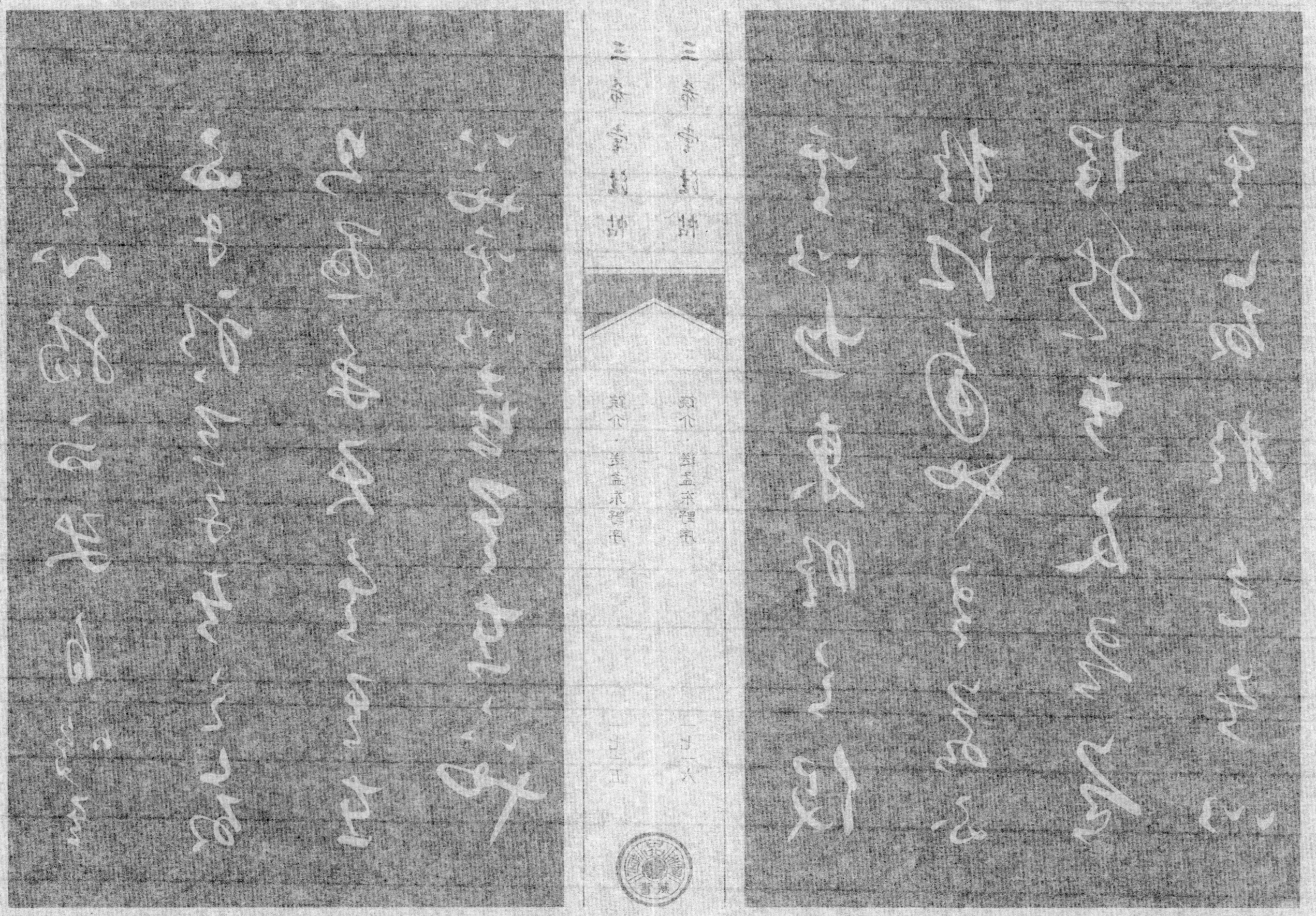

饒介之

梓人傳

裴封叔之第在

光德里有梓人款其

門願傭隙宇而處

焉所職尋引

規矩繩墨家不

居礱斲之器問其能

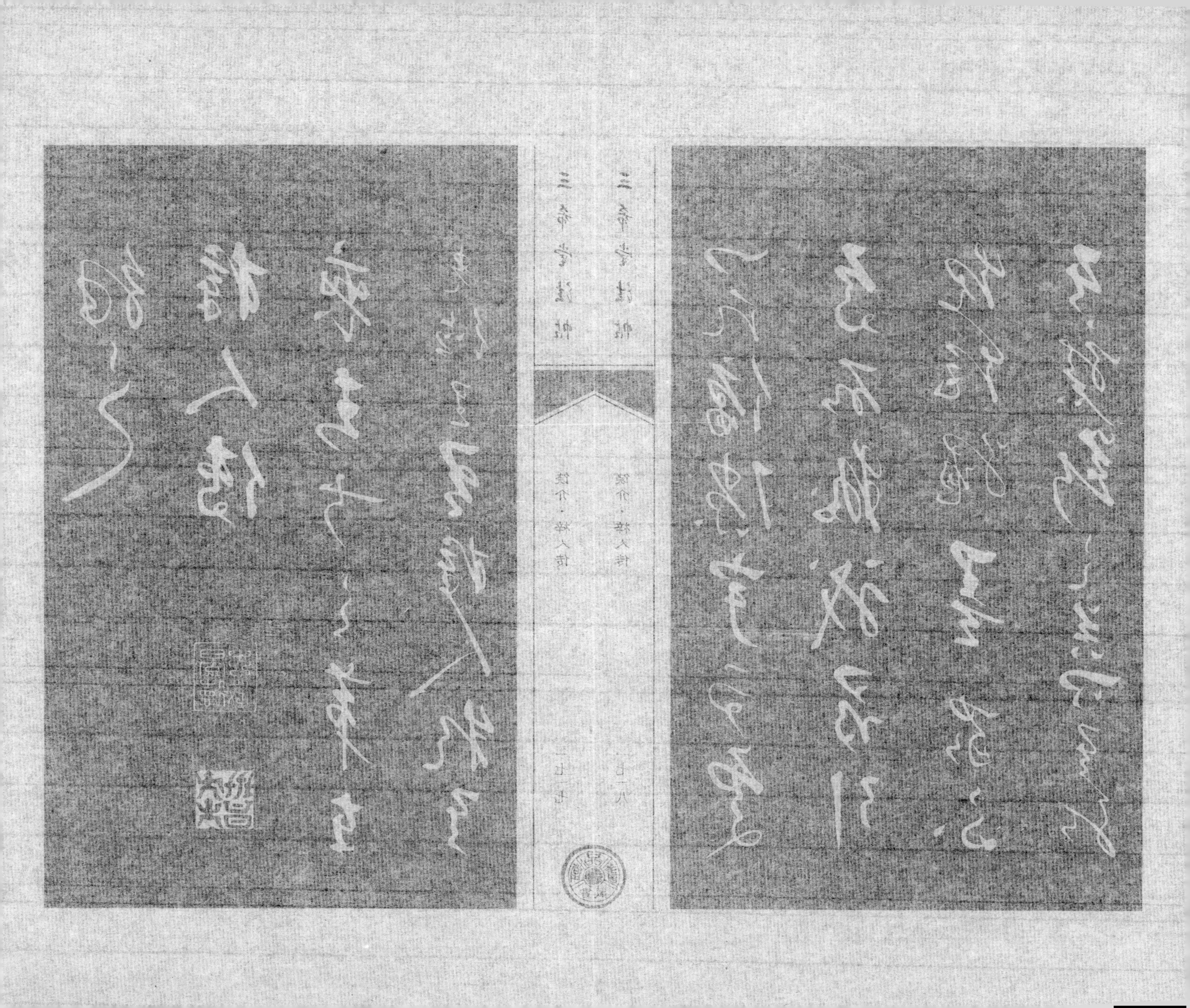

三希堂法帖

谢万·美人帖

曰吾善度材視棟
宇之制高深圓方
短長之宜吾指使而
群工役焉舍我眾

三希堂法帖

饶介·梓人传

莫能就一宇故食於
官府吾受祿三倍
作於私家吾收其直
太半焉他日入其室

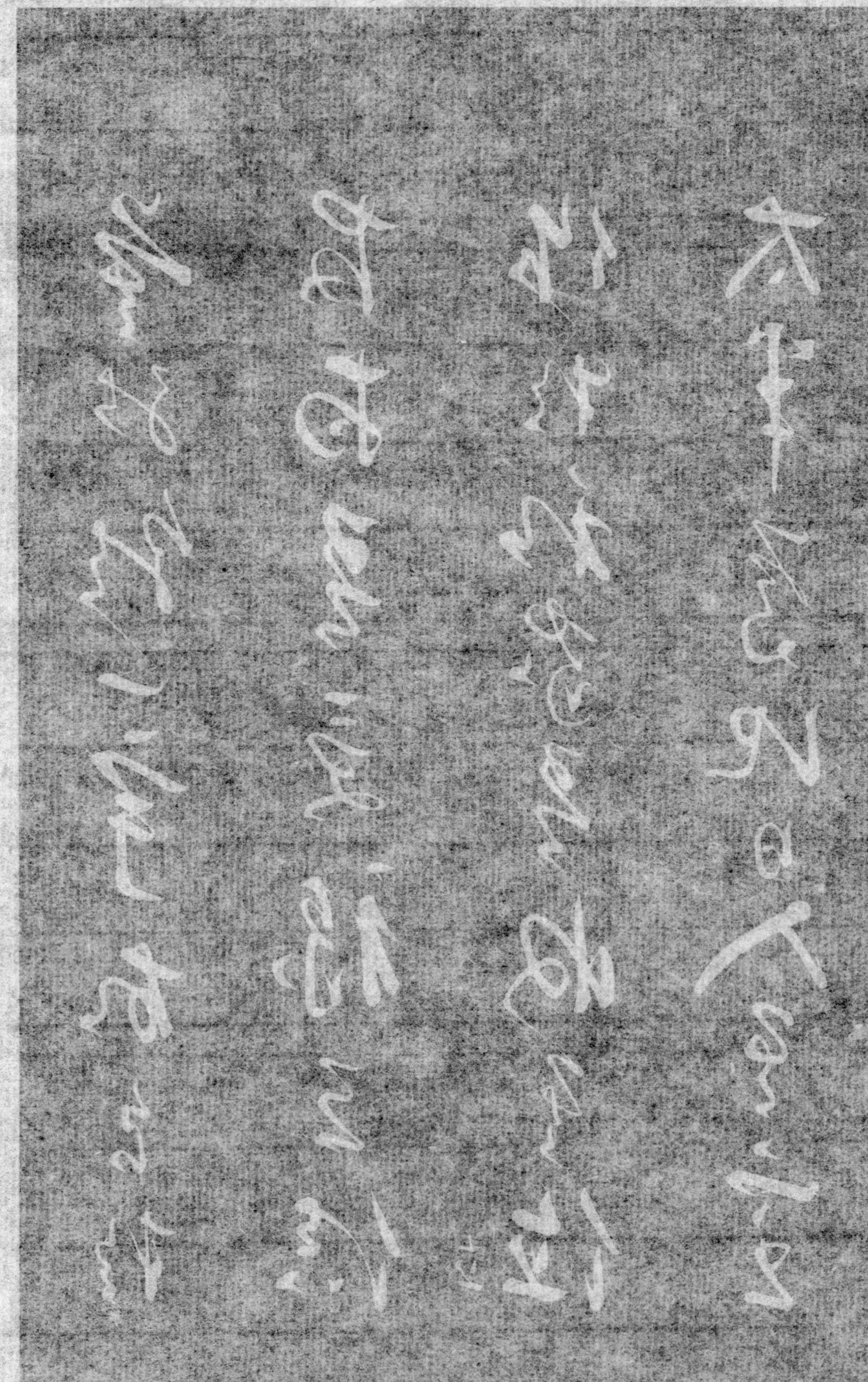

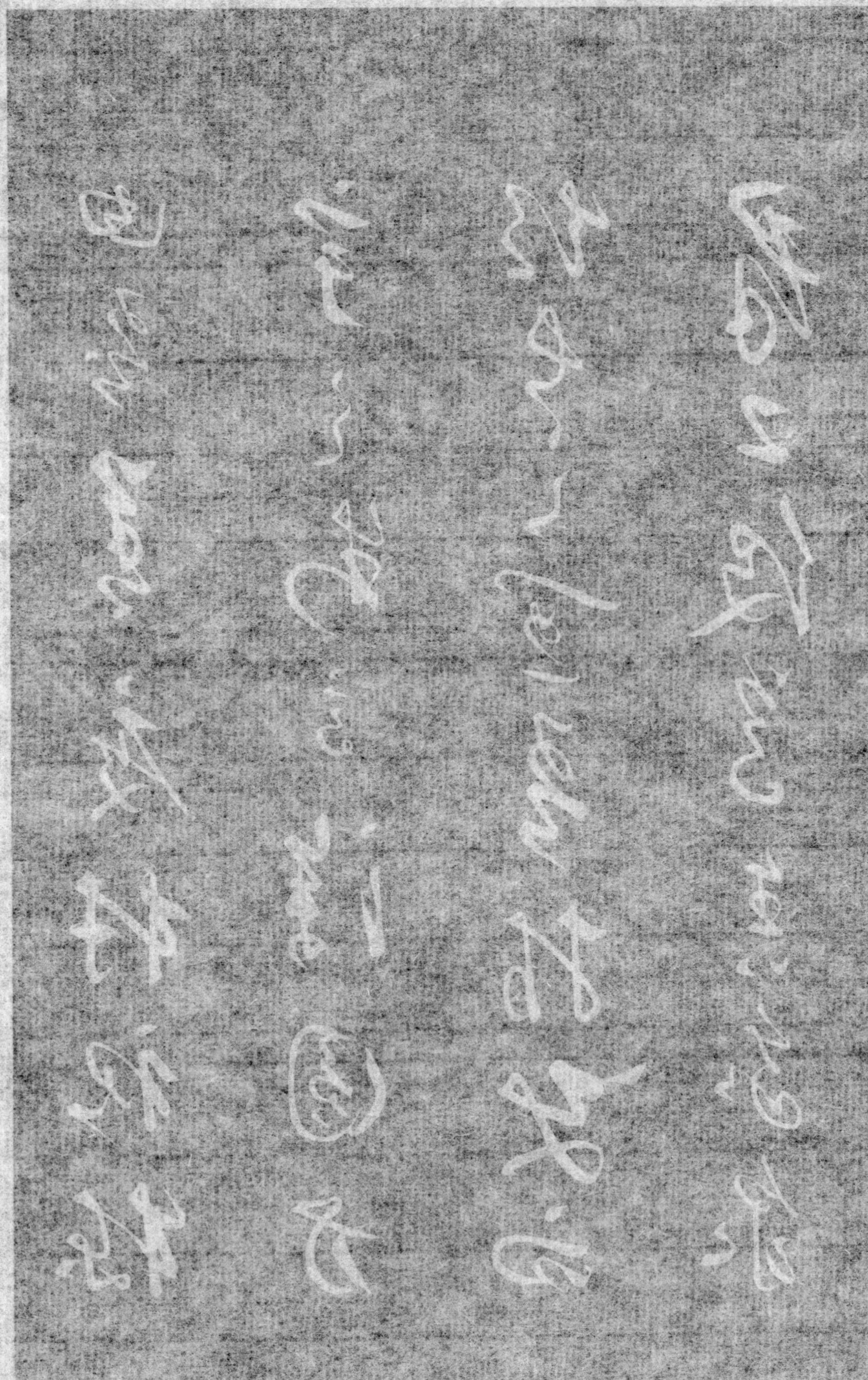

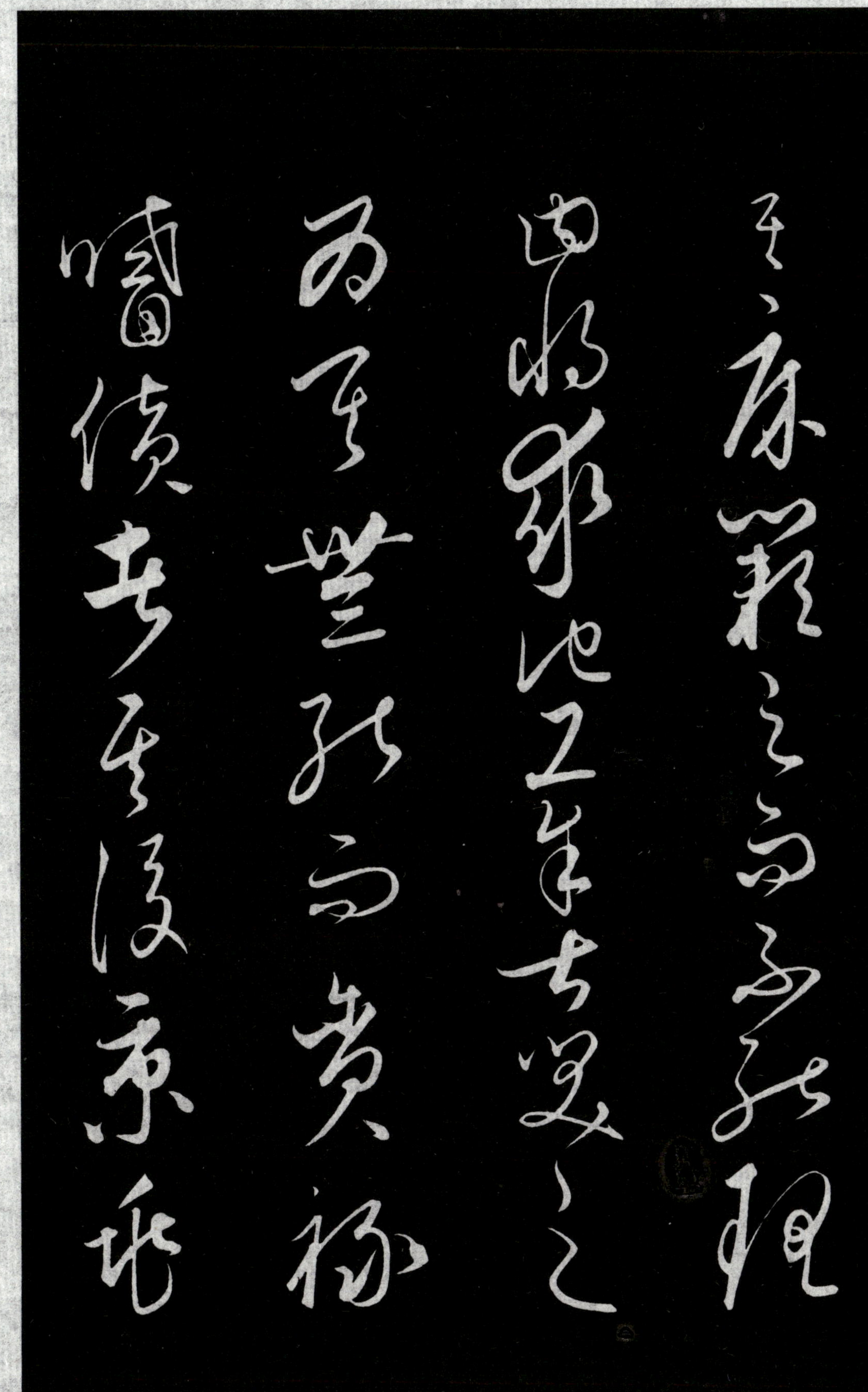

三希堂法帖

饶介·梓人传

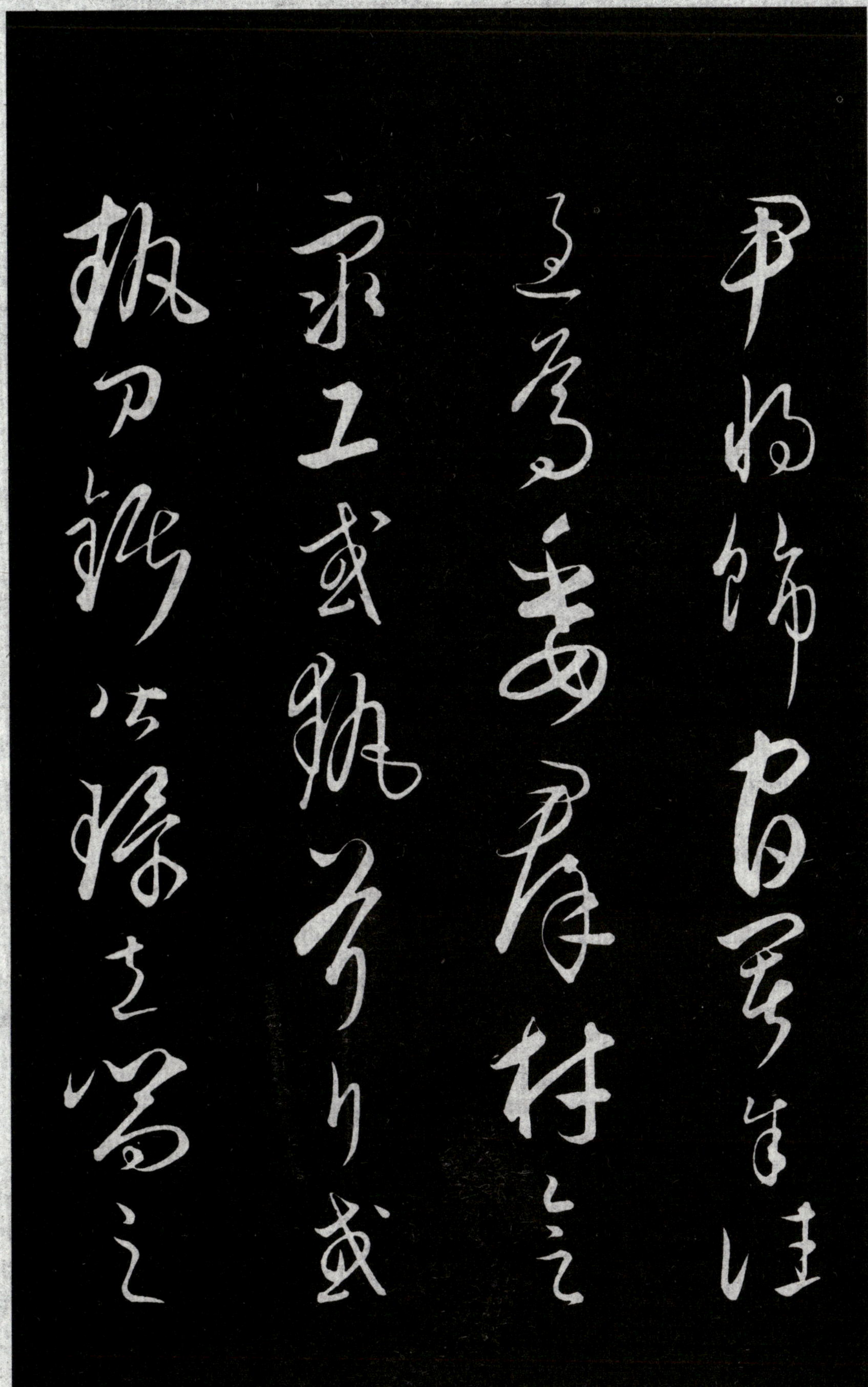

三希堂法帖

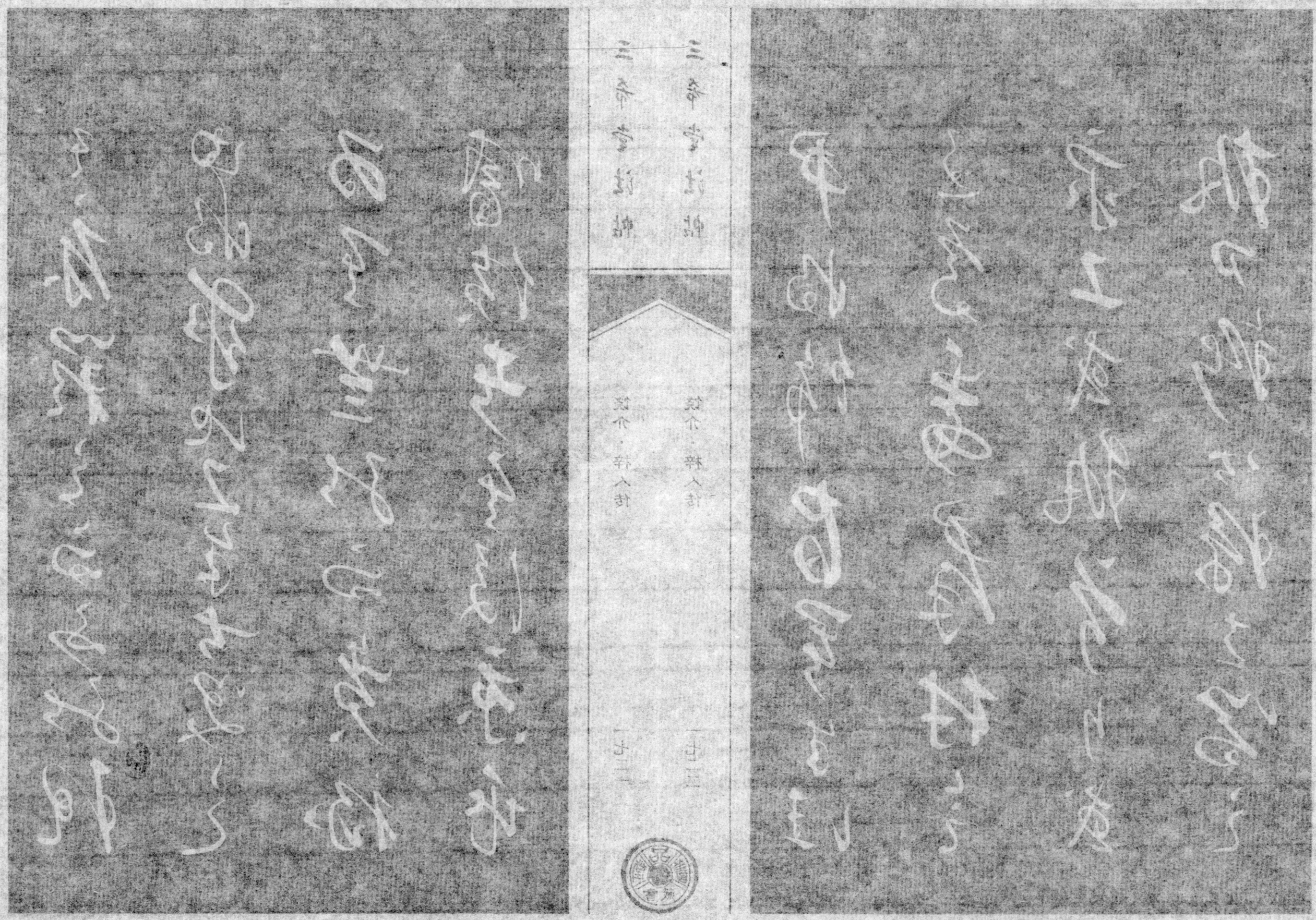

梓人左執引右執
杖而中處焉量棟宇
之任視木之能舉揮
其杖曰斧彼執斧者

奔而右顧而指曰鋸
彼執鋸者趨而左
俄而斤者斫刀者削
皆視其色俟其言莫

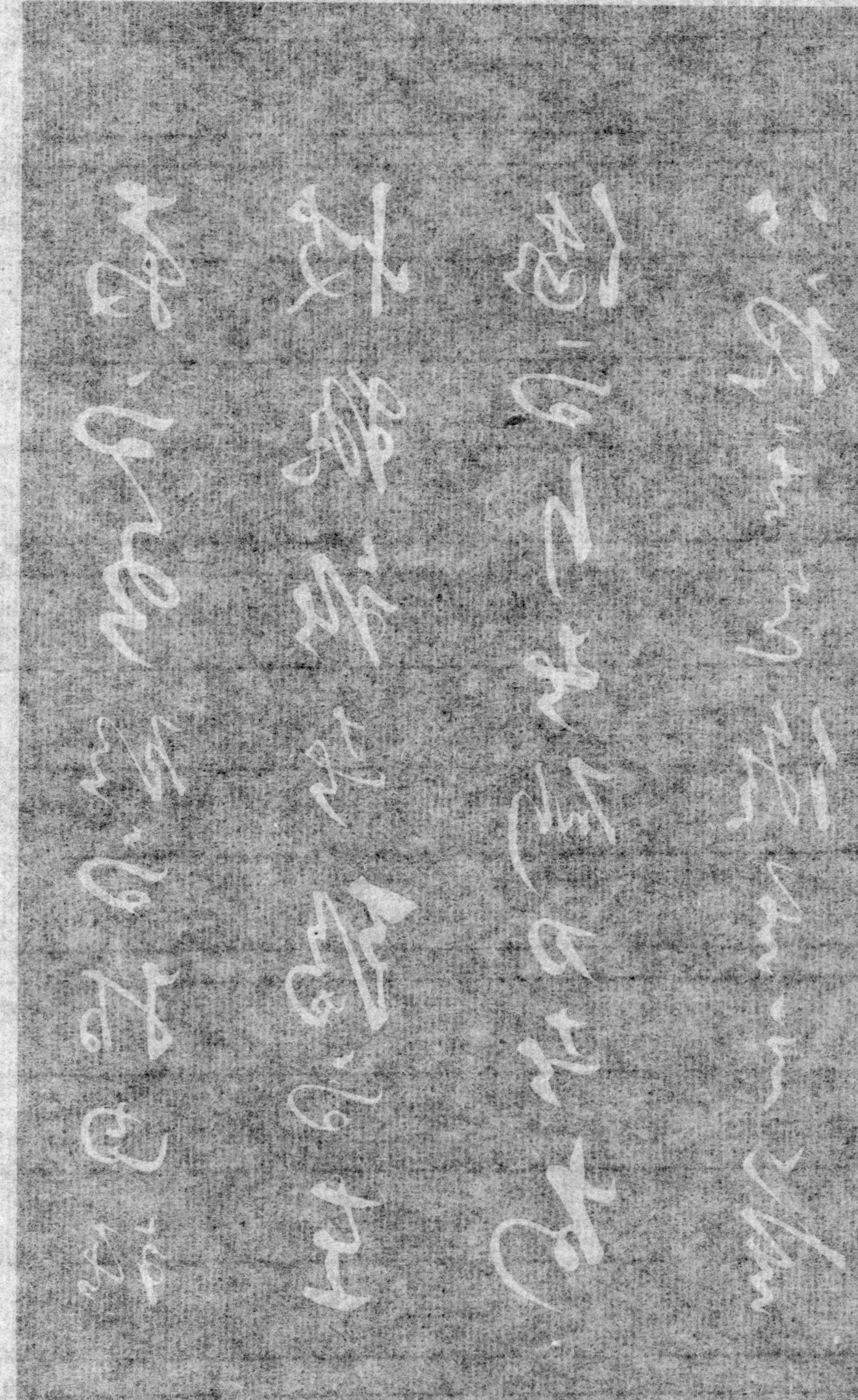

三希堂法帖

釋文 · 奉人帖

一七四

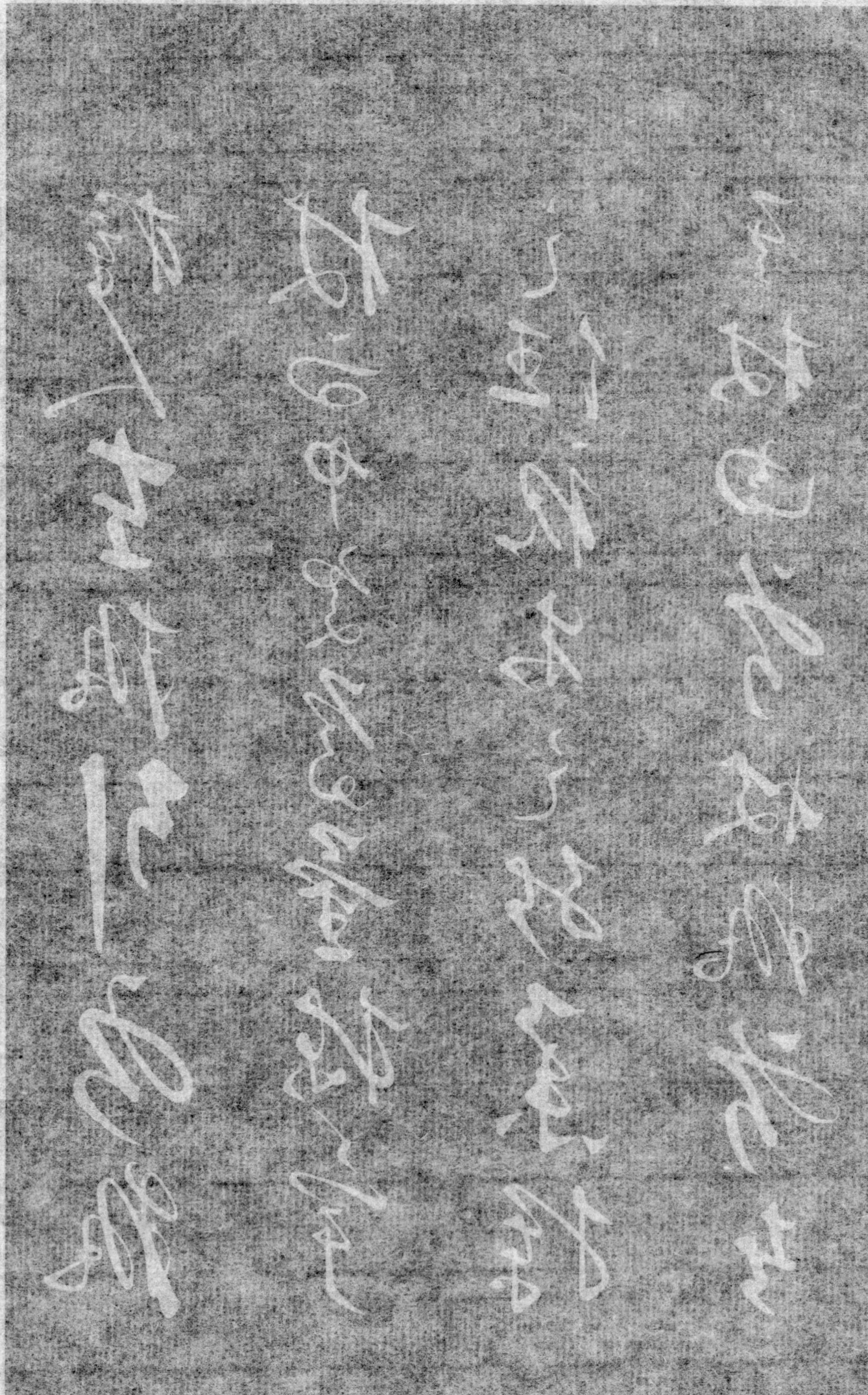

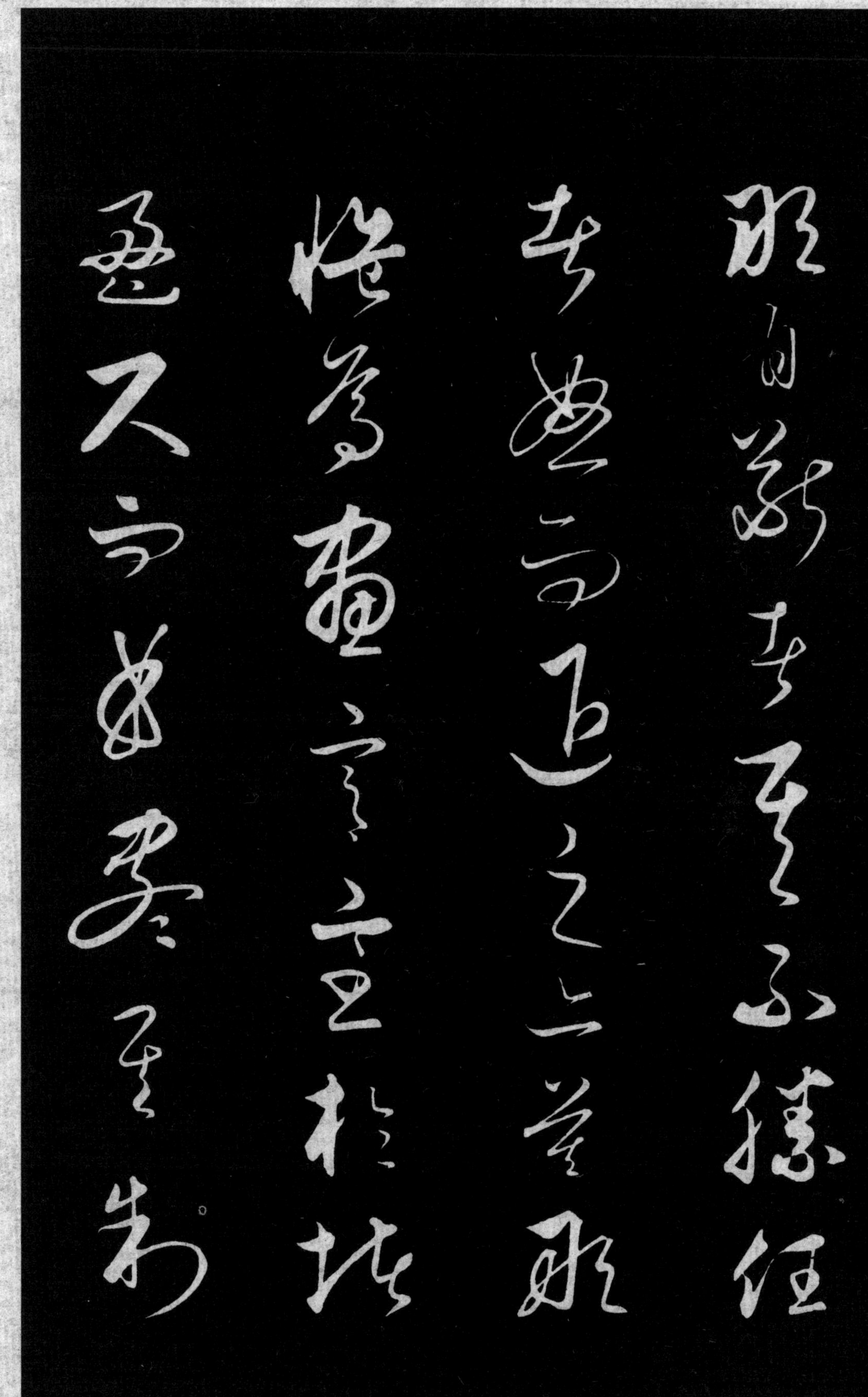

三希堂法帖

饶介·梓人传

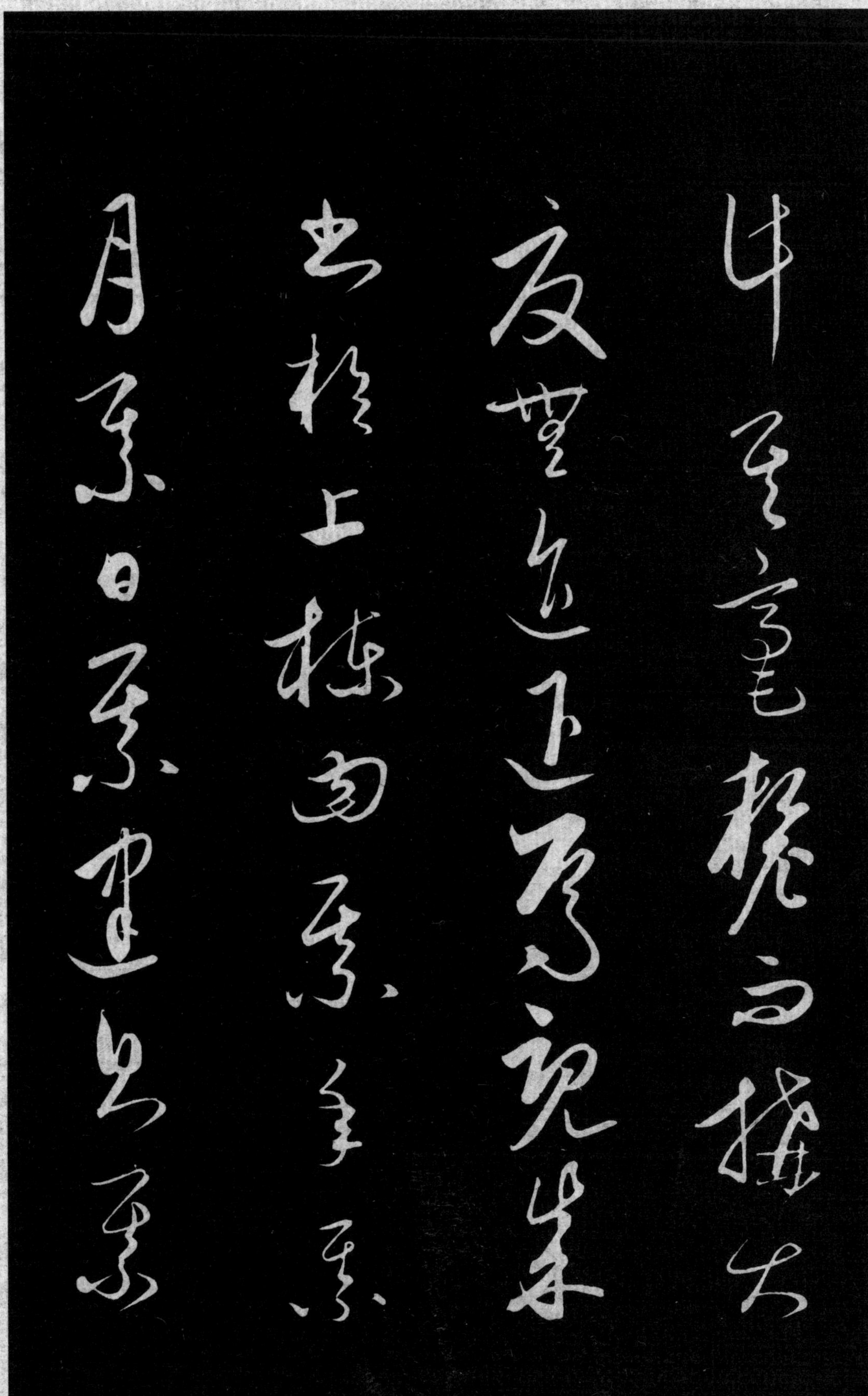

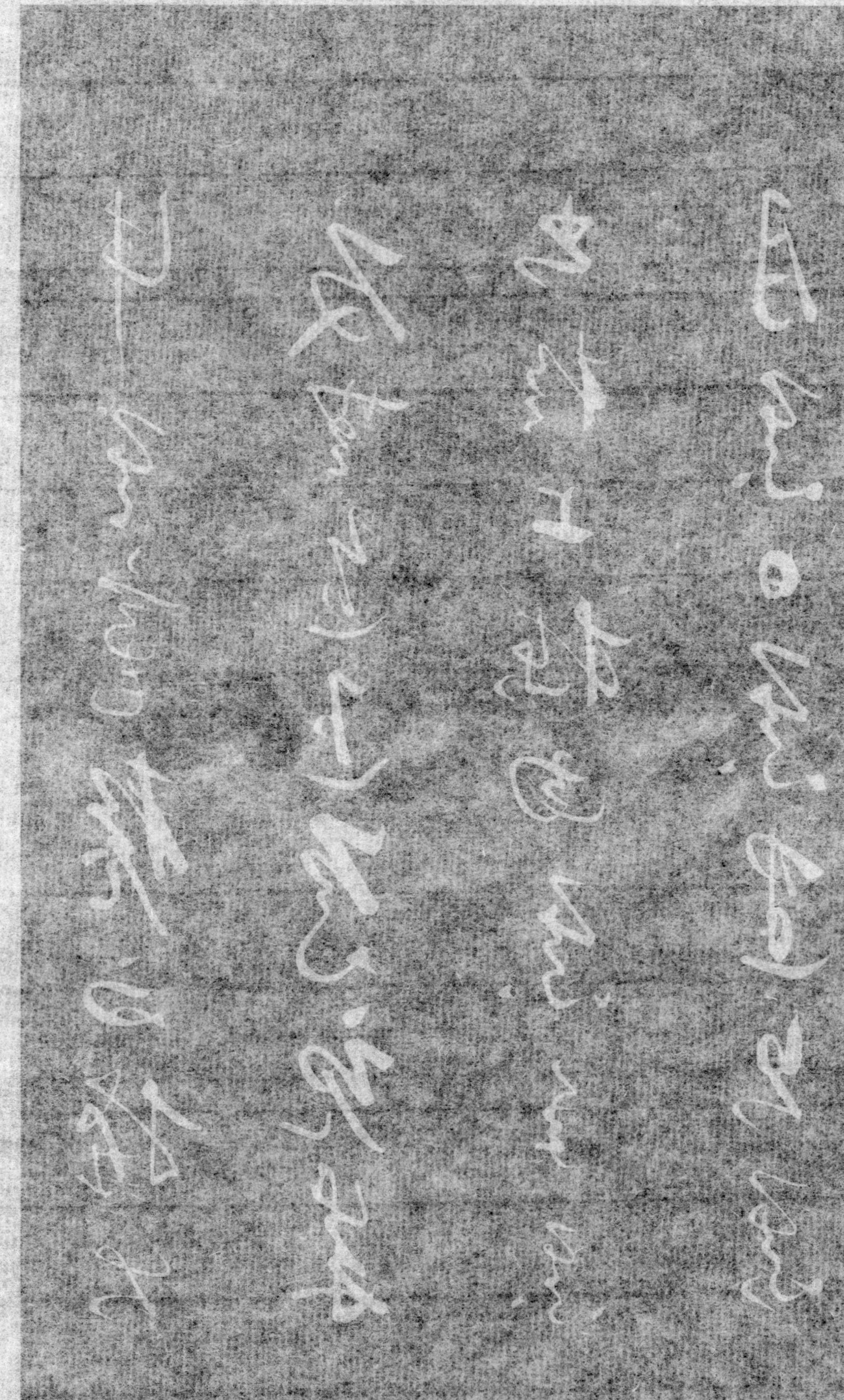

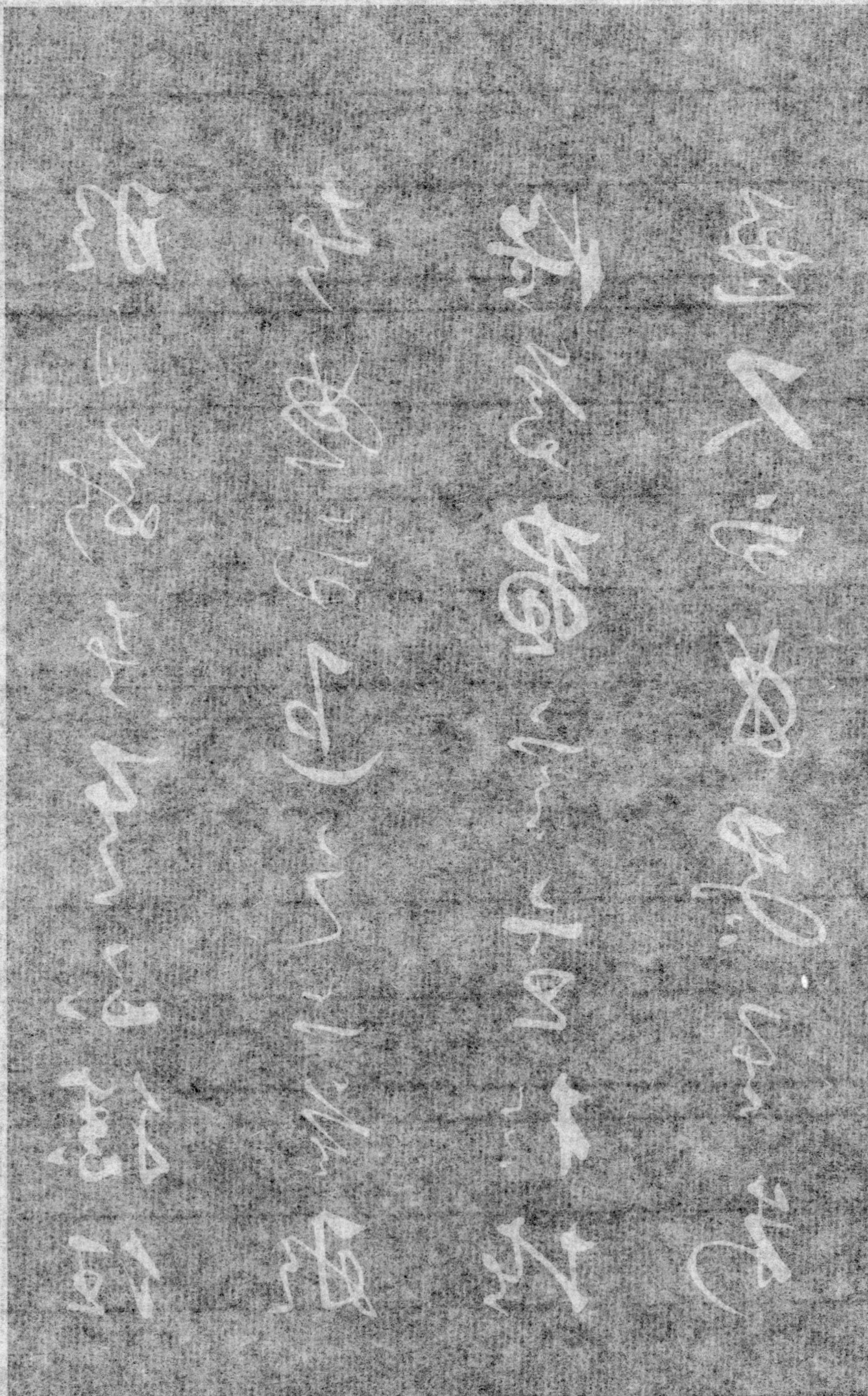

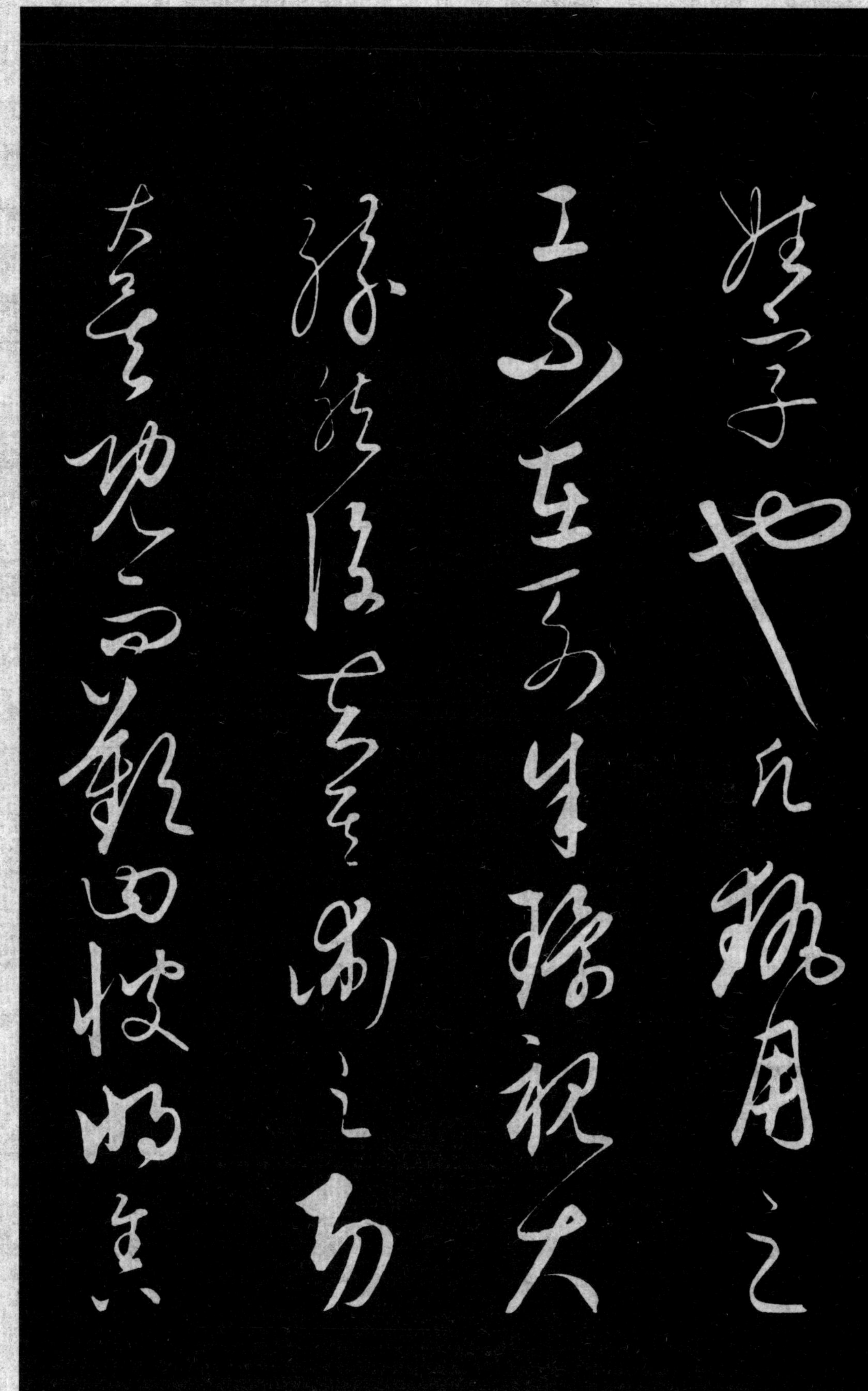

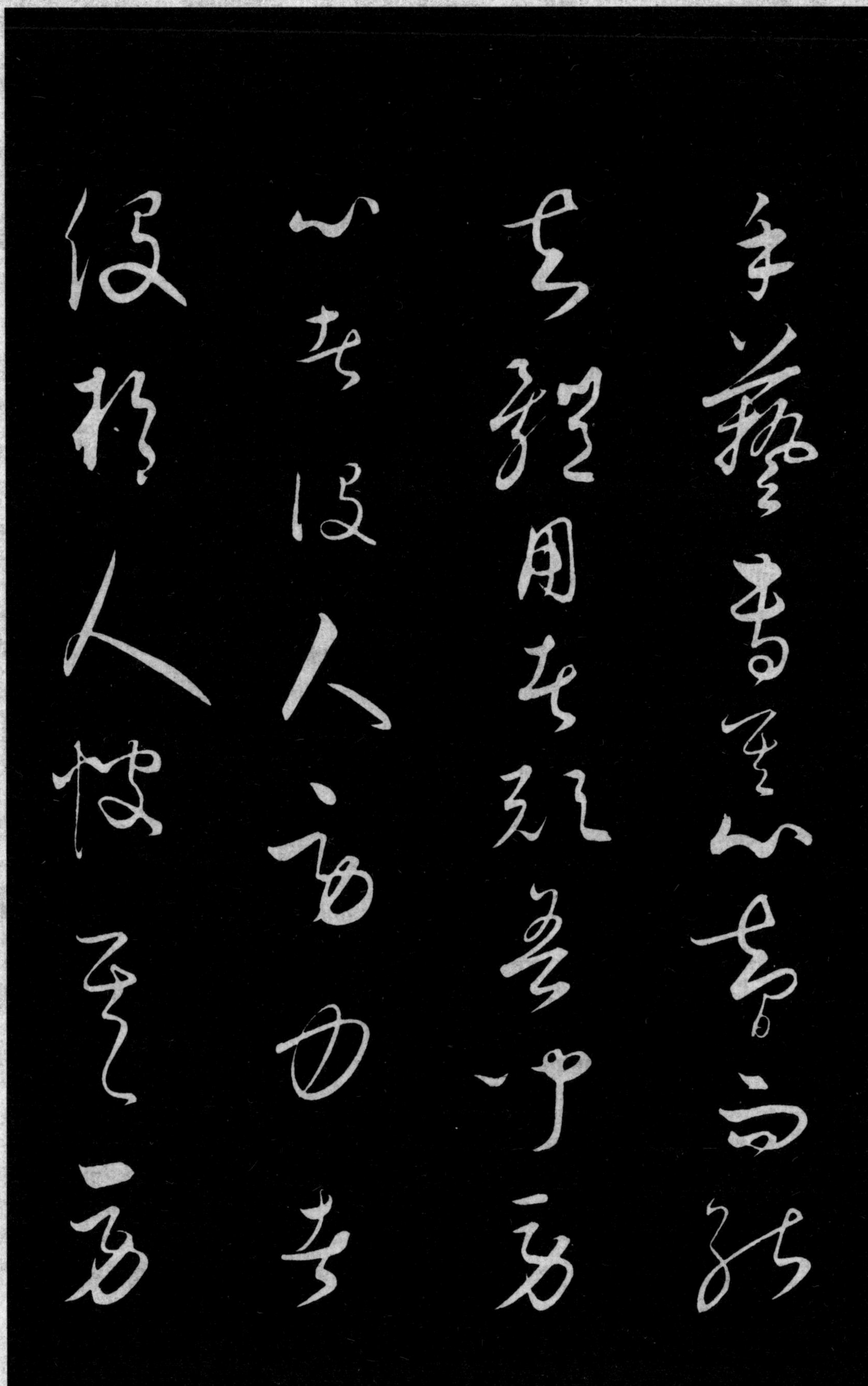

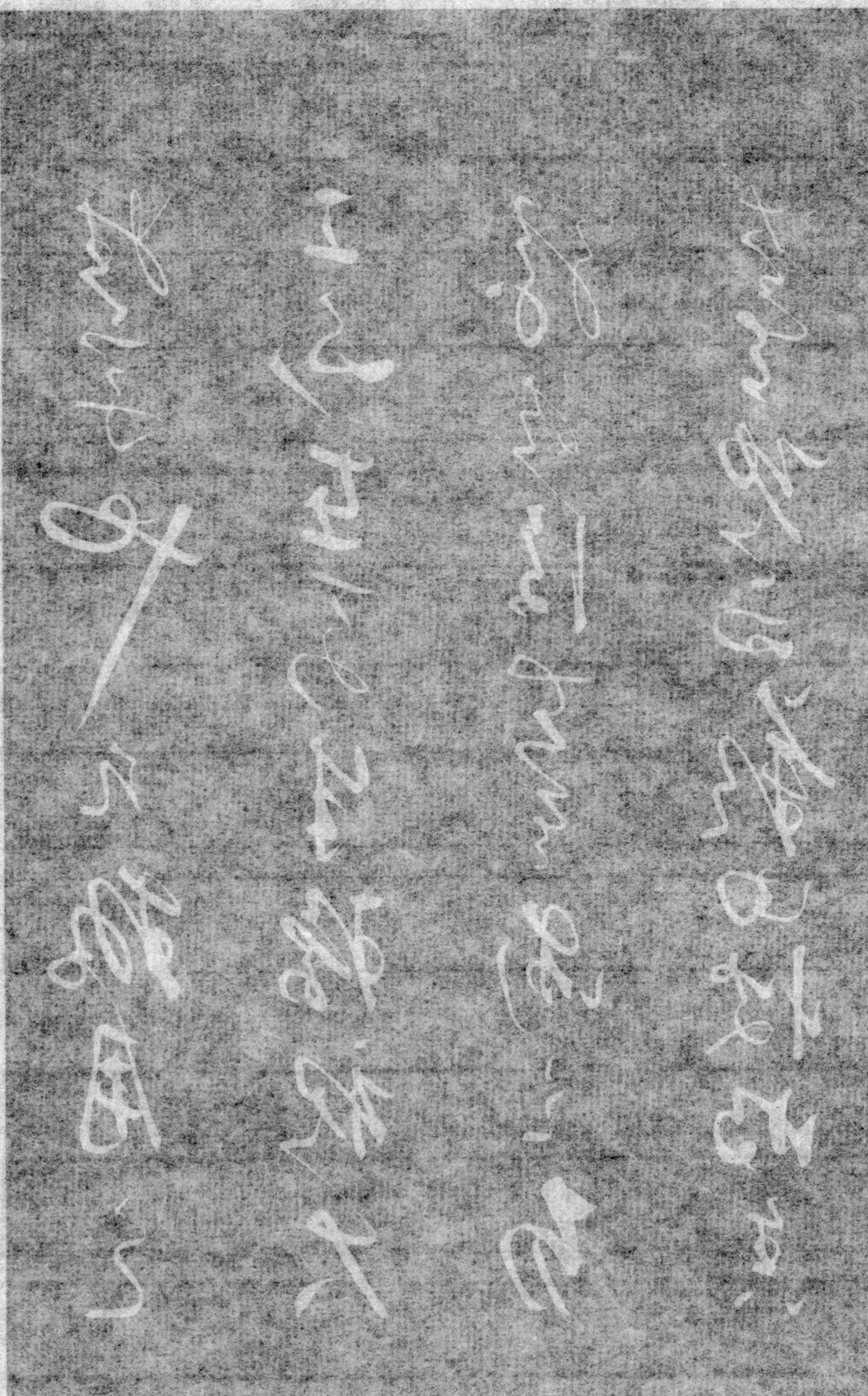

三希堂法帖

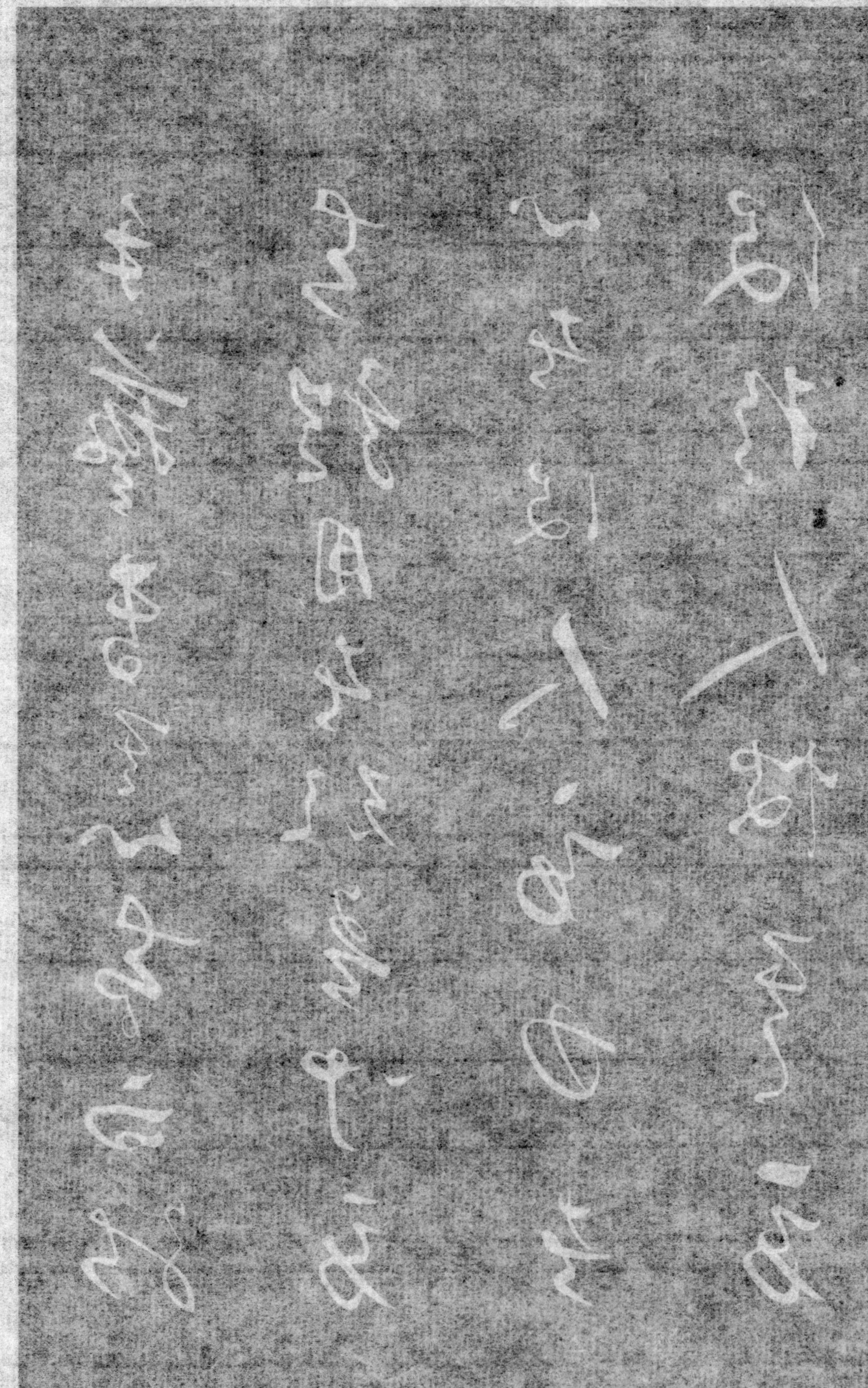

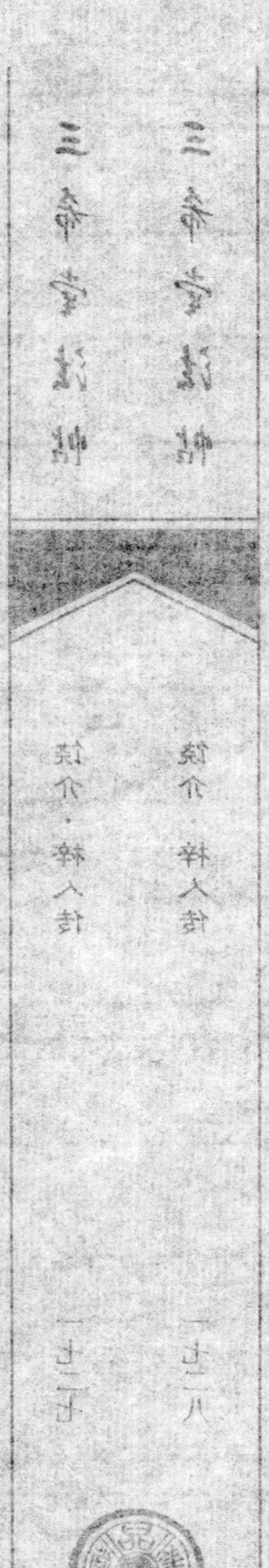

心者欤能者用而
智者谋彼其智者
欤是足为佐天子相
天下法矣物莫近

乎此也彼为天下者
本于人其执役者为
徒隶为乡师里胥其
上为下士又其上为中

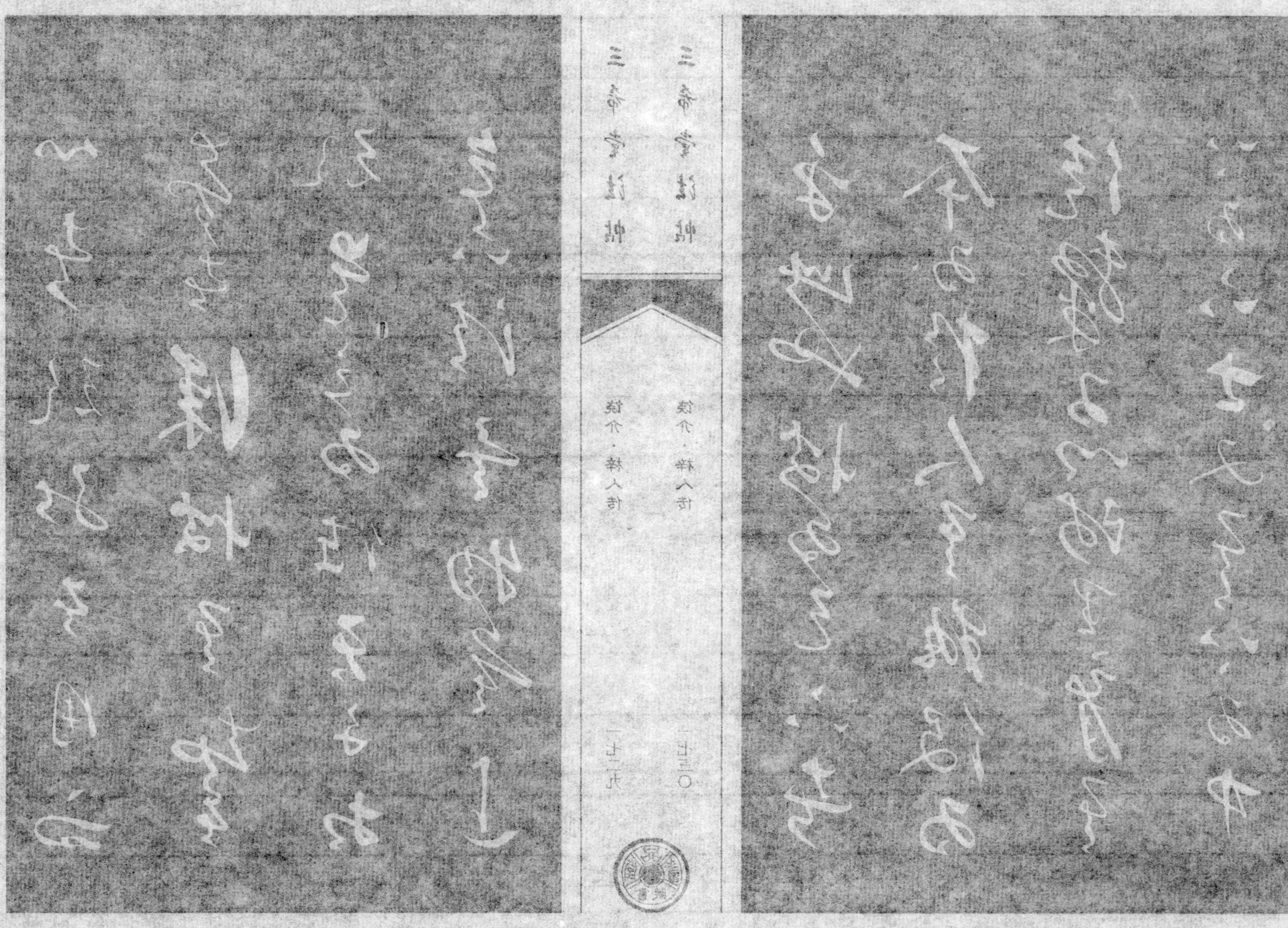

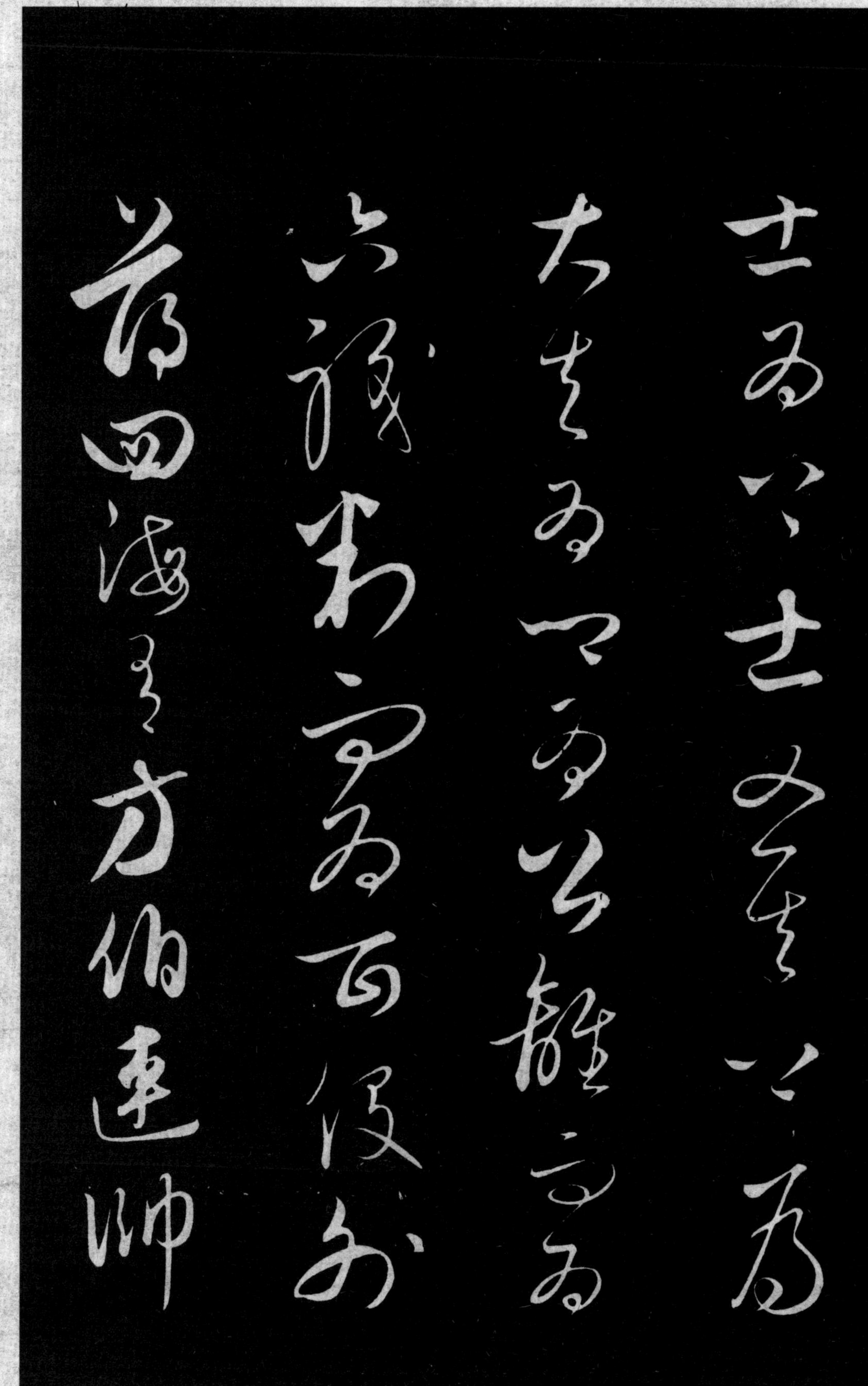

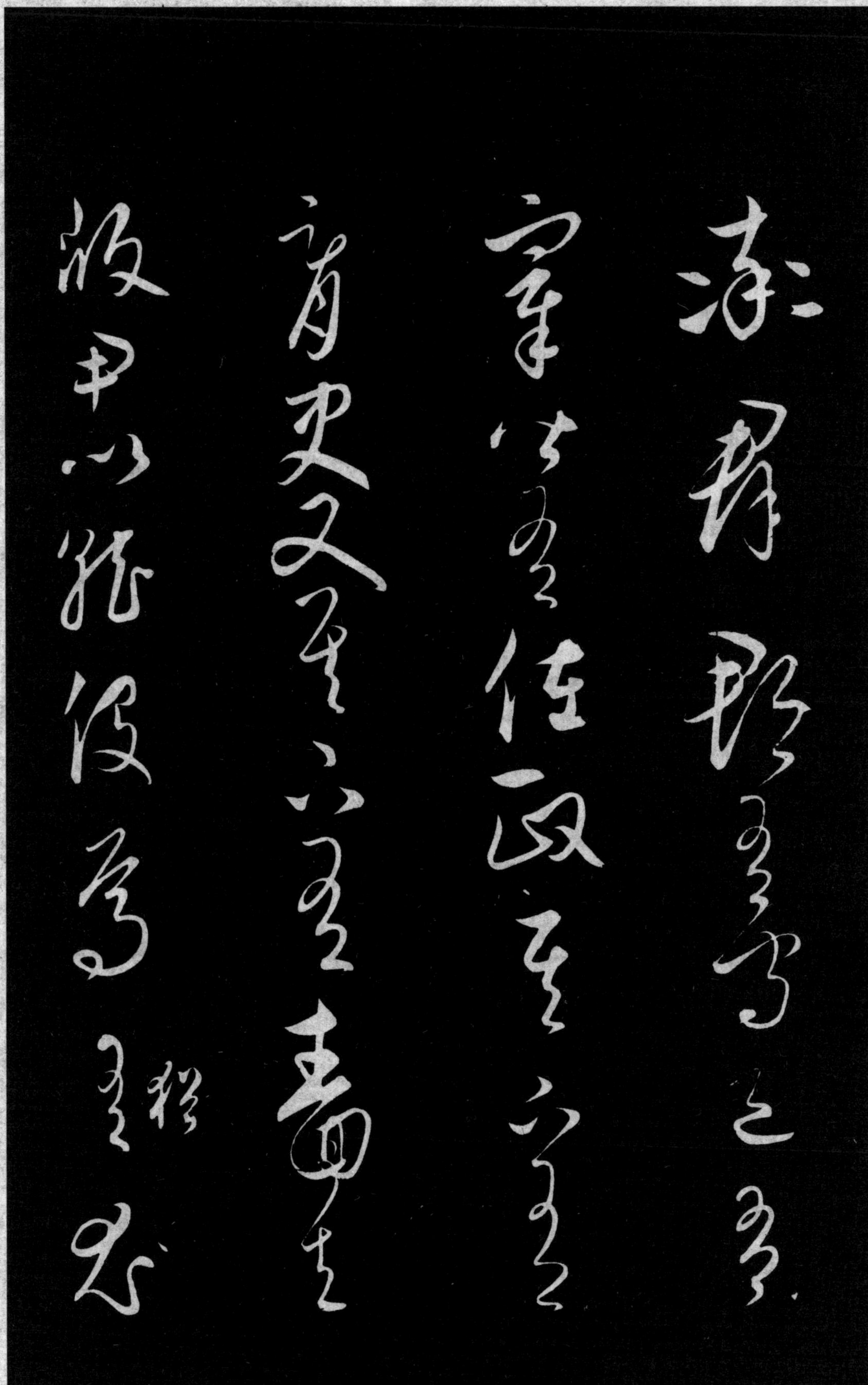

众工之各有执技以
食力也彼佐天子相天
下者举而加焉指
而使焉条其纲纪而盈

缩焉齐其法制而整
顿焉犹梓人之有规矩
绳墨以定制也择
天下之士使称其职

[illegible]

[illegible]

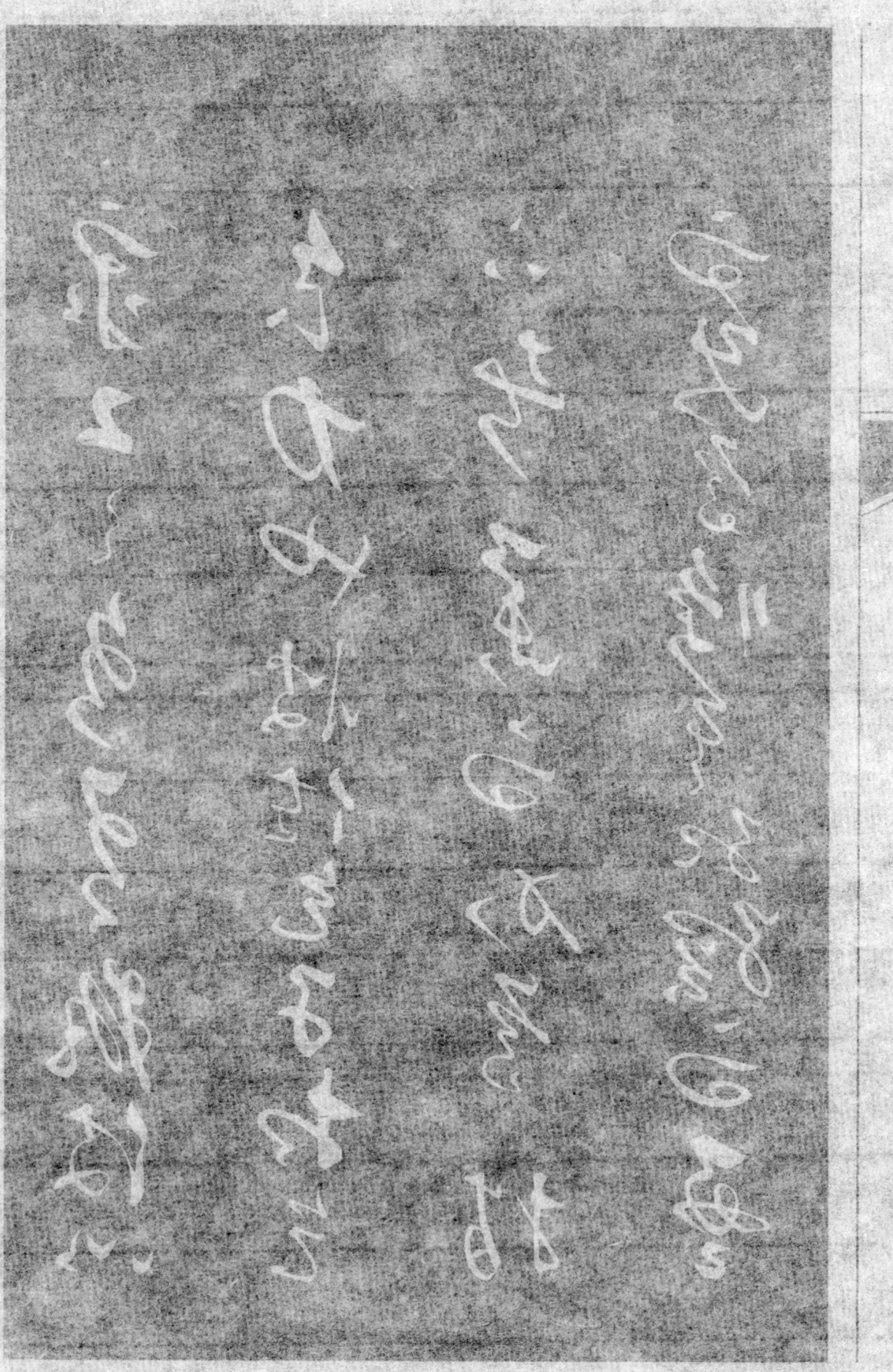

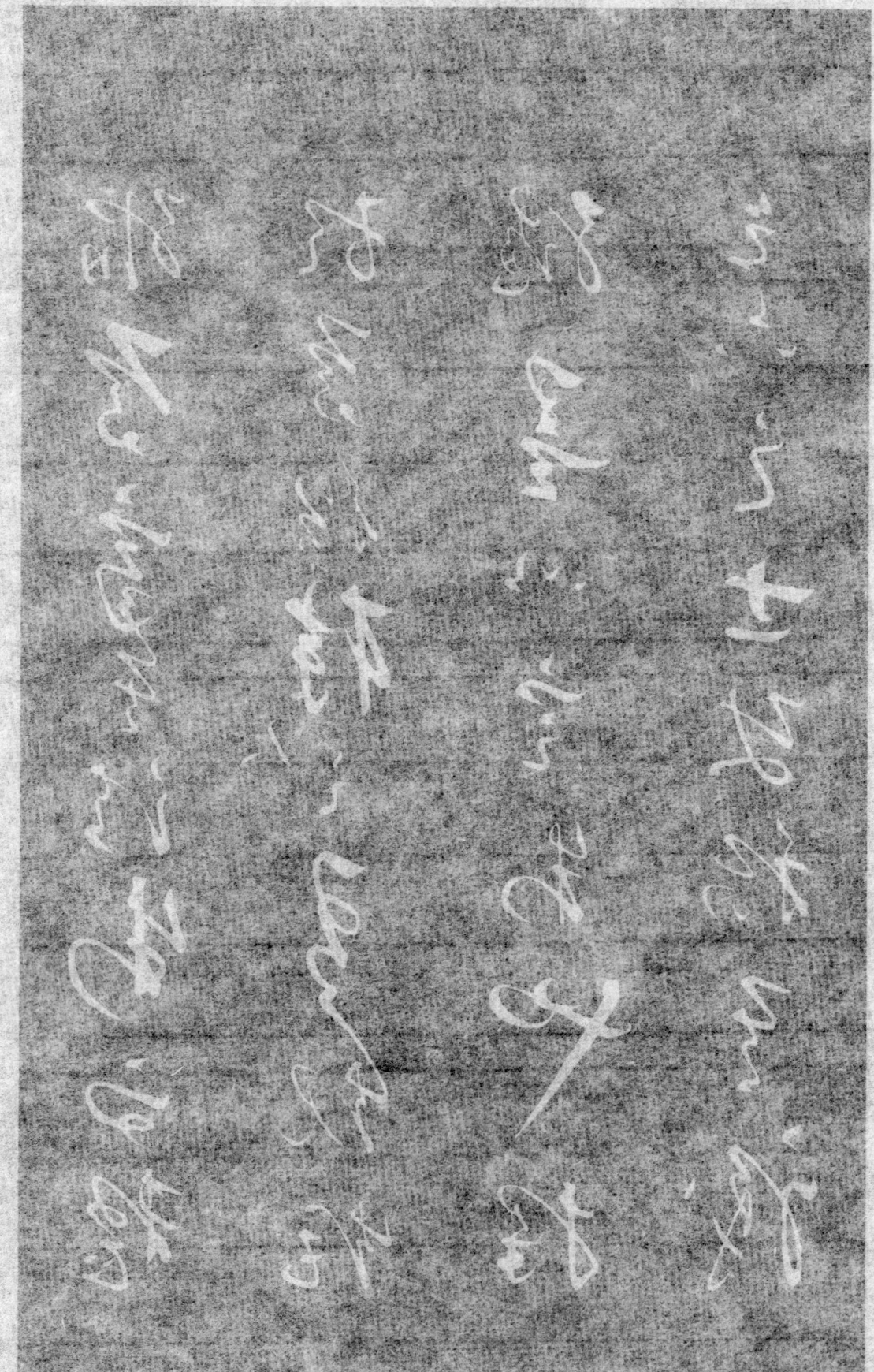

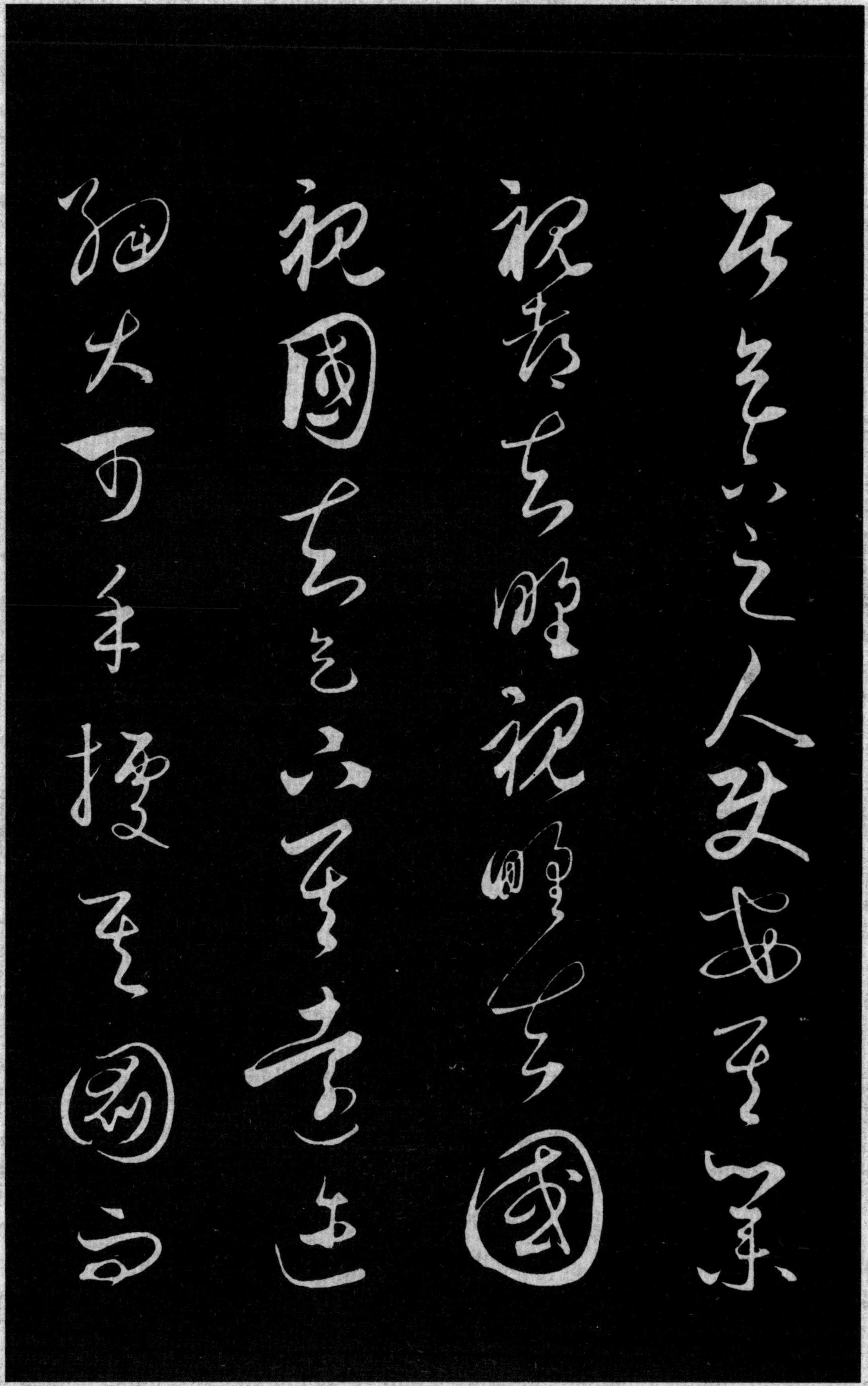

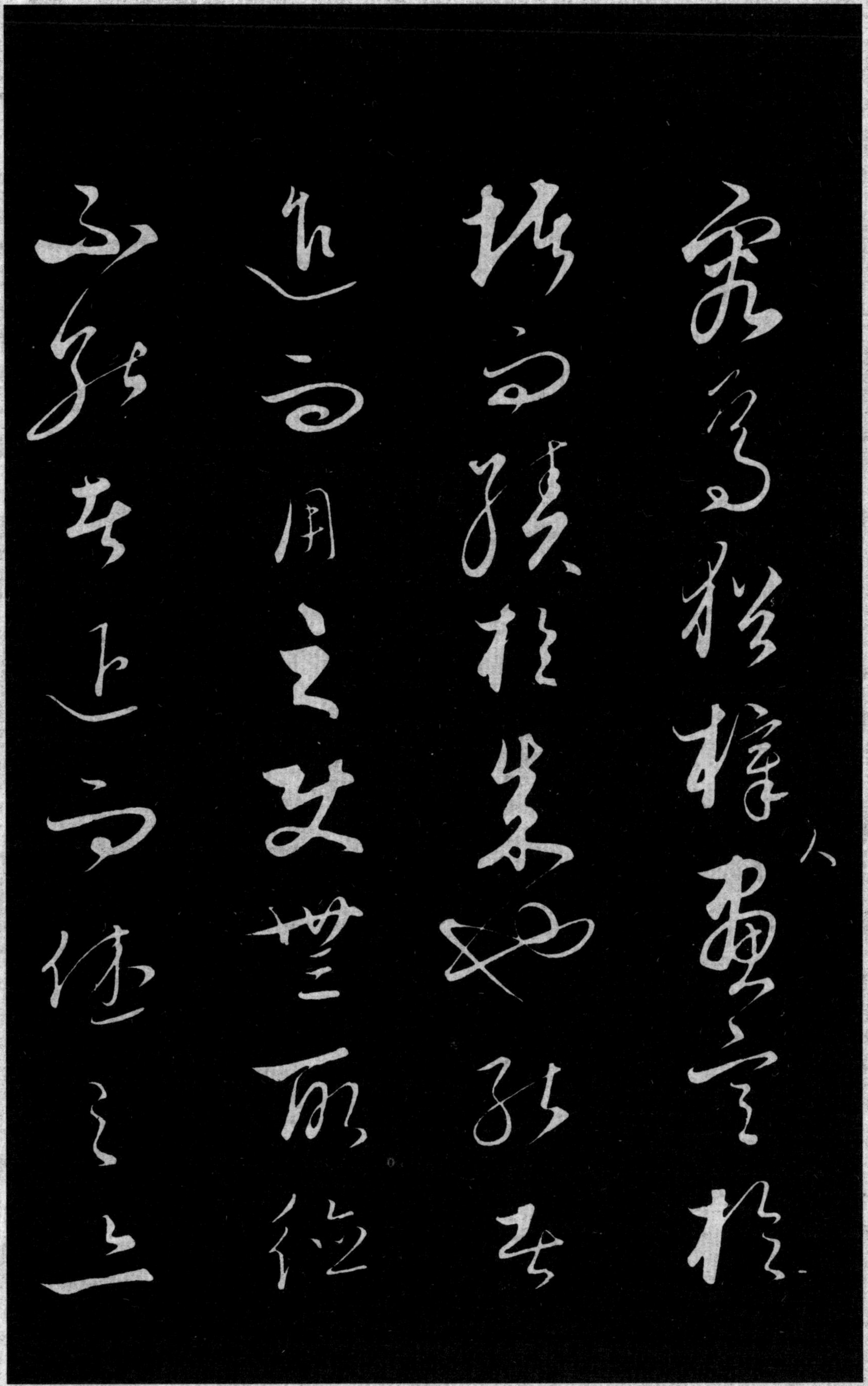

居天下之人使安其業視都知野視野知國視國知天下其遠邇細大可手據其圖而

究焉猶梓人畫宮於堵而績於成也能者進而由之使無所德不能者退而休之

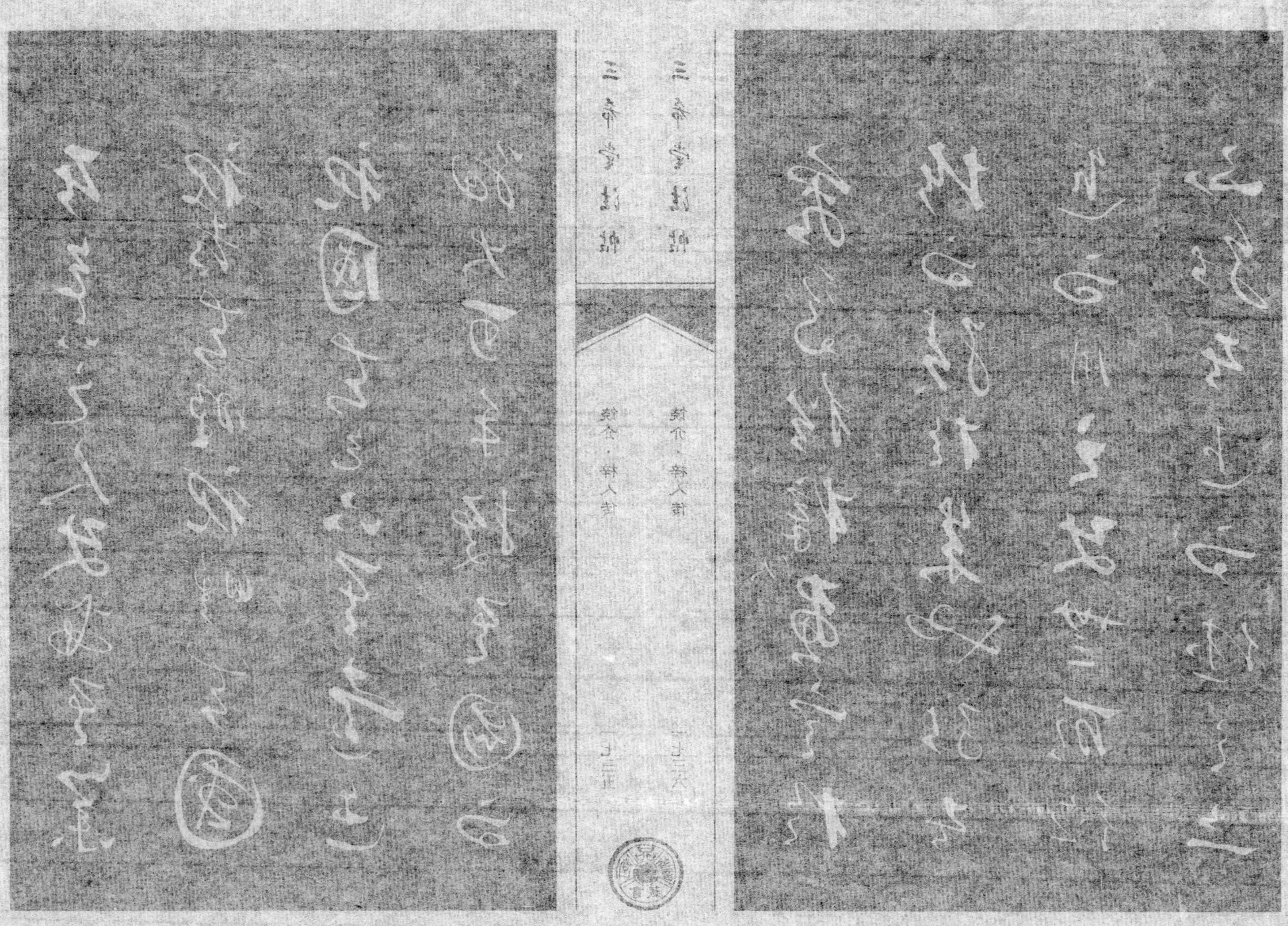

莫敢慍不衒能不矜
名不親小勞不侵衆官
日與天下之英才討
論其大經猶梓人之

善運衆工而不伐藝也夫
然後相道得而萬國
理矣相道既得萬國
既理天下舉首而

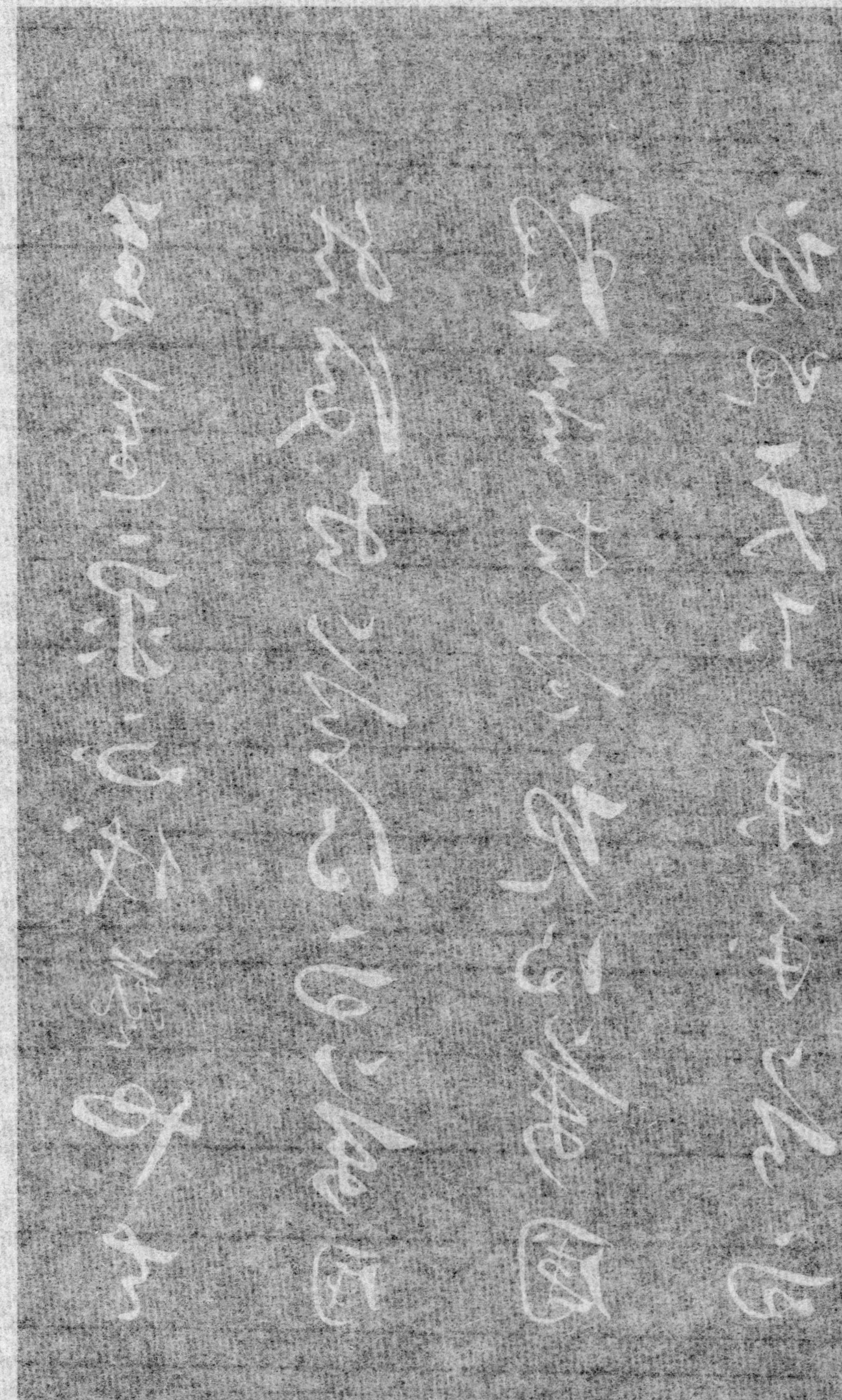

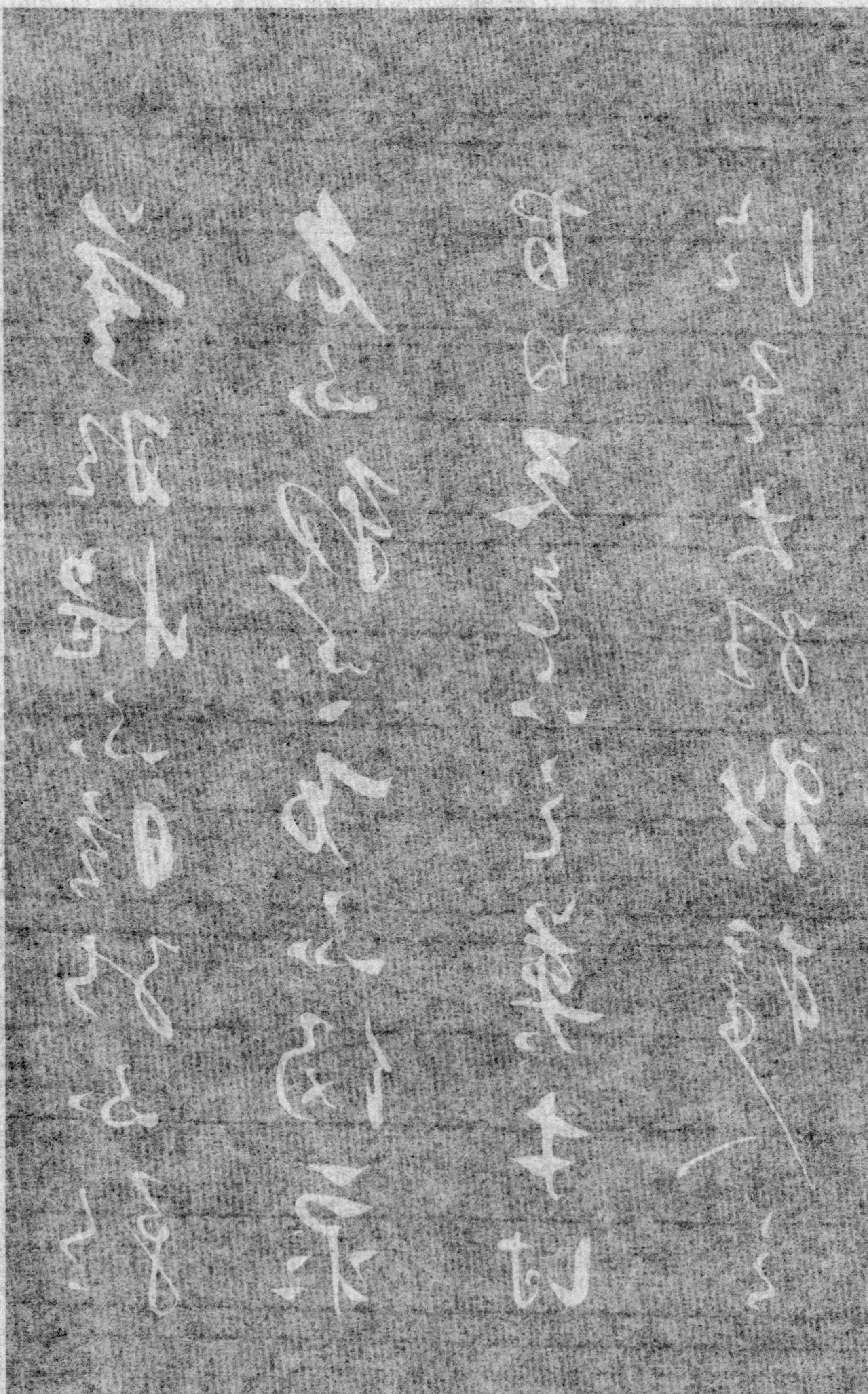

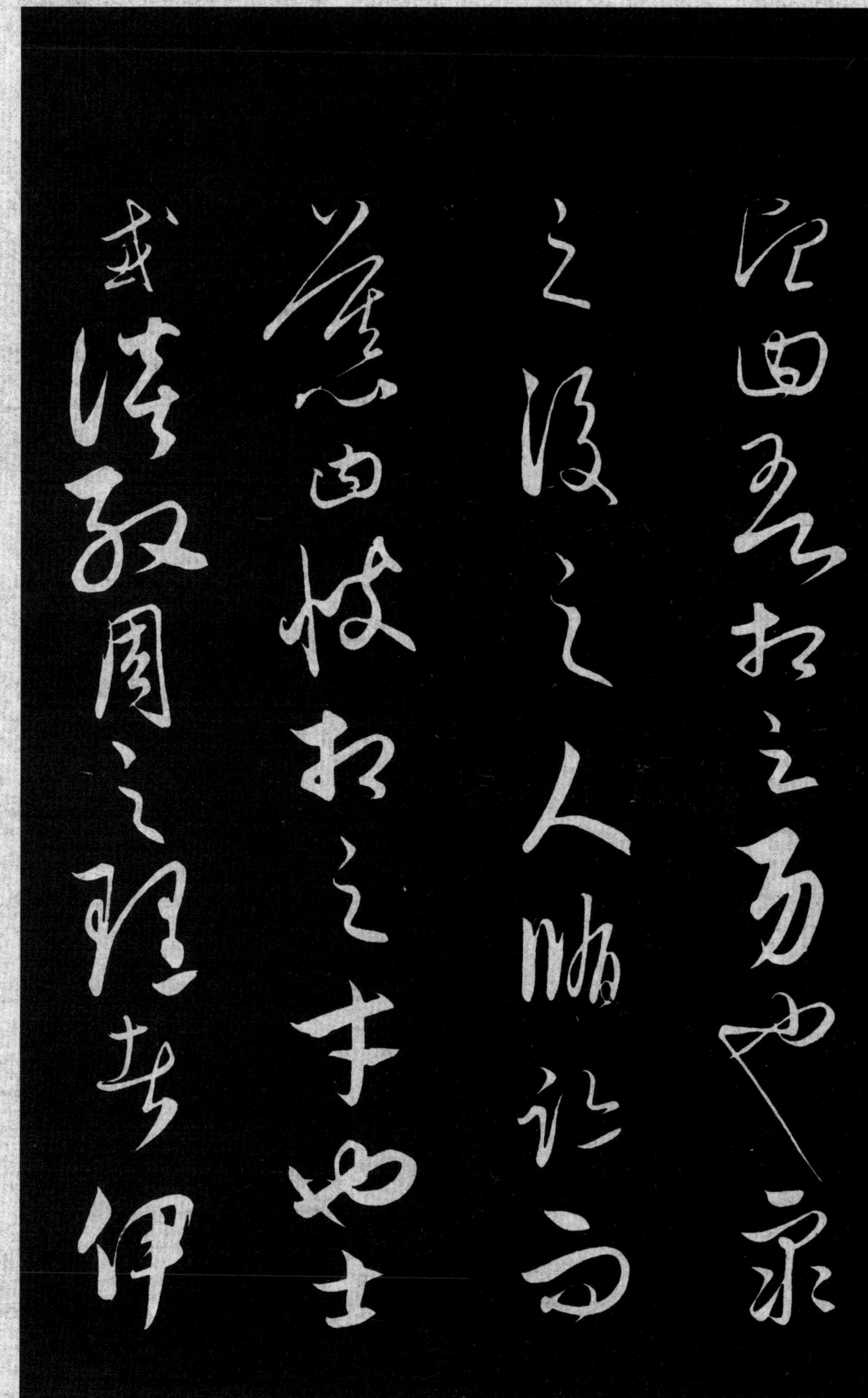

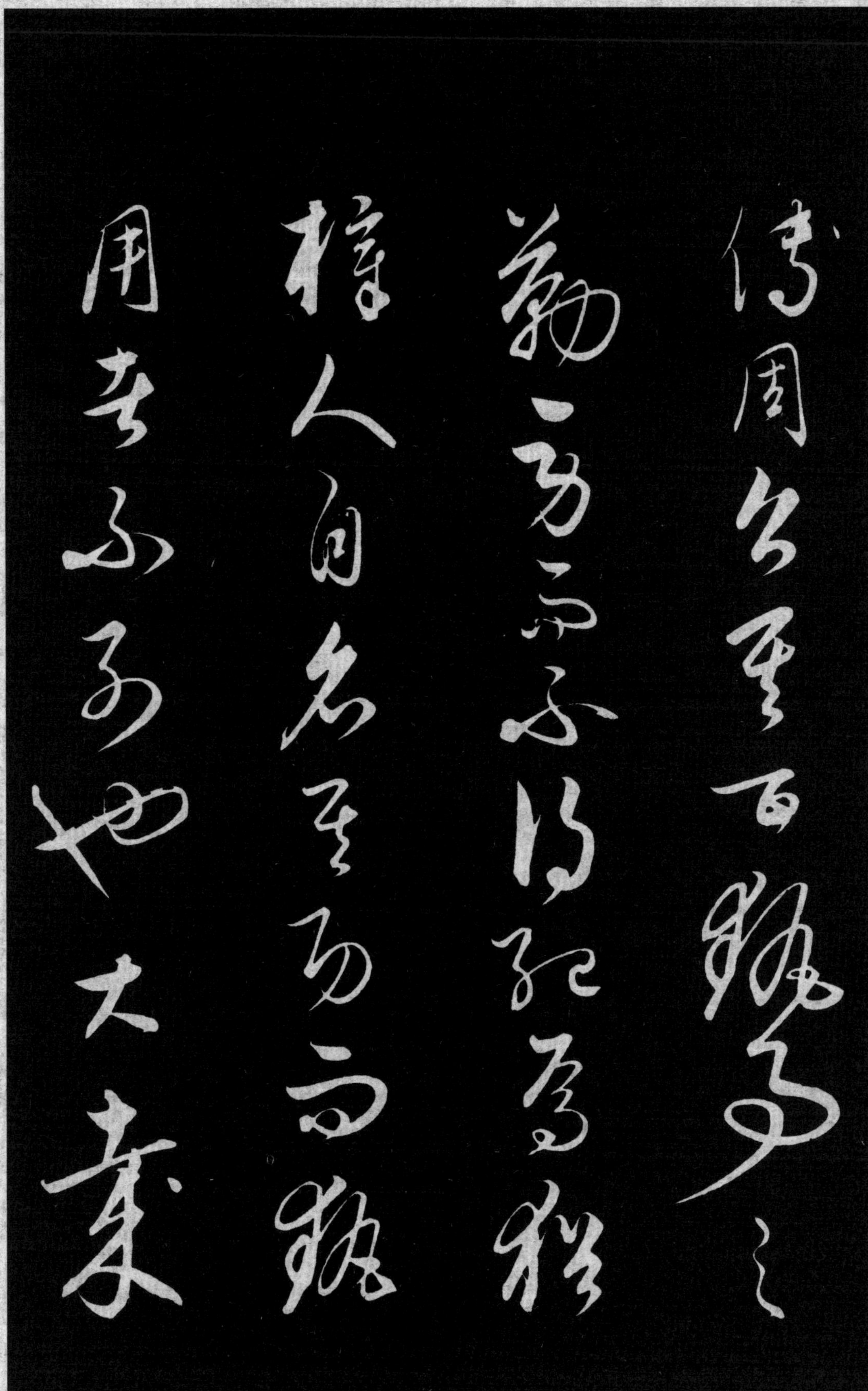

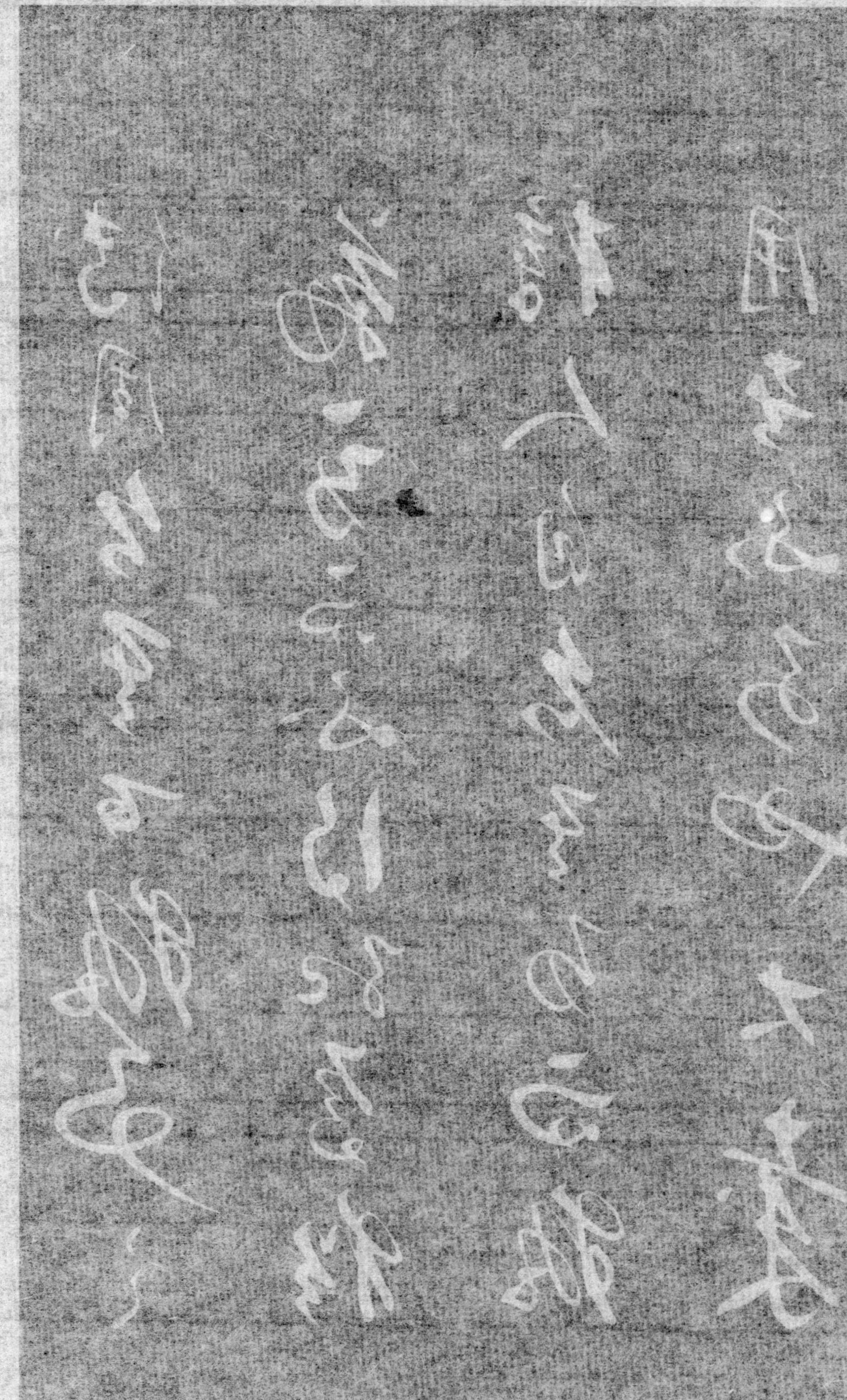

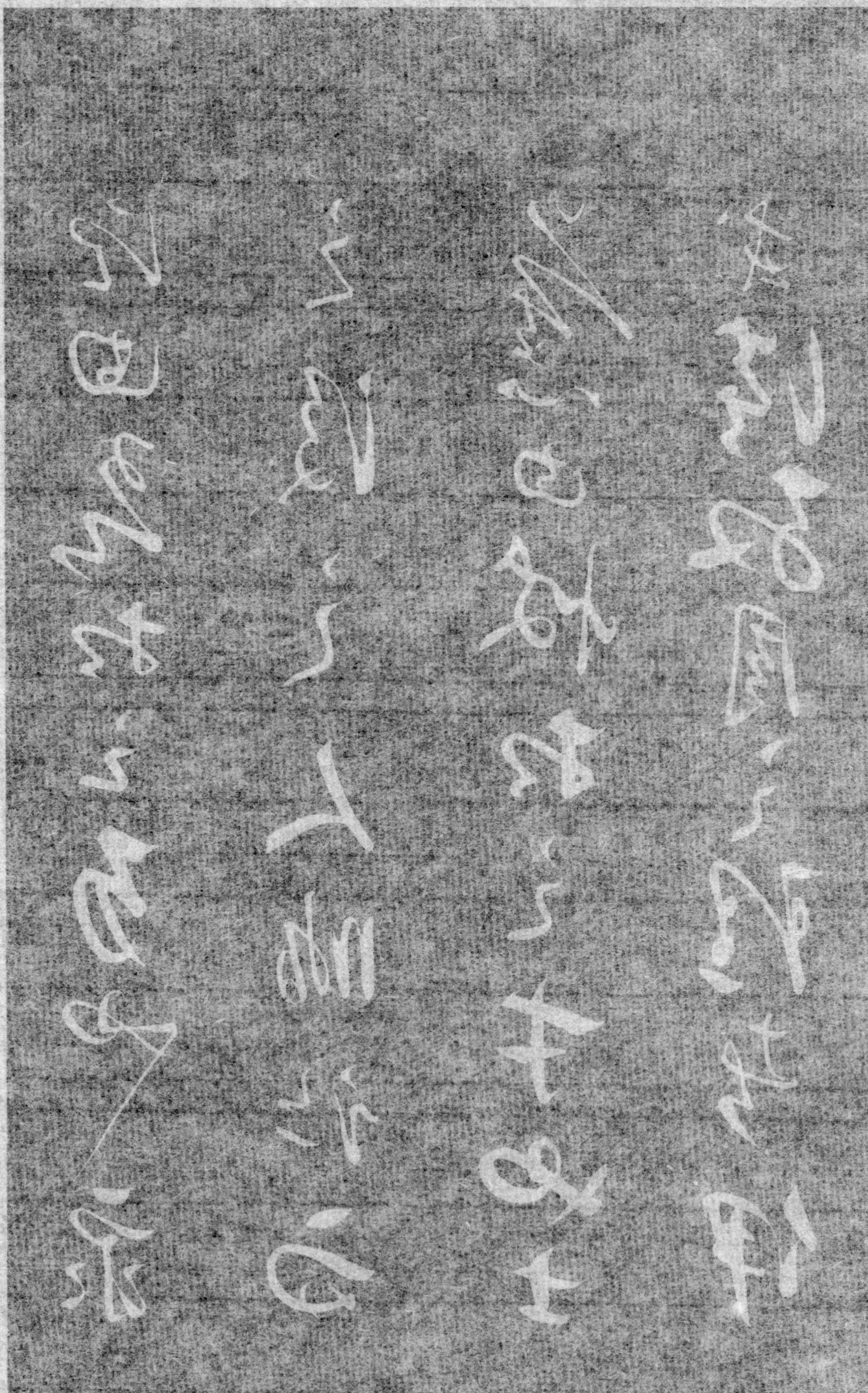

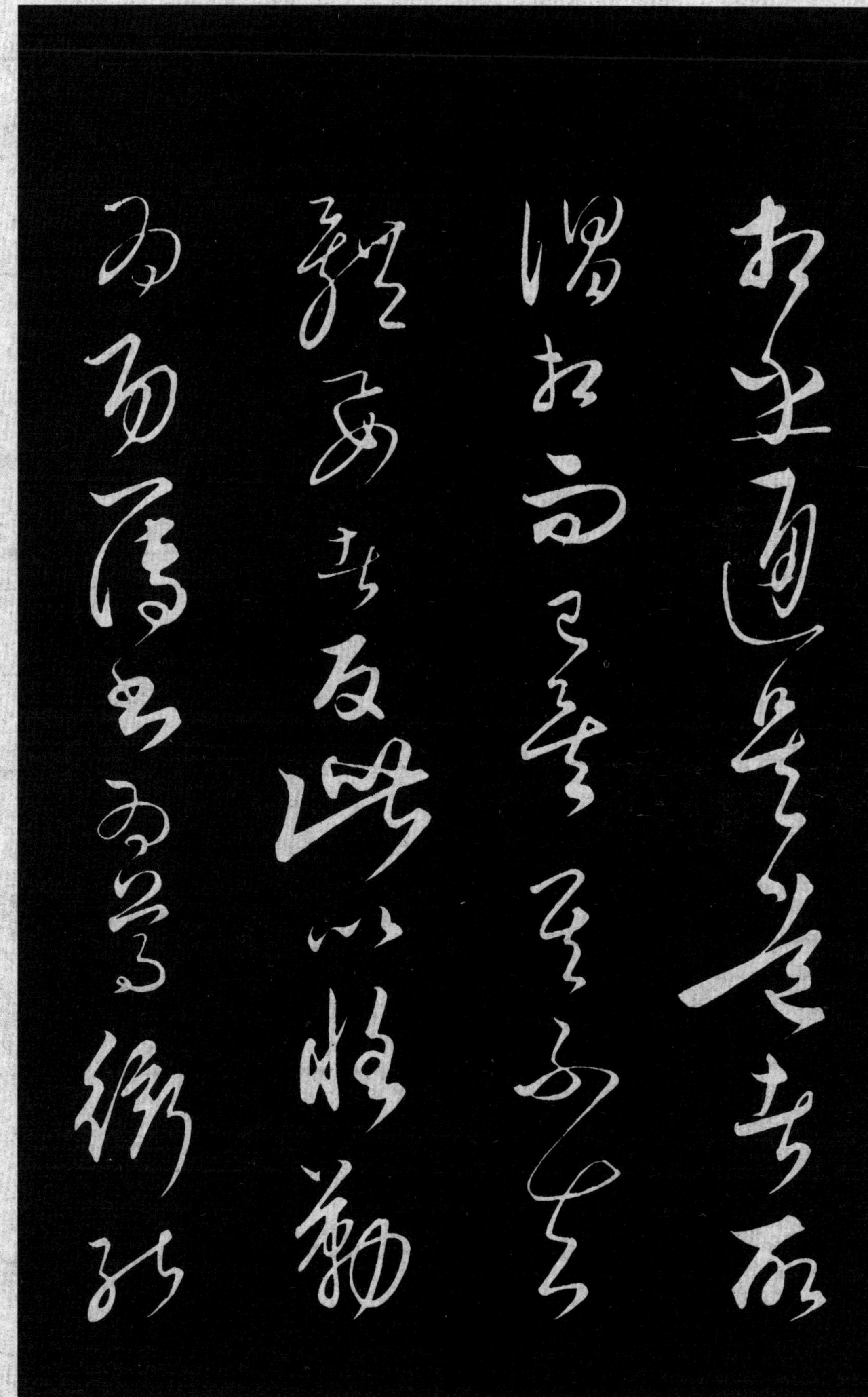

三希堂法帖

饶介・梓人传

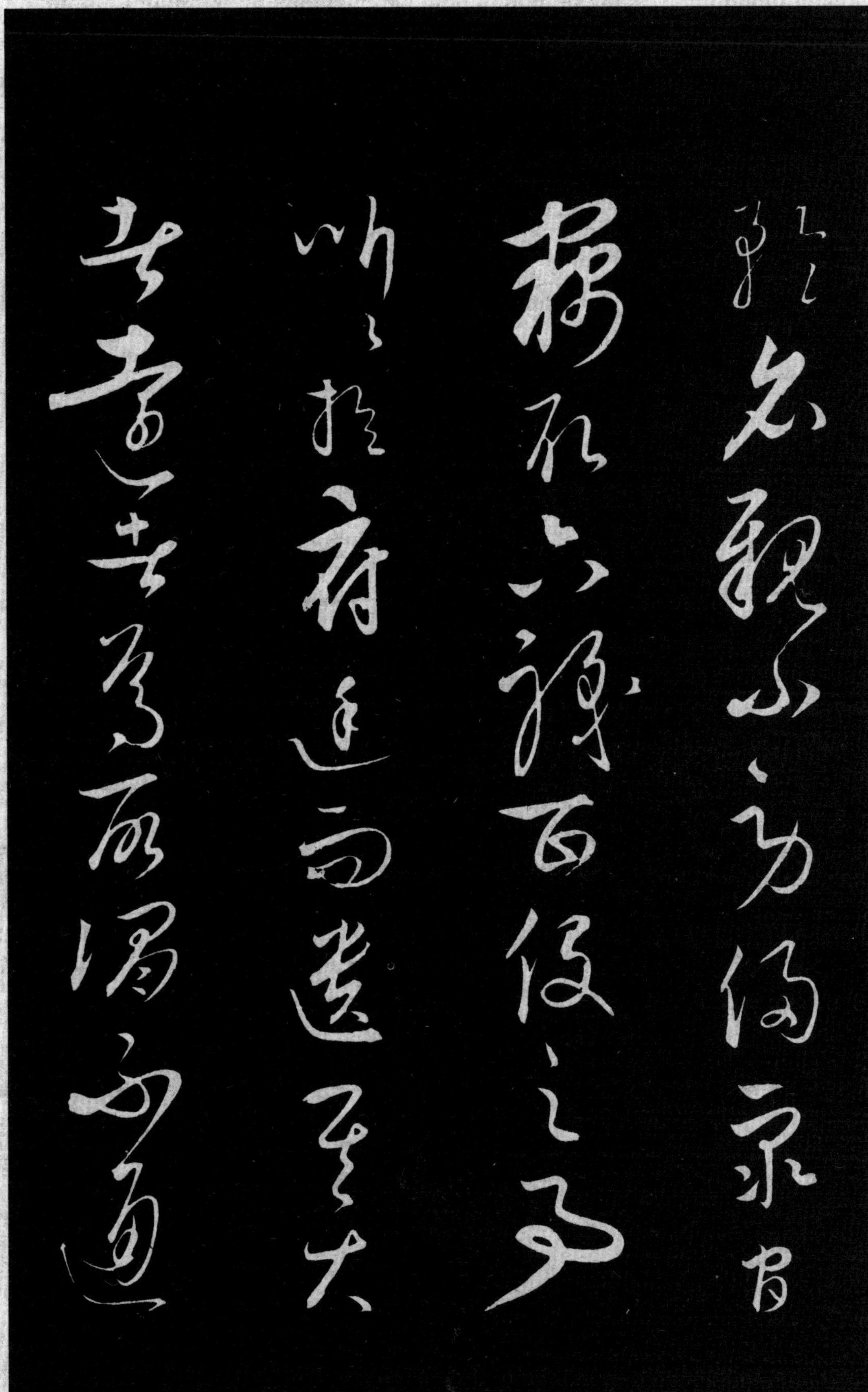

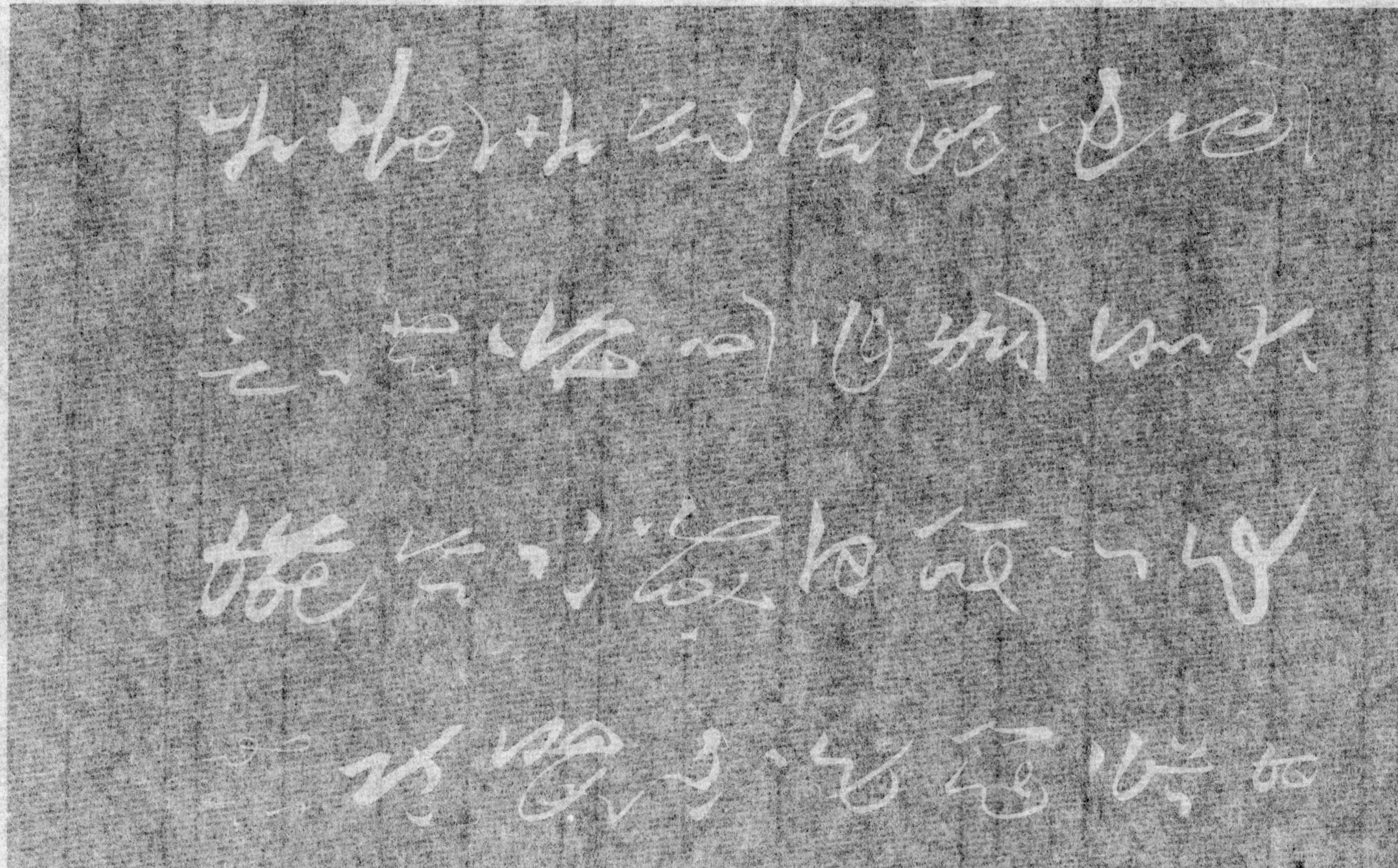

三希堂法帖 第六·卷八帖 一七四

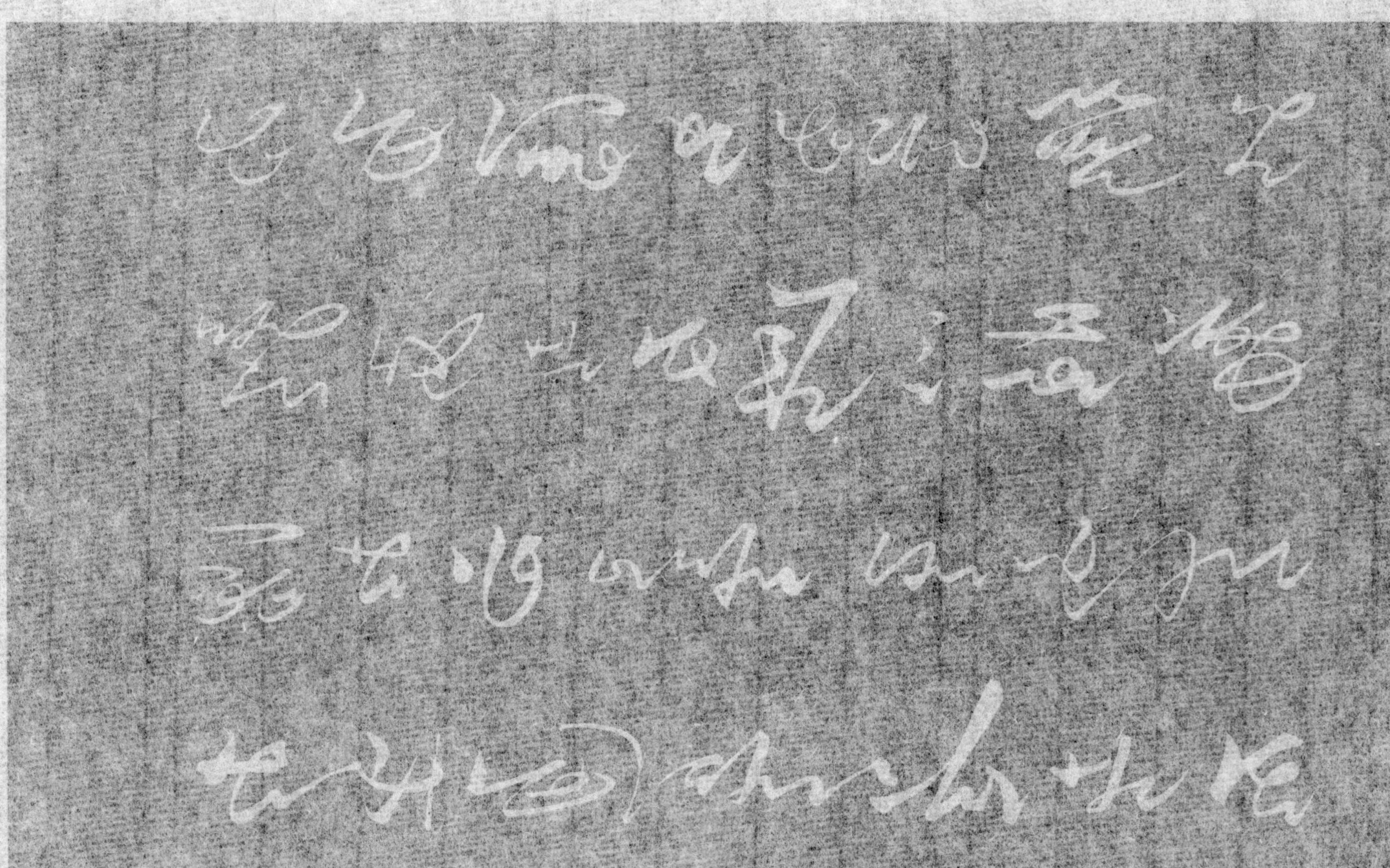

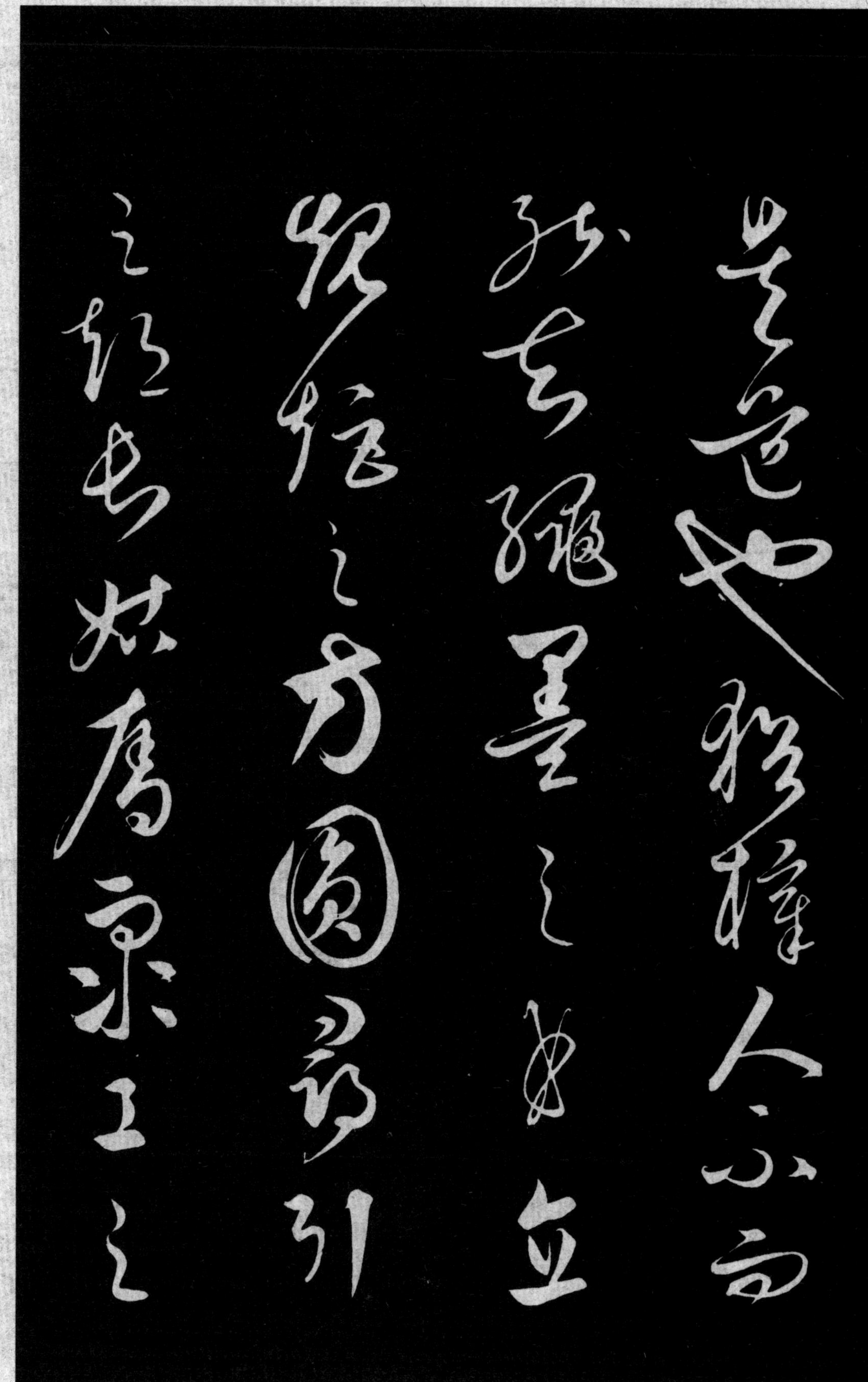

三希堂法帖

饶介·梓人传

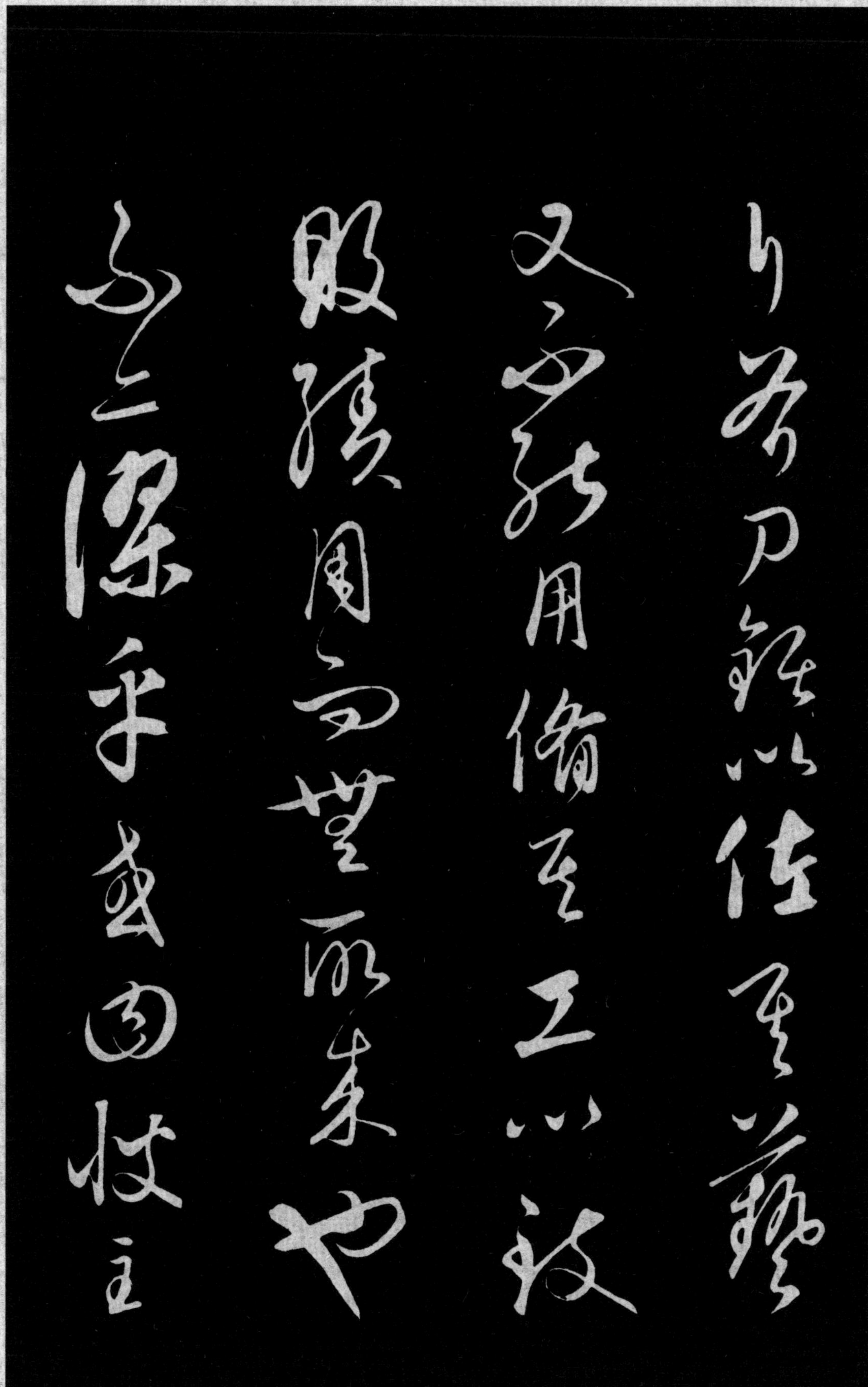

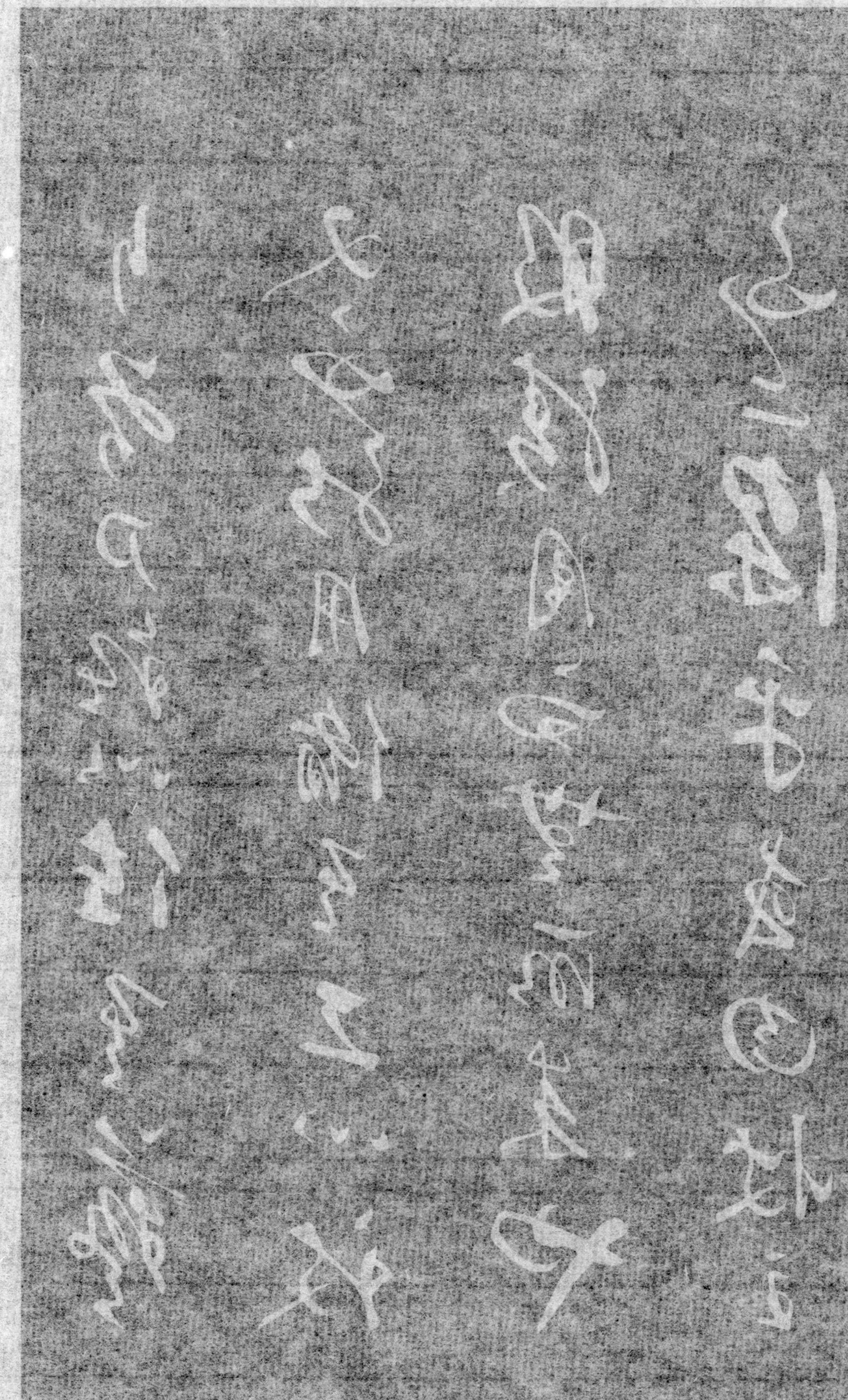

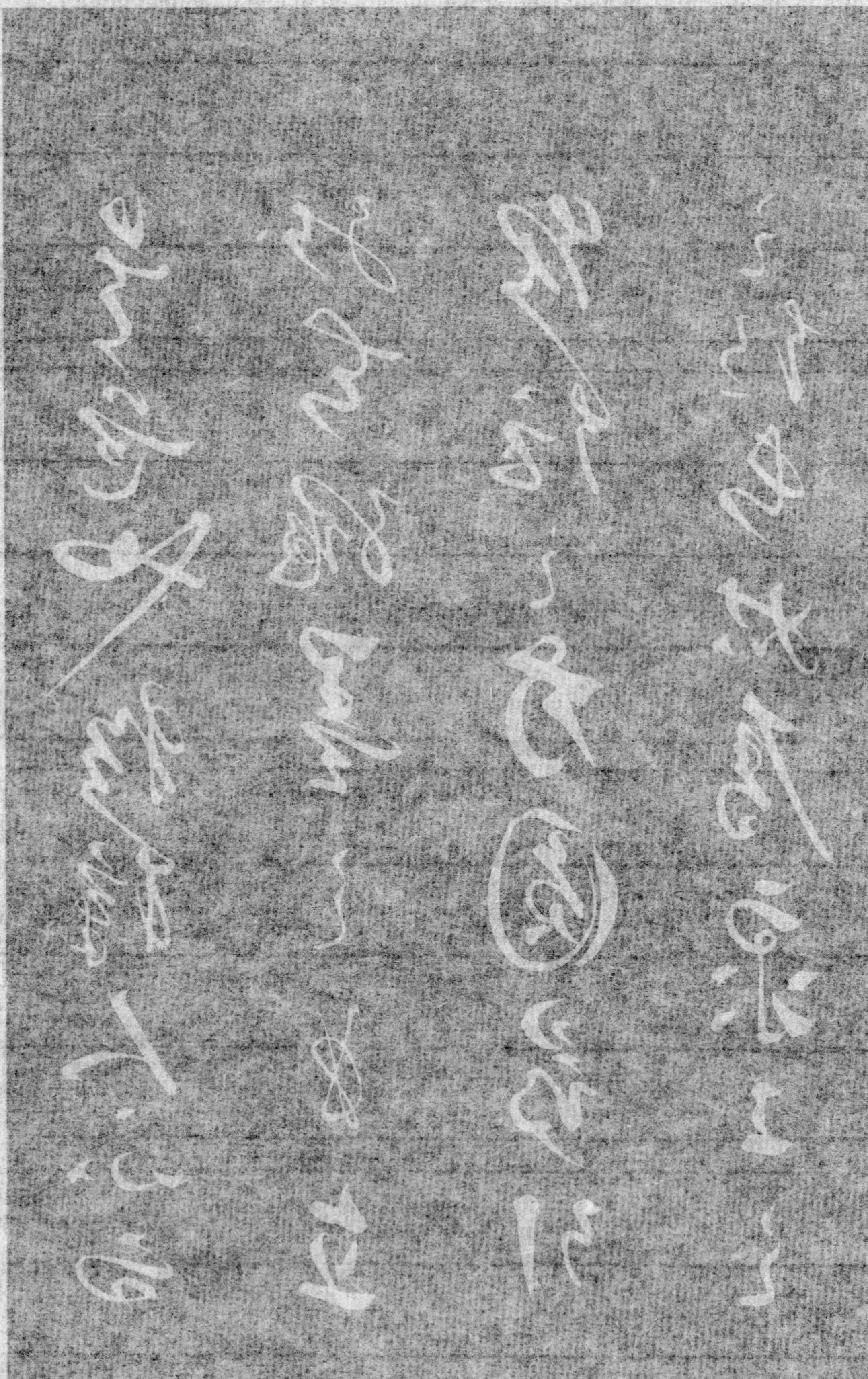

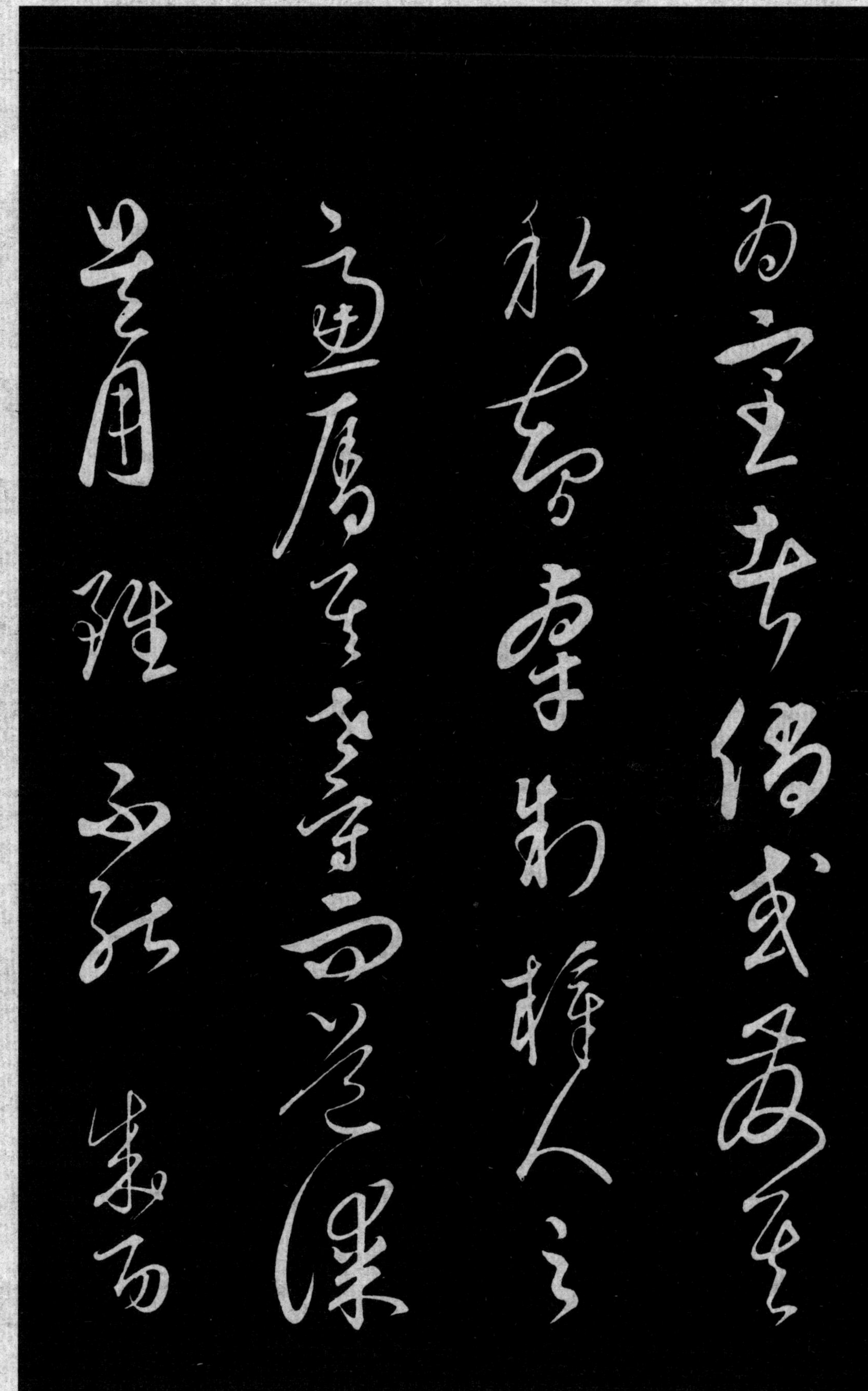

三希堂法帖

饶介·梓人传

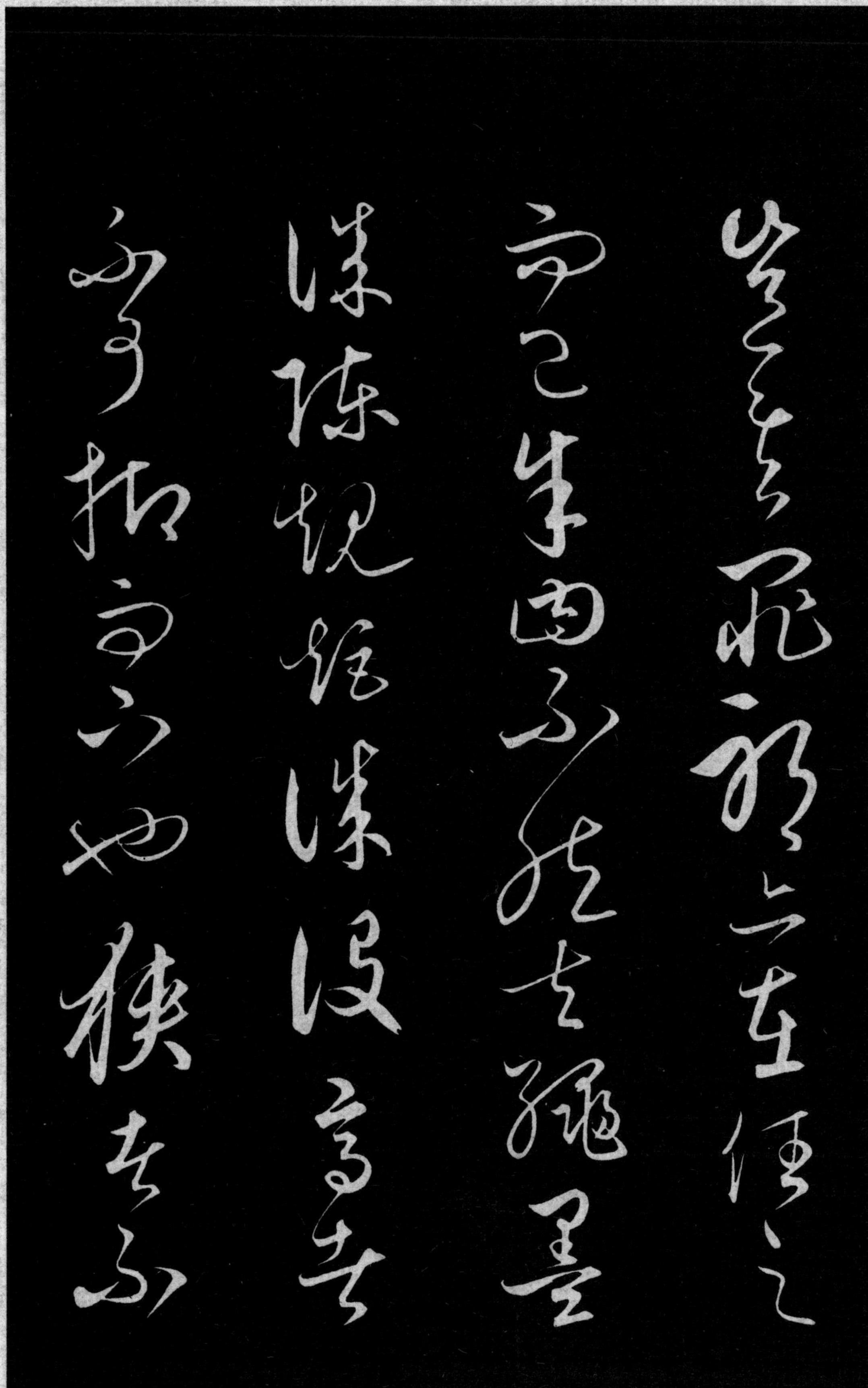

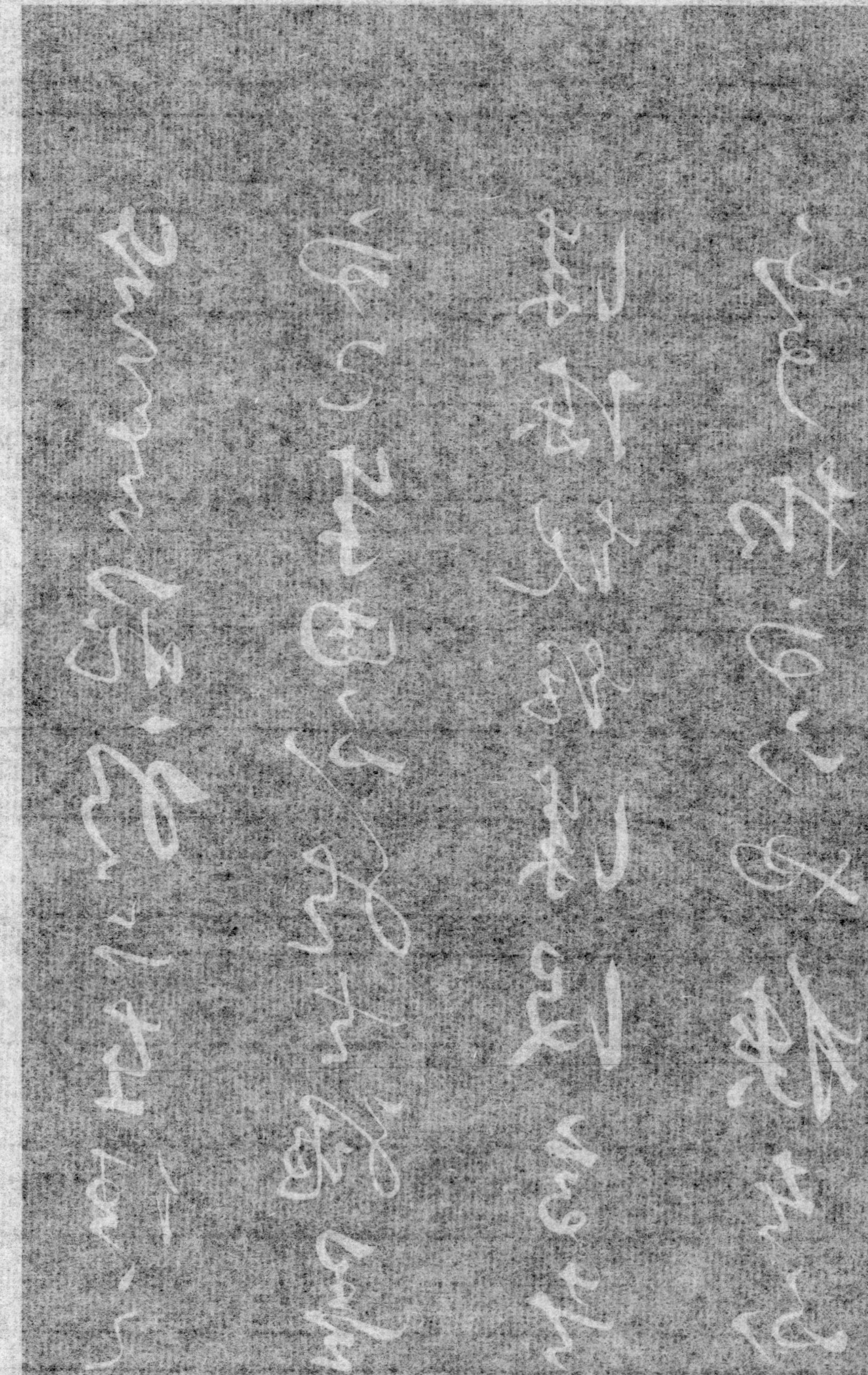

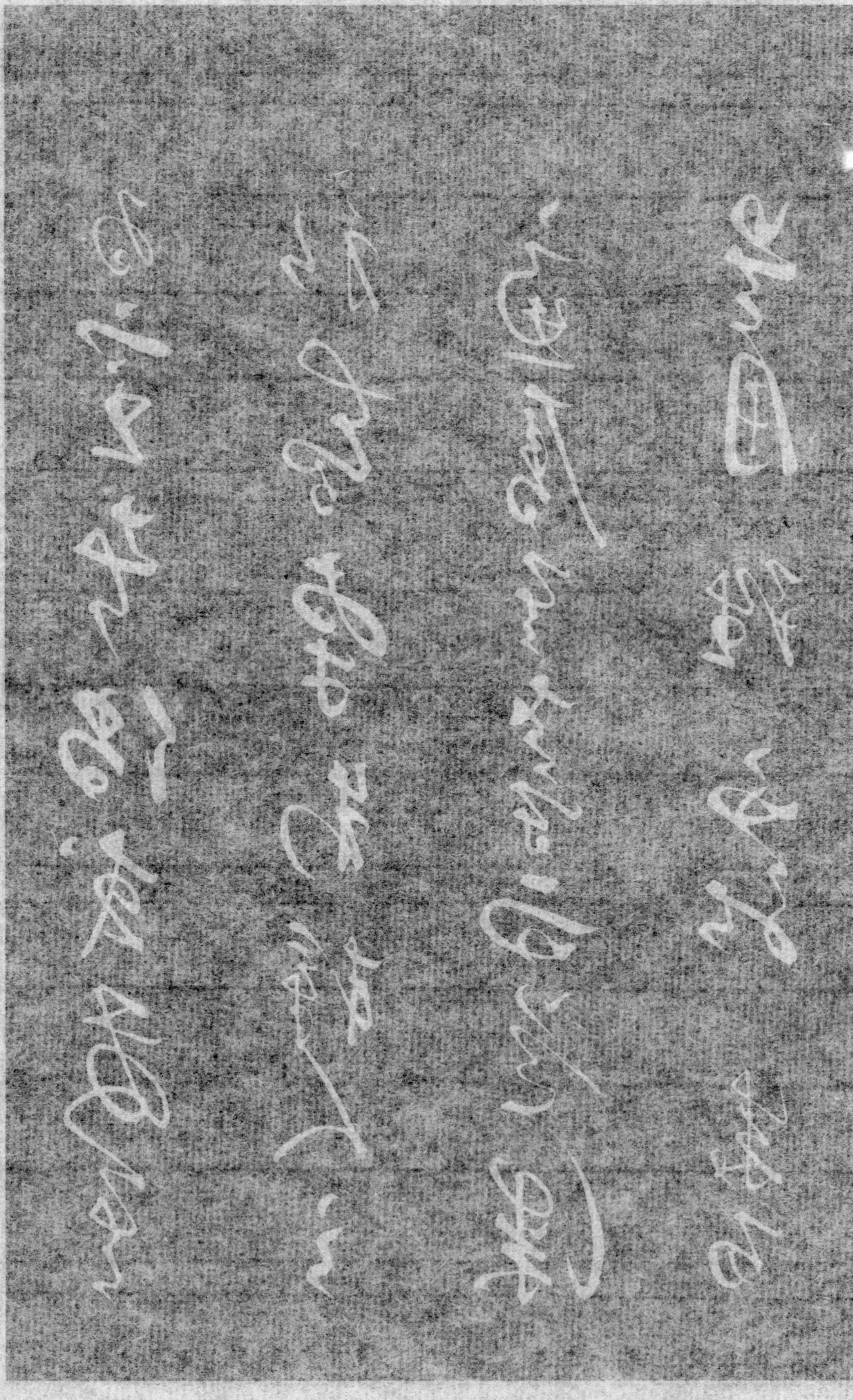

可張而廣也由我則
固不由我則圮彼將樂去
故固而就圮也則卷
其術默其智悠爾

三希堂法帖

饶介·梓人传

而去不屈吾道是
誠良梓人耳其或
嗜其貨利忍而不
能舍也喪其制量屈

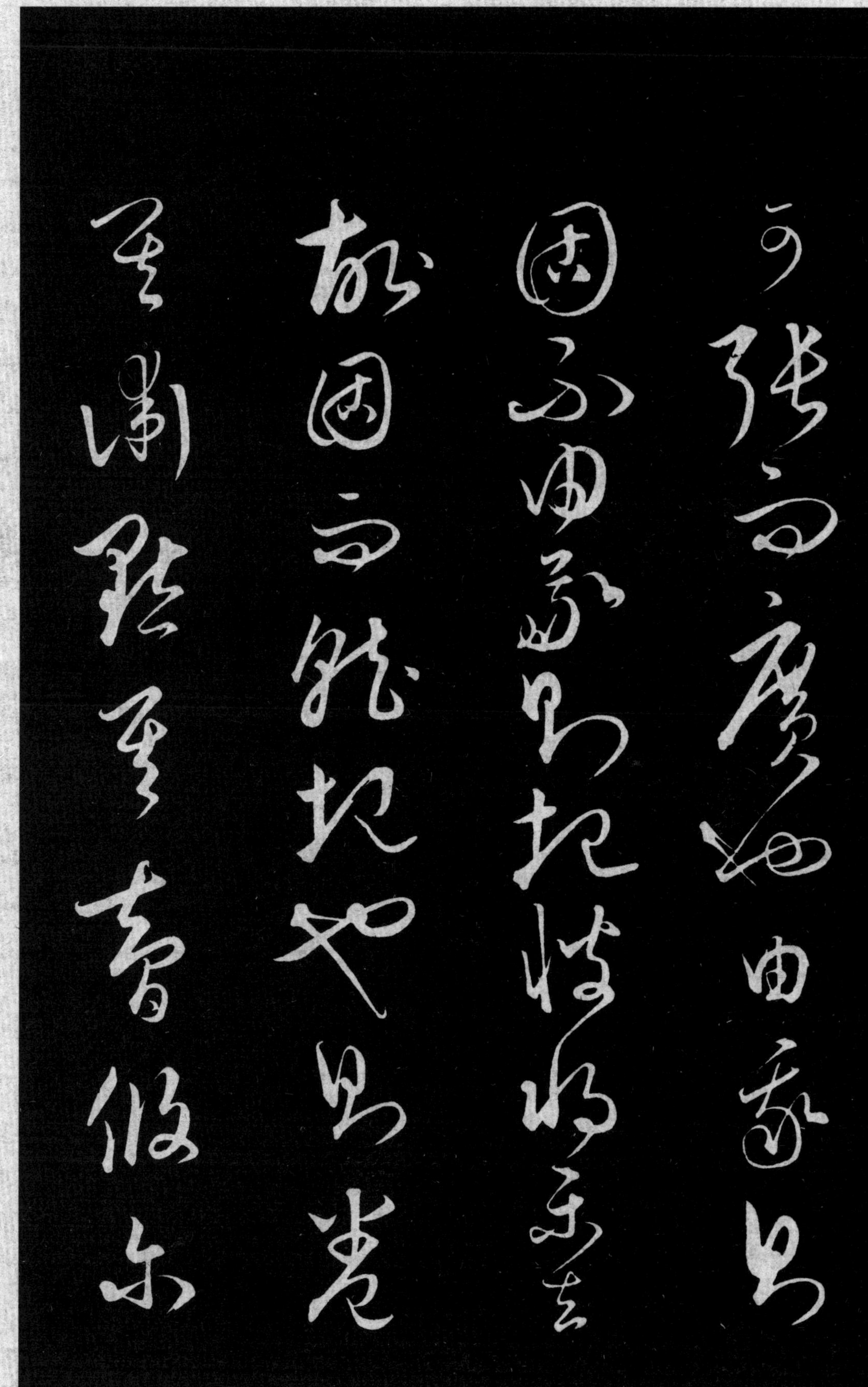

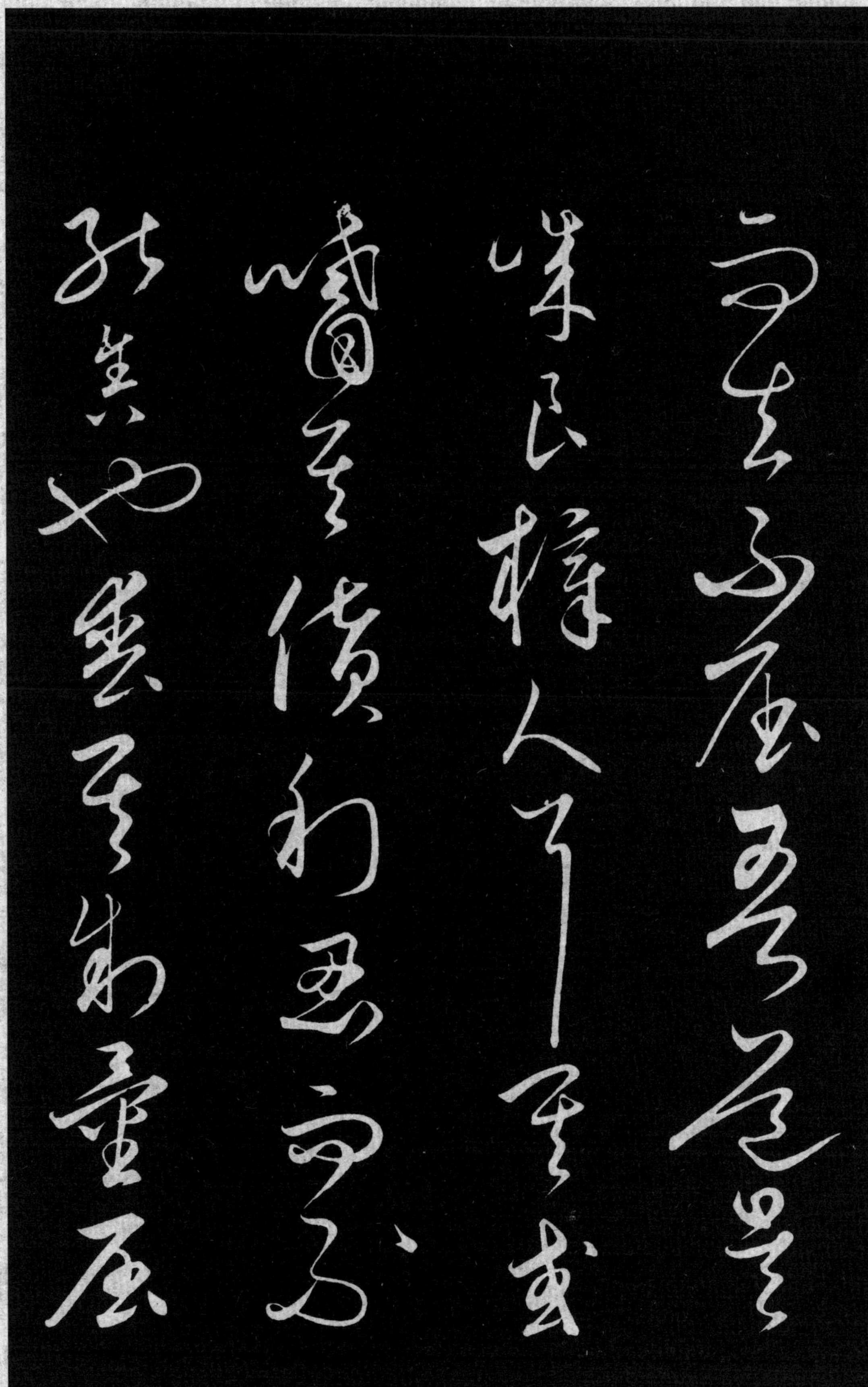

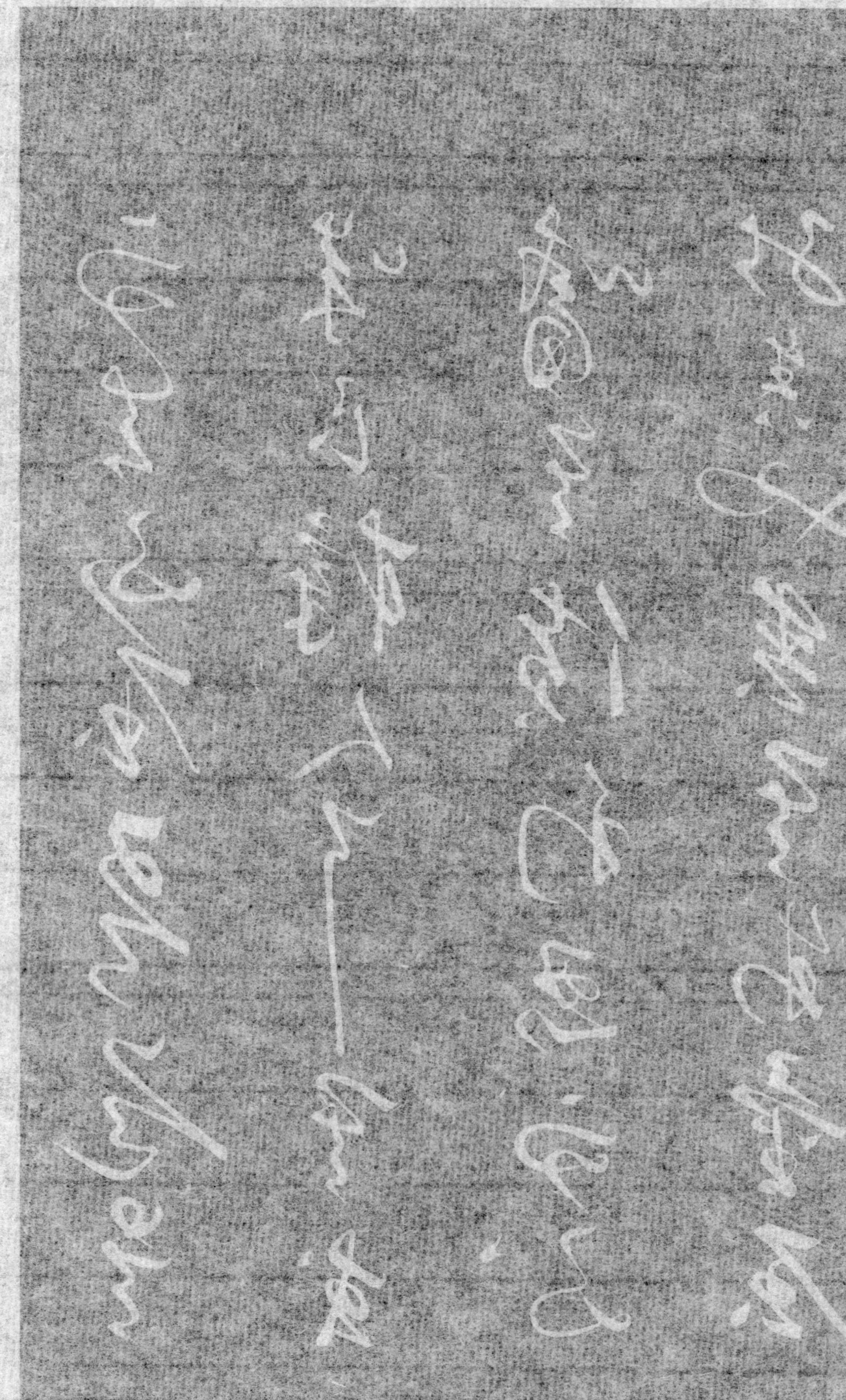

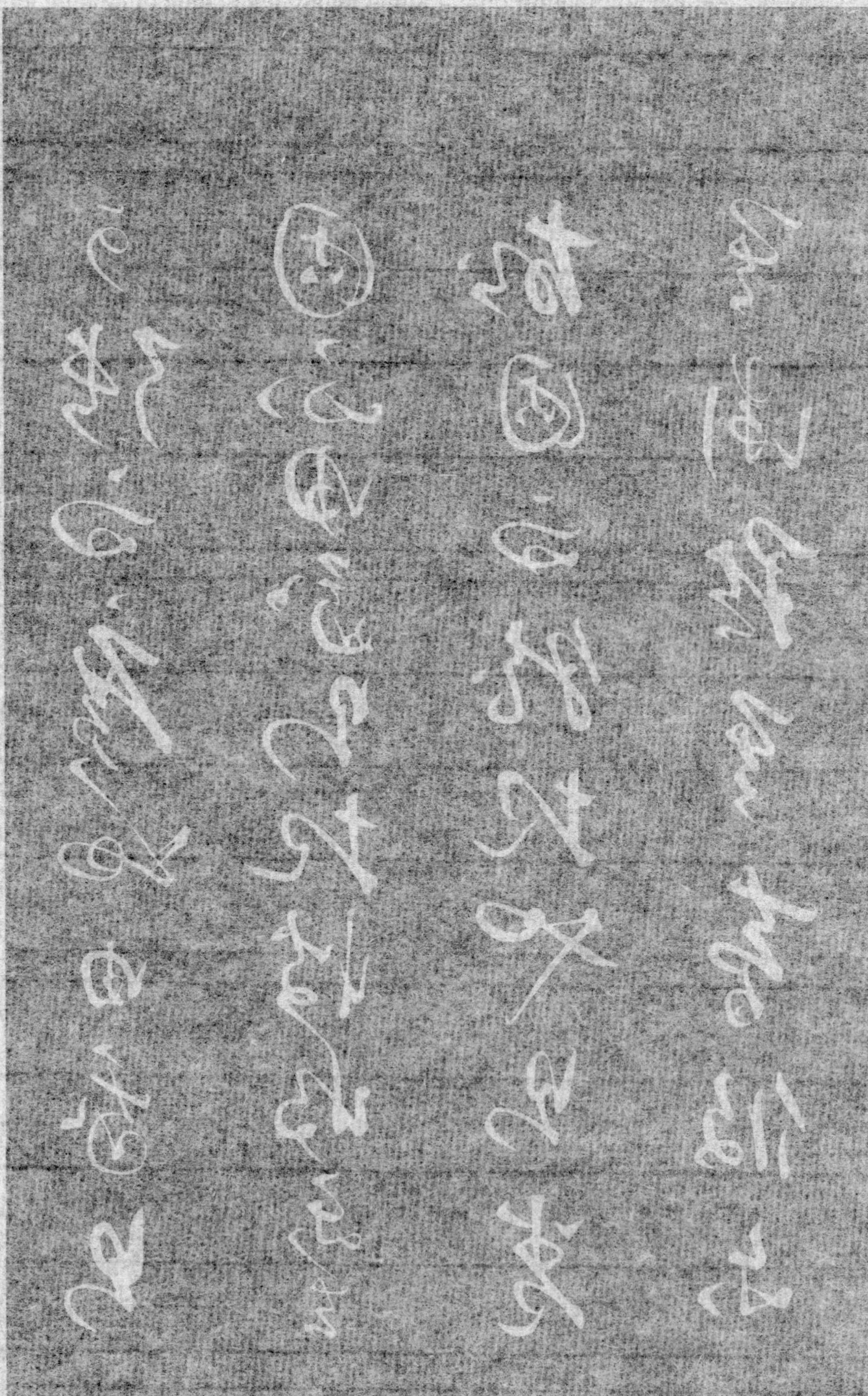

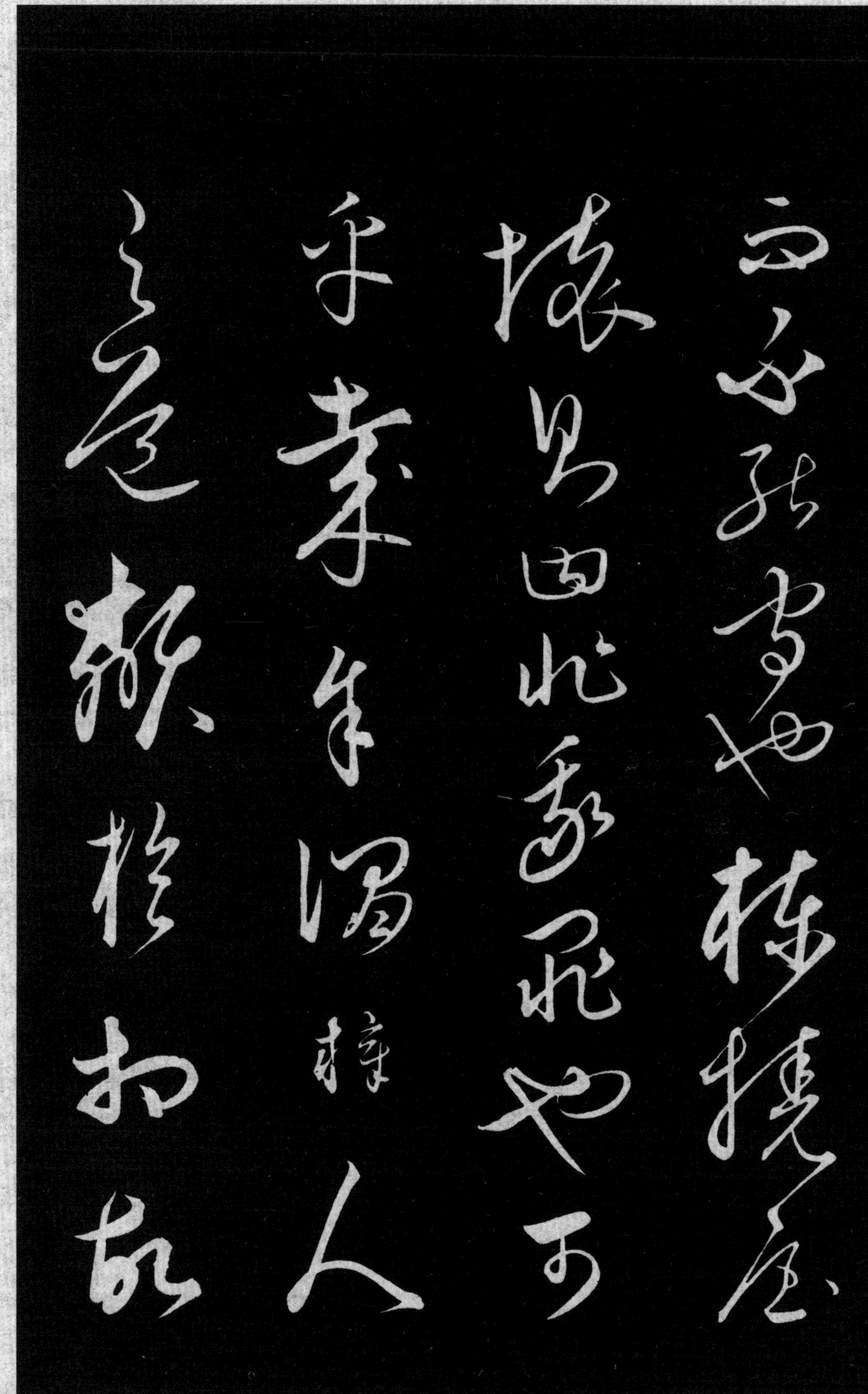

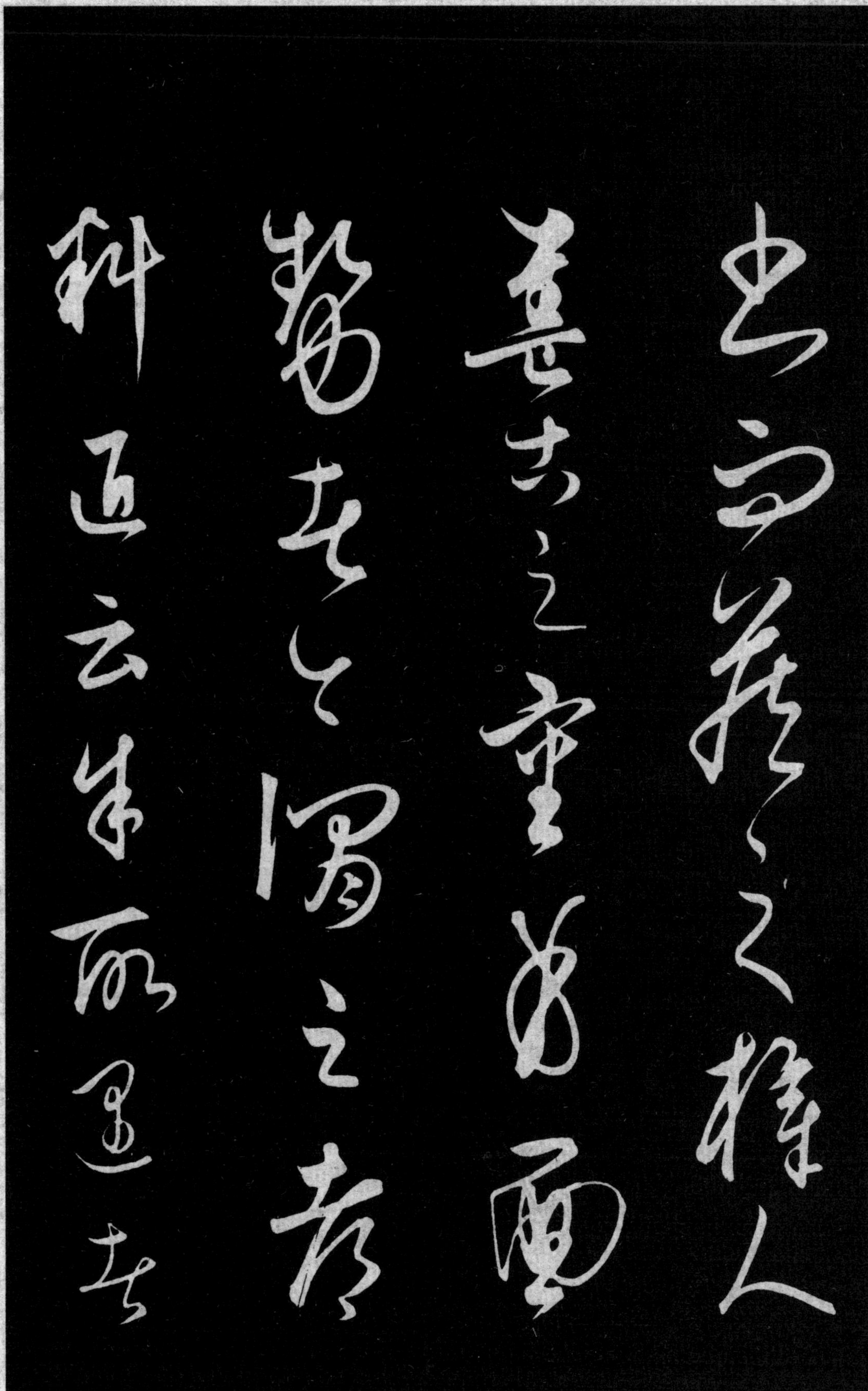

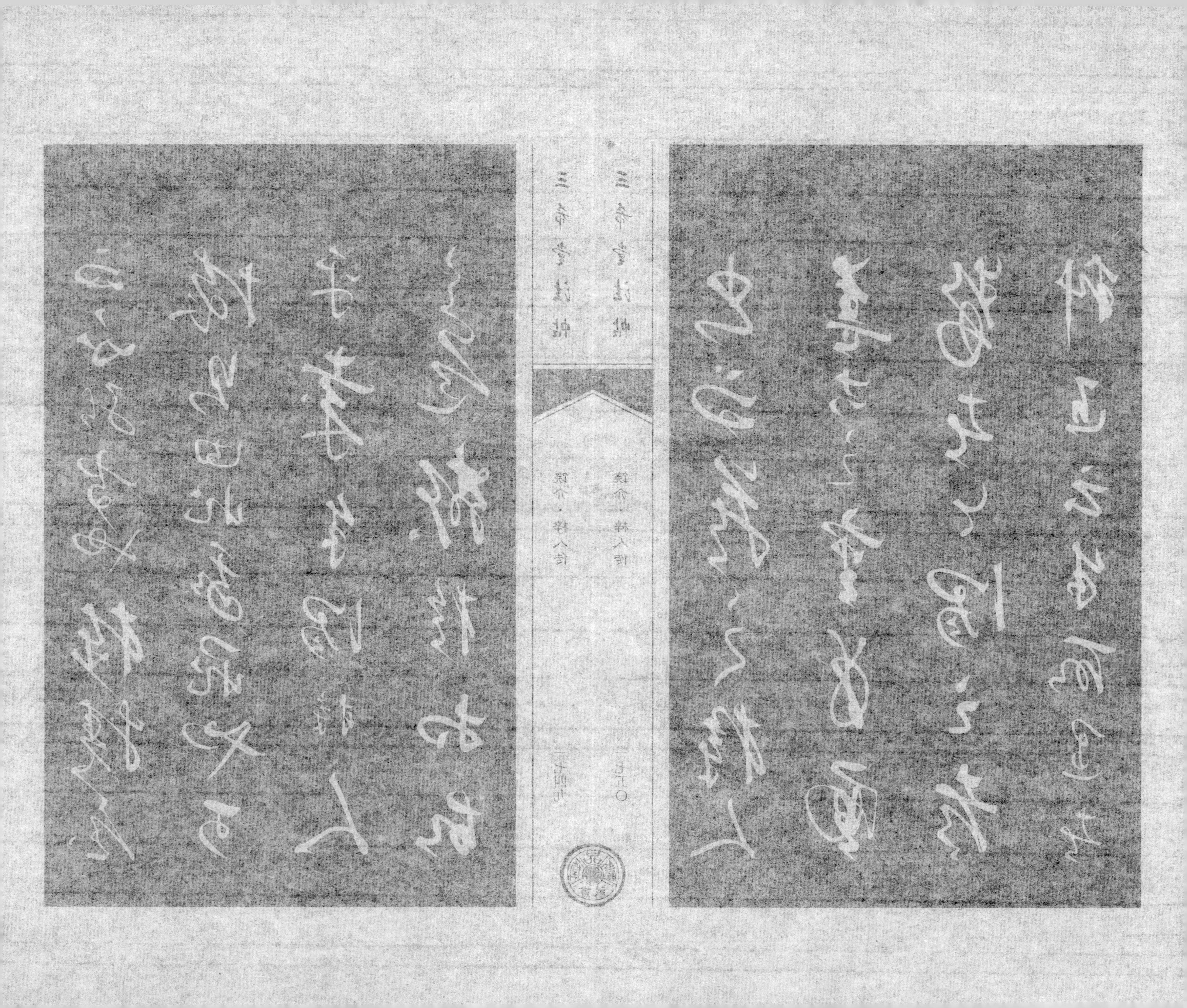

楊武游至忌
九月七日九朱自呢
山載酒來問字且去
也法作去屏作年

飲至酒莫報醉
遂不能歸至下
留得可亡不能出明
日九陳楊徒索以

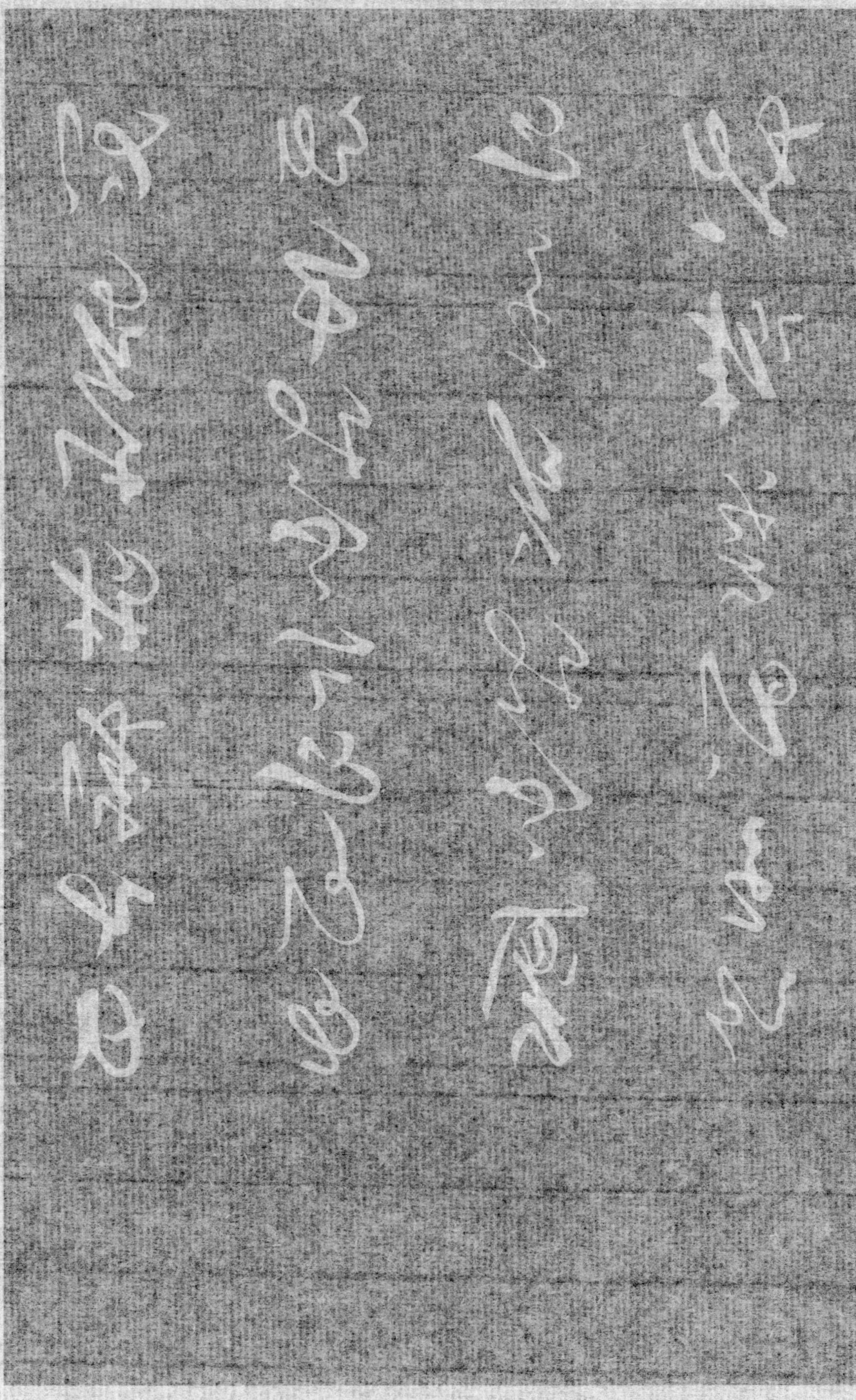

三希堂法帖

三希堂法帖

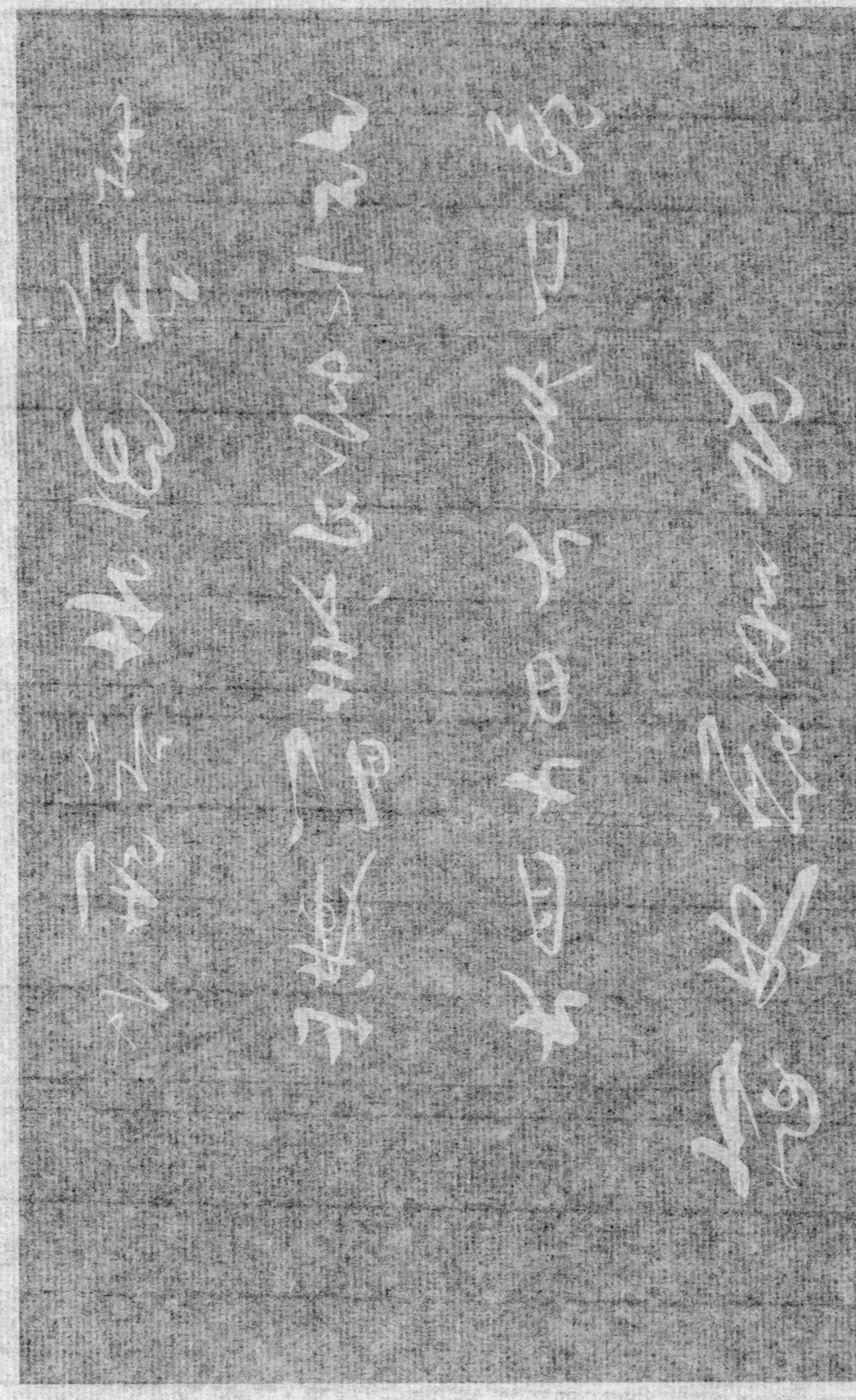

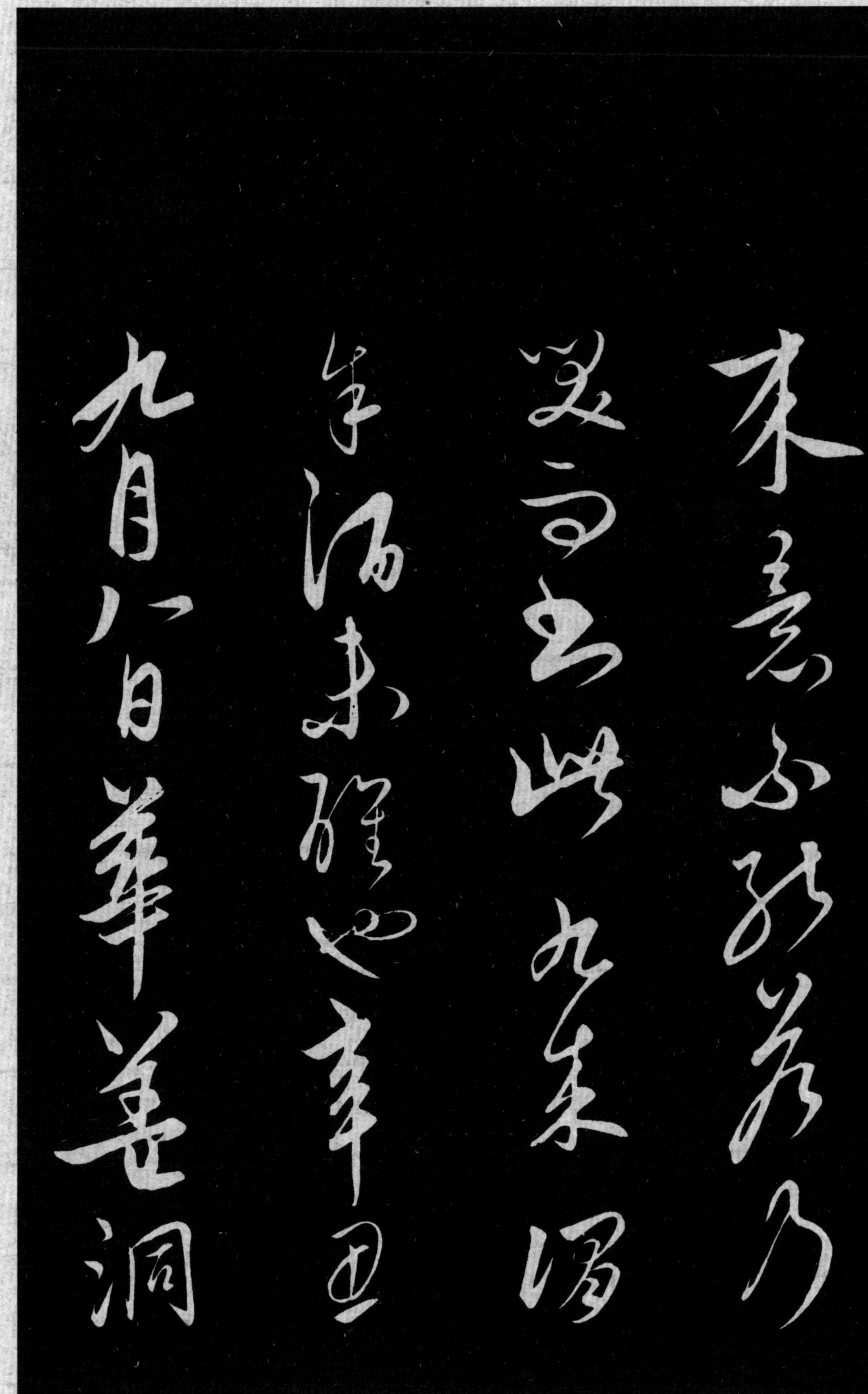

饶介・梓人传

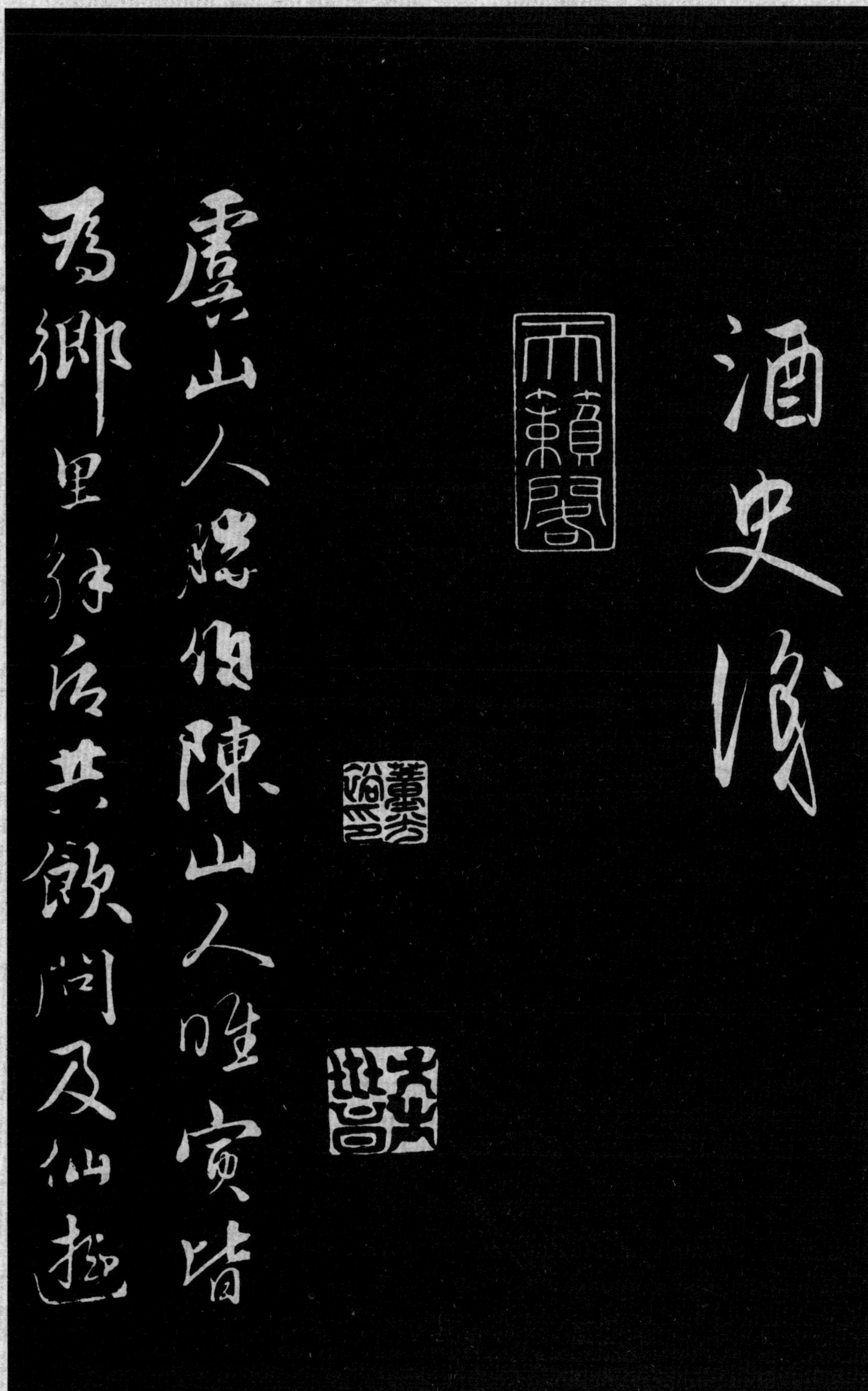

饶介・七律诗

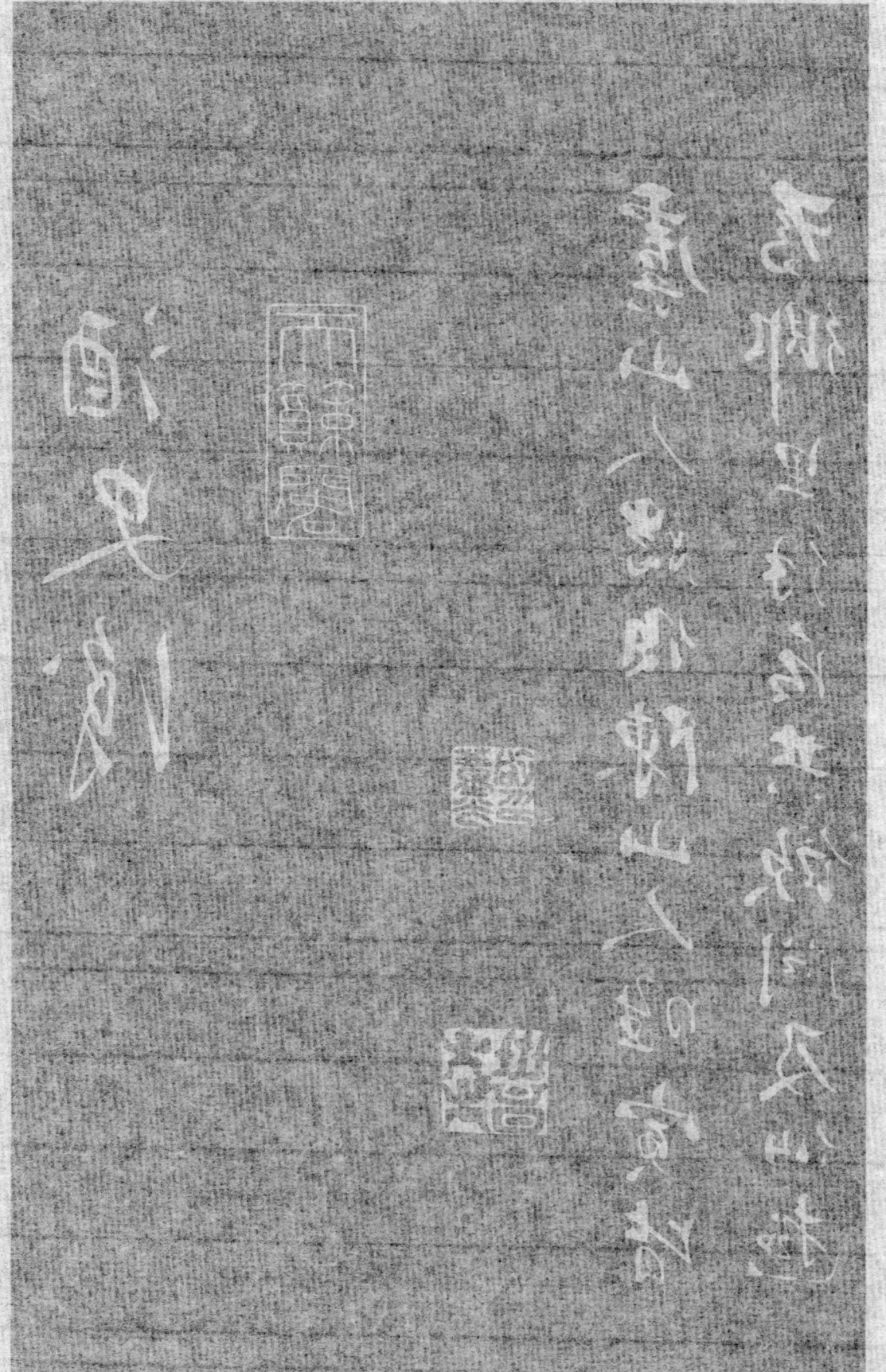

予欲兩賦訪未果寫兜去深
已醉羞酒醒遂和以答
二首示之此風四也十八日介之錄
拂除狻猱蓄神樓開頂葫蘆
不置扉人物已混垣外見真形
懶向市中徵盃戲白鴿沖霄去

三希堂法帖

鋼化雙龍破浪倘自此更無毫
幾界綠毛繞鐵欲成衣
獨坐援胡床醉不獨坐濯蒼霞
滿鬢眉蕭蕭風水成音樂澹澹星
河起鷺鷥語羅欲乘黃鶴去
與來忽使白雲馳火龍傲煮茶

[illegible]

三希堂法帖
饶介·七律诗

不析拈桑一一氣炊
冪冪松陰帶絹羅鶴巢松頂
吸天河是何道士圖來坐著箇
推夫對酒幾看月也去爲你好
憑風無奈欲何送君直過
橋西去還見垂楊葉不多

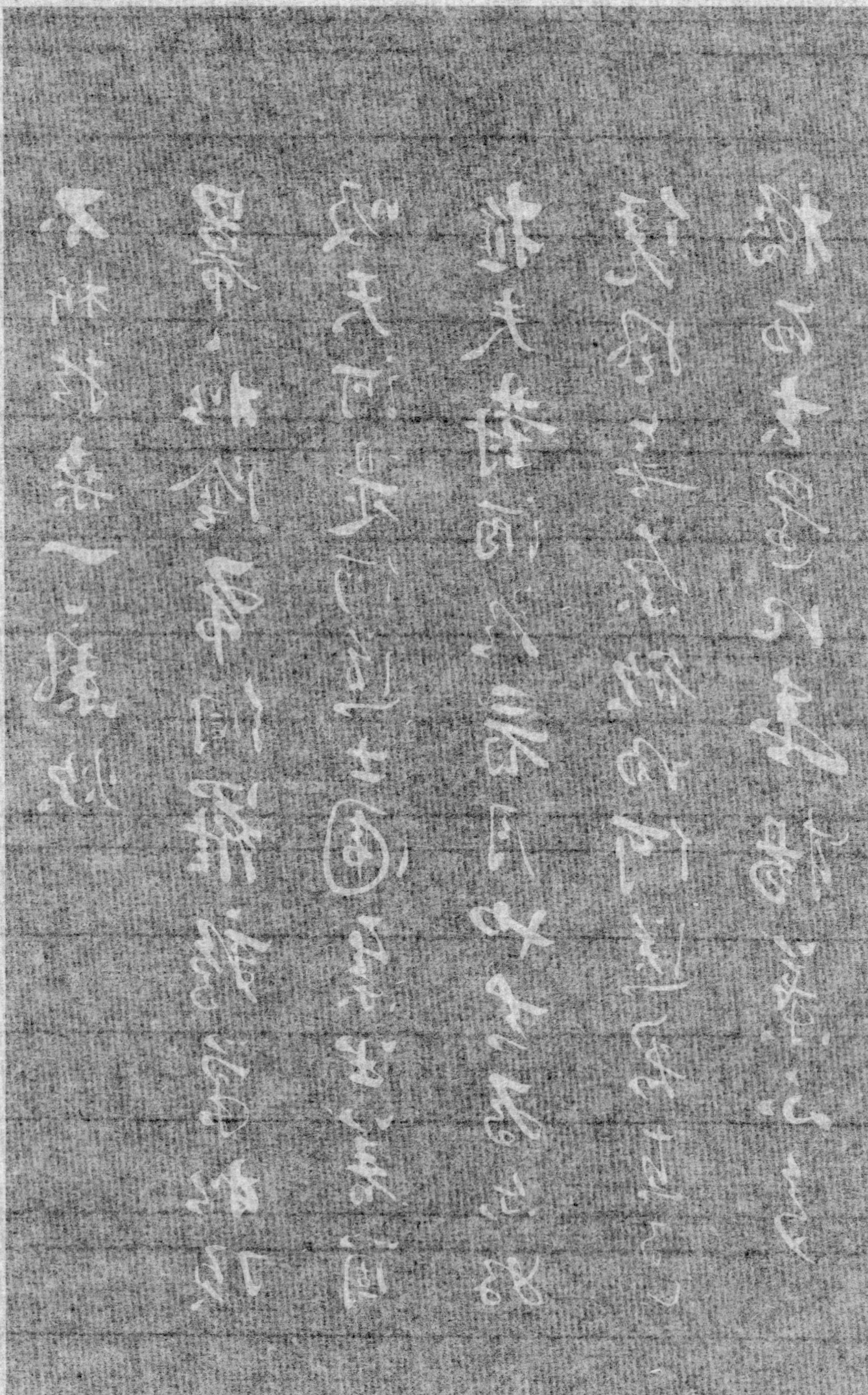

三希堂法帖

三希堂法帖

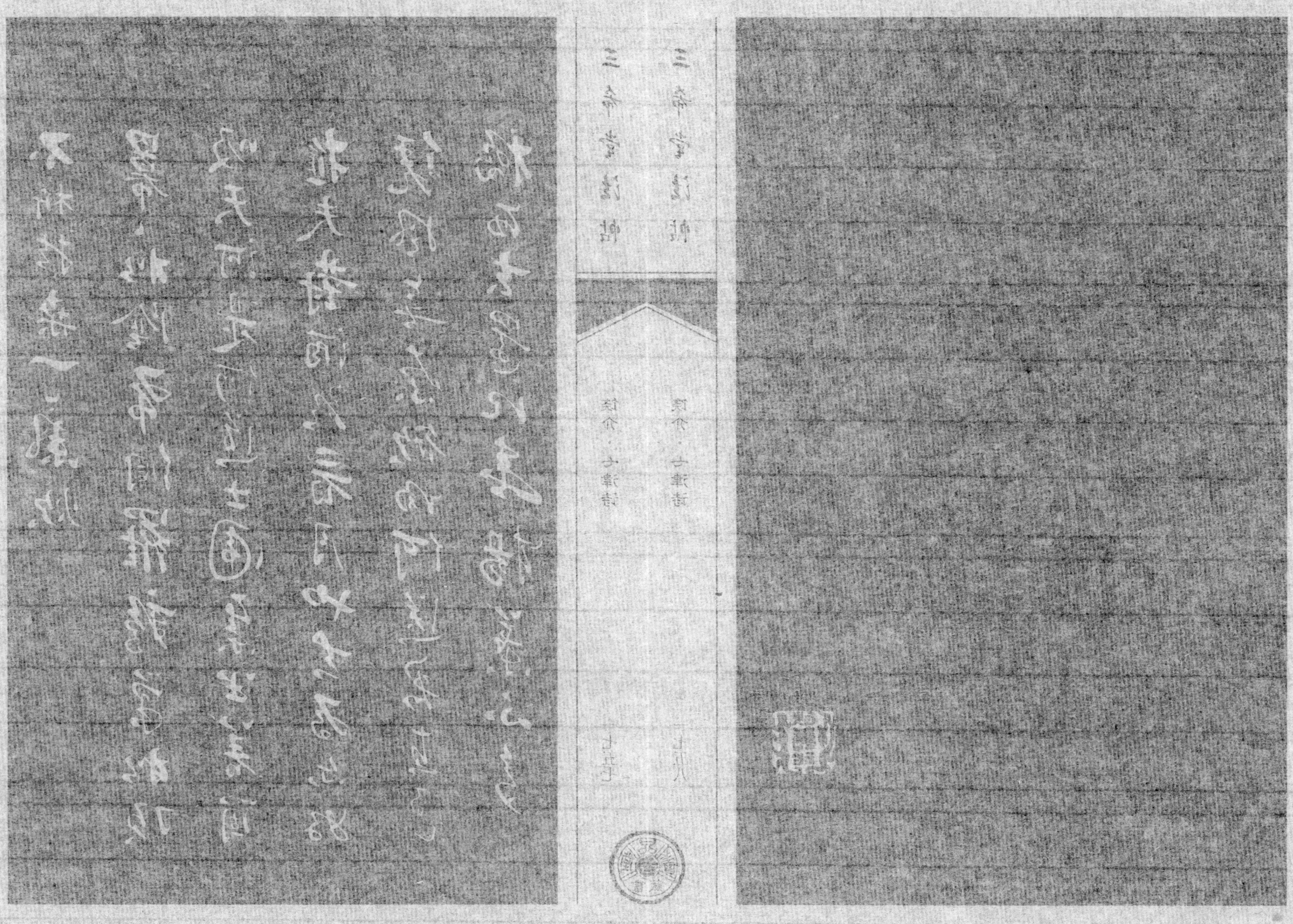

御刻三希堂石渠寶笈法帖第二十五冊

元鮮于樞書

襄陽歌

落日欲沒峴山西倒

著接籬華下迷

襄陽小兒齊拍手

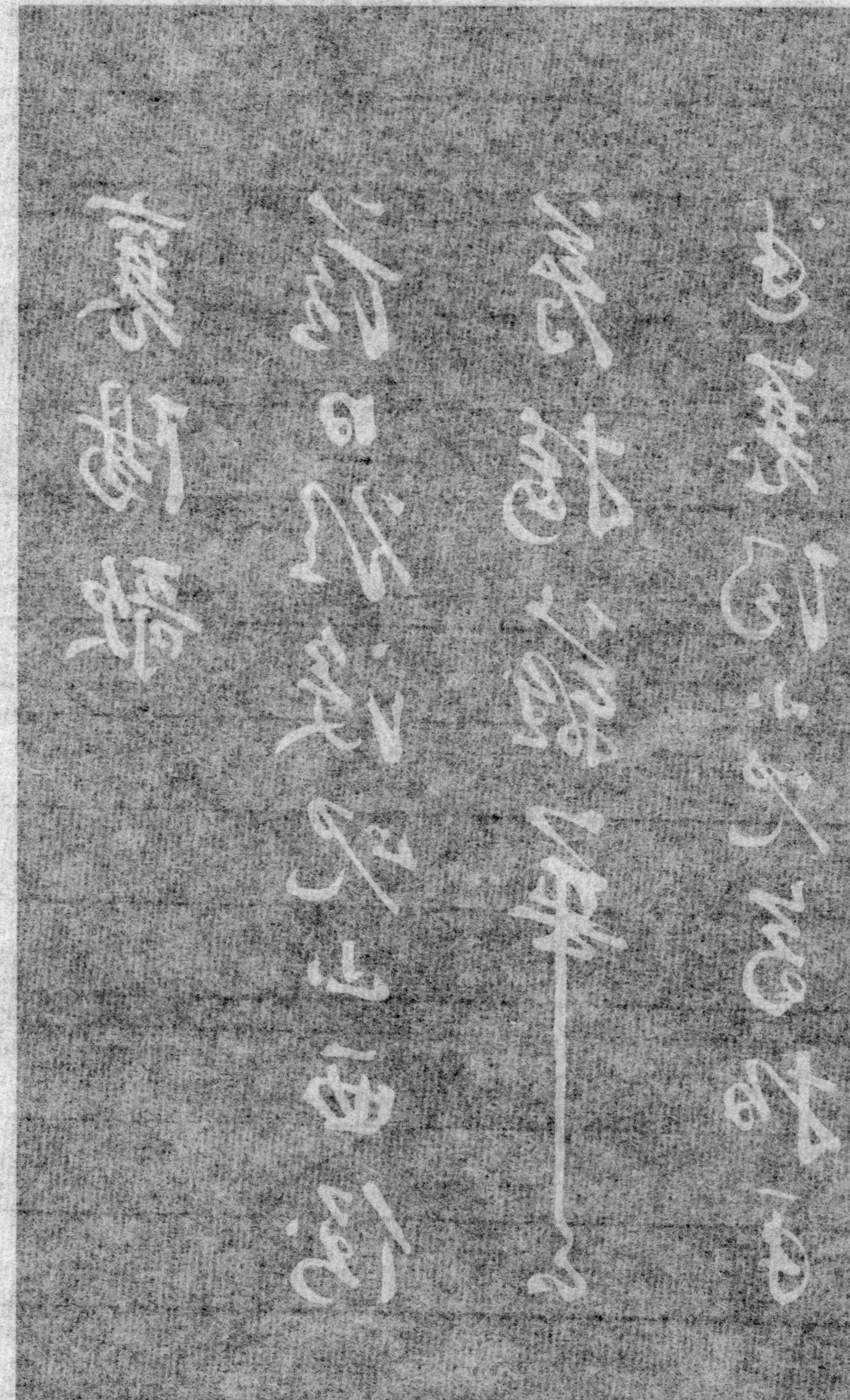

三希堂法帖 鮮于樞·虞集跋 一〇六〇

三希堂法帖 鮮于樞·虞集跋 一〇五九

元 鮮于樞書

御刻三希堂石渠寶笈法帖第二十六冊

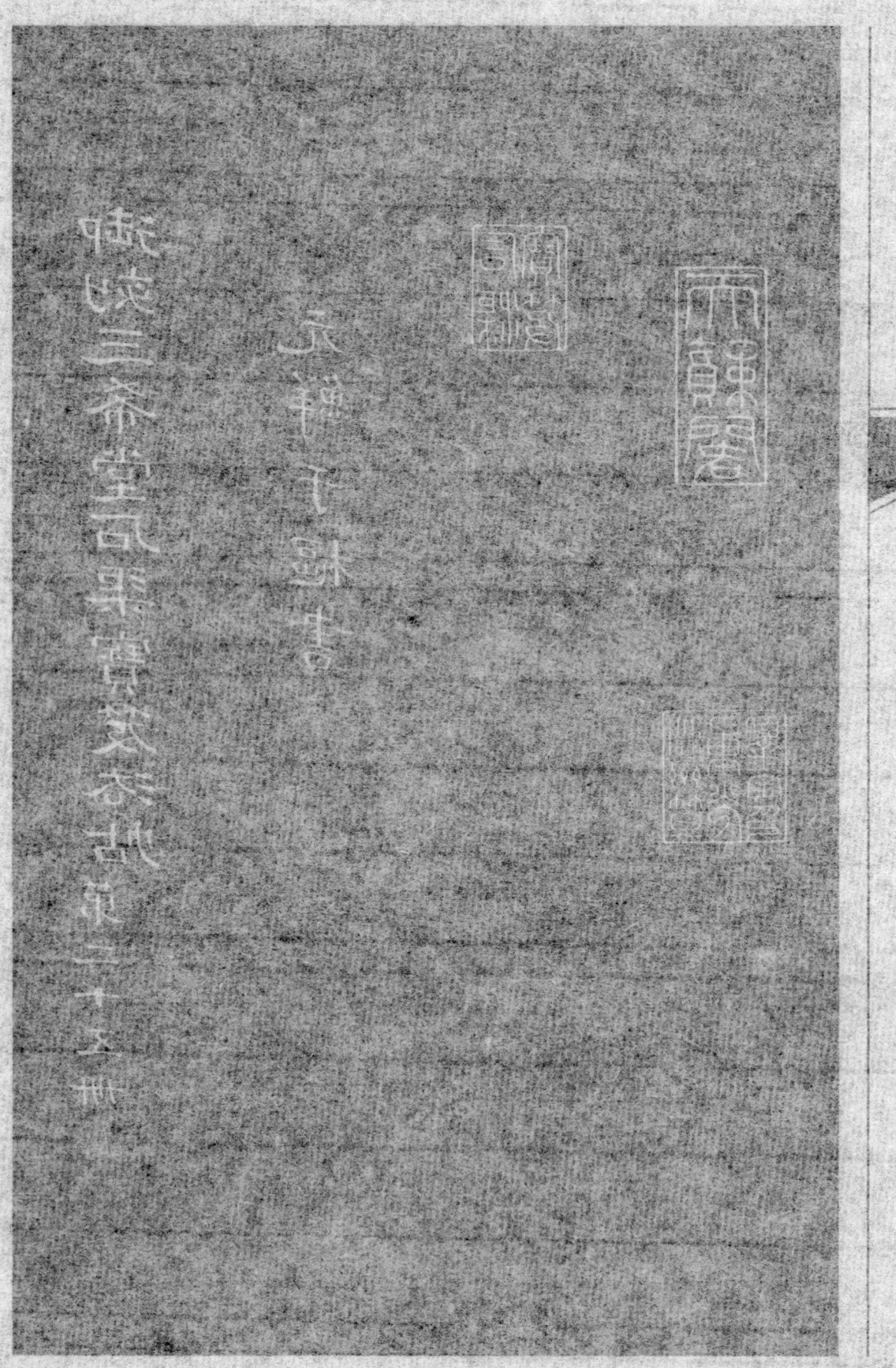

攔街爭唱白銅鞮
旁人借問笑何事
殺山翁醉似泥鸕鷀
杓鸚鵡杯百年三萬

三希堂法帖
鲜于枢·襄阳歌

六千日一日須傾三百杯
遥看漢水鴨頭綠
恰似葡萄初醱醅
此江若變作春酒

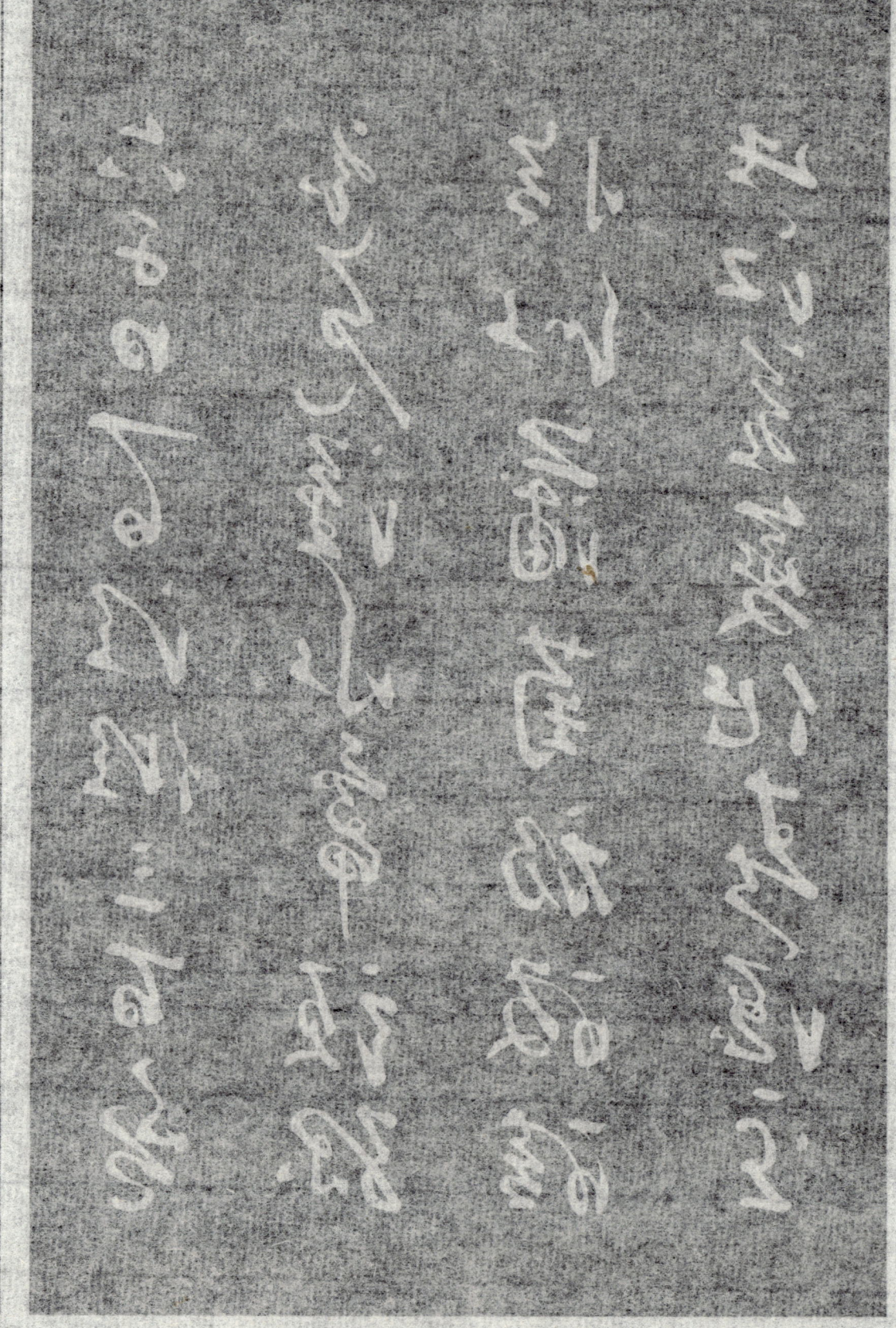

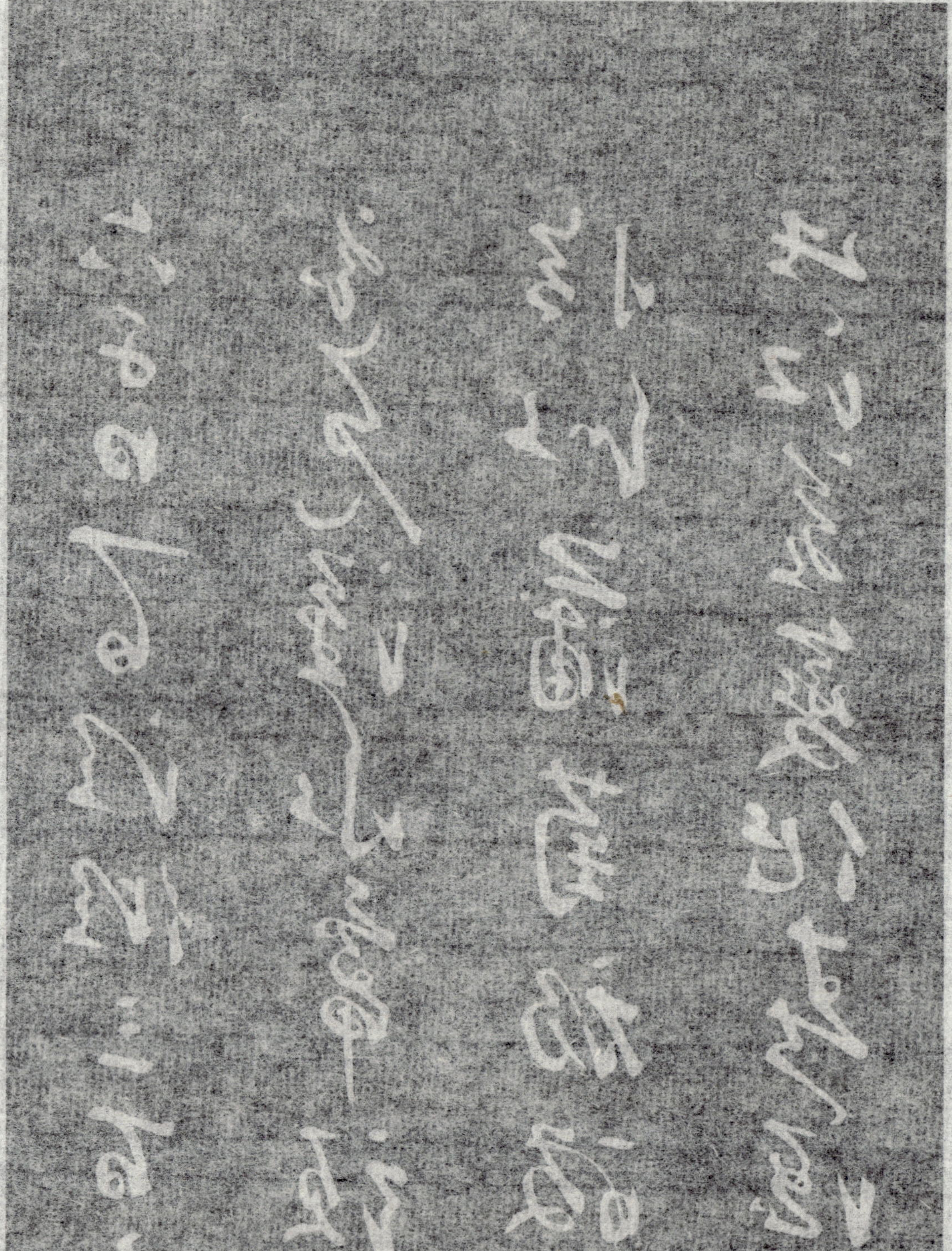

三希堂法帖

鮮于樞・襄陽歌 一六七

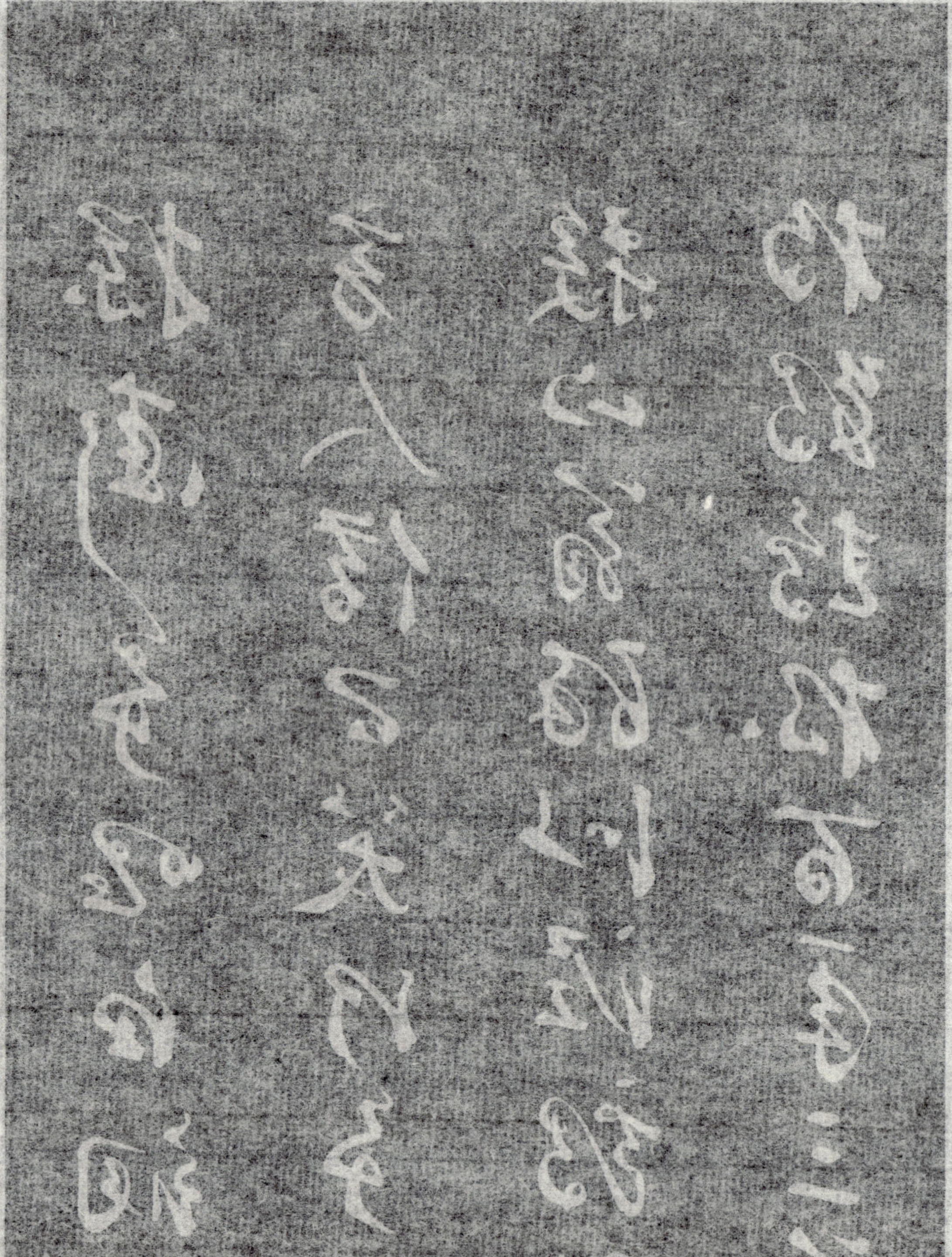

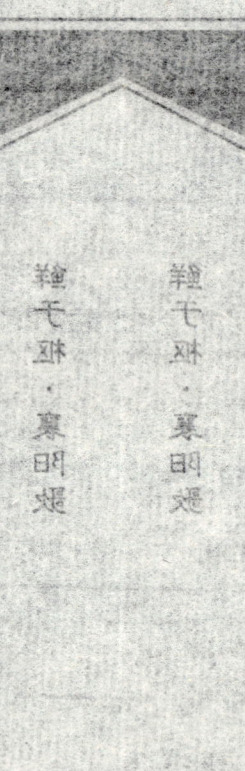

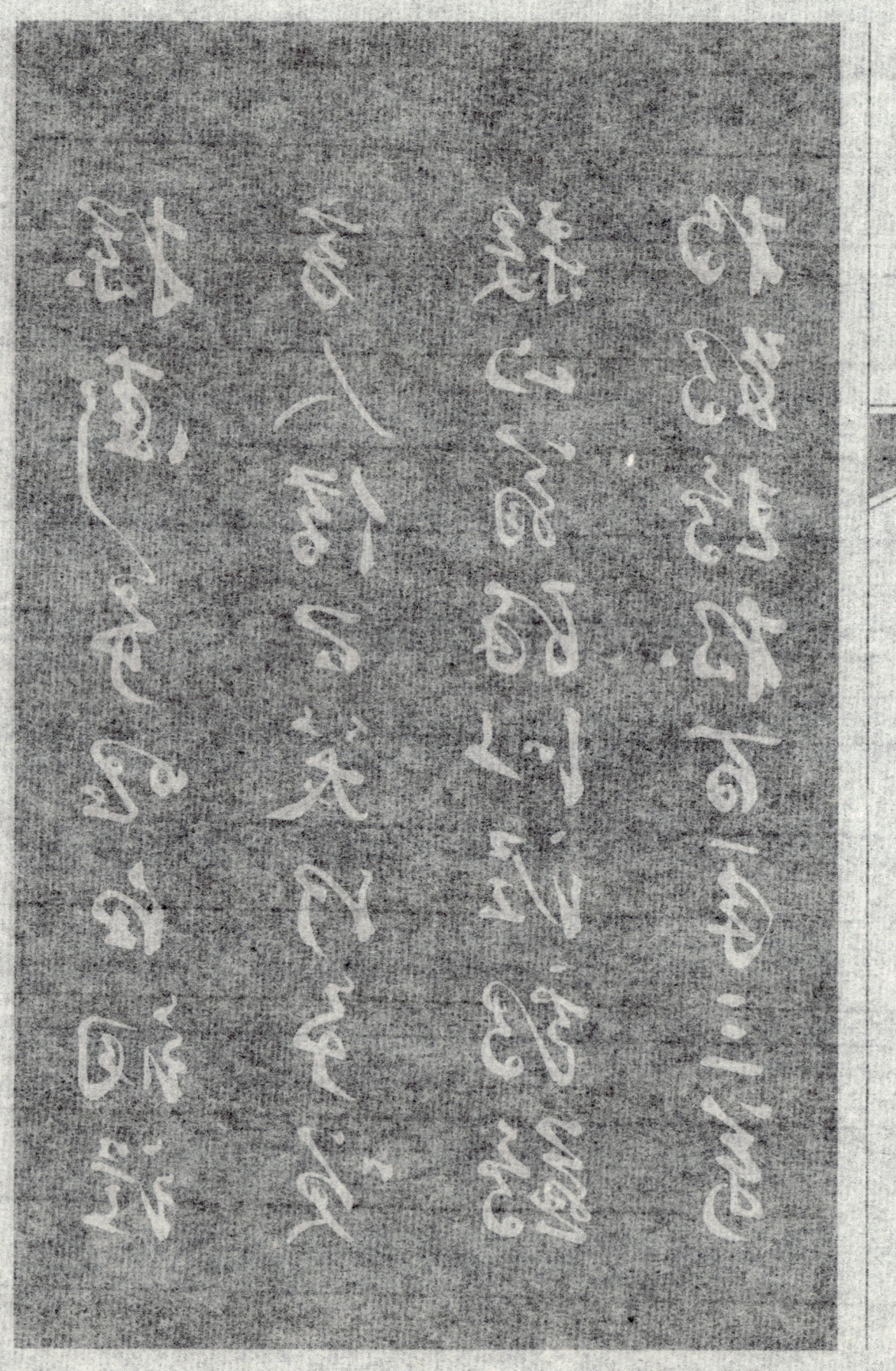

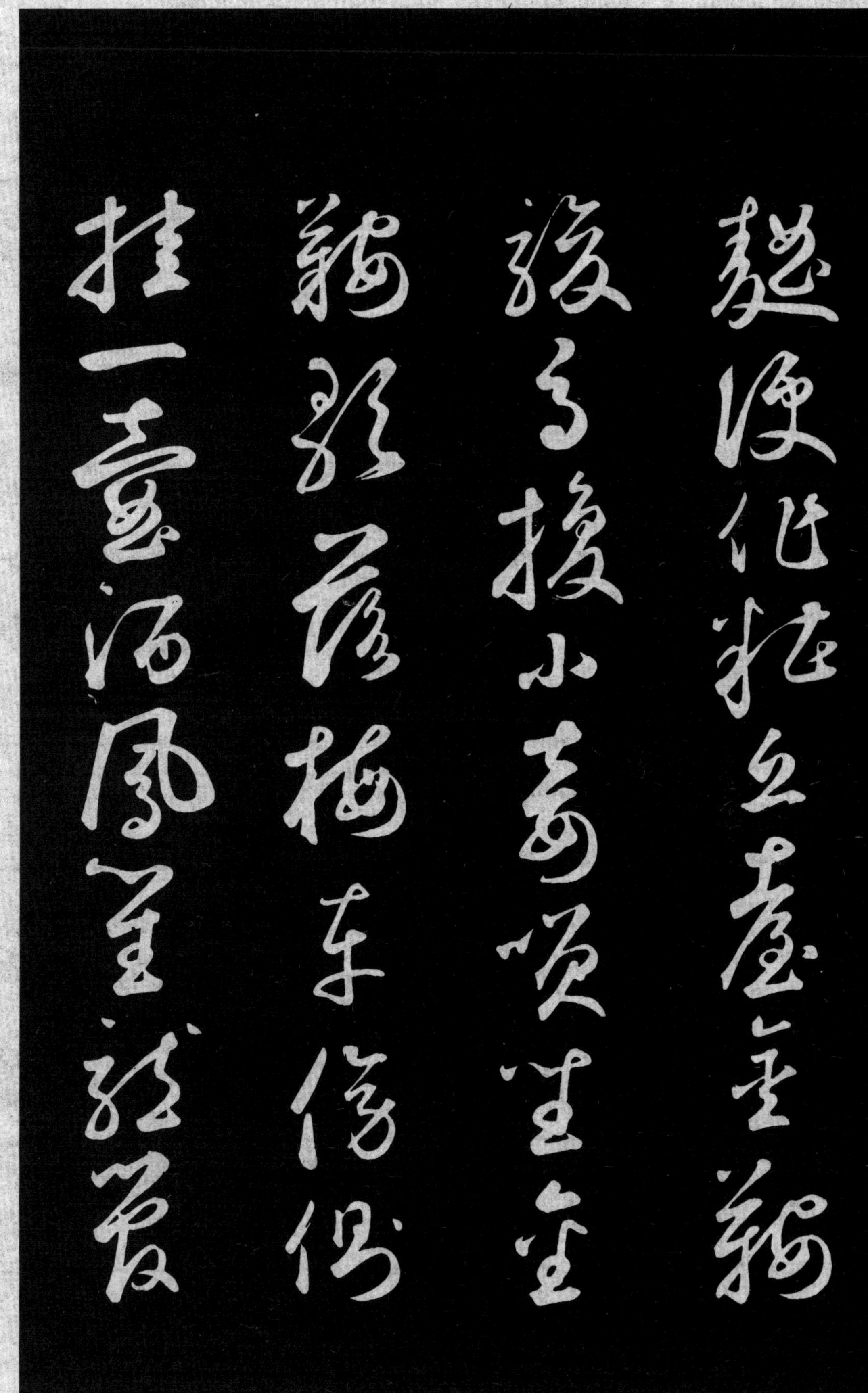

三希堂法帖
鲜于枢·襄阳歌

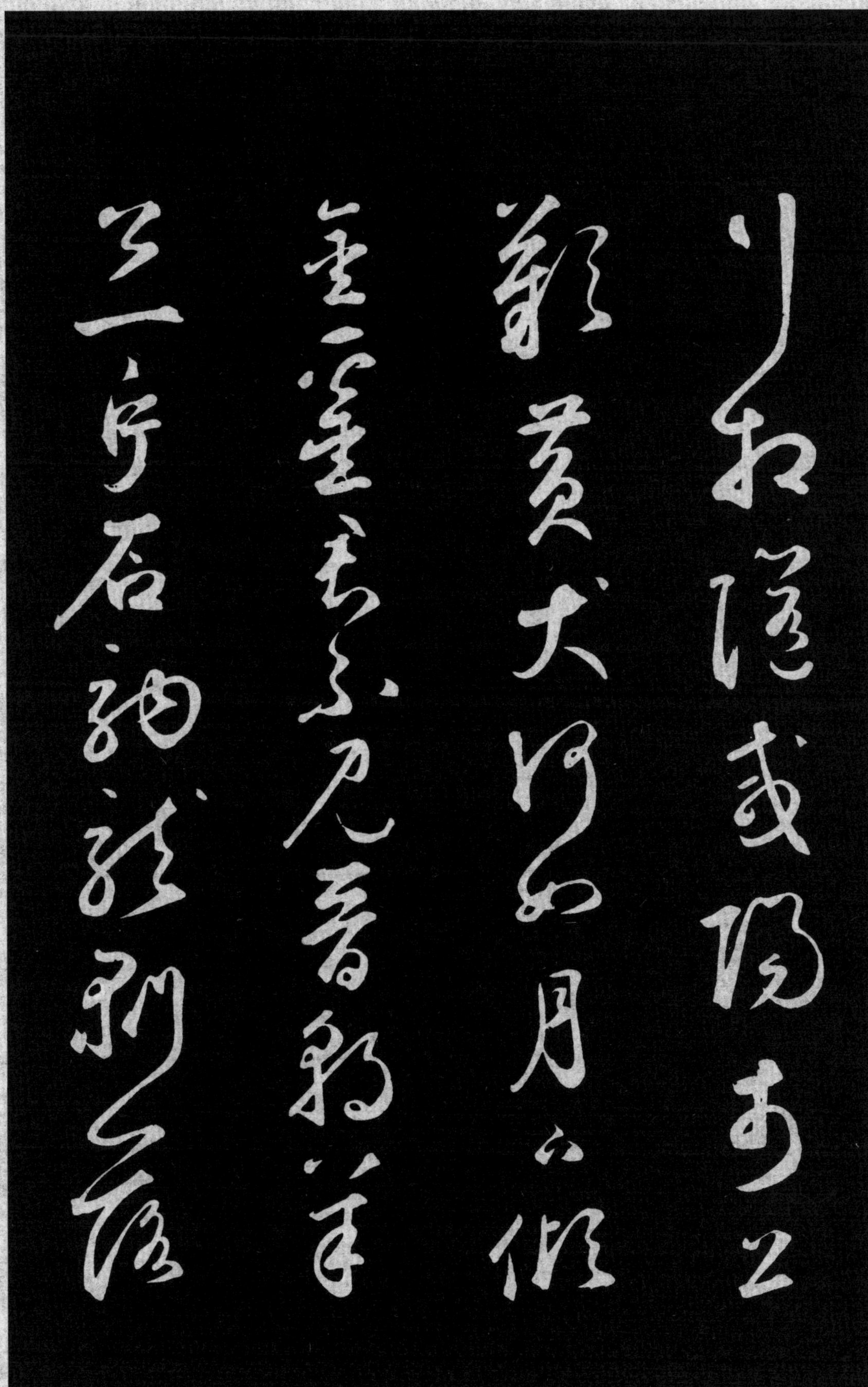

三希堂法帖

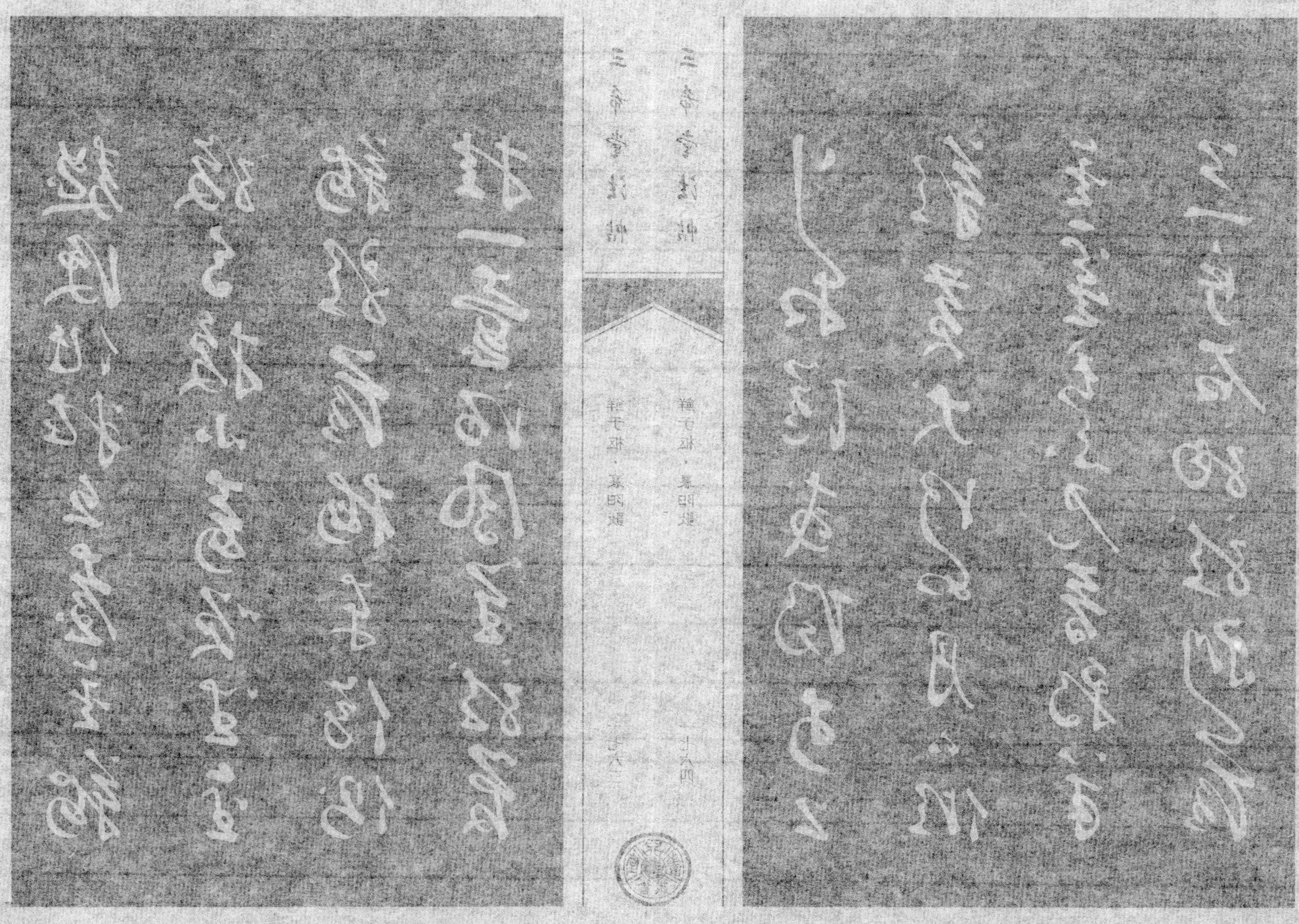

生莓苔淚亦不能
爲之墮心亦不能爲之
哀清風朗月不用一
錢買玉山自倒非人推

三希堂法帖

舒州杓力士鐺李白
與爾同死生襄王雲雨
今安在江水東流猿
夜聲

江上愁心千

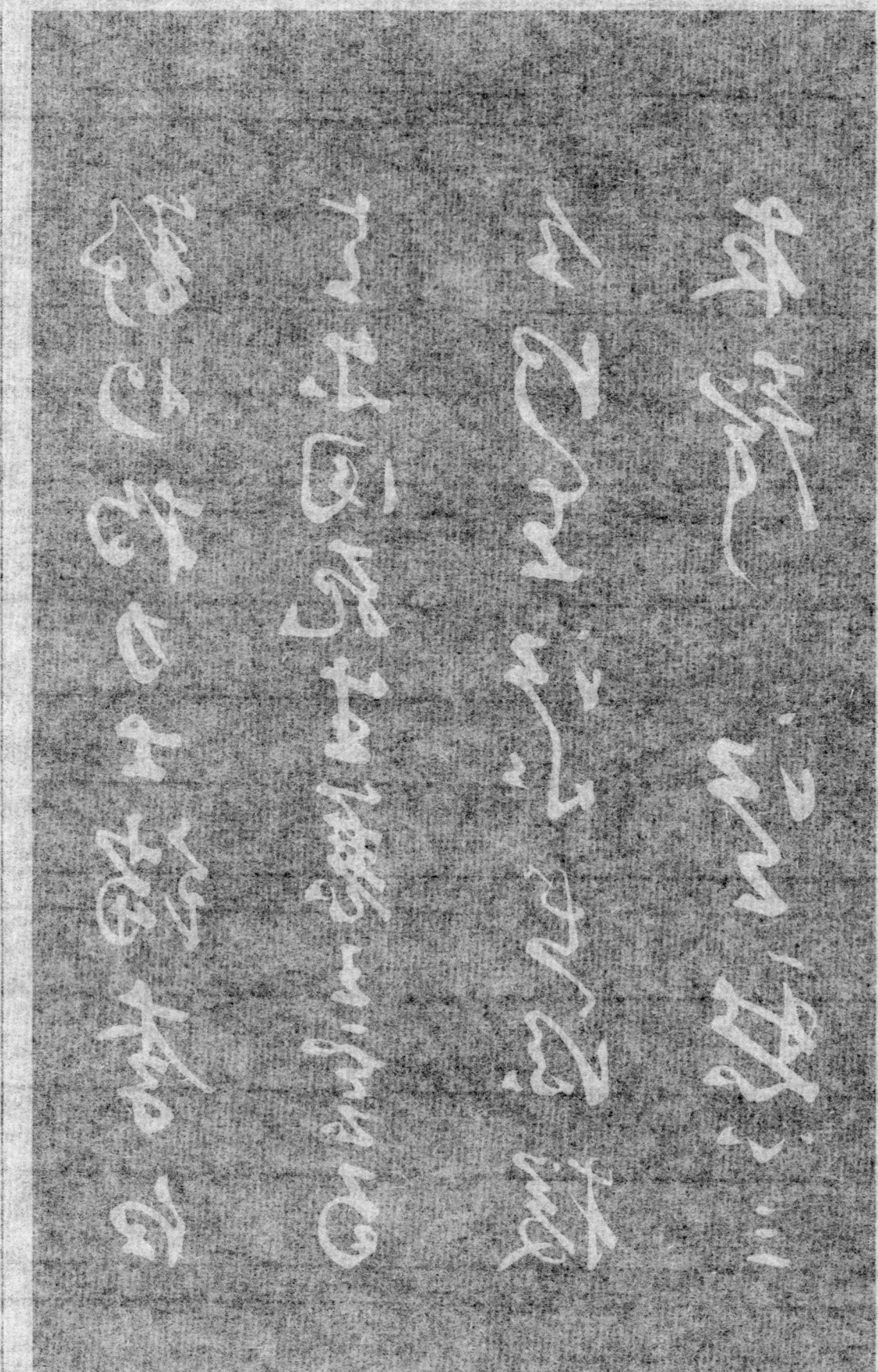

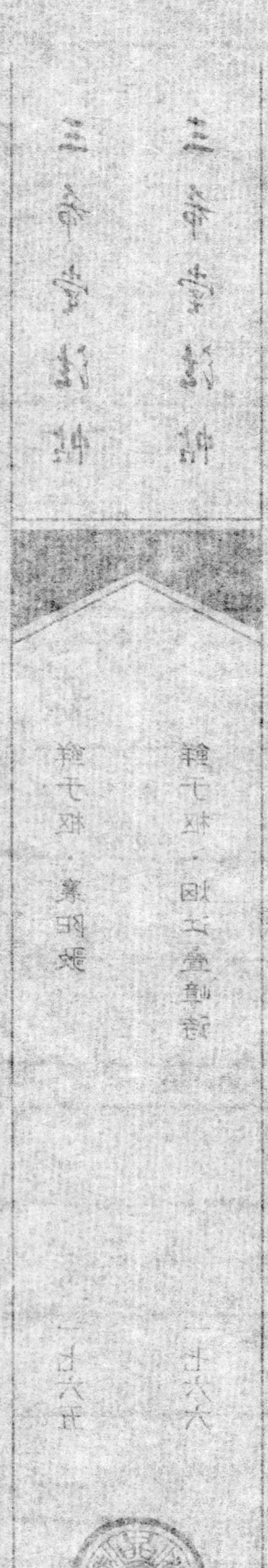

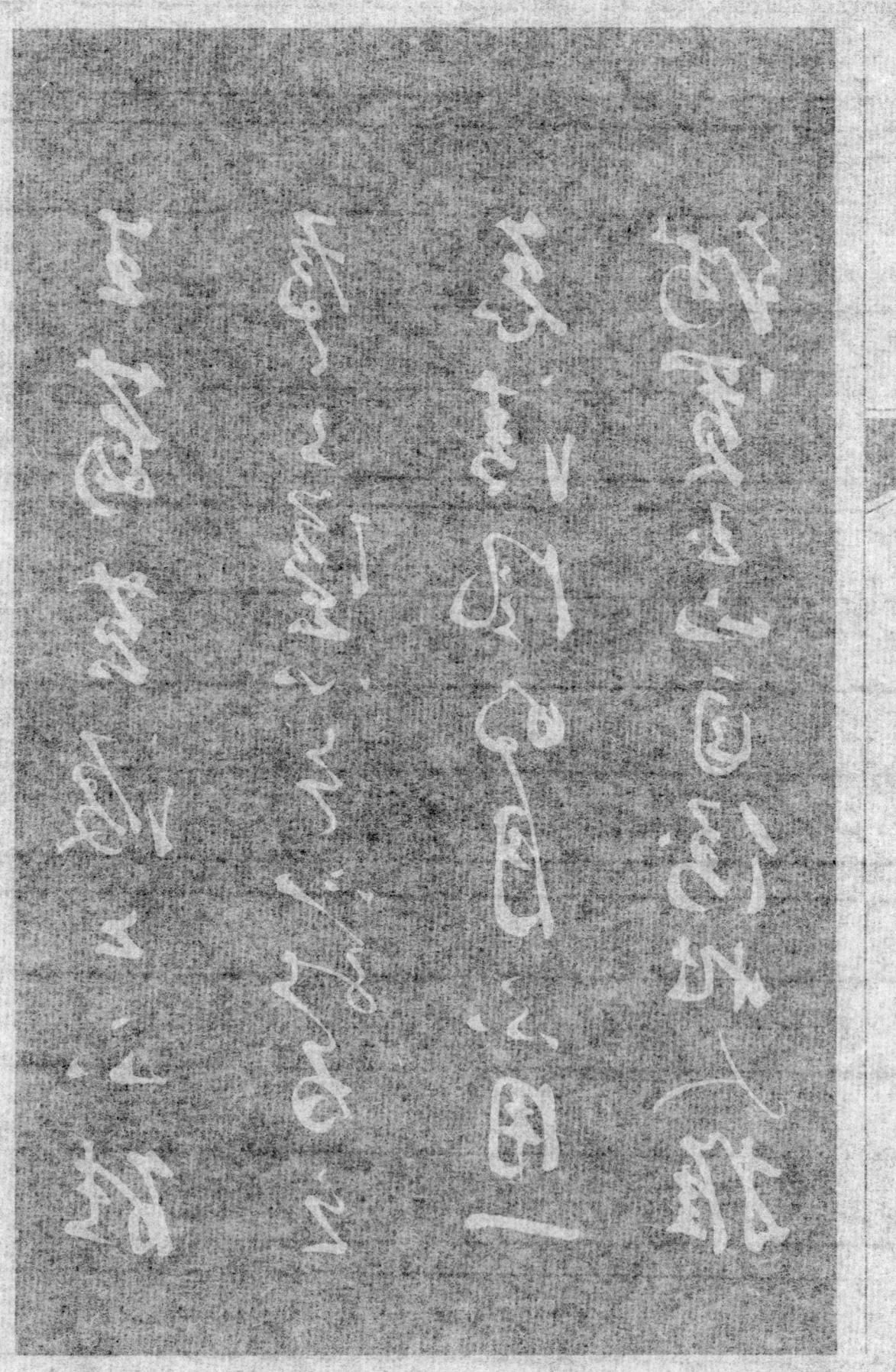

疊山浮空積翠如
雲煙山耶雲耶遠
莫知煙空雲散山
依然但見兩崖蒼蒼

暗絕谷中有百道飛
來泉縈林絡石隱
復見下赴谷口爲奔
川川平山開林麓斷

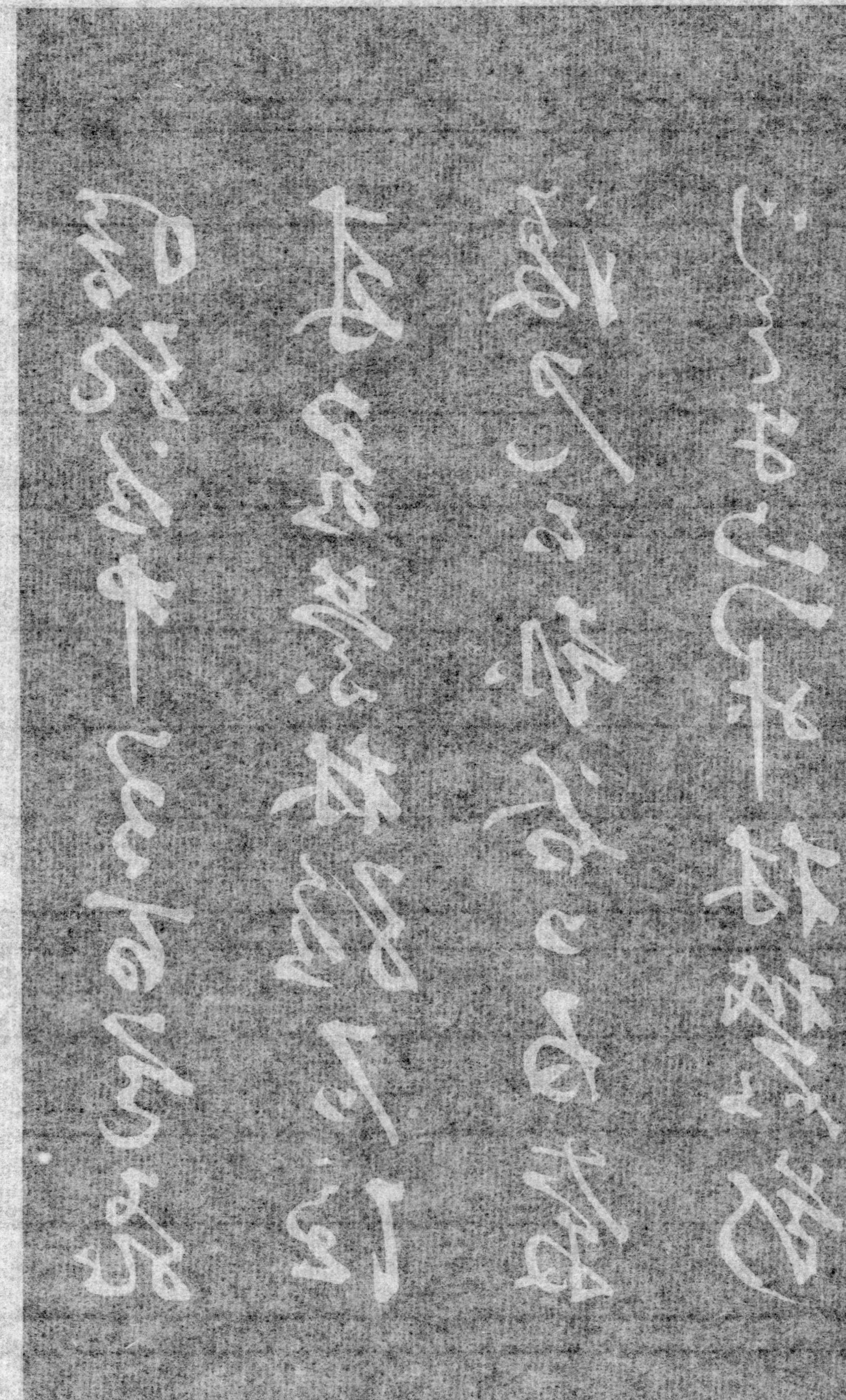

三希堂法帖　鮮于樞·[illegible]工書草詩　一七六八

三希堂法帖　鮮于樞·[illegible]工書草詩　一七六七

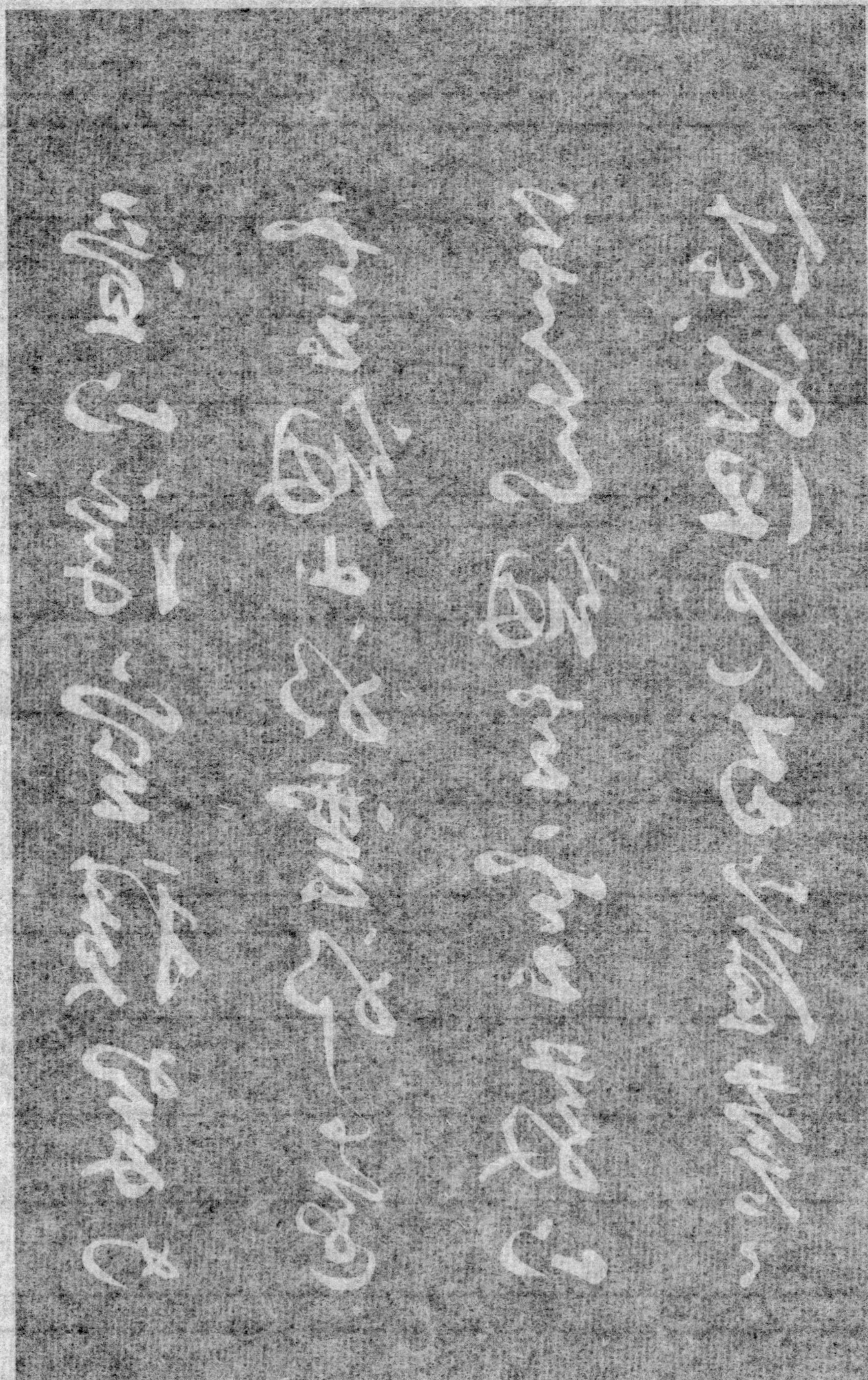

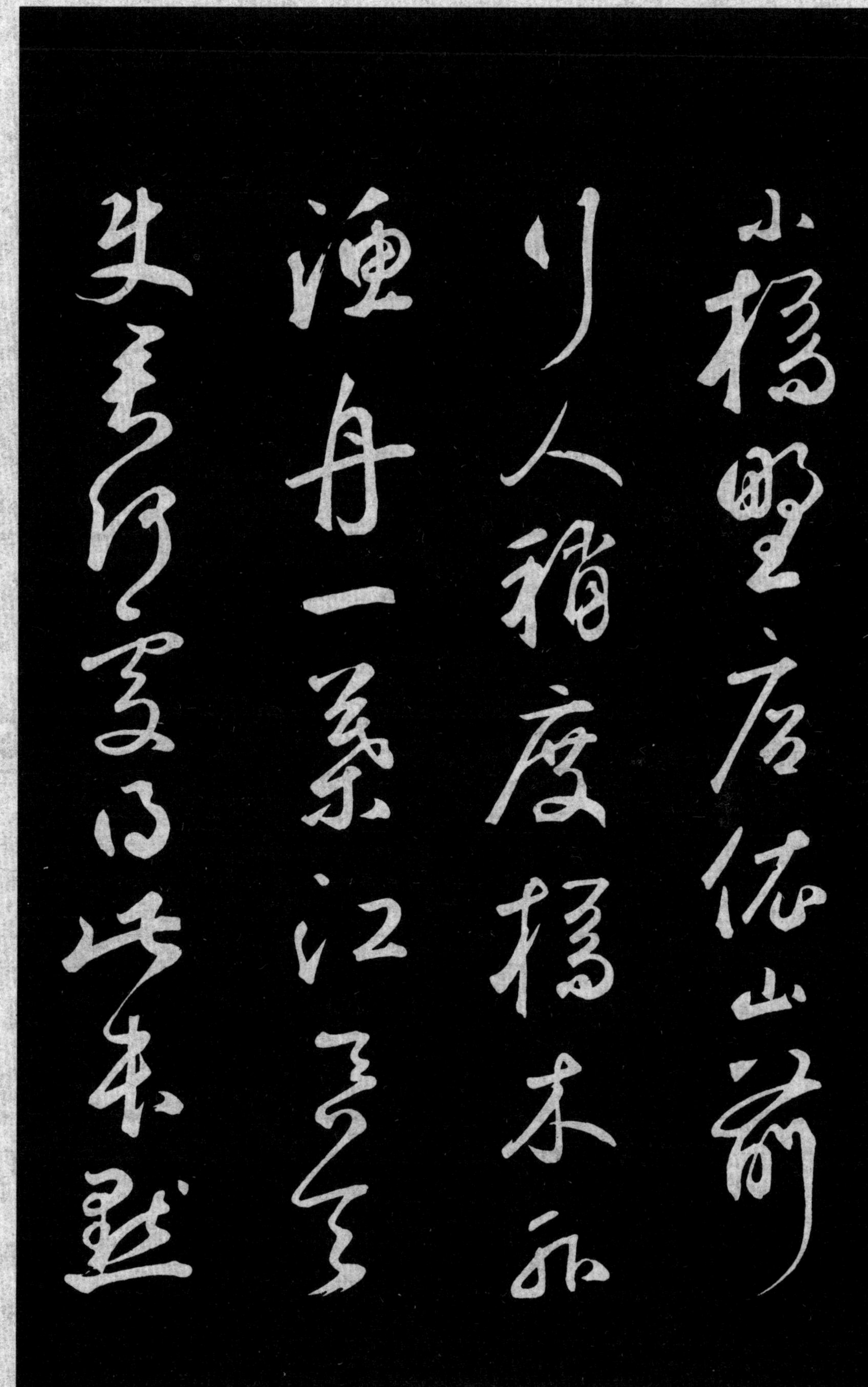

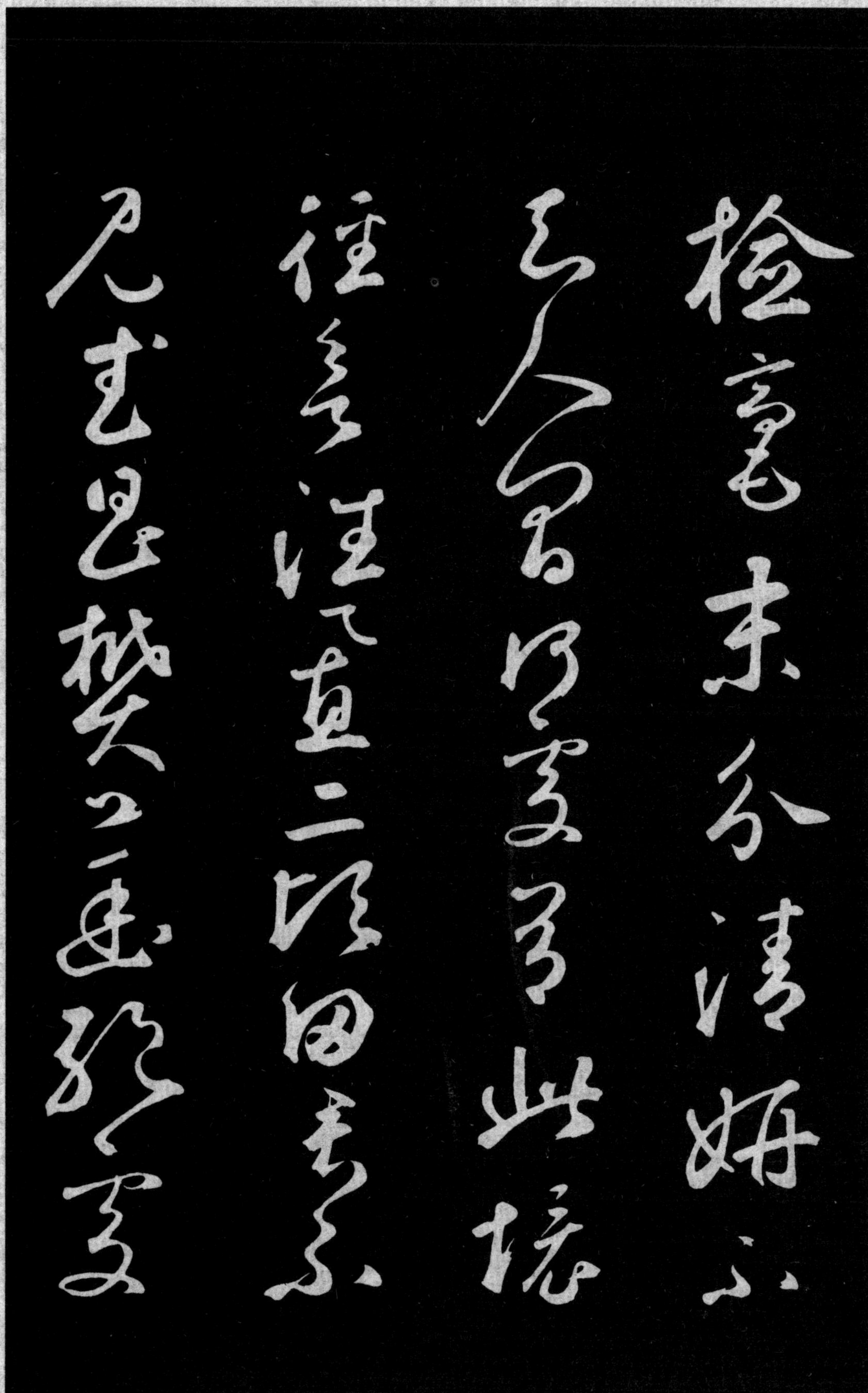

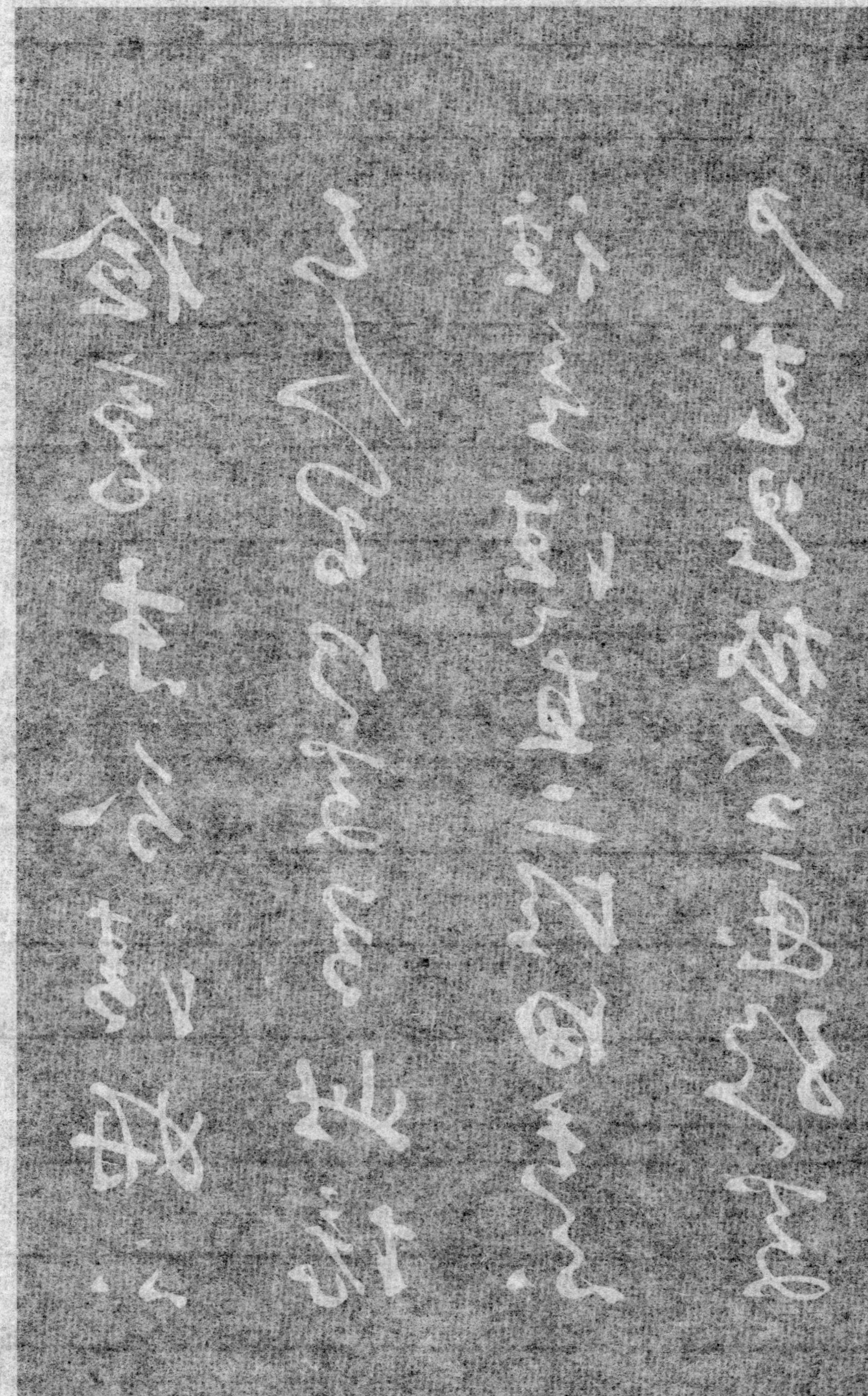

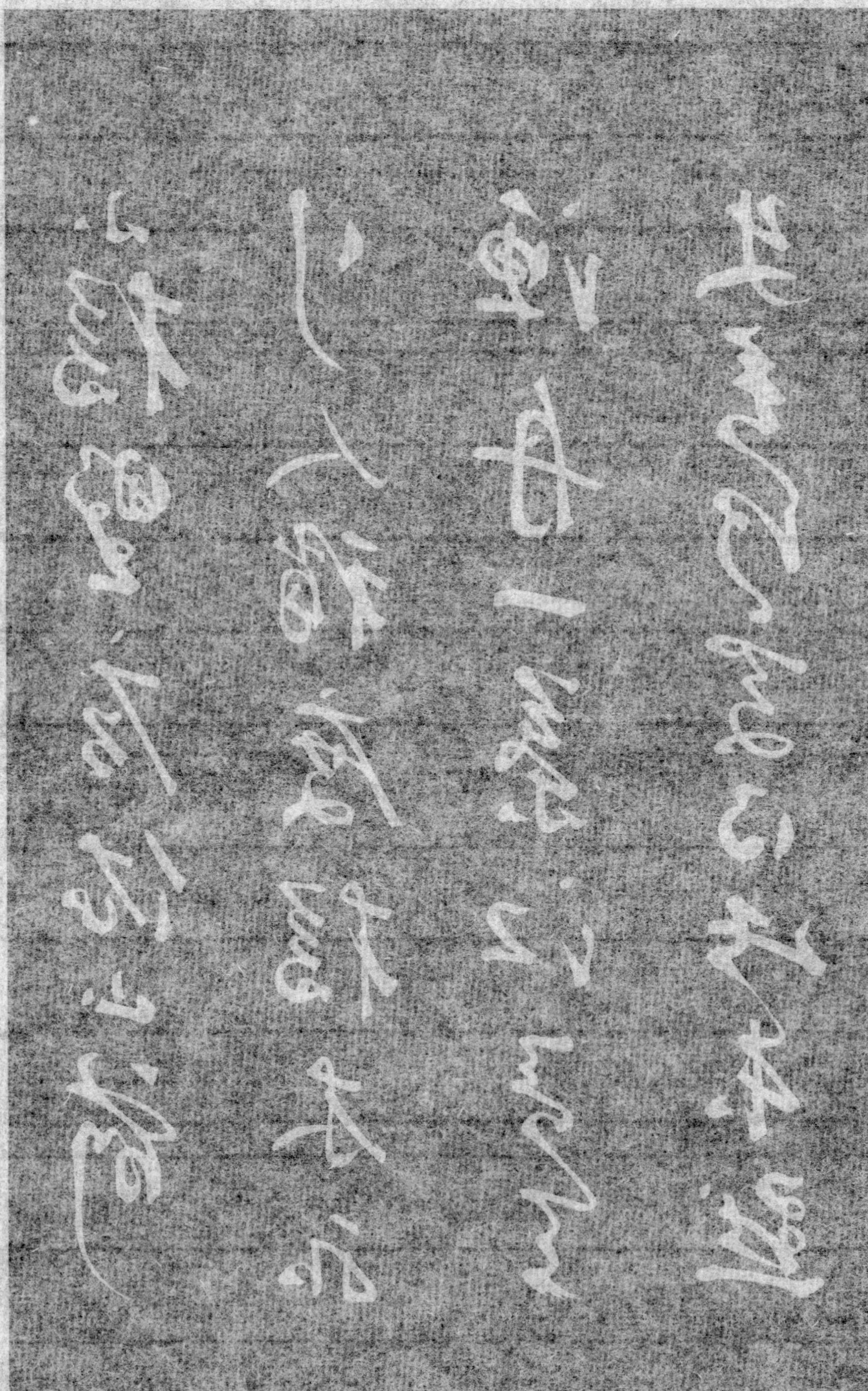

東坡先生留五年
春風搖江天漠漠暮
雲卷雨山娟娟丹
楓翻鴉伴水宿長松

三希堂法帖

鲜于枢·烟江叠嶂诗

落雪驚醉眠桃
花流水在人世
武陵豈必皆神仙
江山清空我塵土

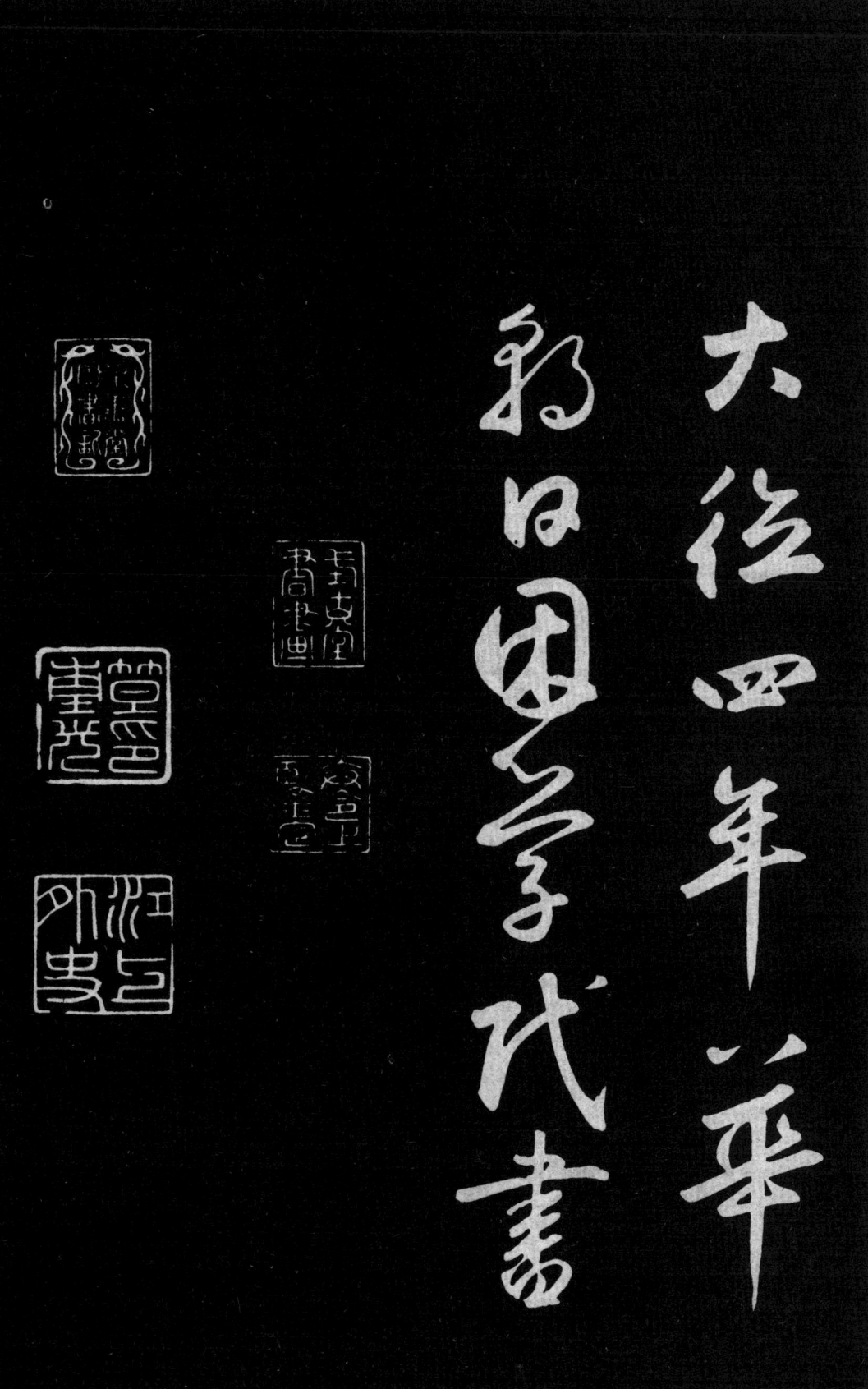

虽有去路寻无缘
还君此画三叹息
山中故人应有
招我归来篇

三希堂法帖

大德四年八月
朔日困学民书

鲜于枢·烟江叠嶂诗

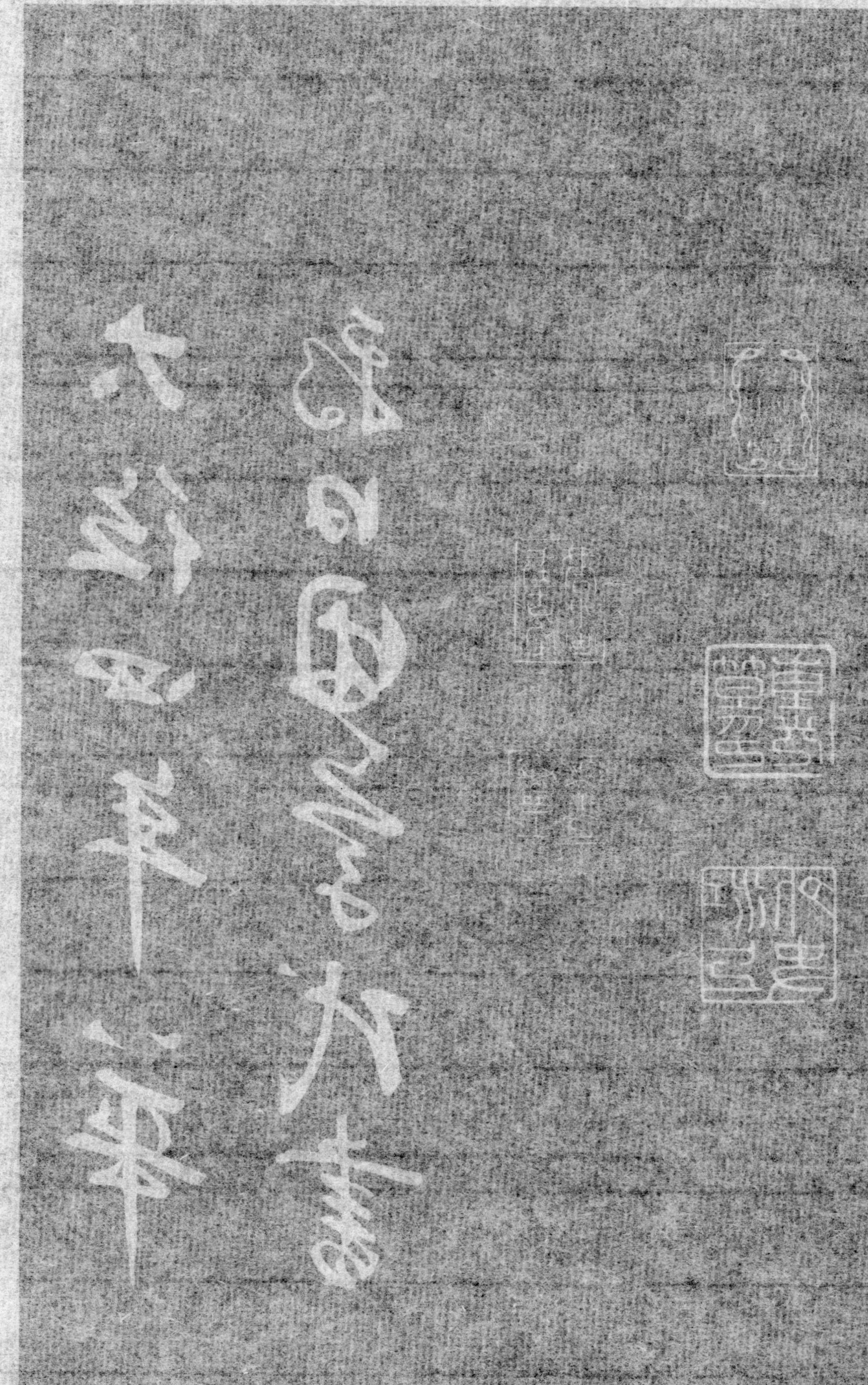

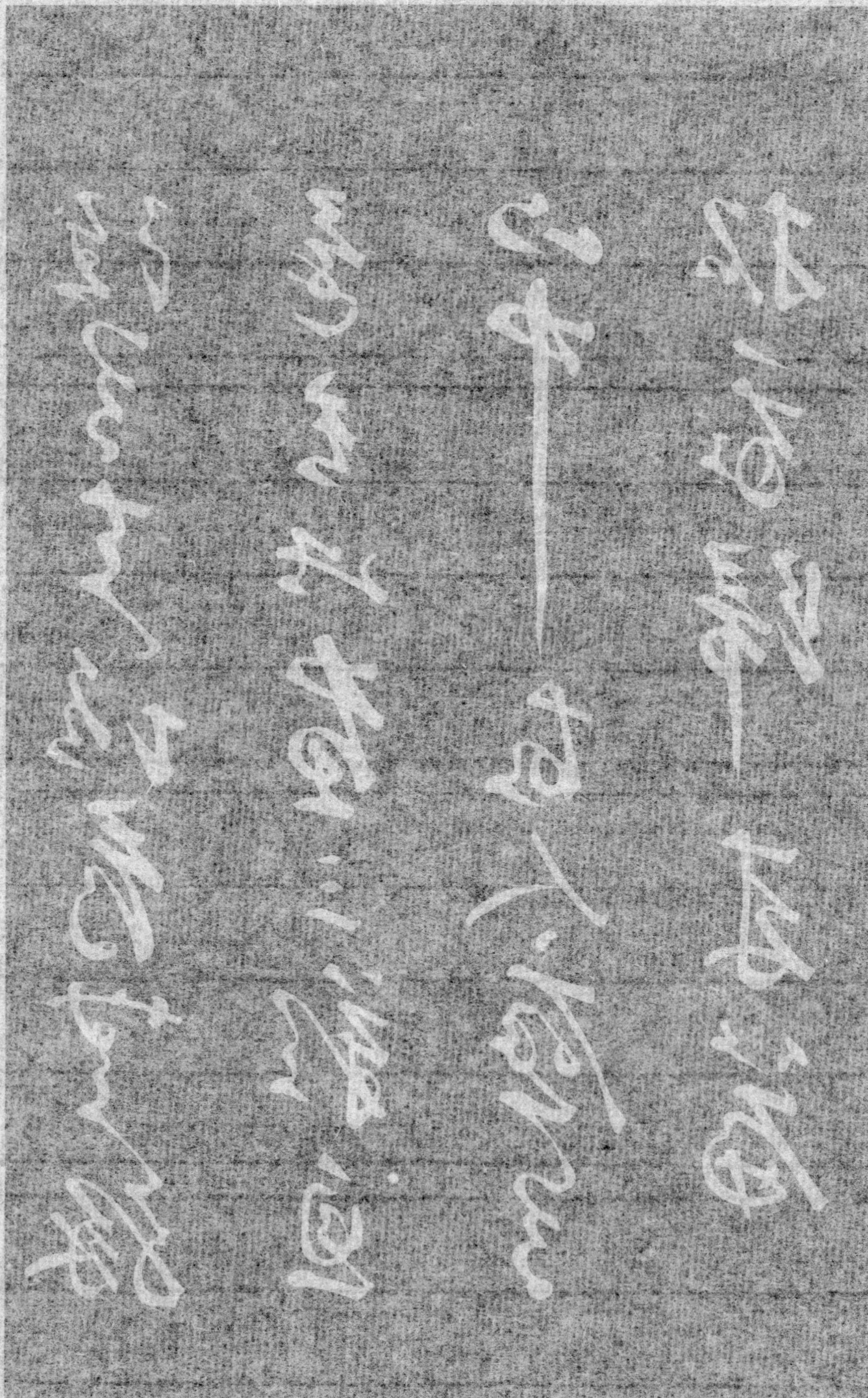

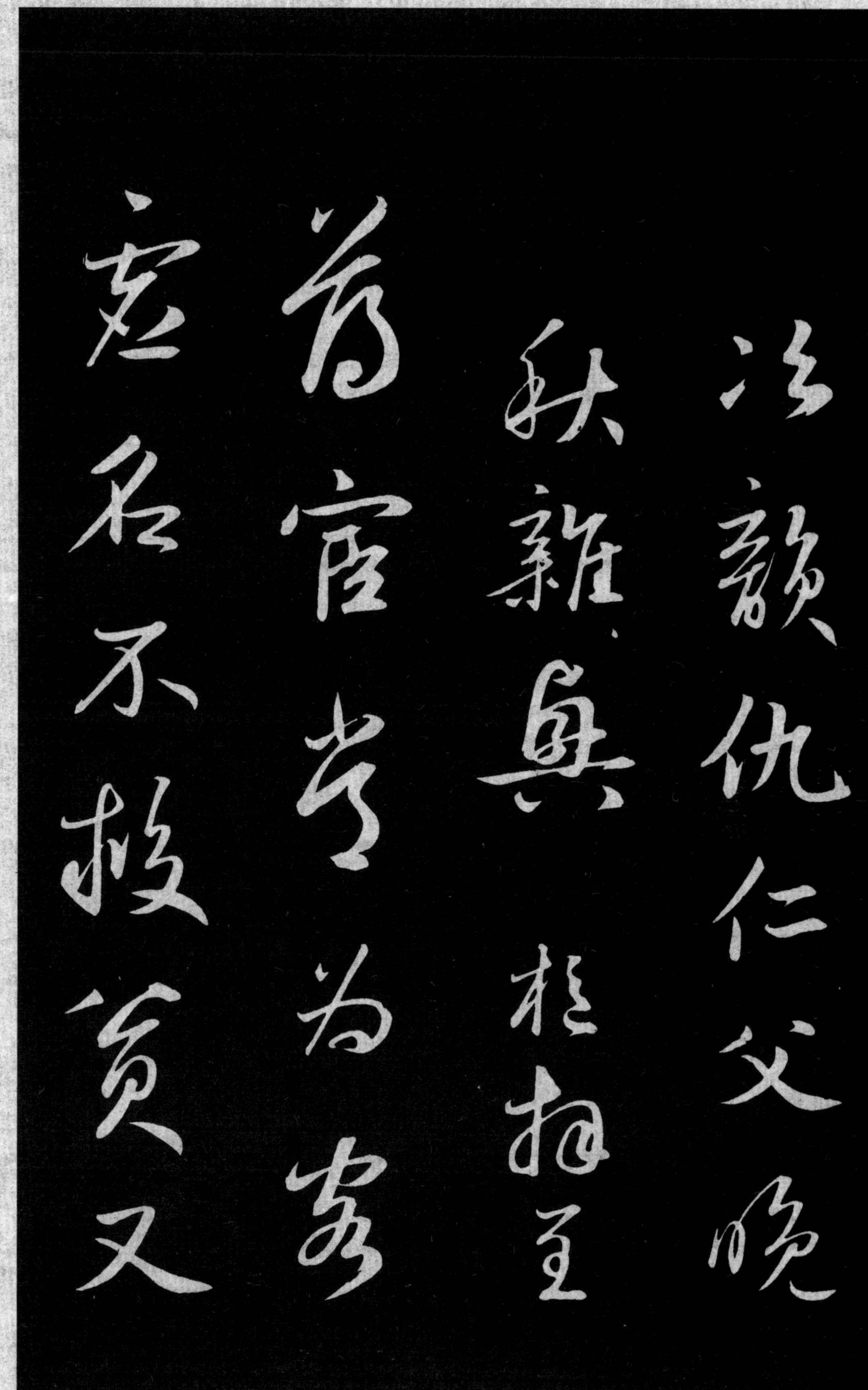

鲜于枢·次韵仇仁父晚秋杂兴

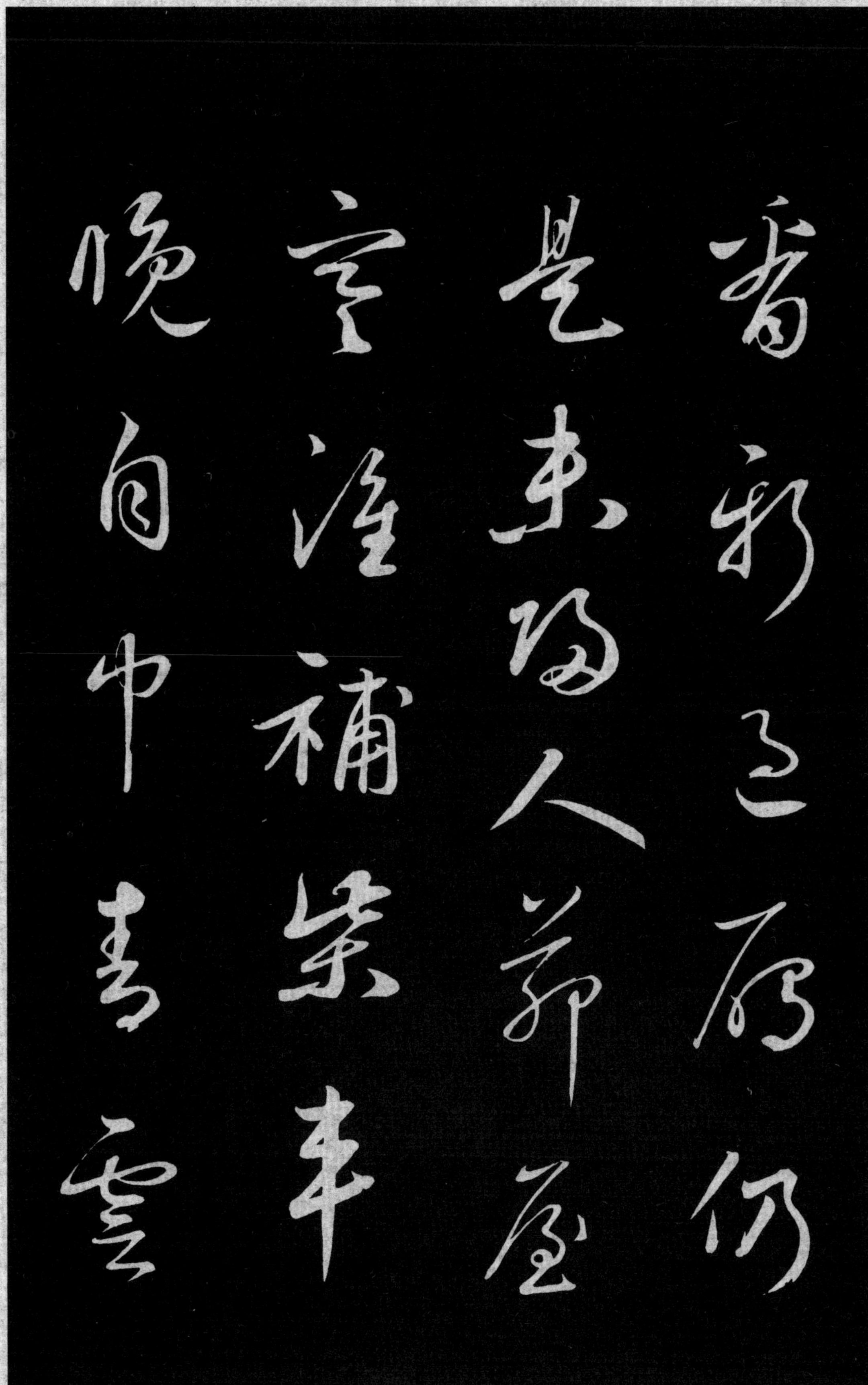

鲜于枢·次韵仇仁父晚秋杂兴

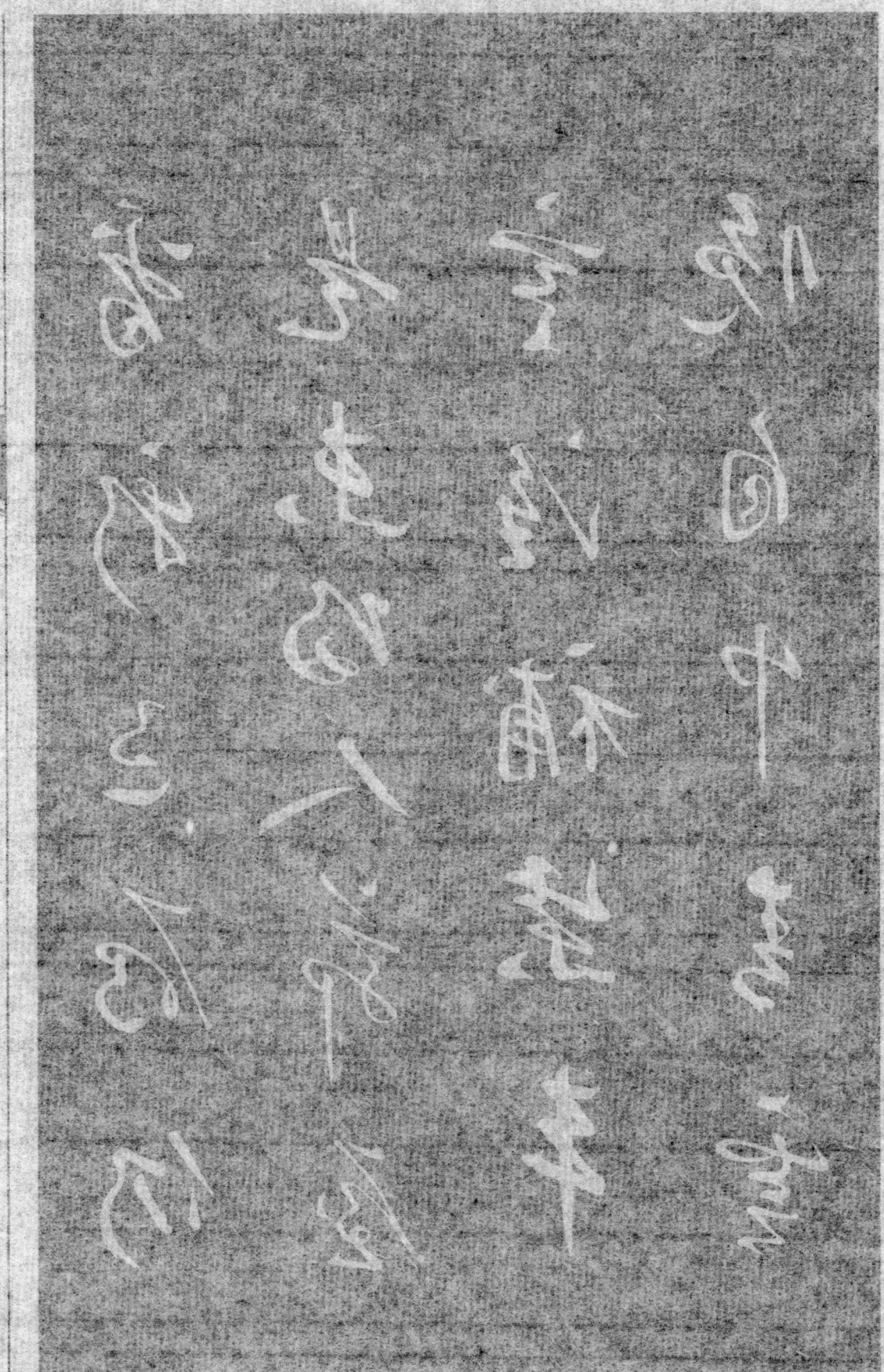

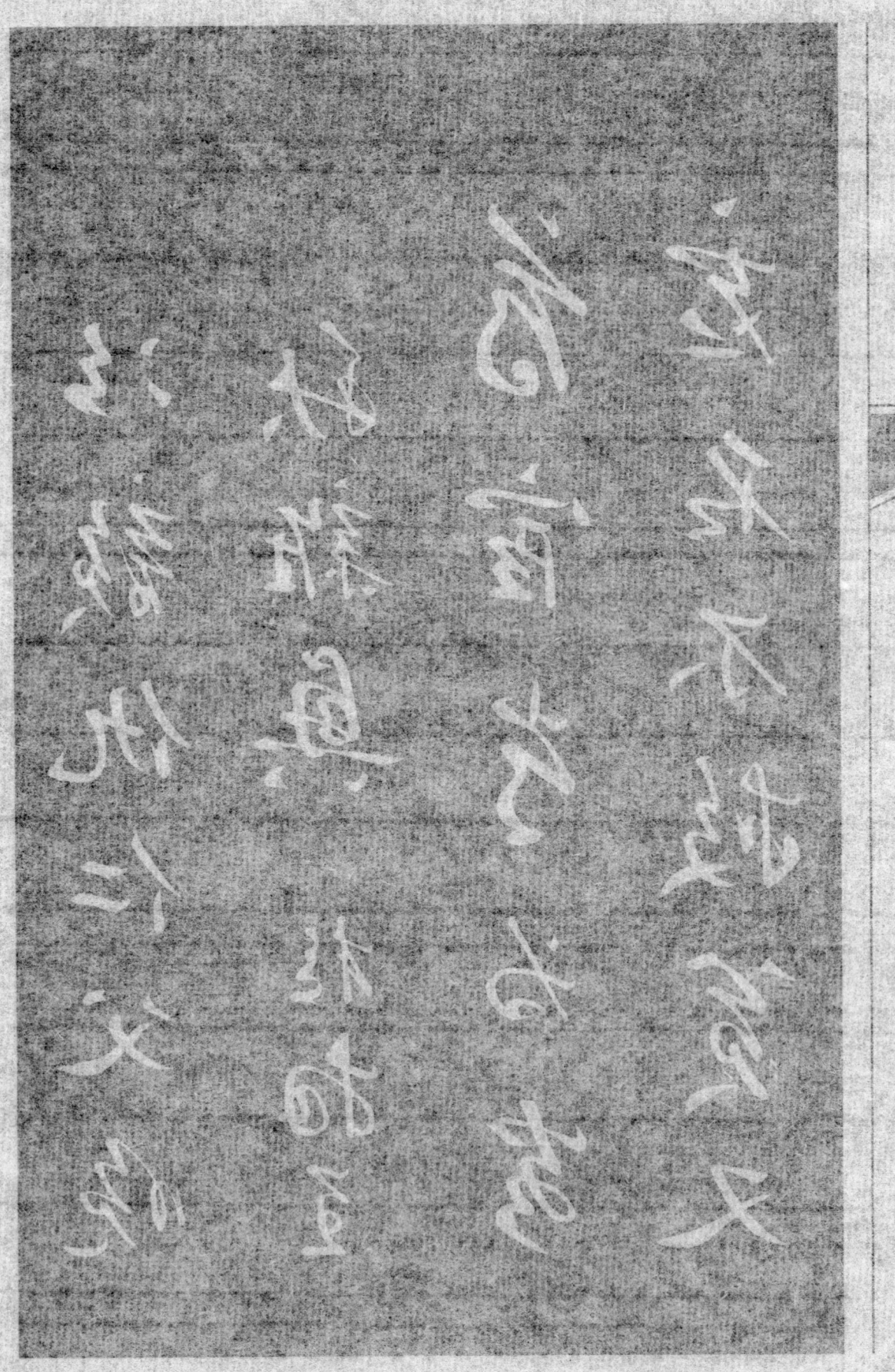

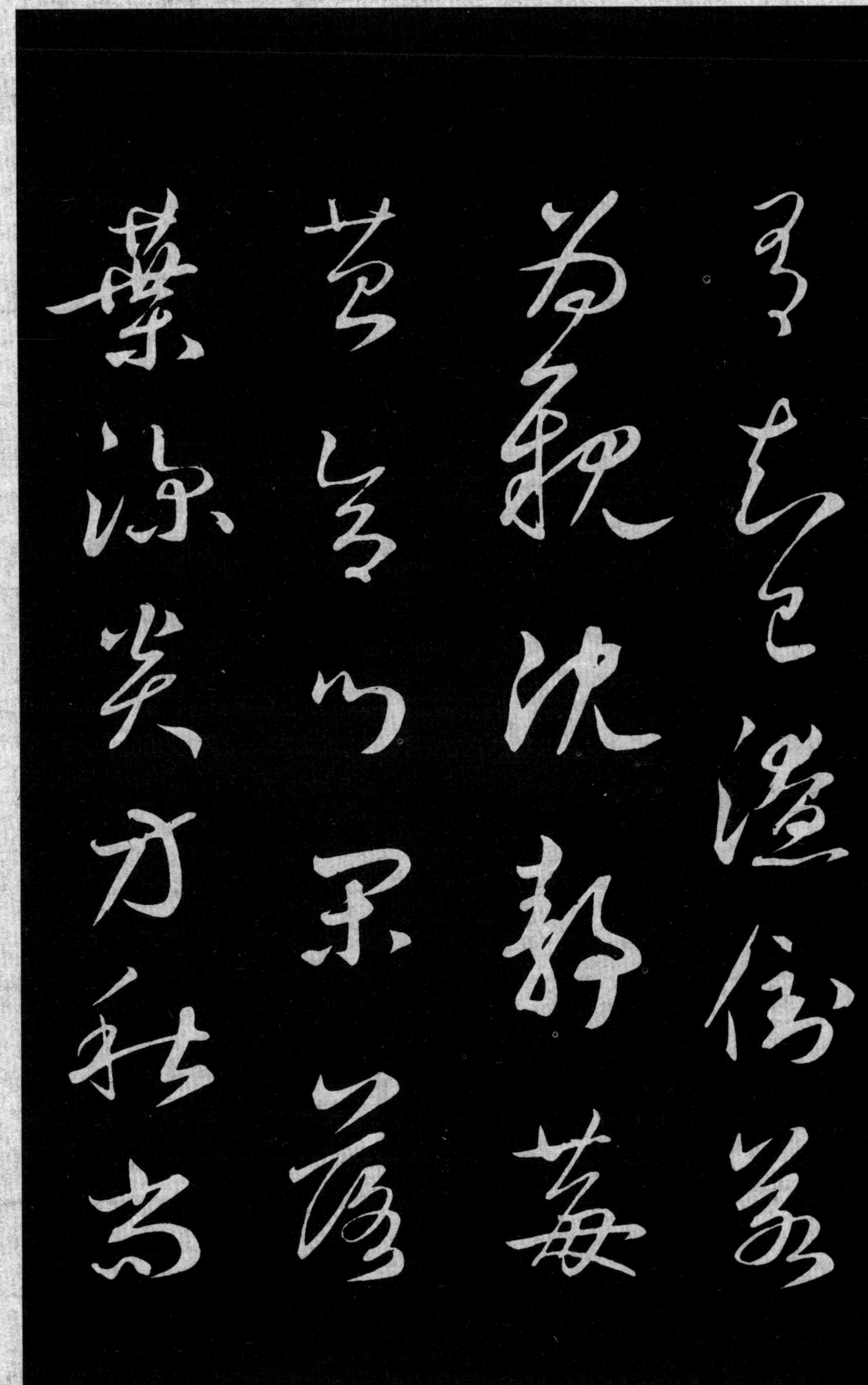

三希堂法帖

鲜于枢·次韵仇仁父晚秋杂兴

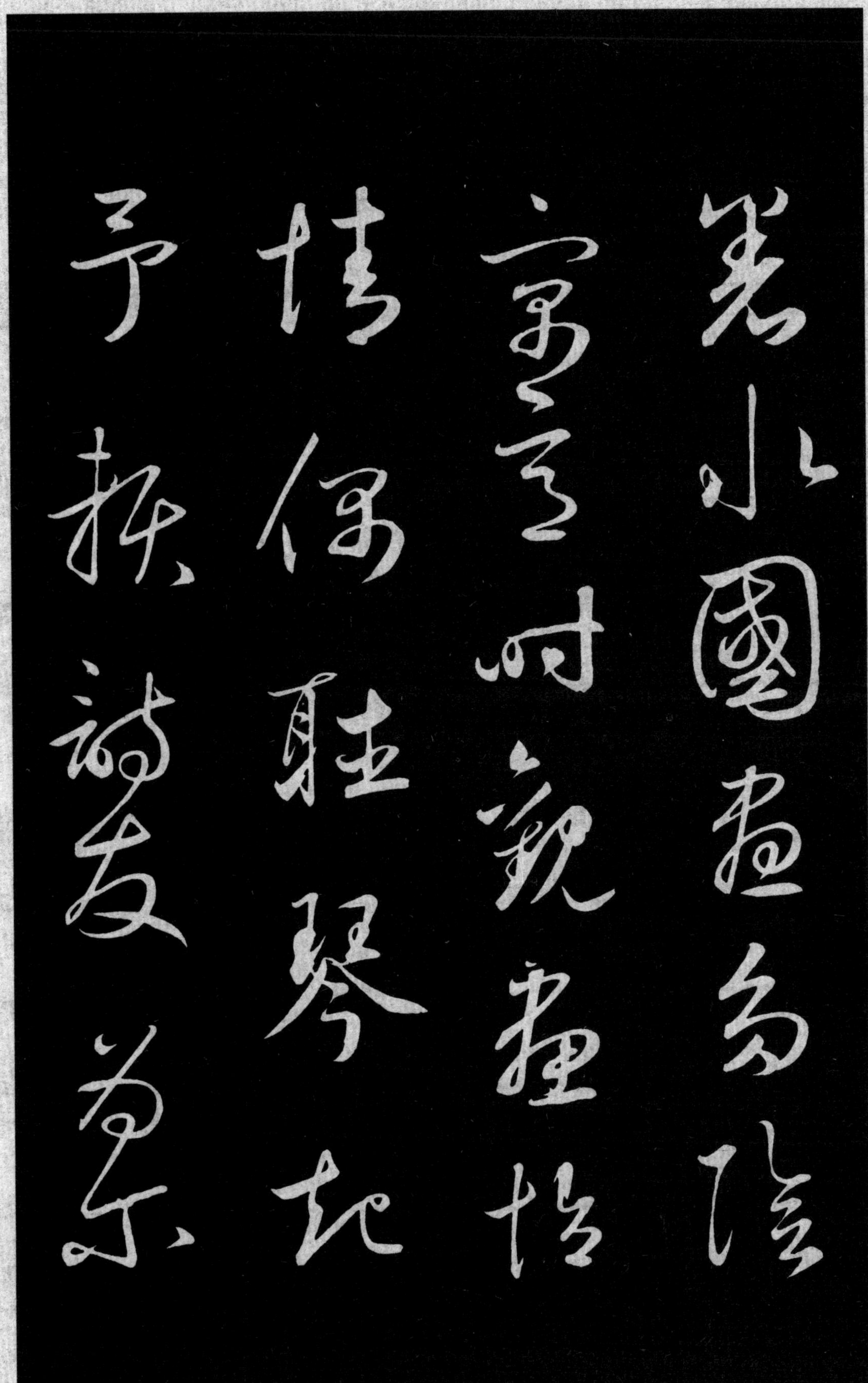

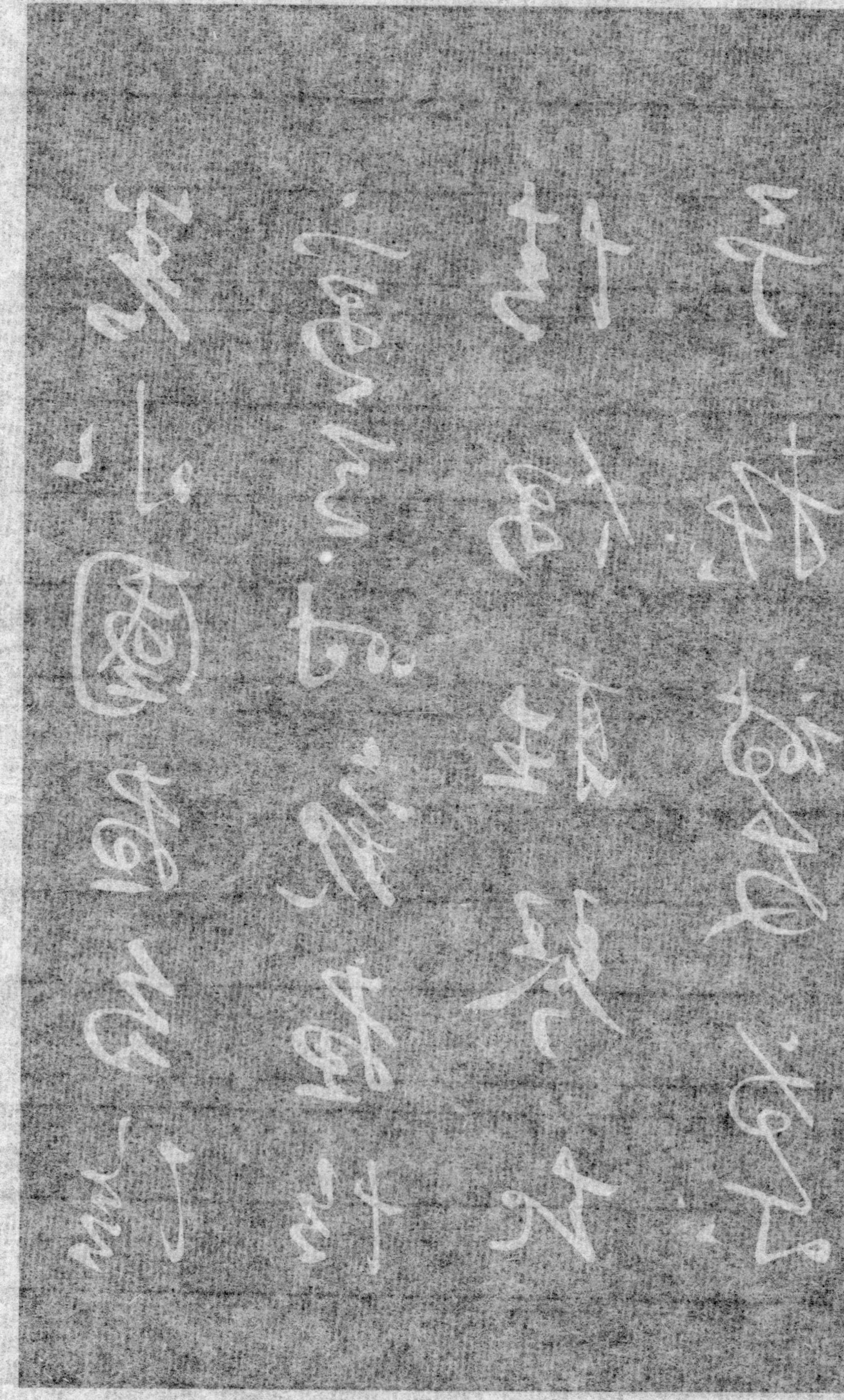

三希堂法帖

鲜于枢·次韵仇仁父晚秋杂兴

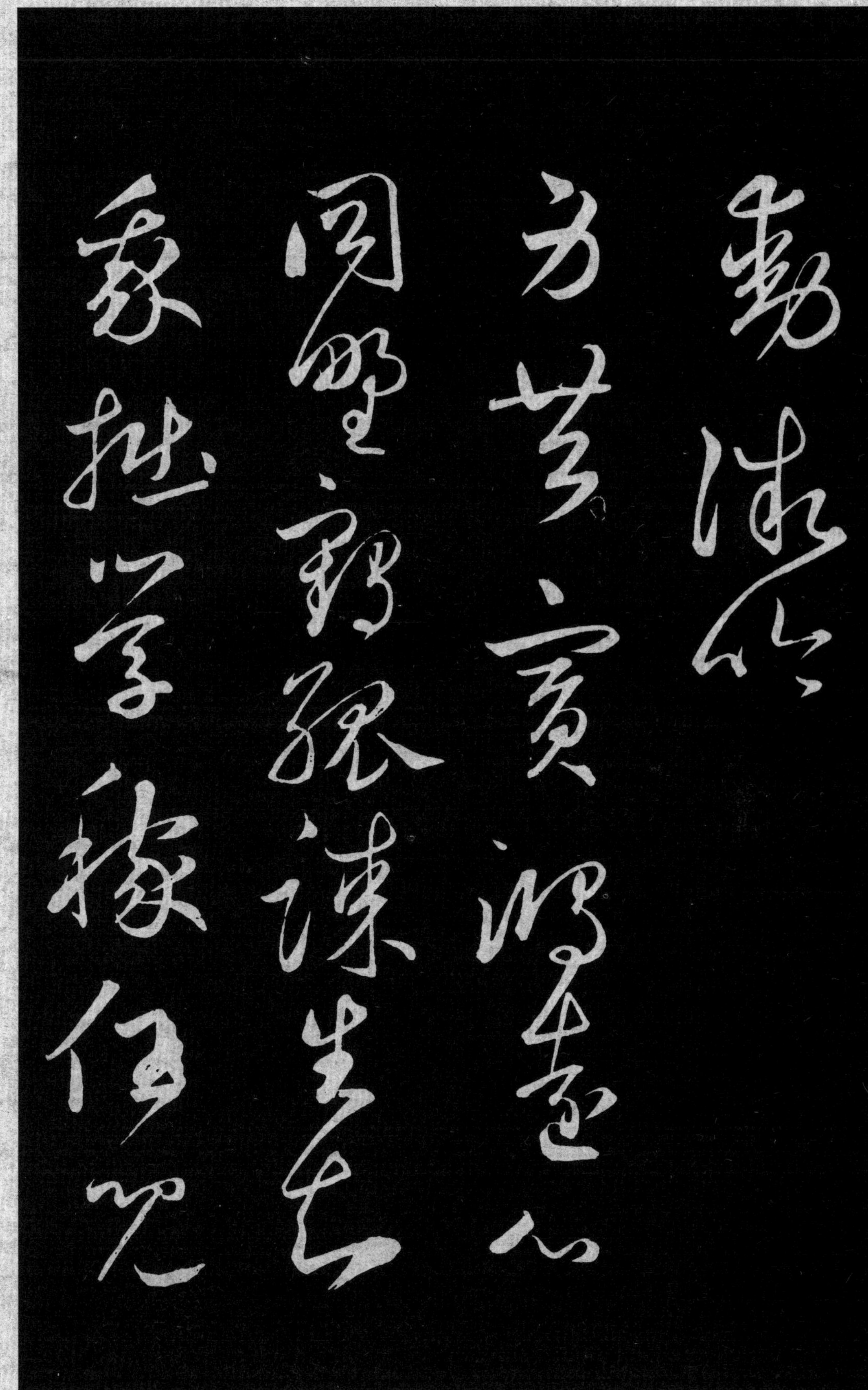

三希堂法帖

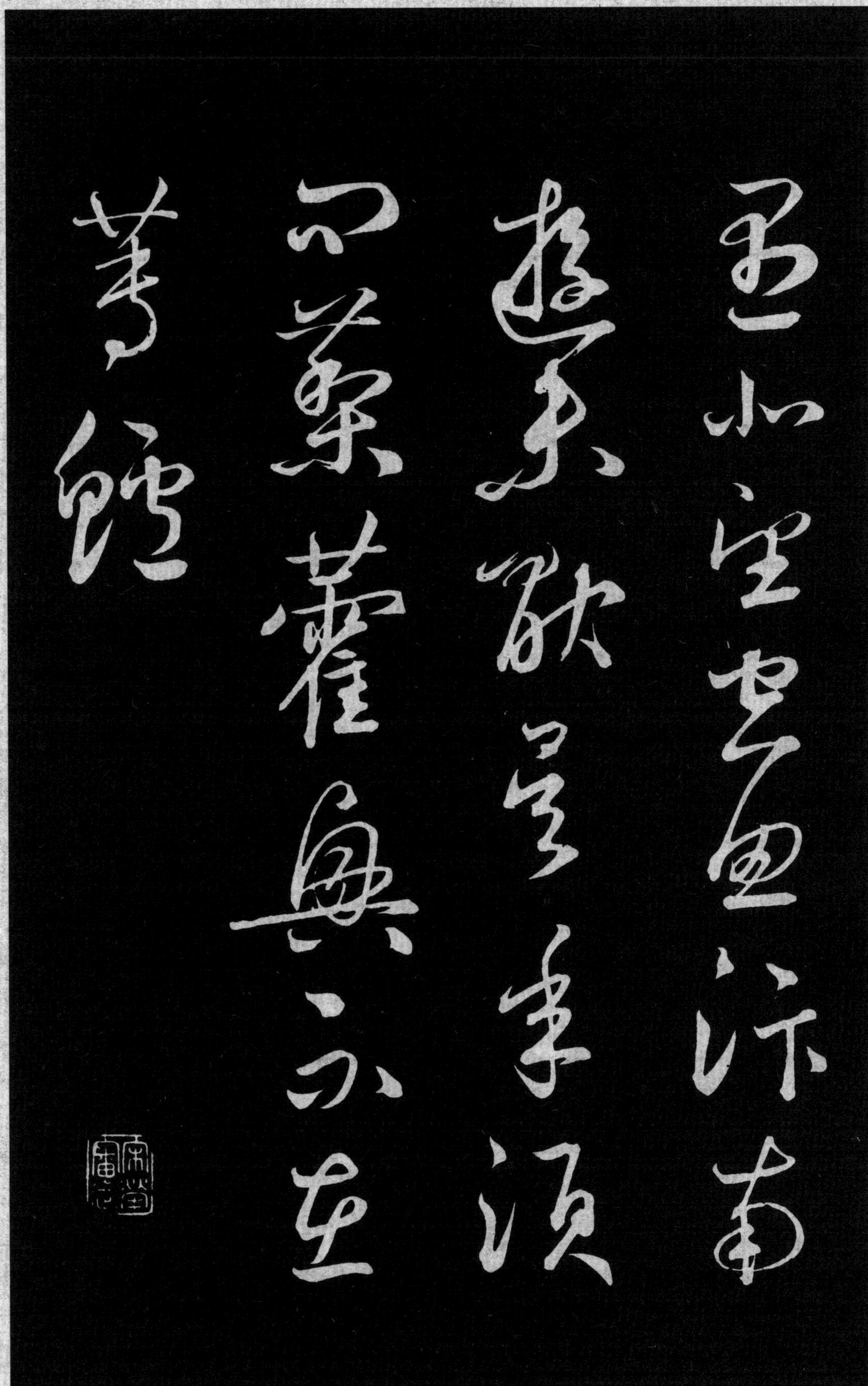

鲜于枢·次韵仇仁父晚秋杂兴

三希堂法帖　一八〇

三希堂法帖　一七九

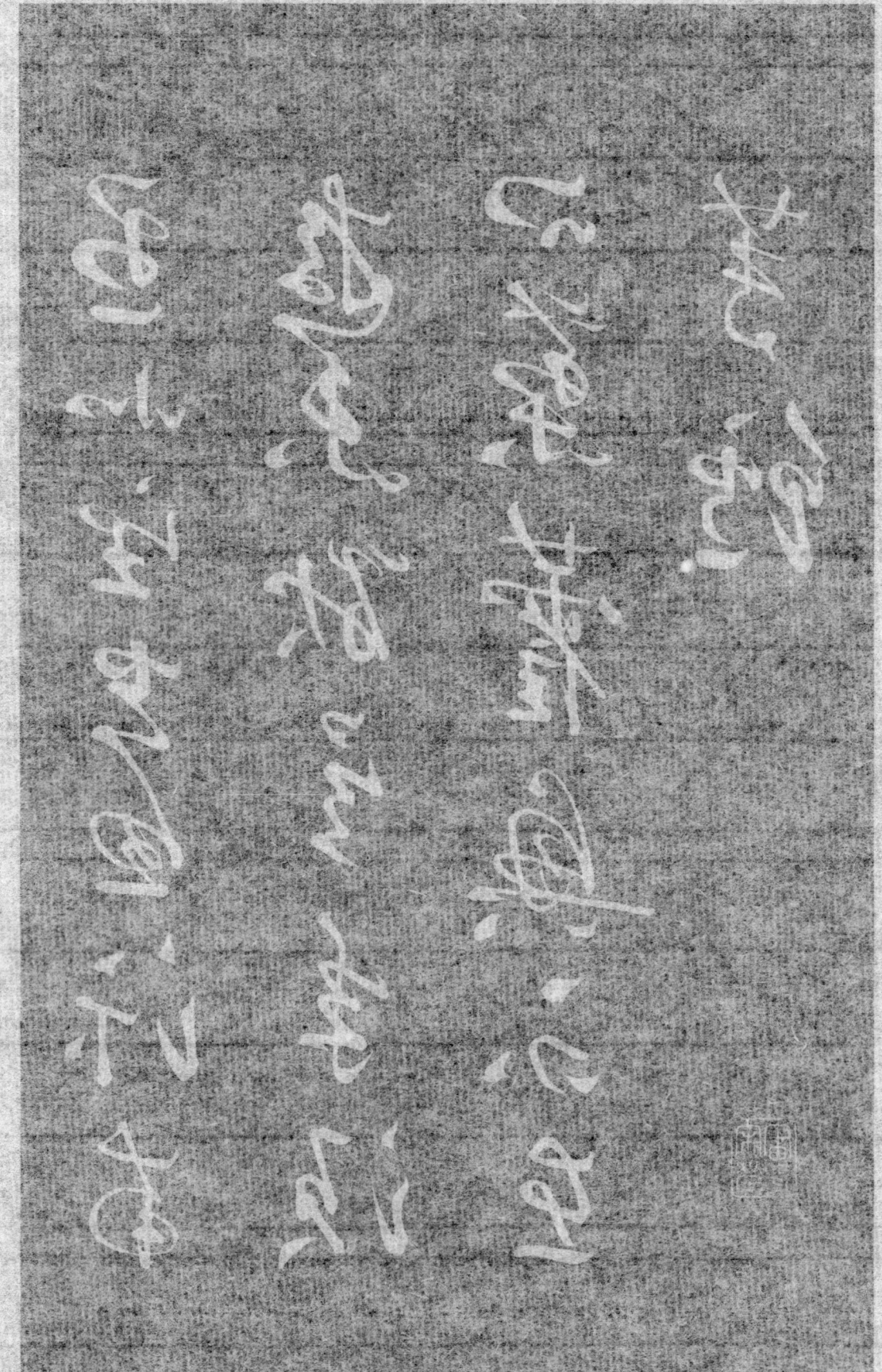

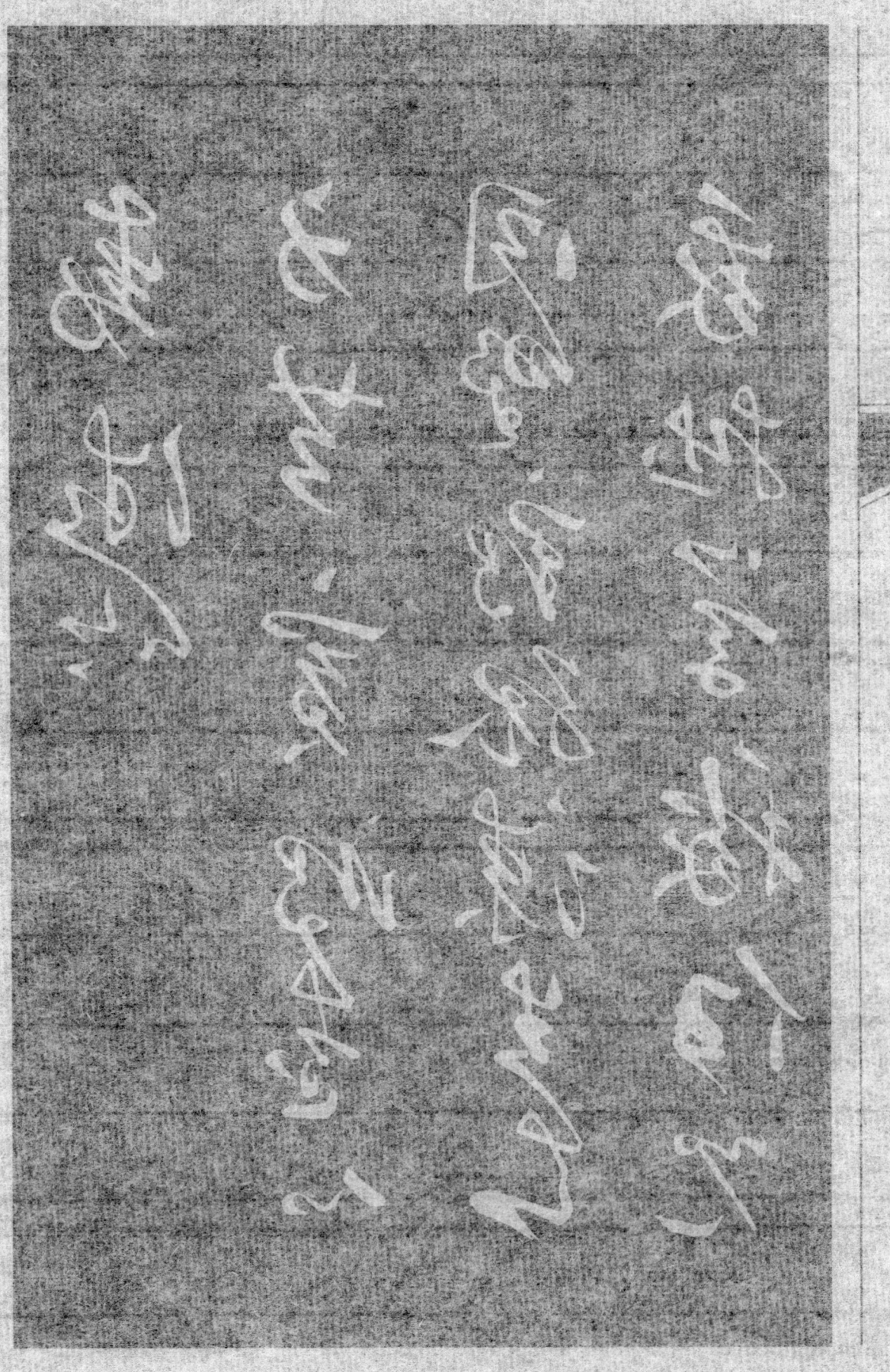

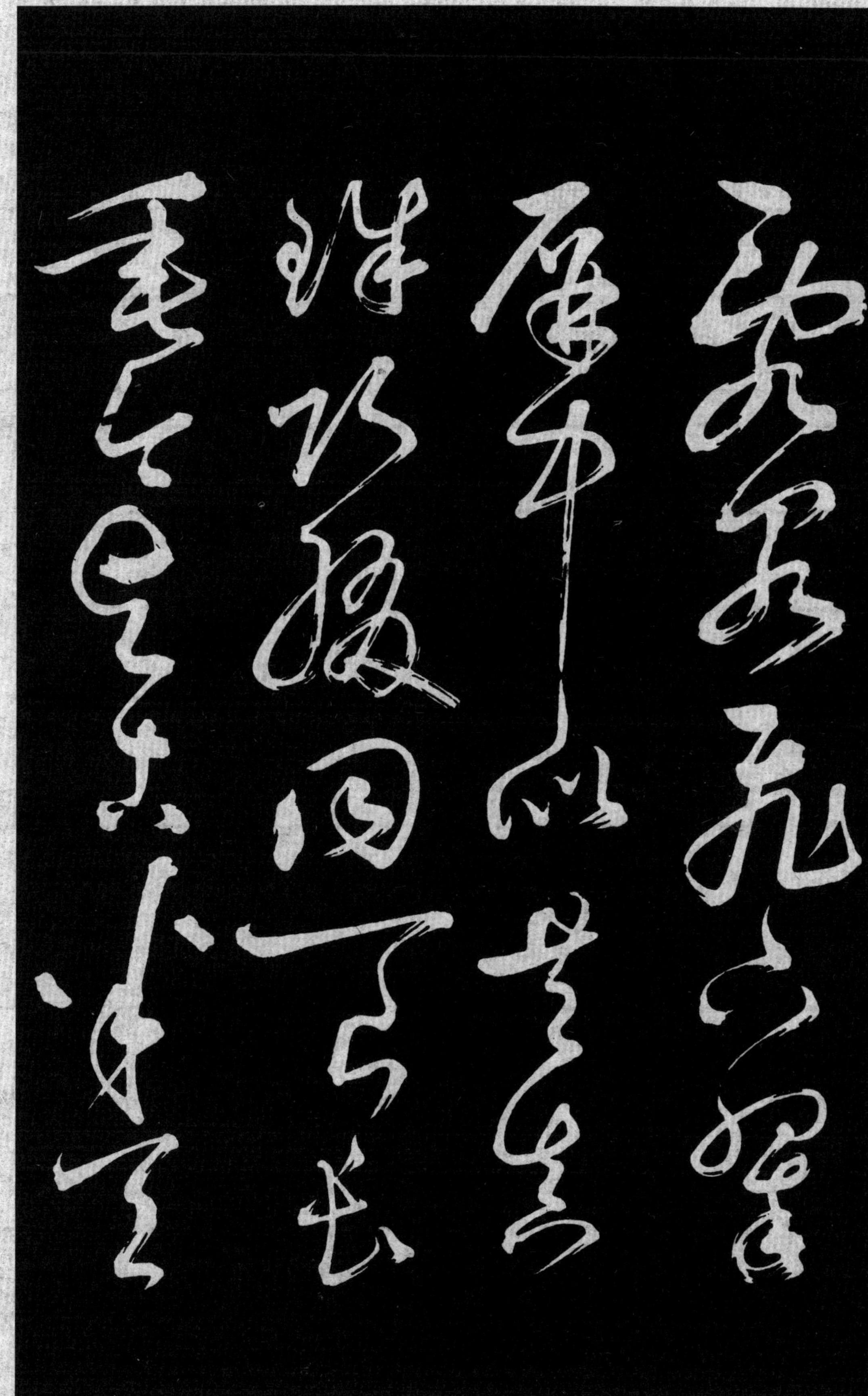

鲜于枢·七律诗

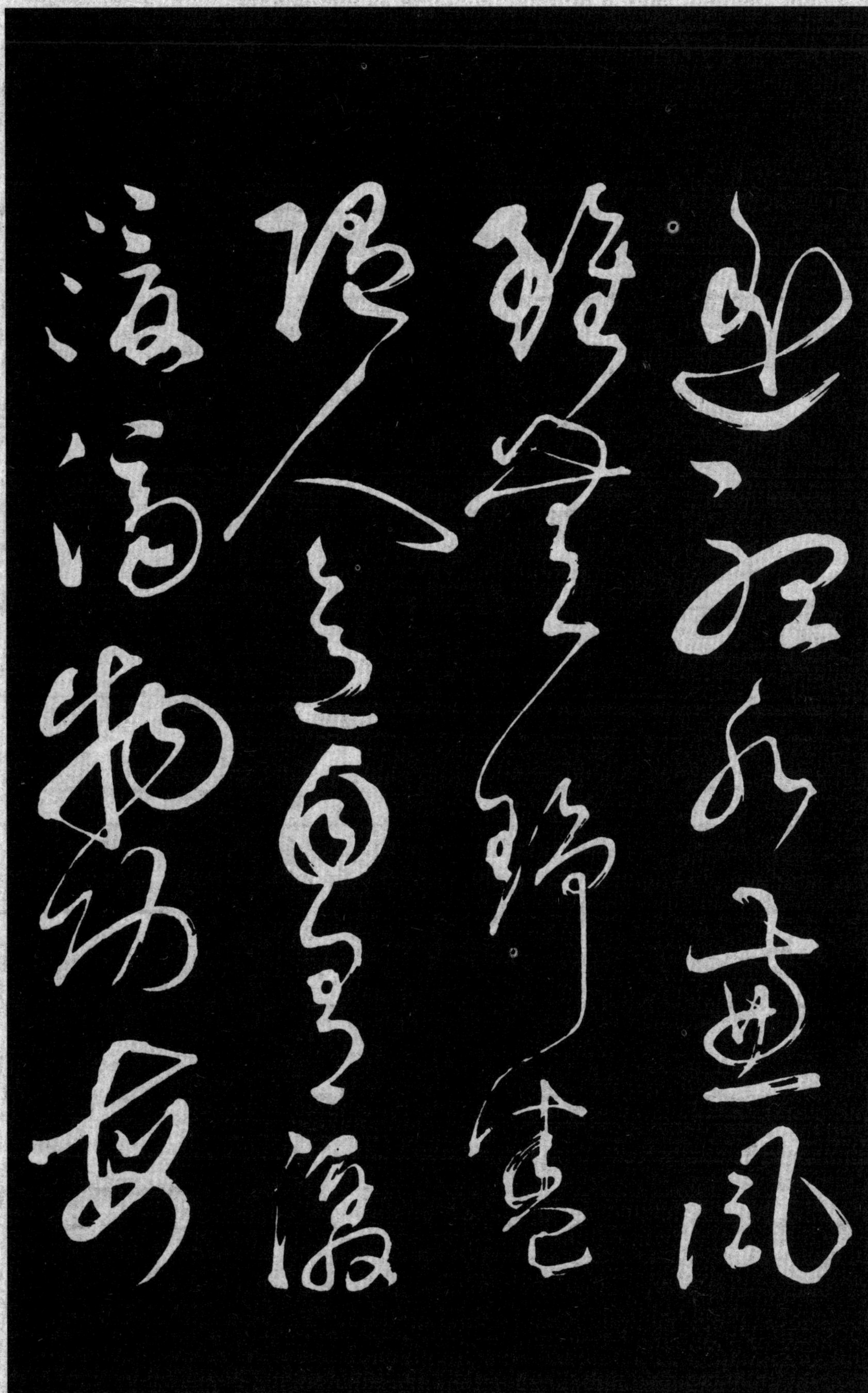

鲜于枢·七律诗

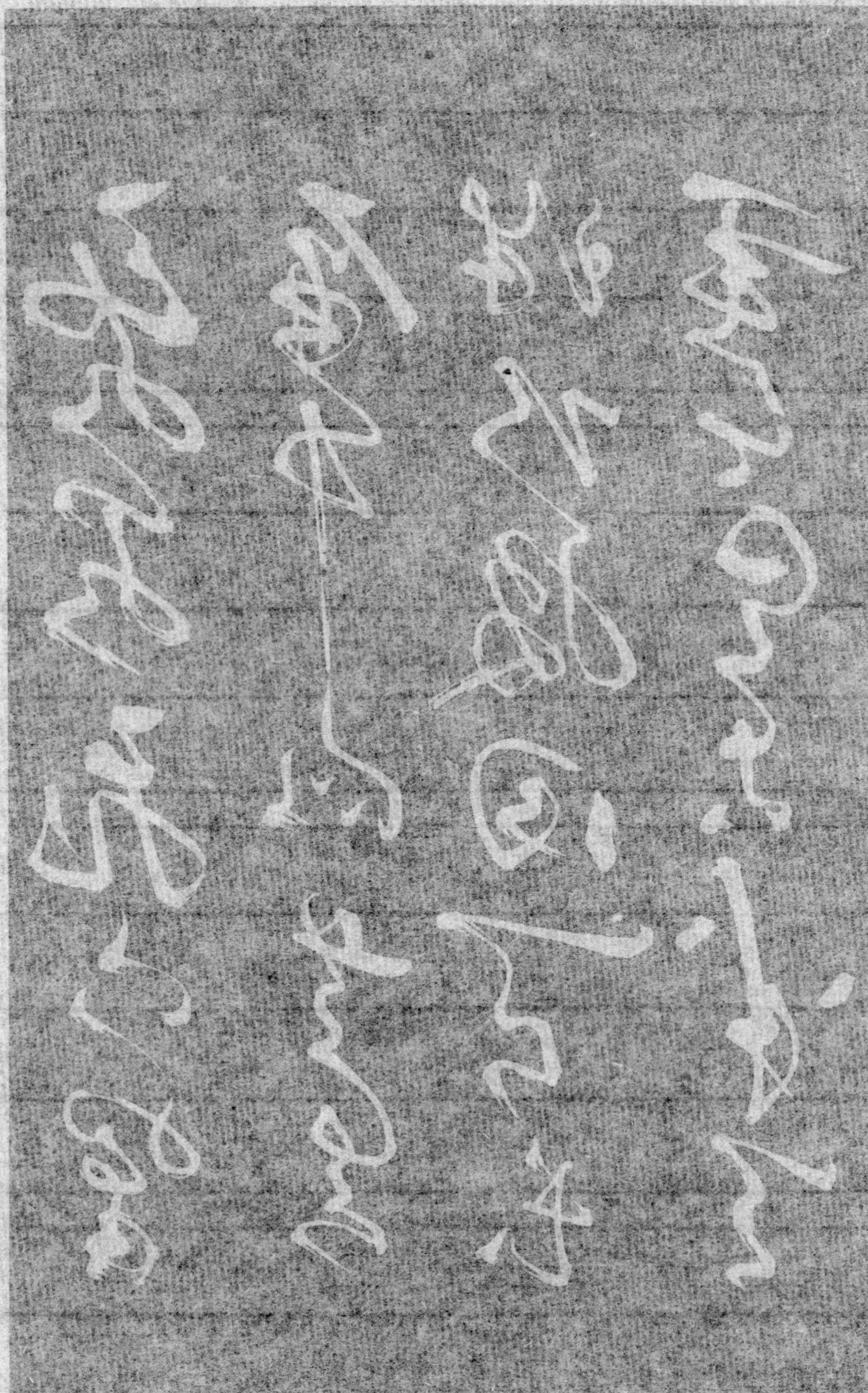

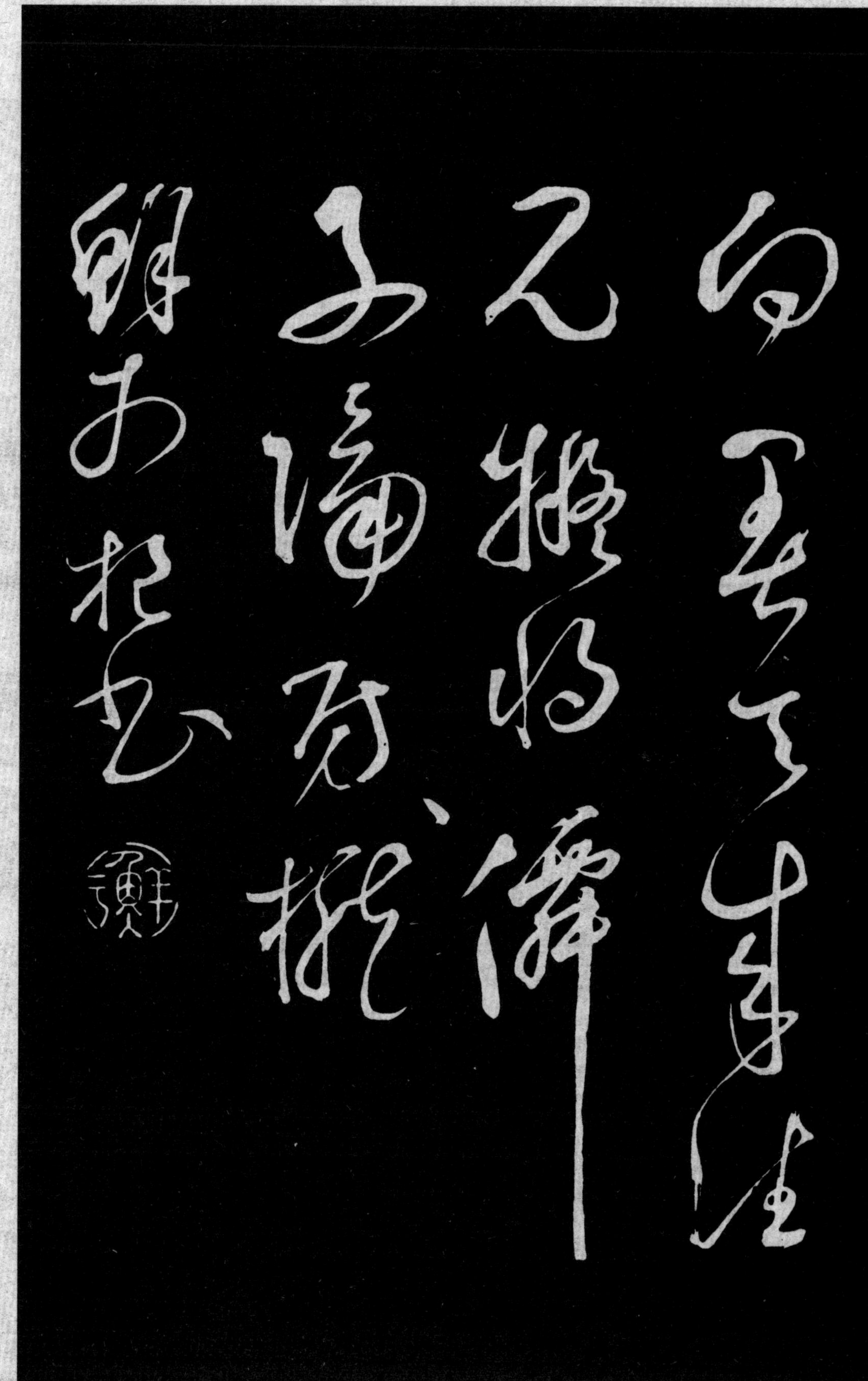

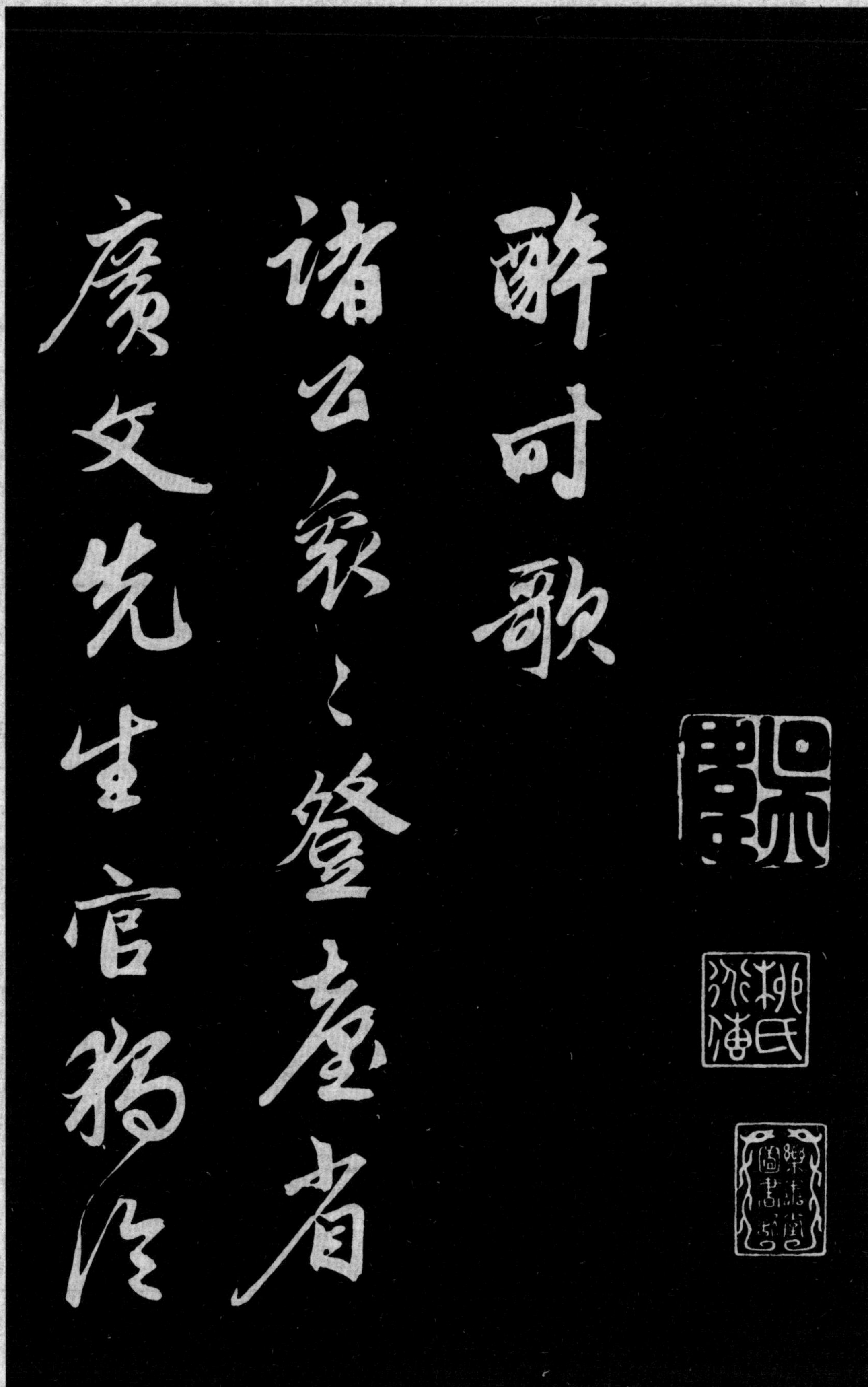
醉时歌
诸公衮衮登台省
广文先生官独冷

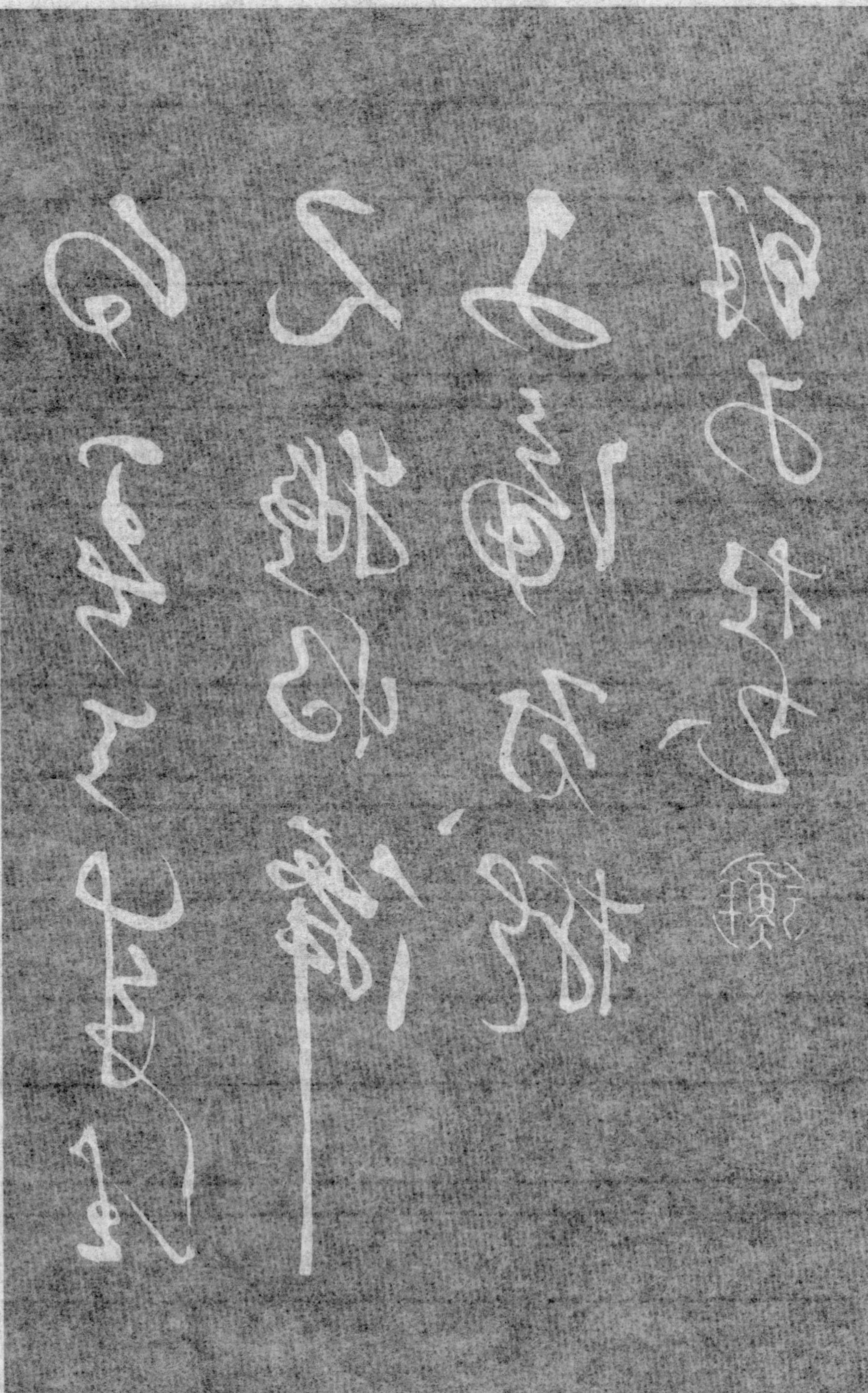

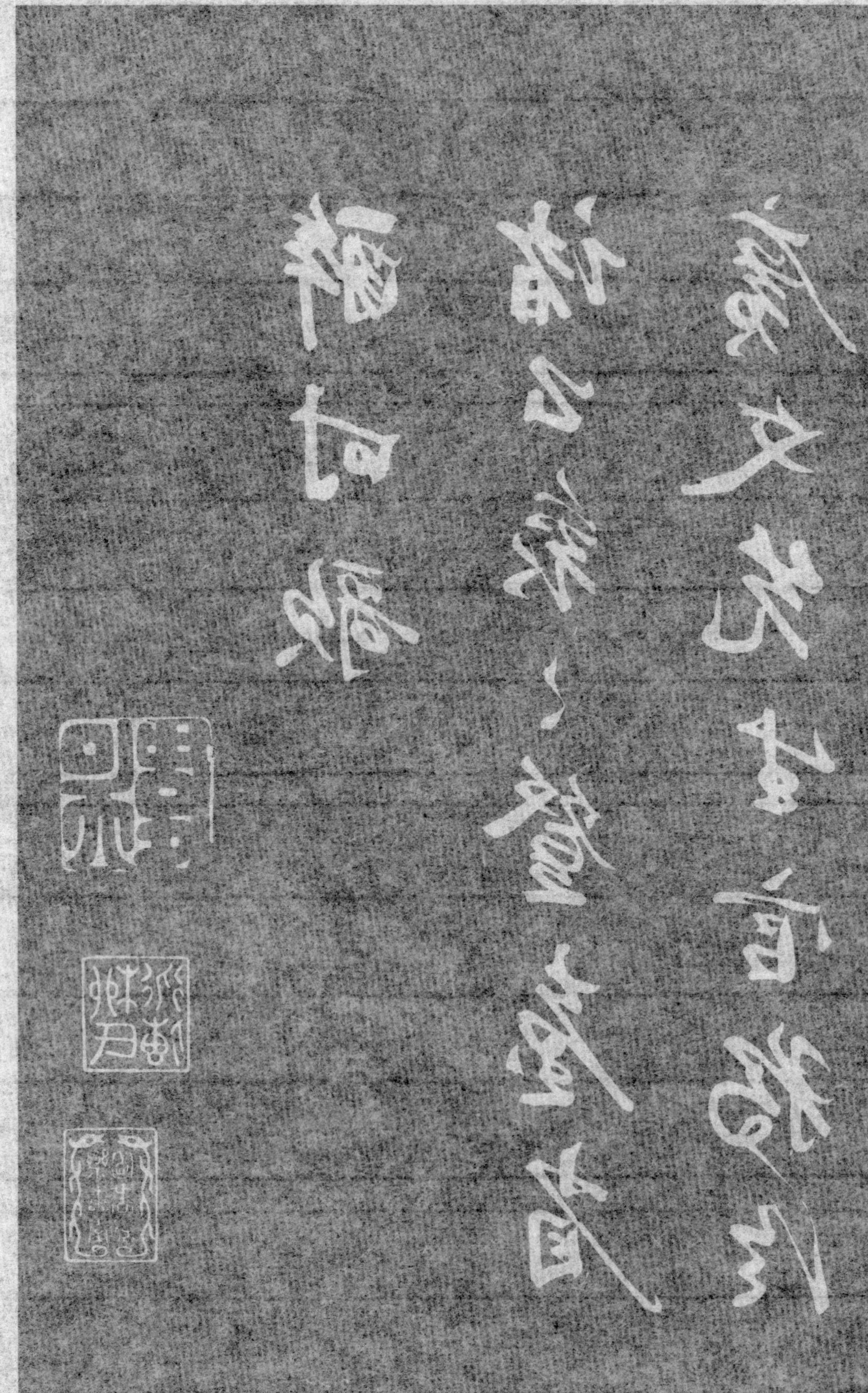

甲第纷纷厌粱肉
广文先生饭不
足先生有道出
羲皇先生有才

过屈宋德尊一
代常坎轲名
垂万古知何
用杜陵野老人

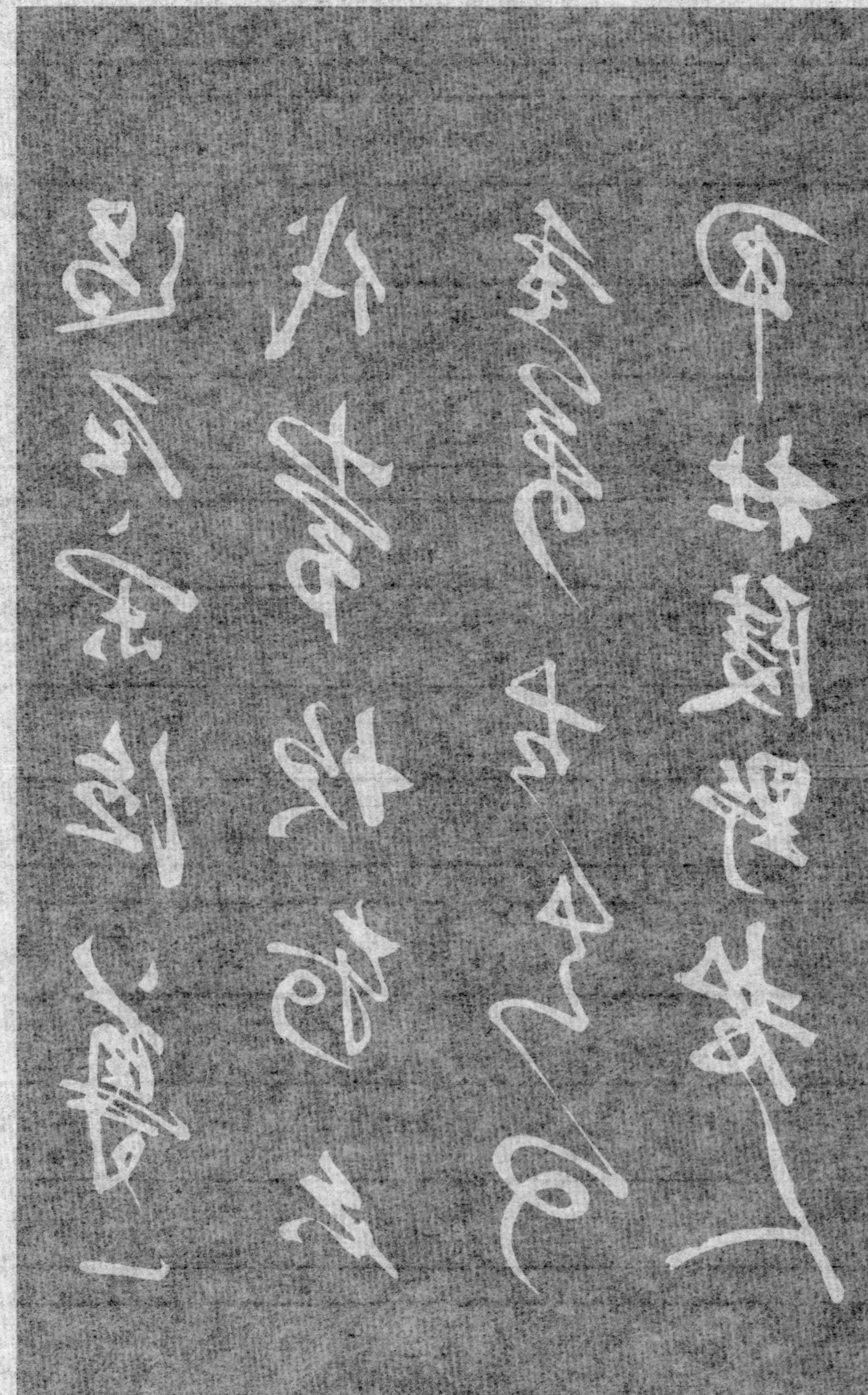

三希堂法帖

鲜于枢·醉时歌

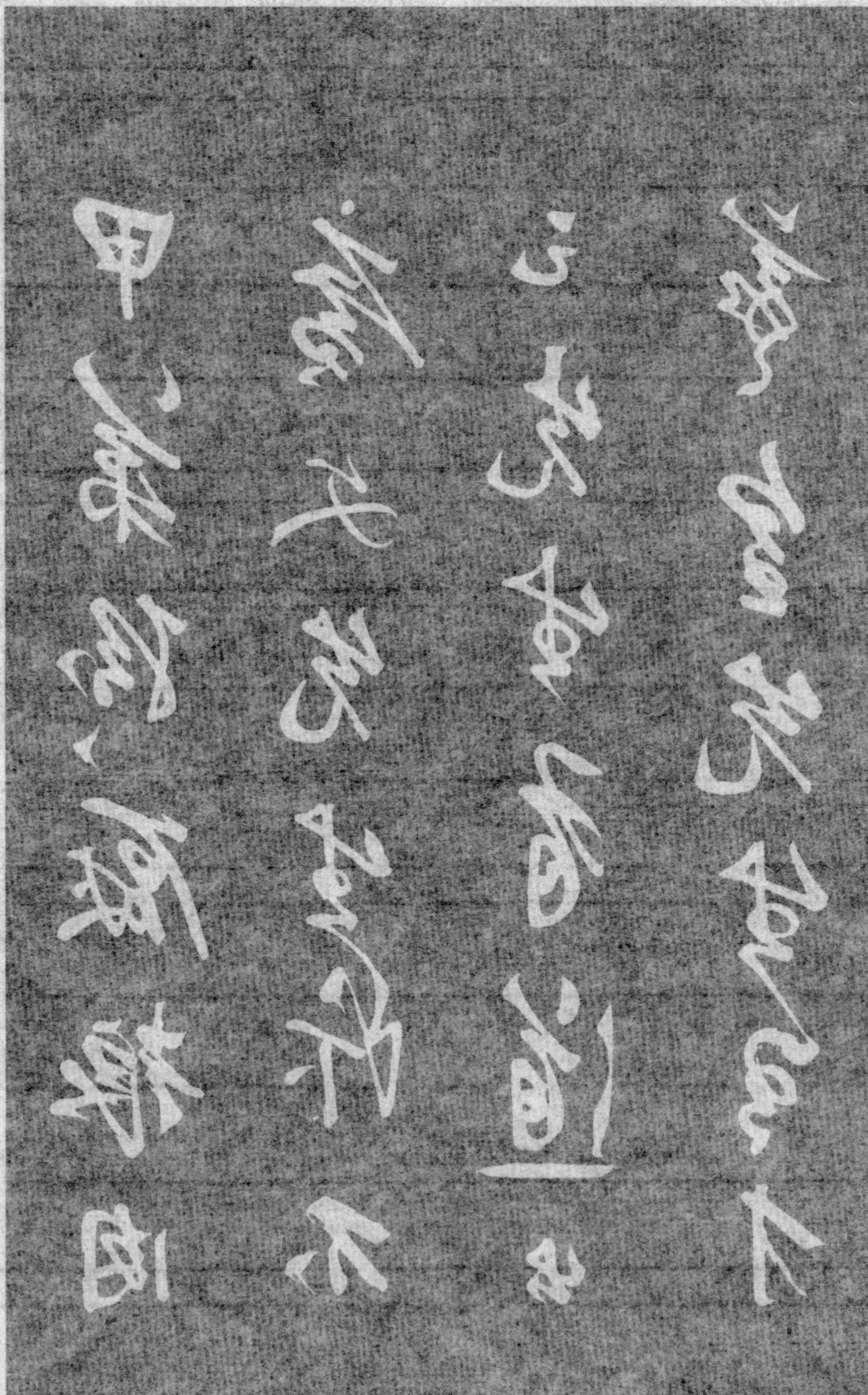

更嗤被褐短窄
鬢如絲日糴太
倉五升米時赴
鄭老同襟期得

錢即相覓沽酒
不復疑忘形到
爾汝痛飲
真吾師清夜

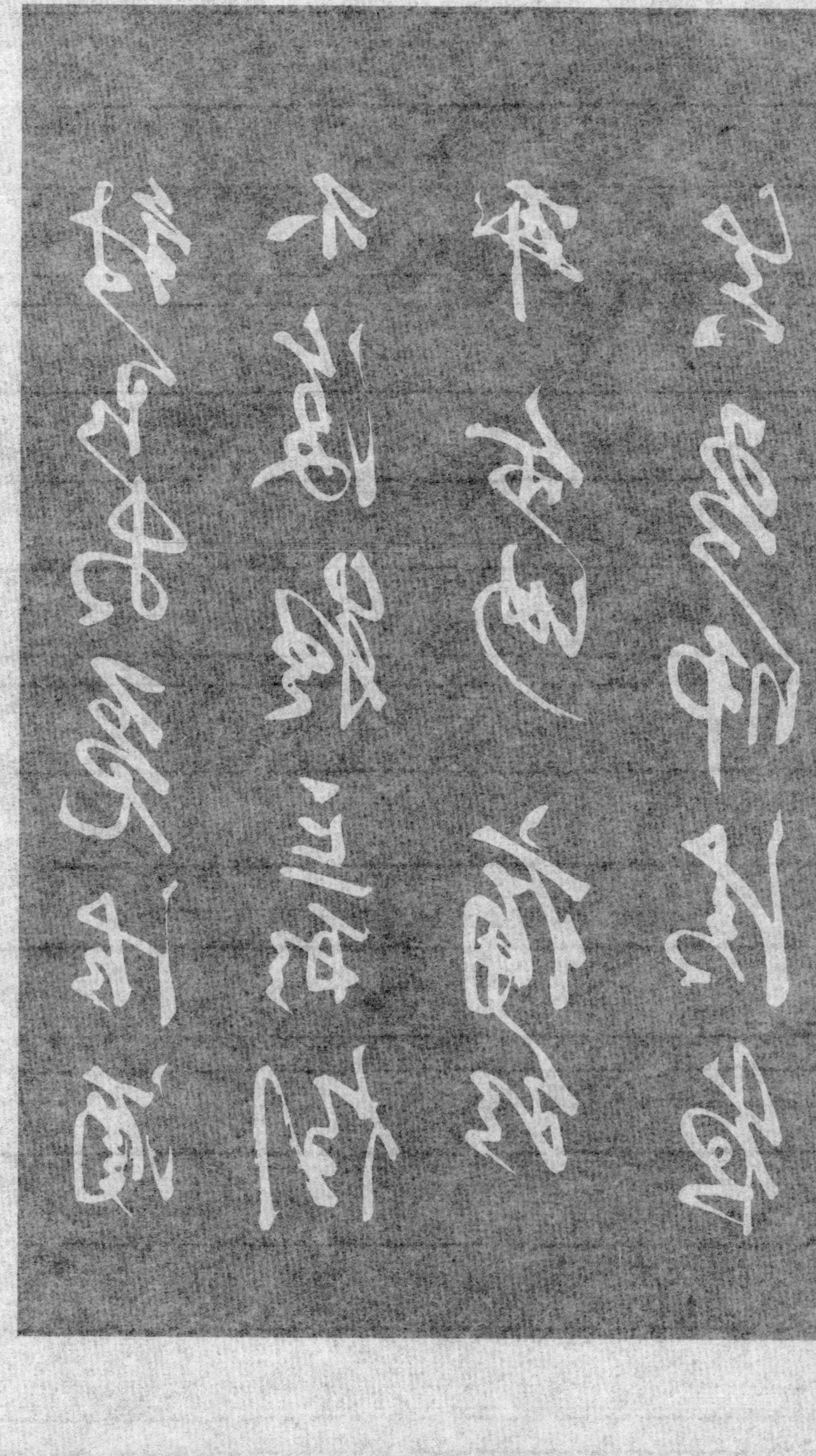

鲜于枢·醉时歌

三希堂法帖

鲜于枢·醉时歌

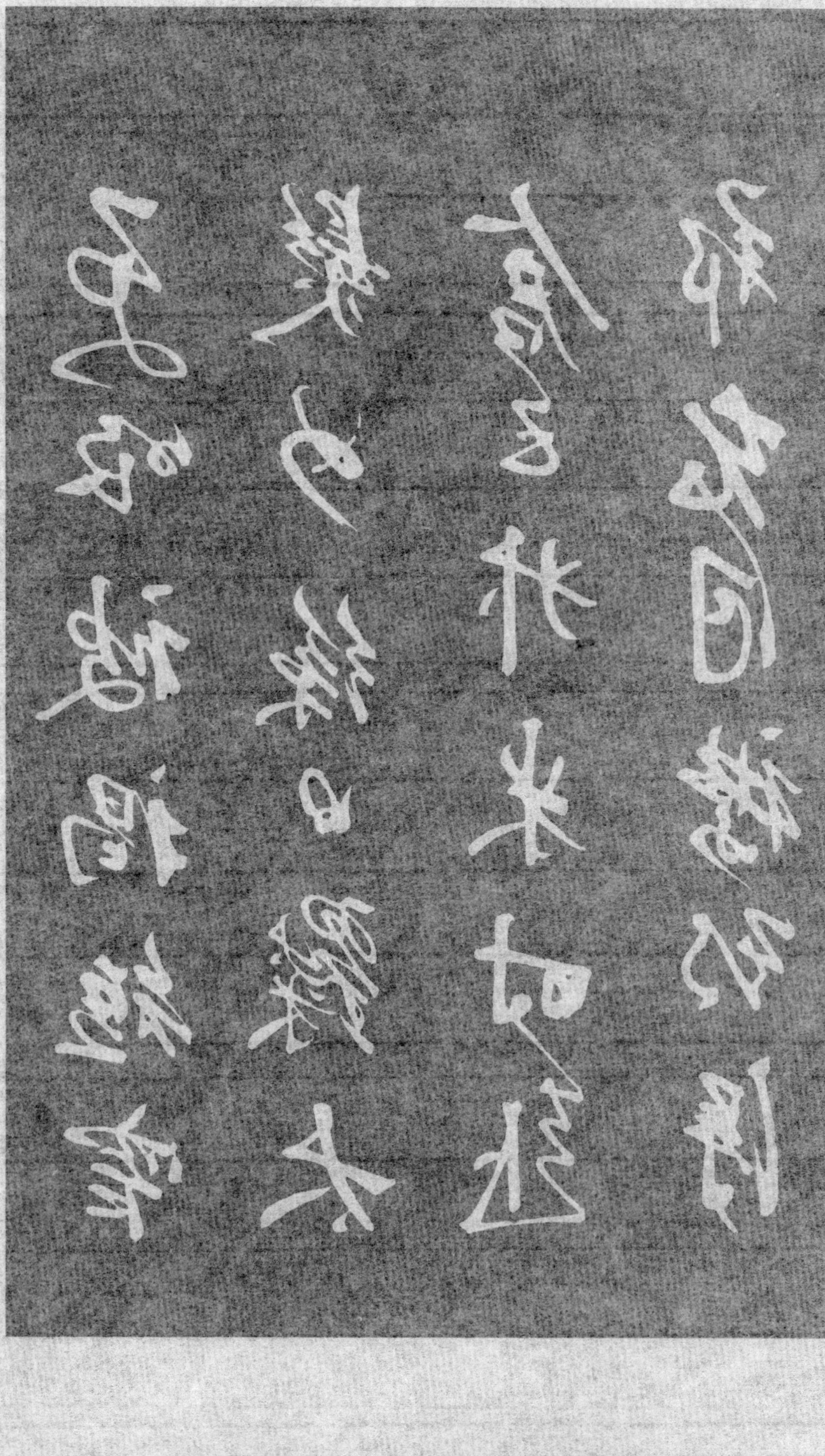

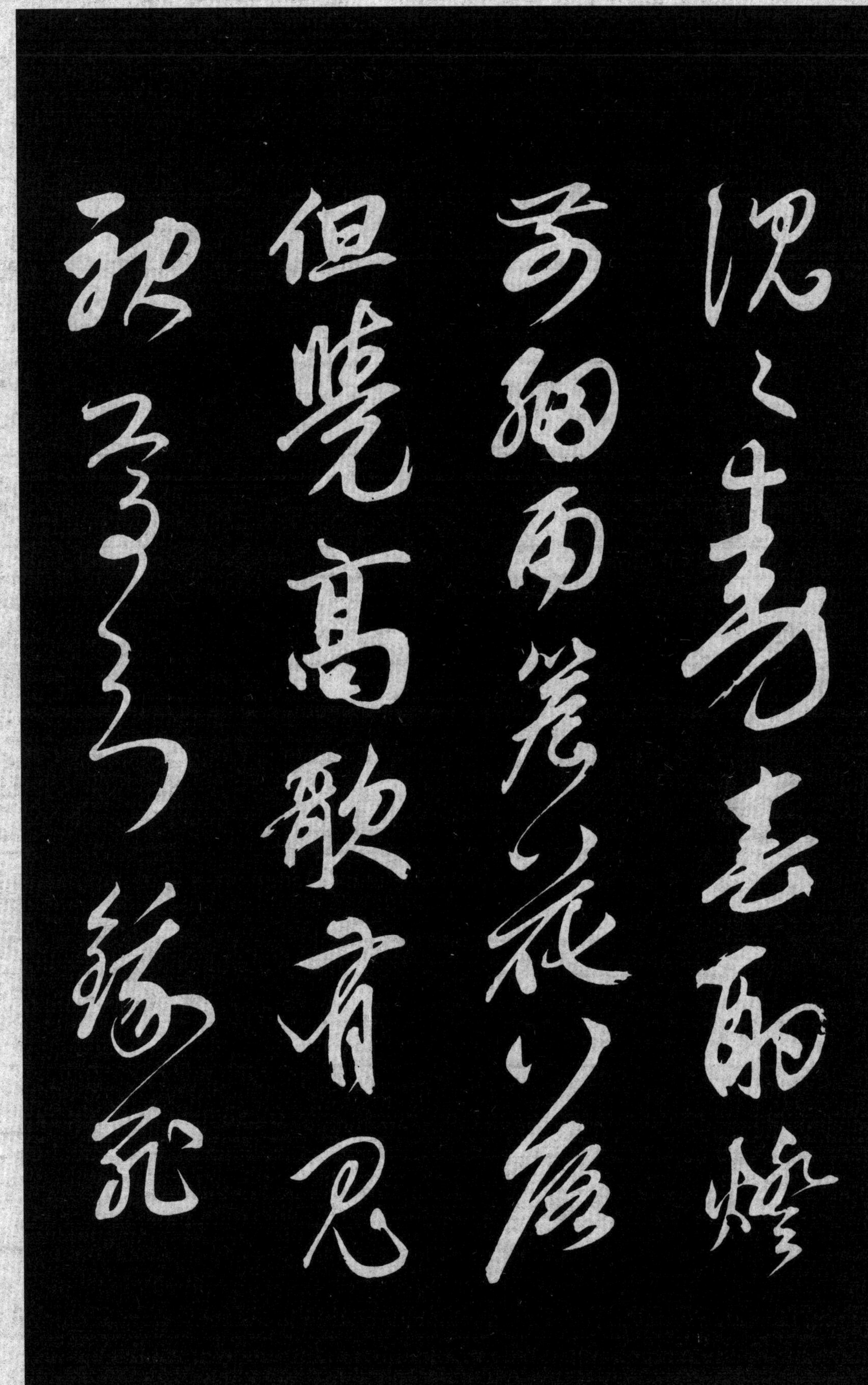

三希堂法帖

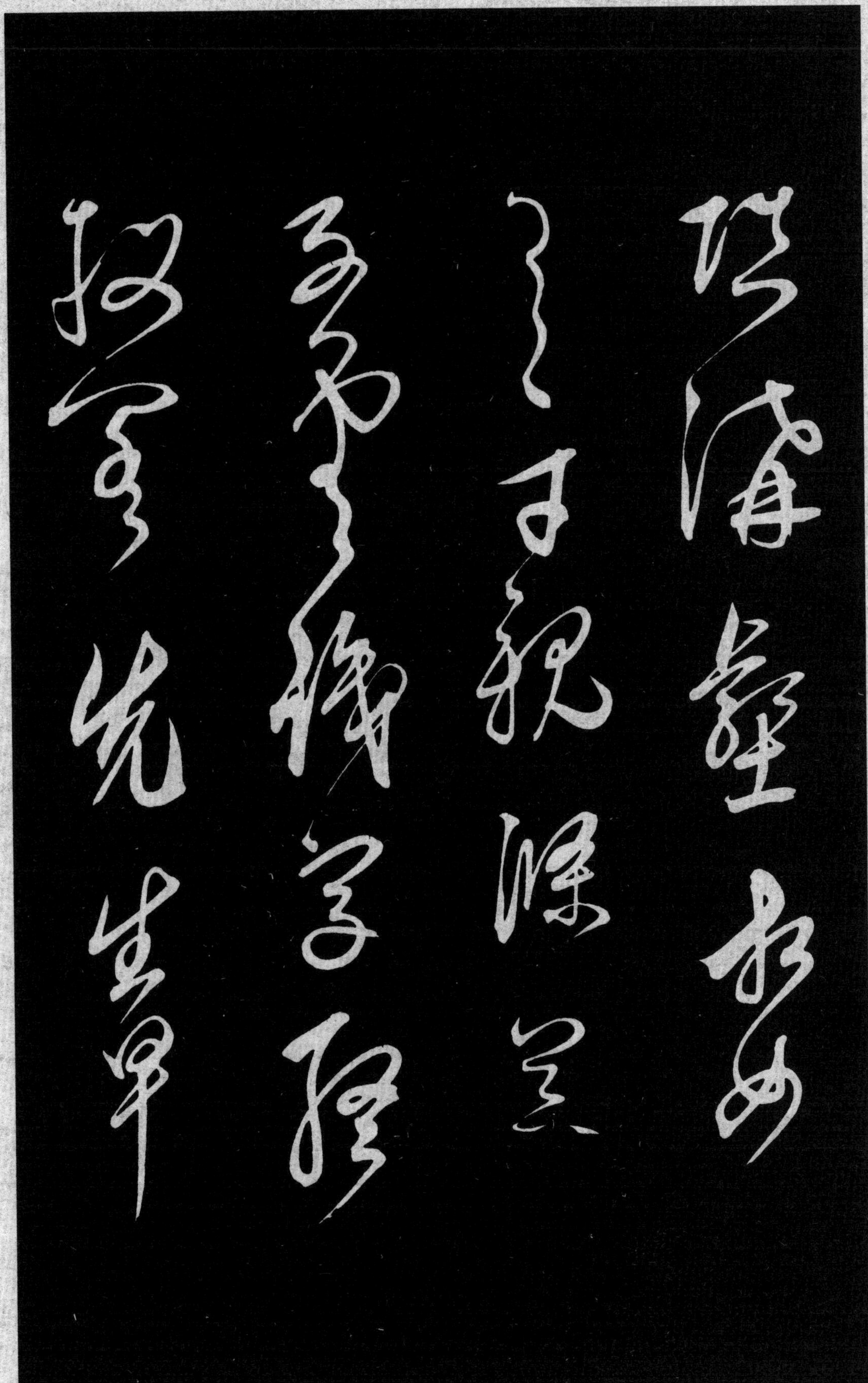

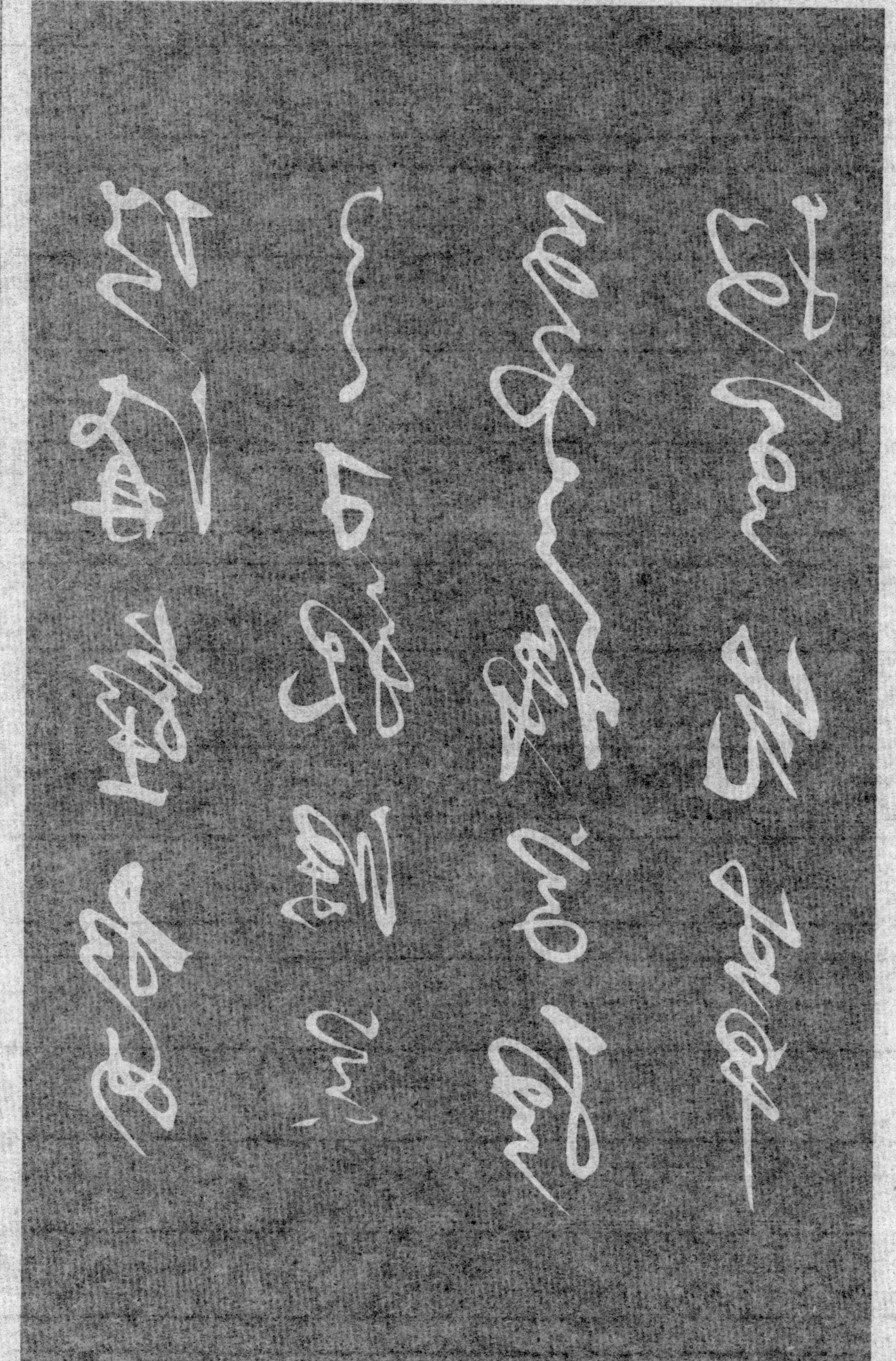

鲜于枢·醉时歌

鲜于枢·醉时歌

賦歸去來石田
茅屋荒蒼苔
儒術於我何
有哉孔丘盜跖

三希堂法帖

鲜于枢·醉时歌

俱塵埃不須
聞此意慘愴
生前相遇且
銜杯

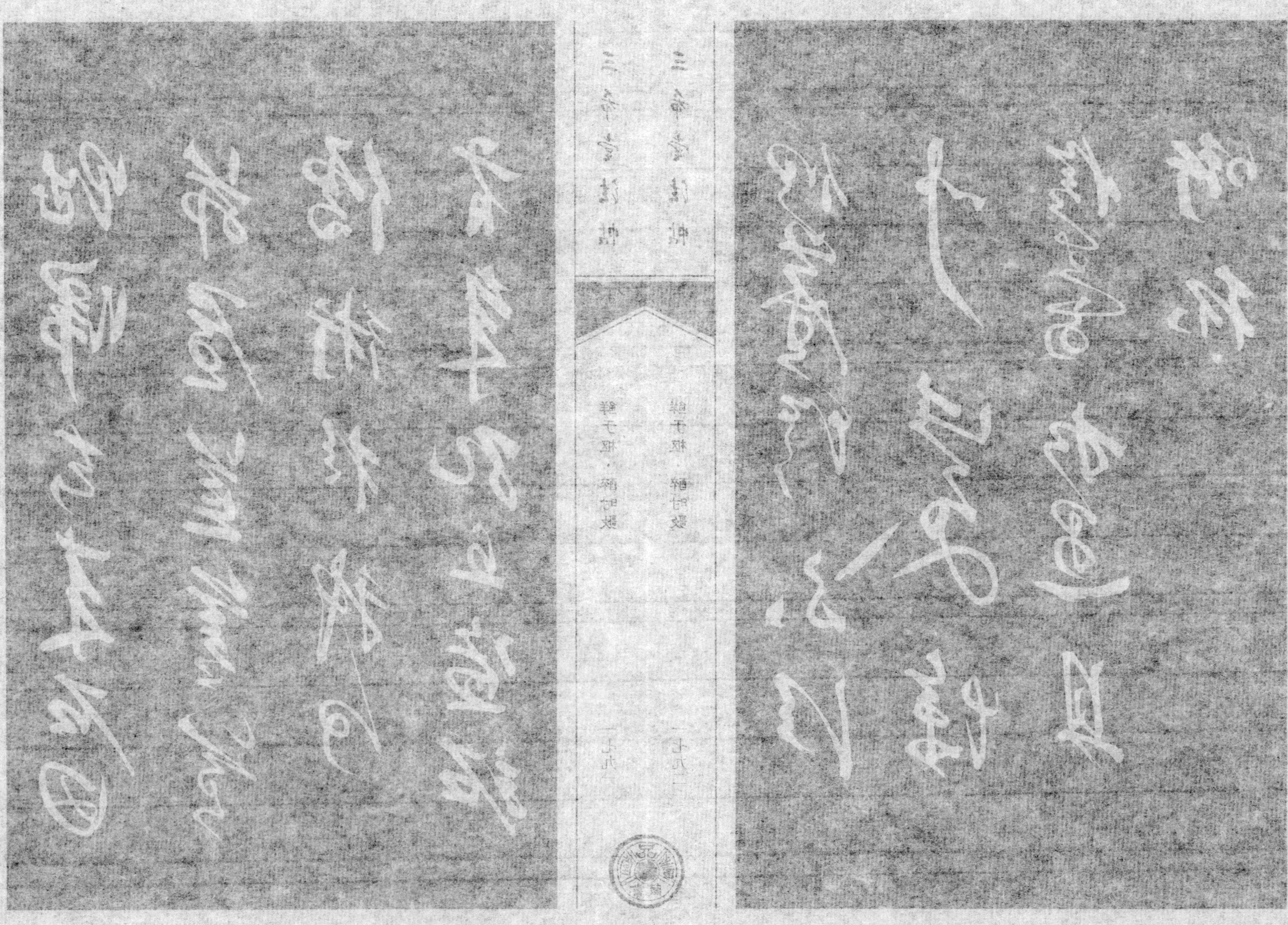

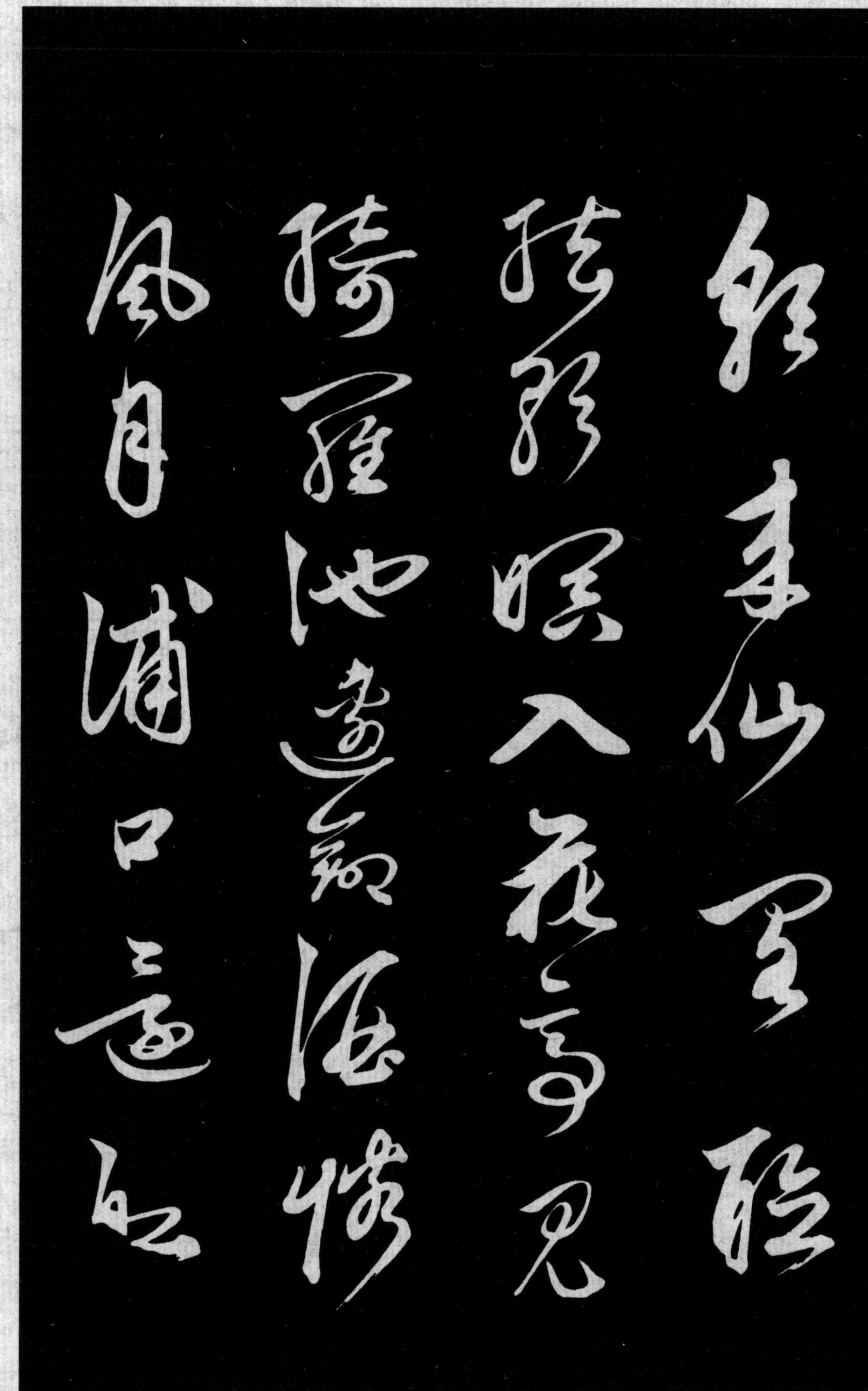

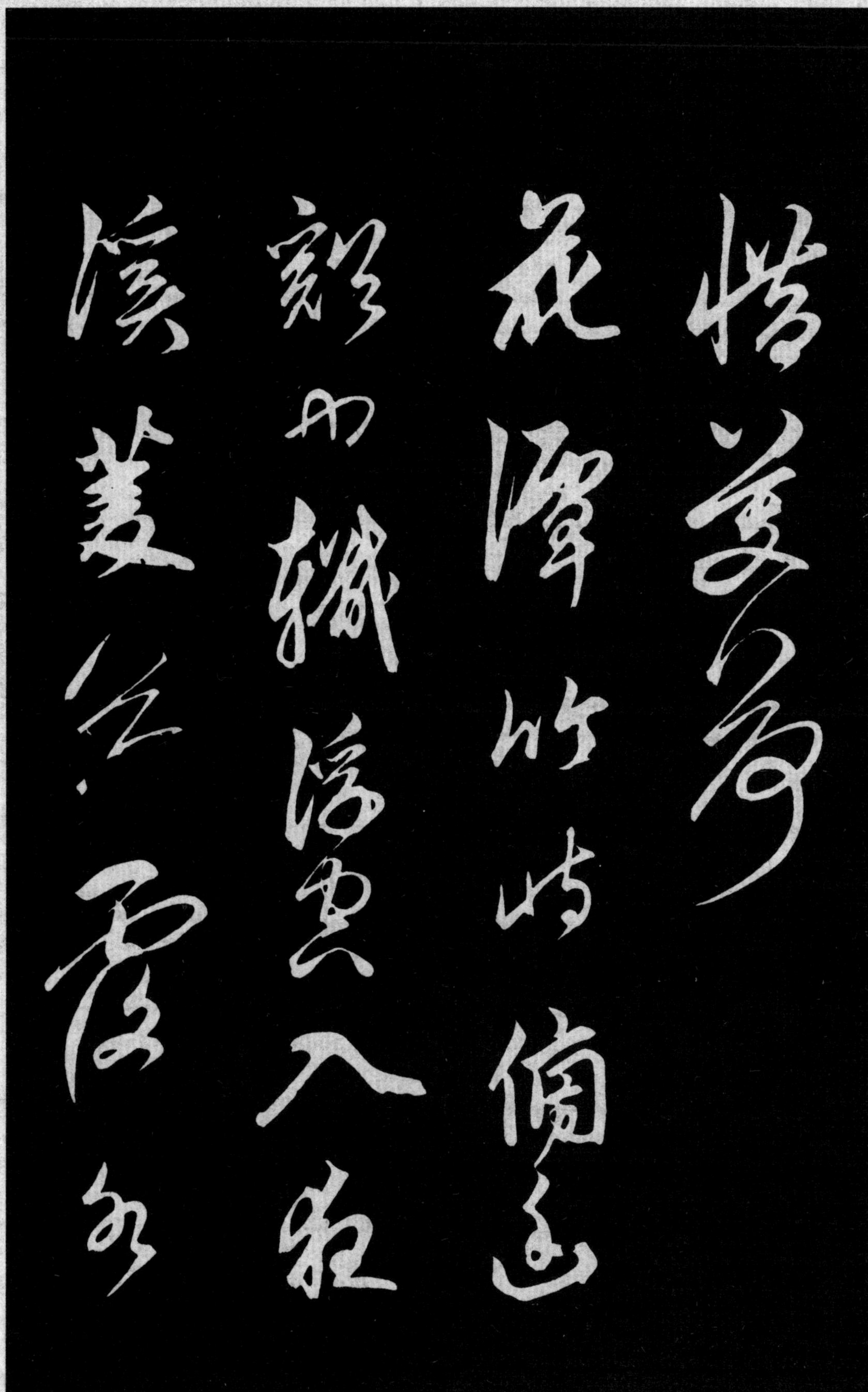

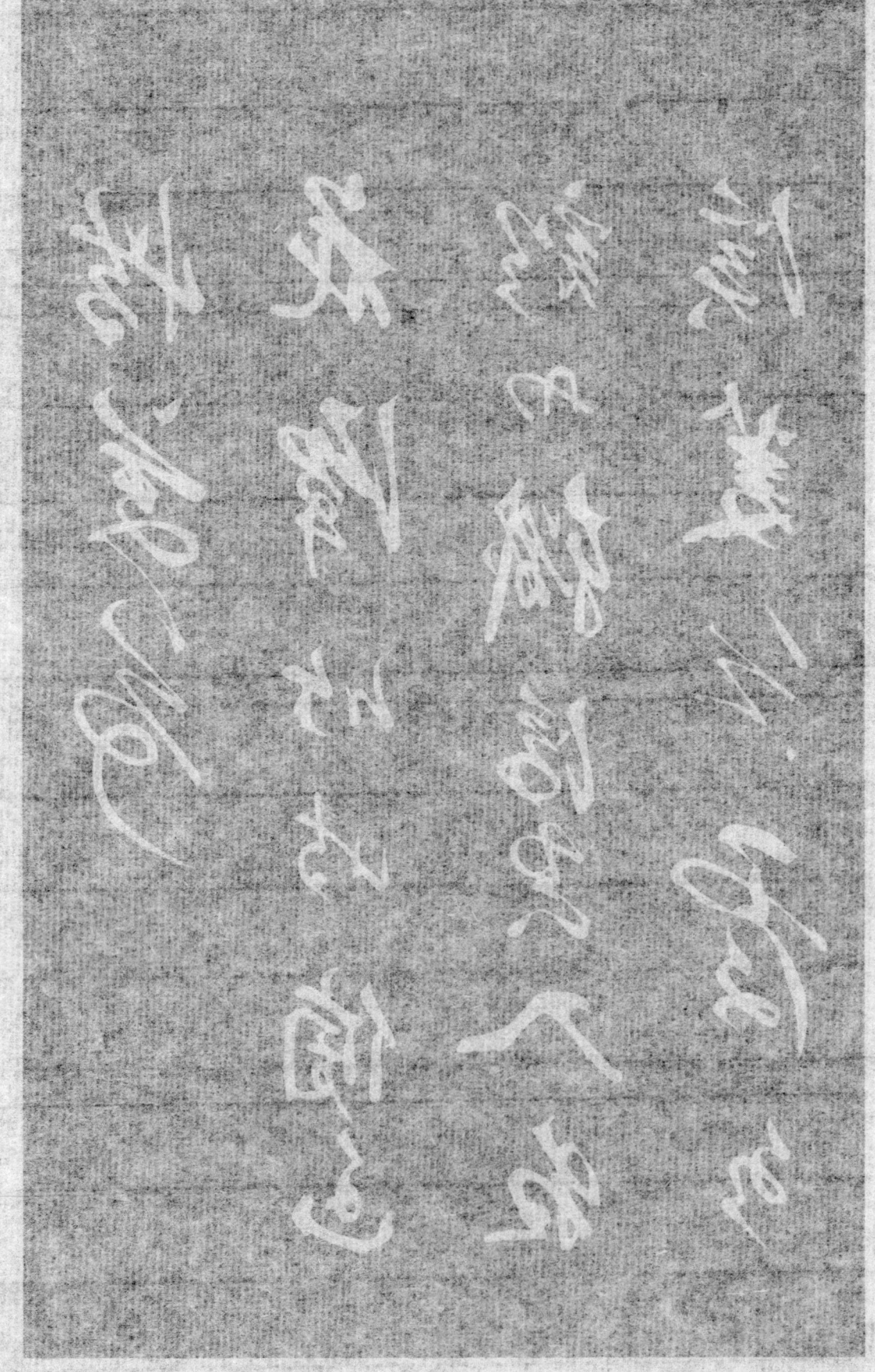

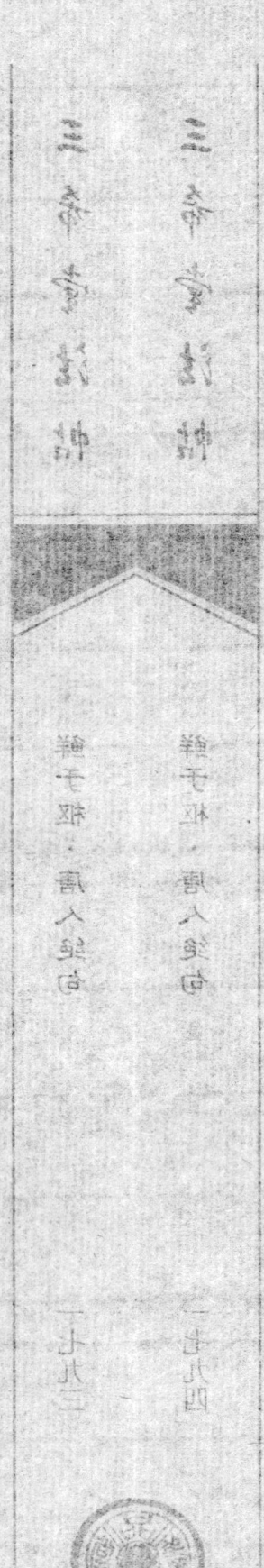

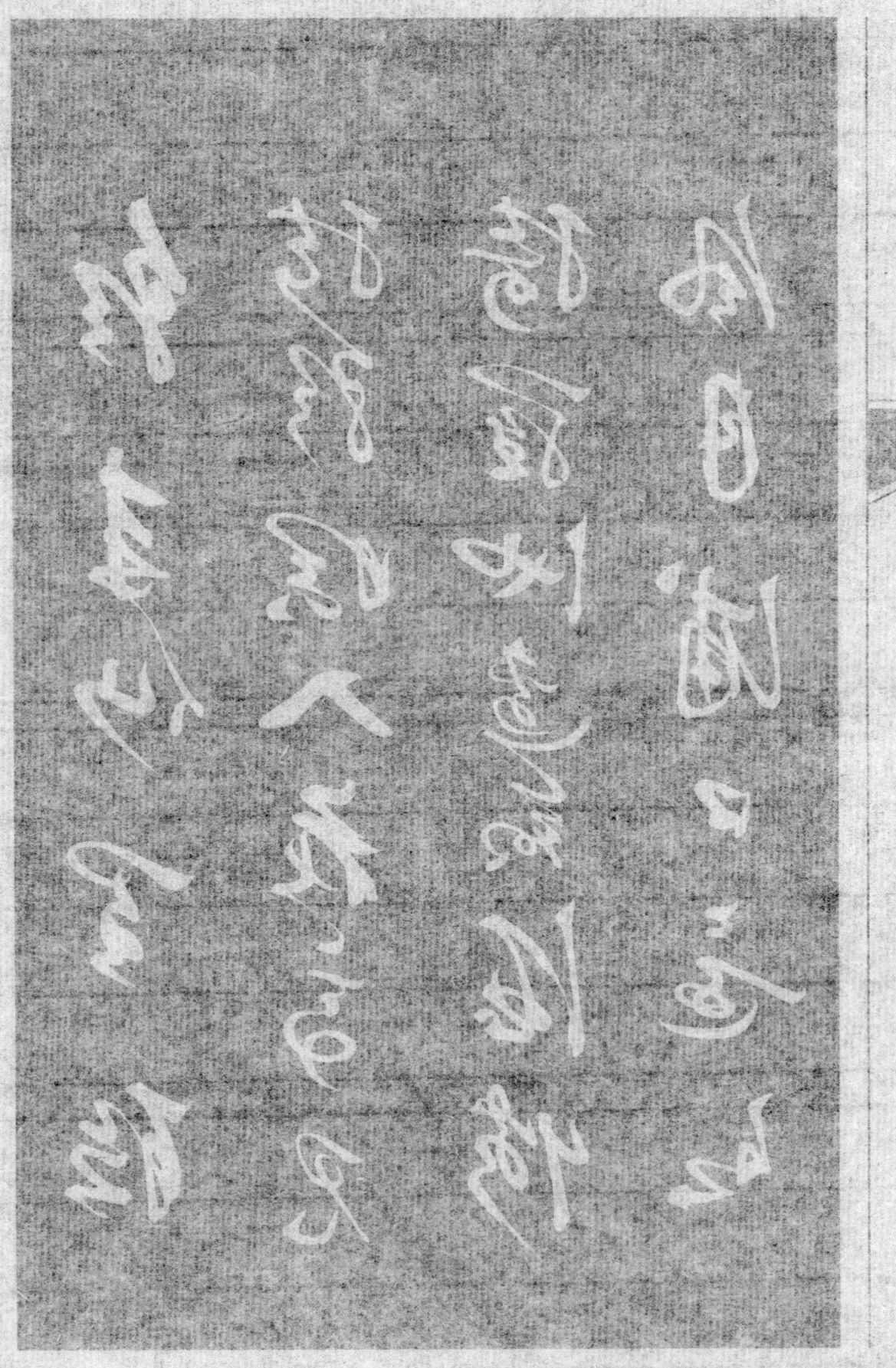

無難進錦壽因
人自爲低
新林二月孤舟還
水滿清江花滿山

借問故園隱君
子時時來去住
人間
夫容不及美人

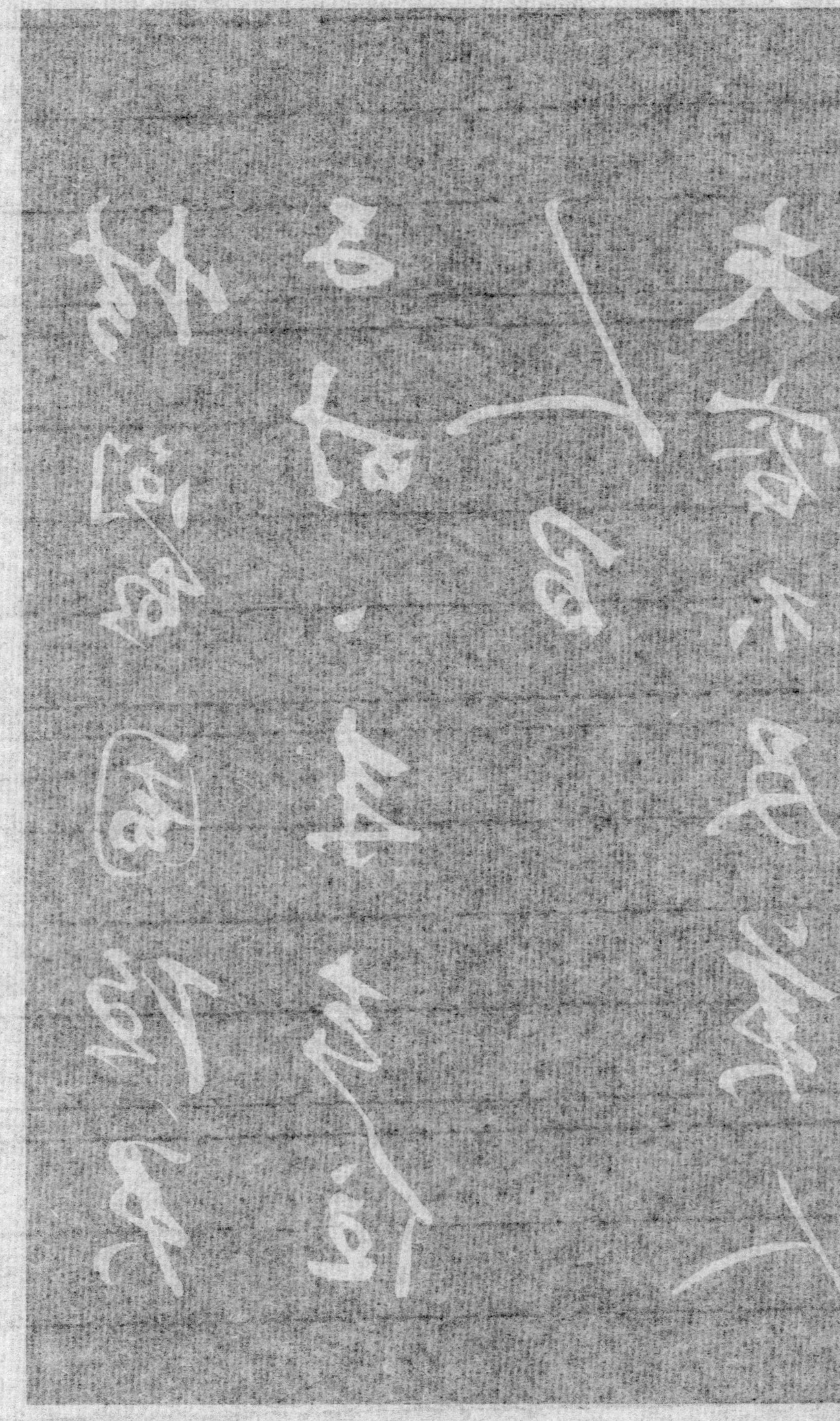

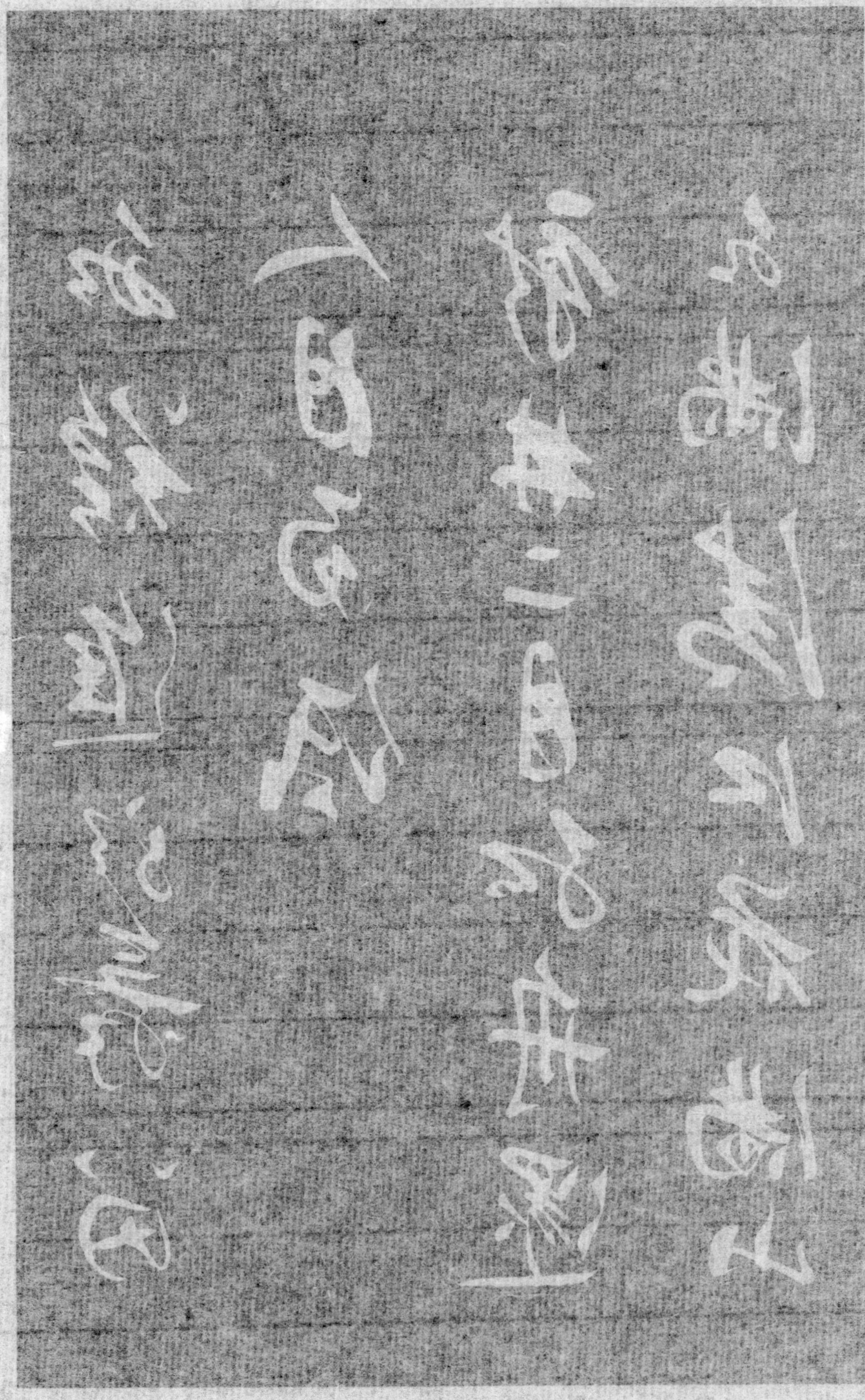

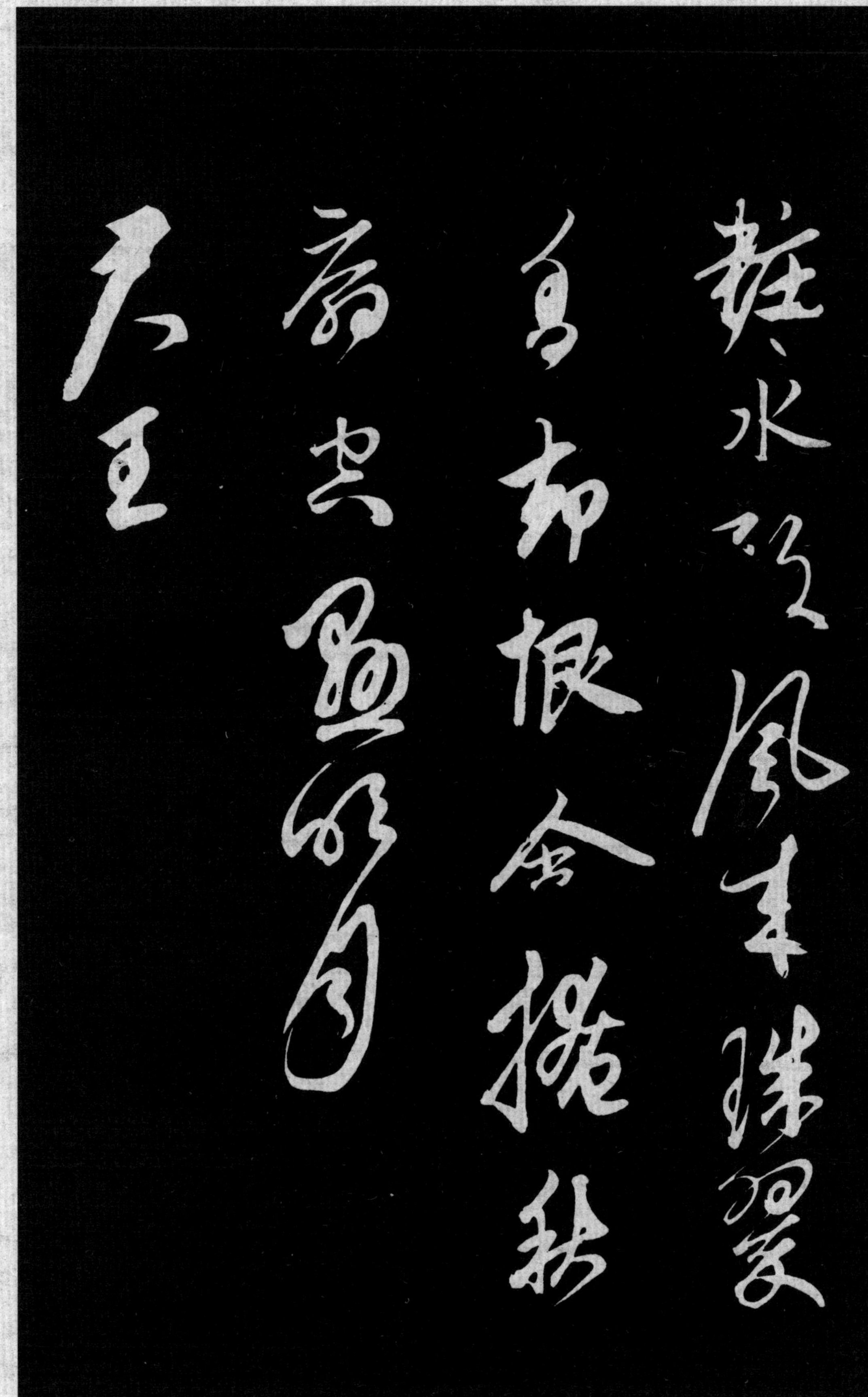

三希堂法帖

鲜于枢·唐人绝句

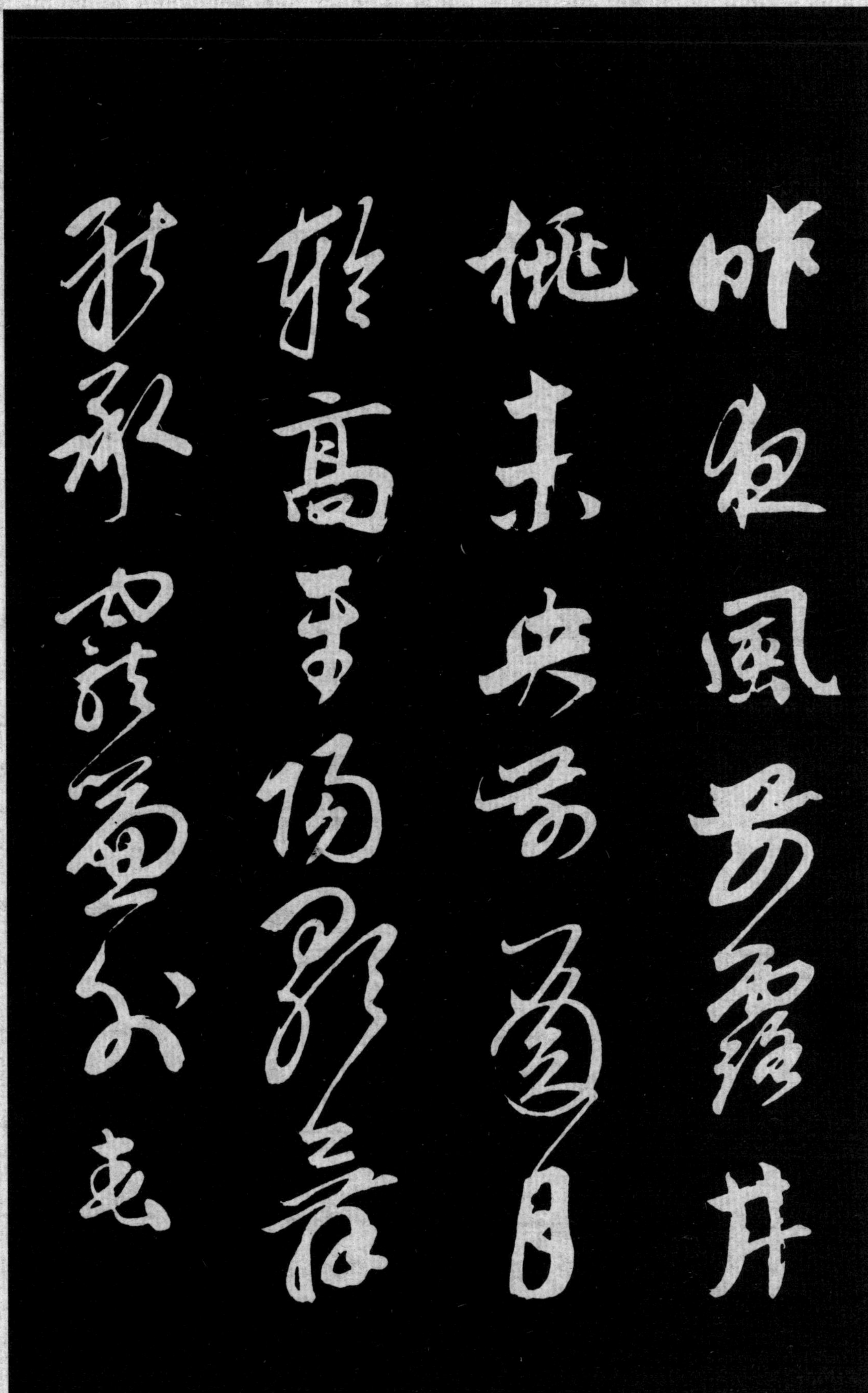

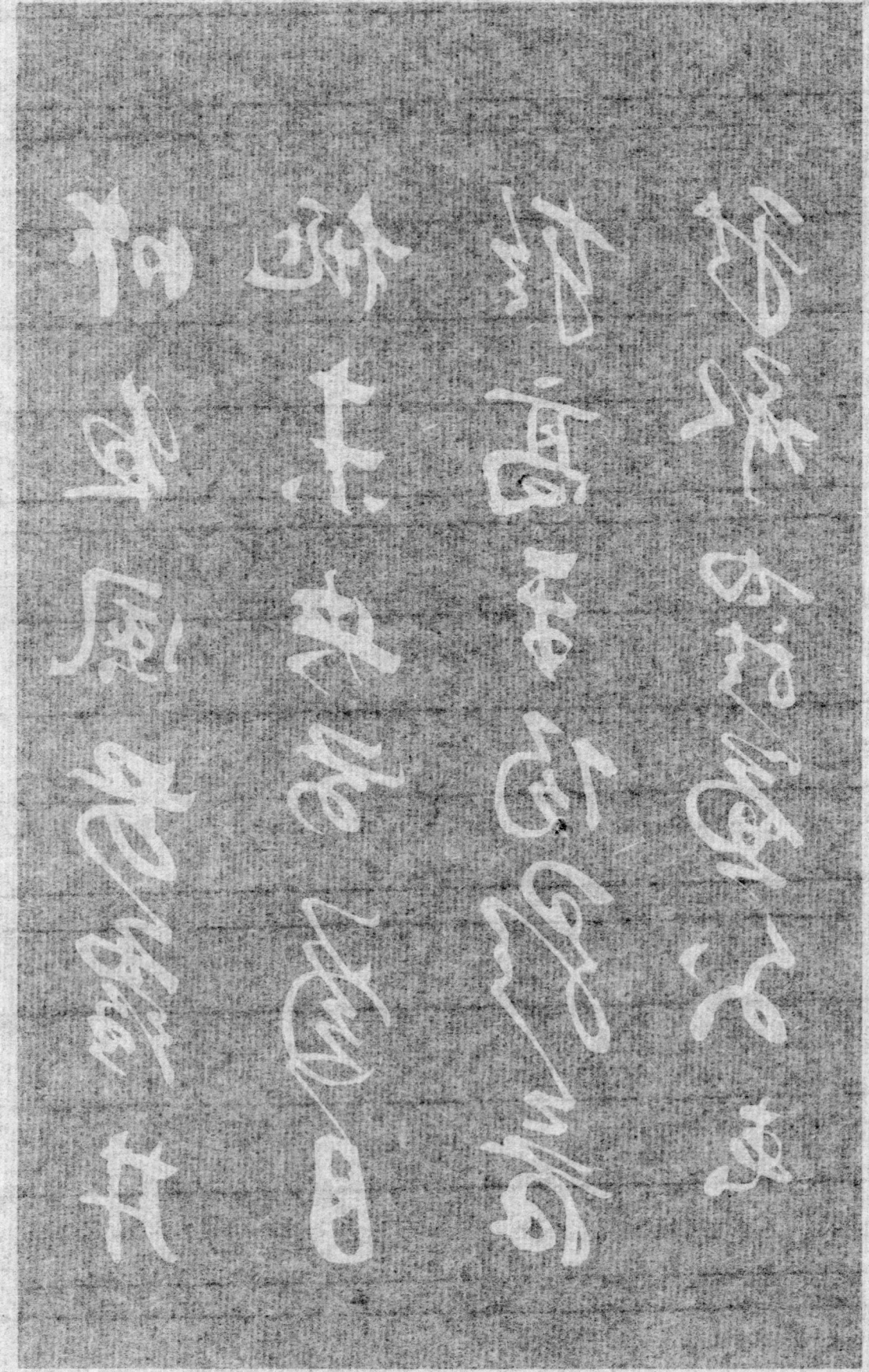

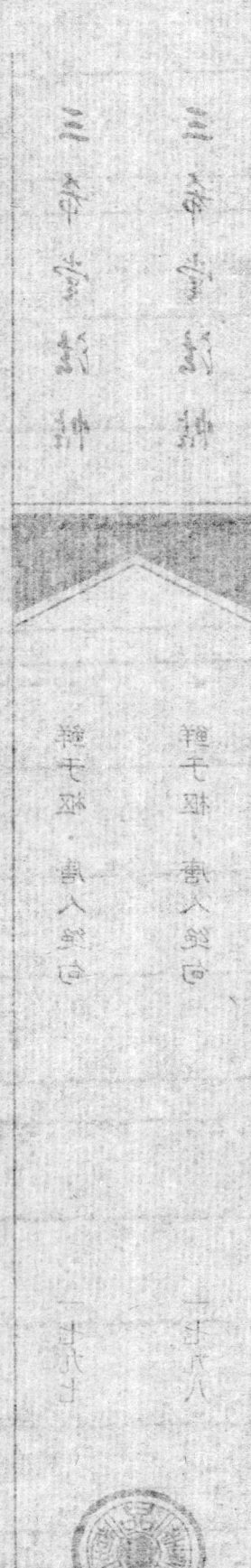

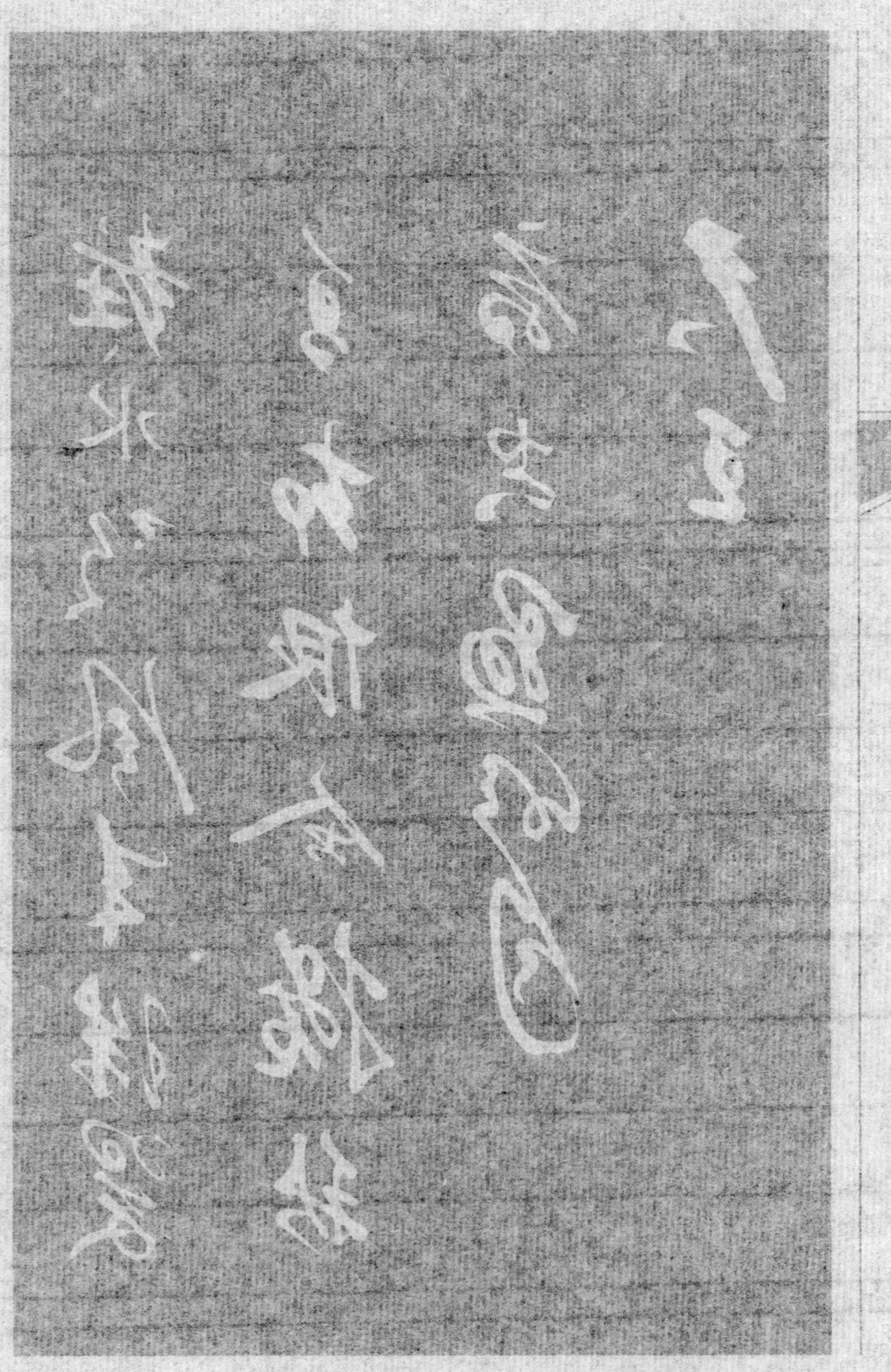

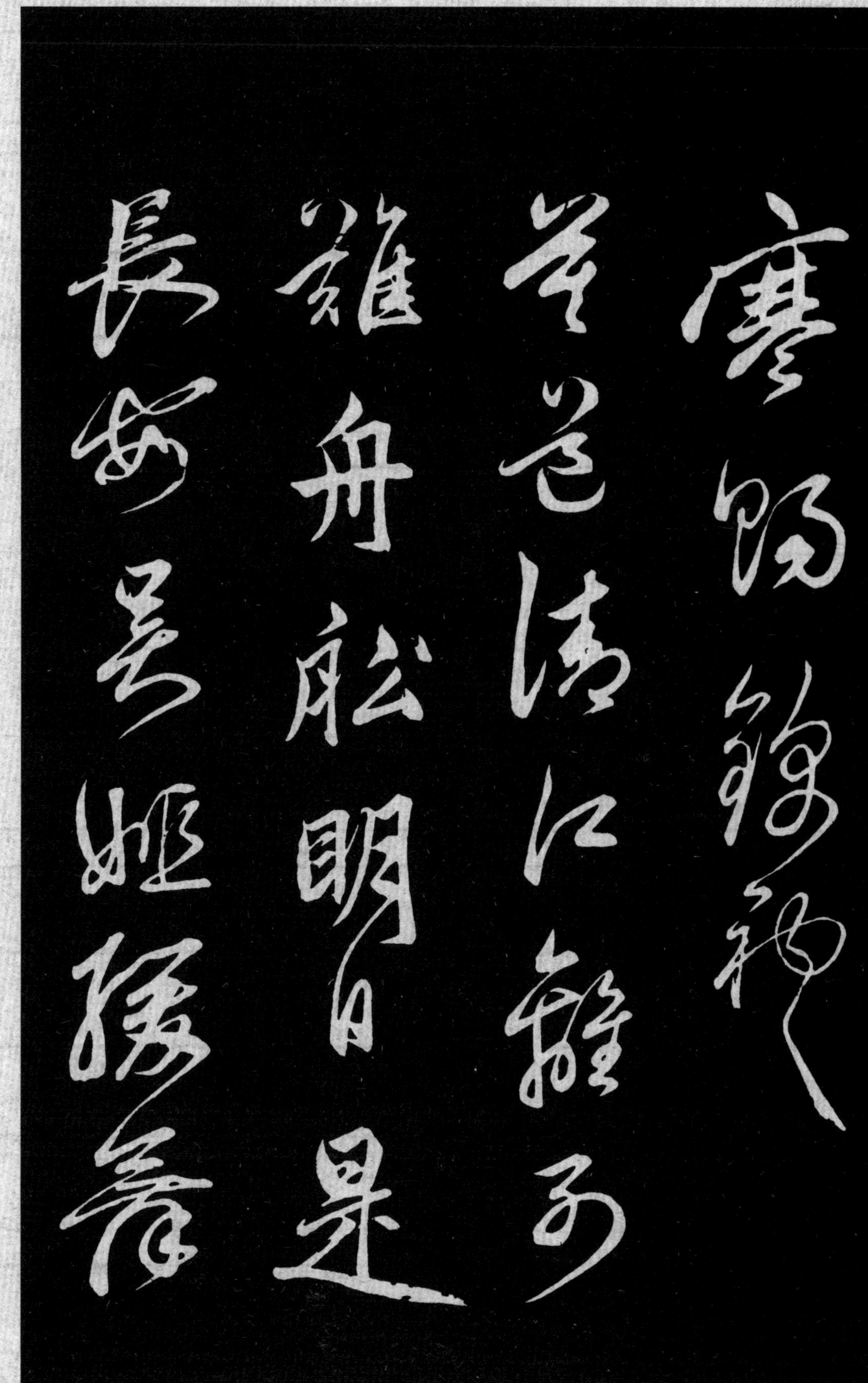

鲜于枢·唐人绝句

邓文原·家书帖

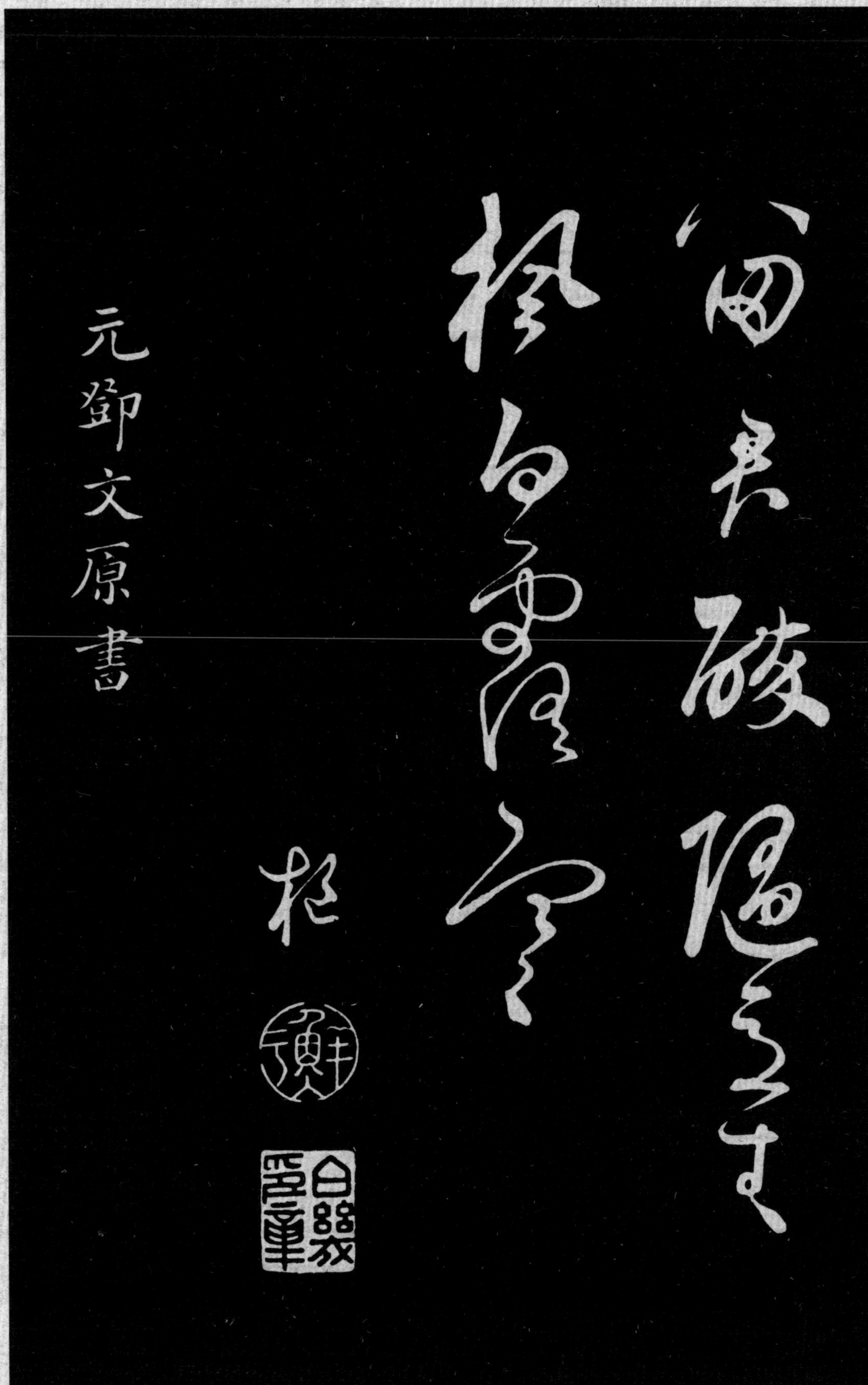

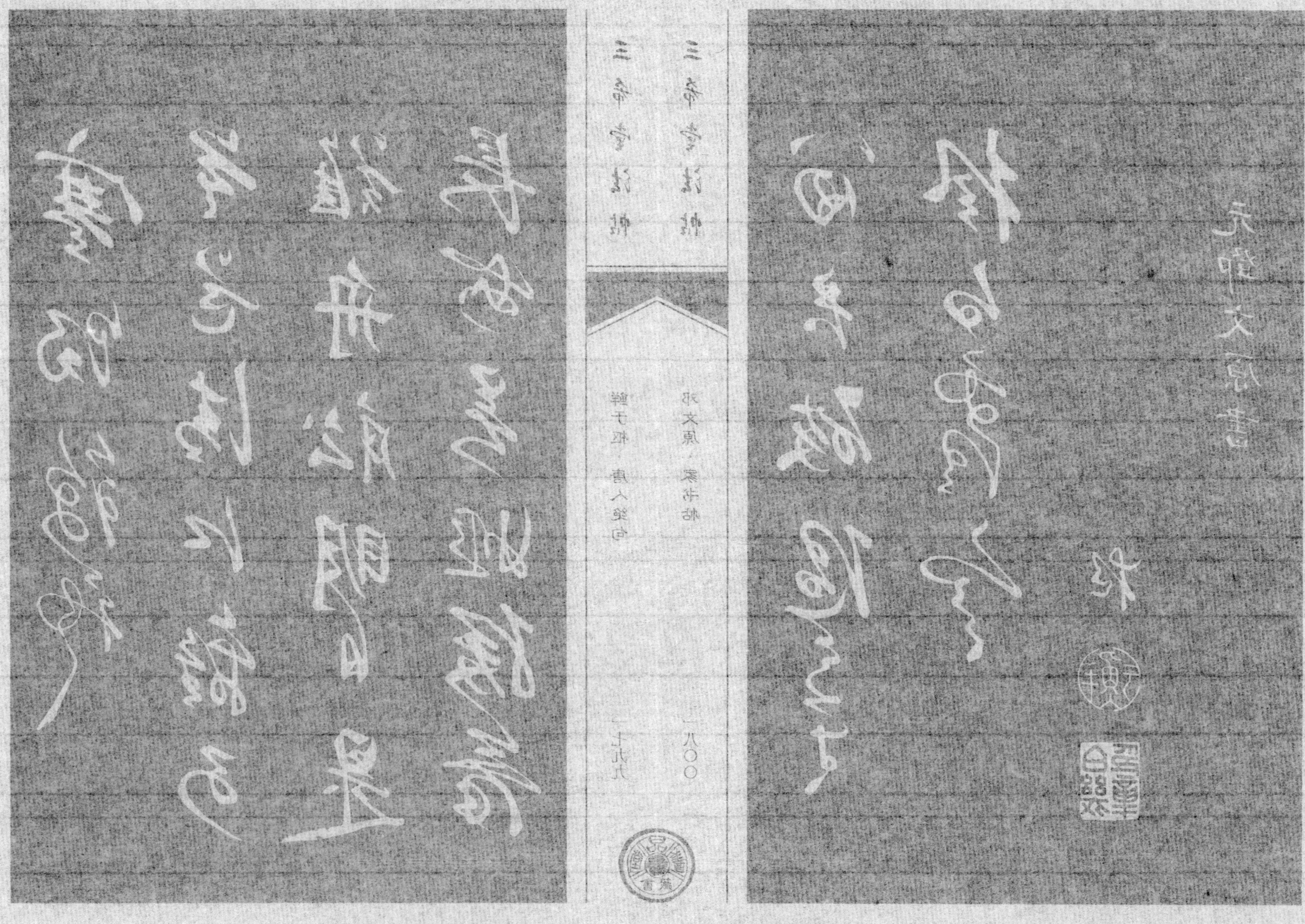

三希堂法帖

宋米芾·[illegible]

一八〇〇

三希堂法帖

第十四·唐人诗帖

一七九九

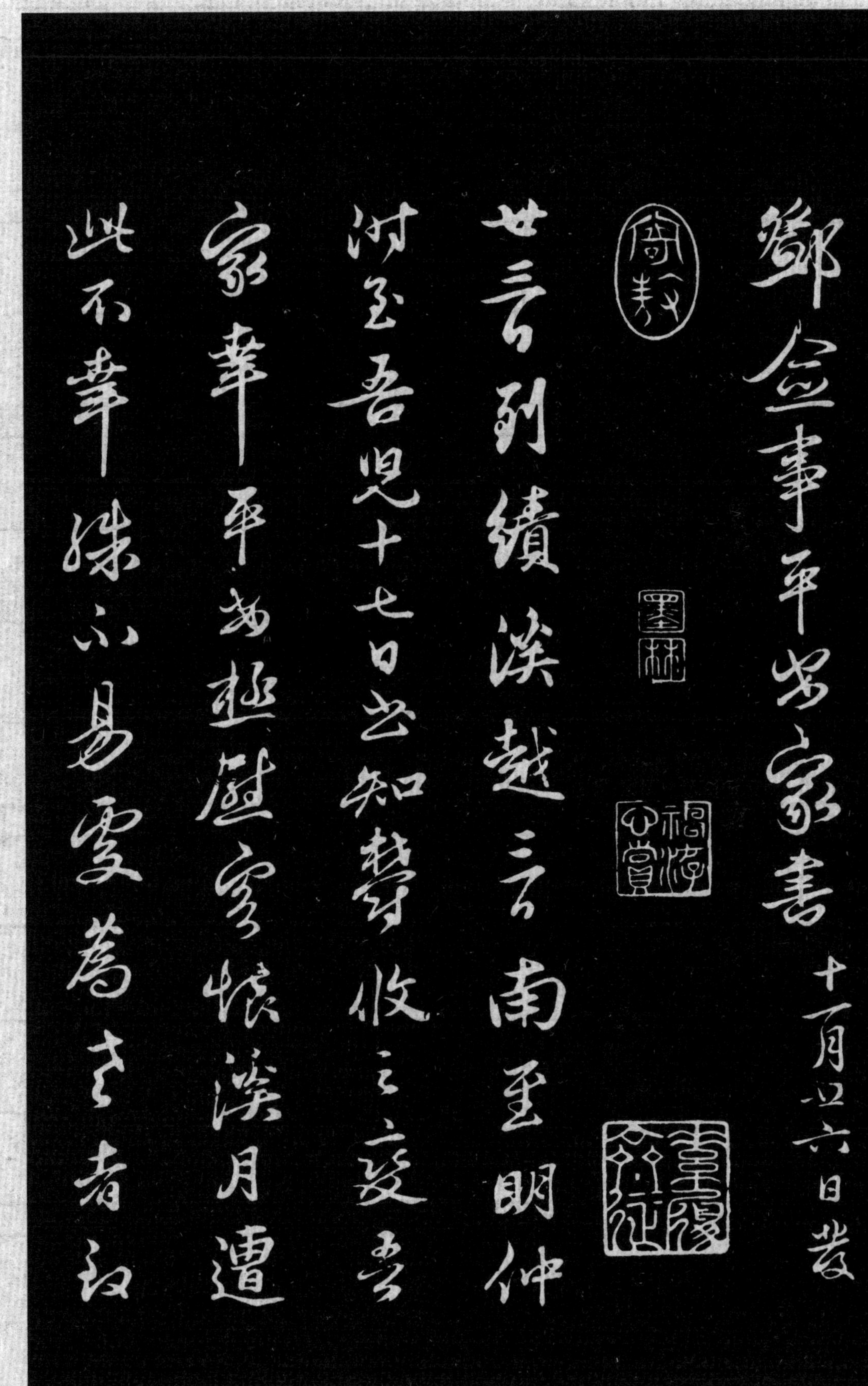
鄧僉事平安家書

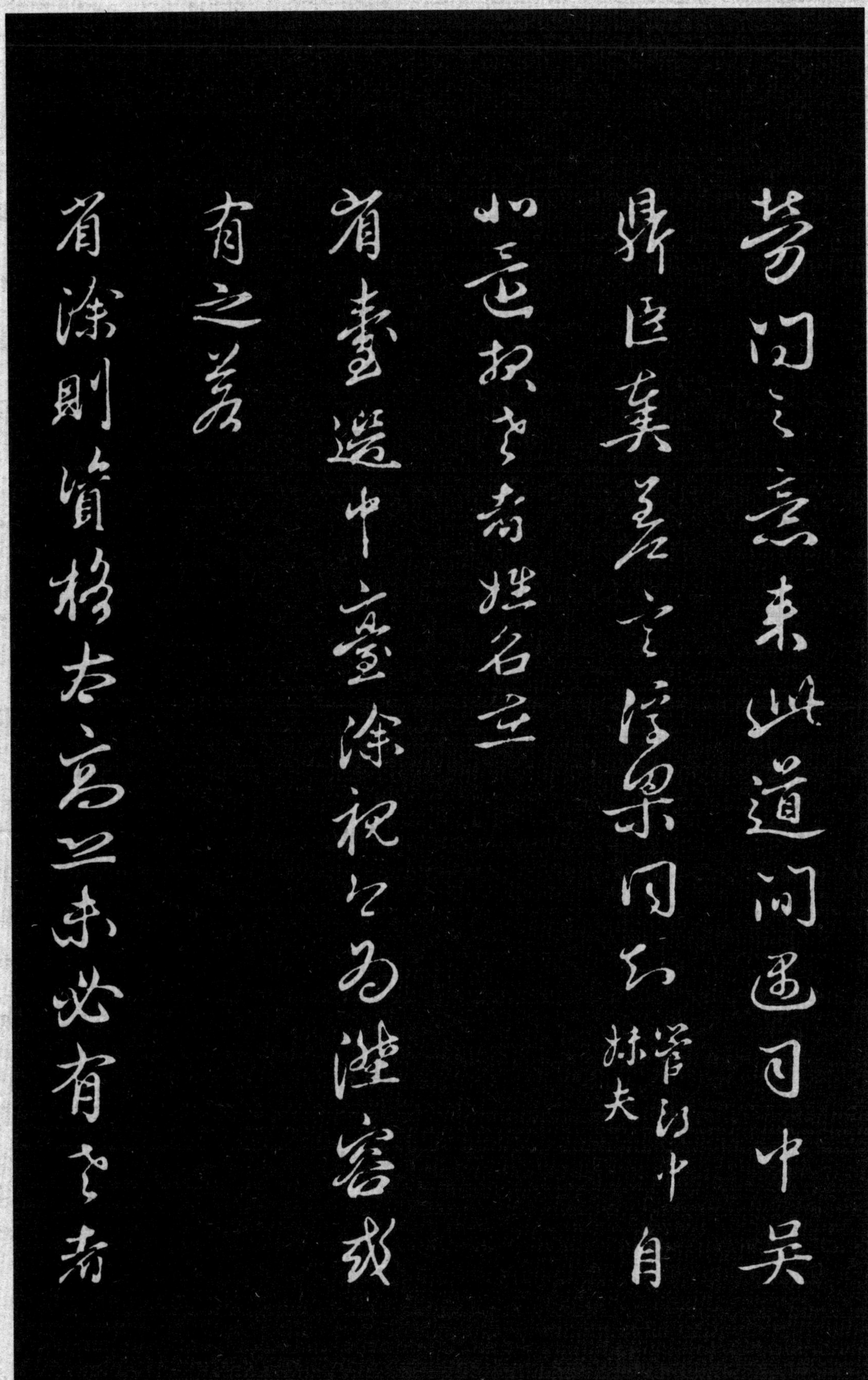

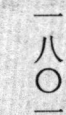

三希堂法帖

邓文原·家书帖　一八〇

從別早晚去為幸無過望也吾兒
到室吳自然言之主（成幸錢同行）細得早歸二兒
周折吾兒到室亦吳屋高空又無
人看視亦不可歇不若就於淺家
輕住如李舍之類問枕須着被彼二人同行
來貢定有人將火伴為乃往晚川

早宿切囑、續溪子蕭月初可過
新安宜收親手但得書頭人過得
去便宜了以早進為上
此間之前說此意別不作書小姐而下
起昨女葉如意說河若召家中迓
撿鳳婿此去付明仲人回

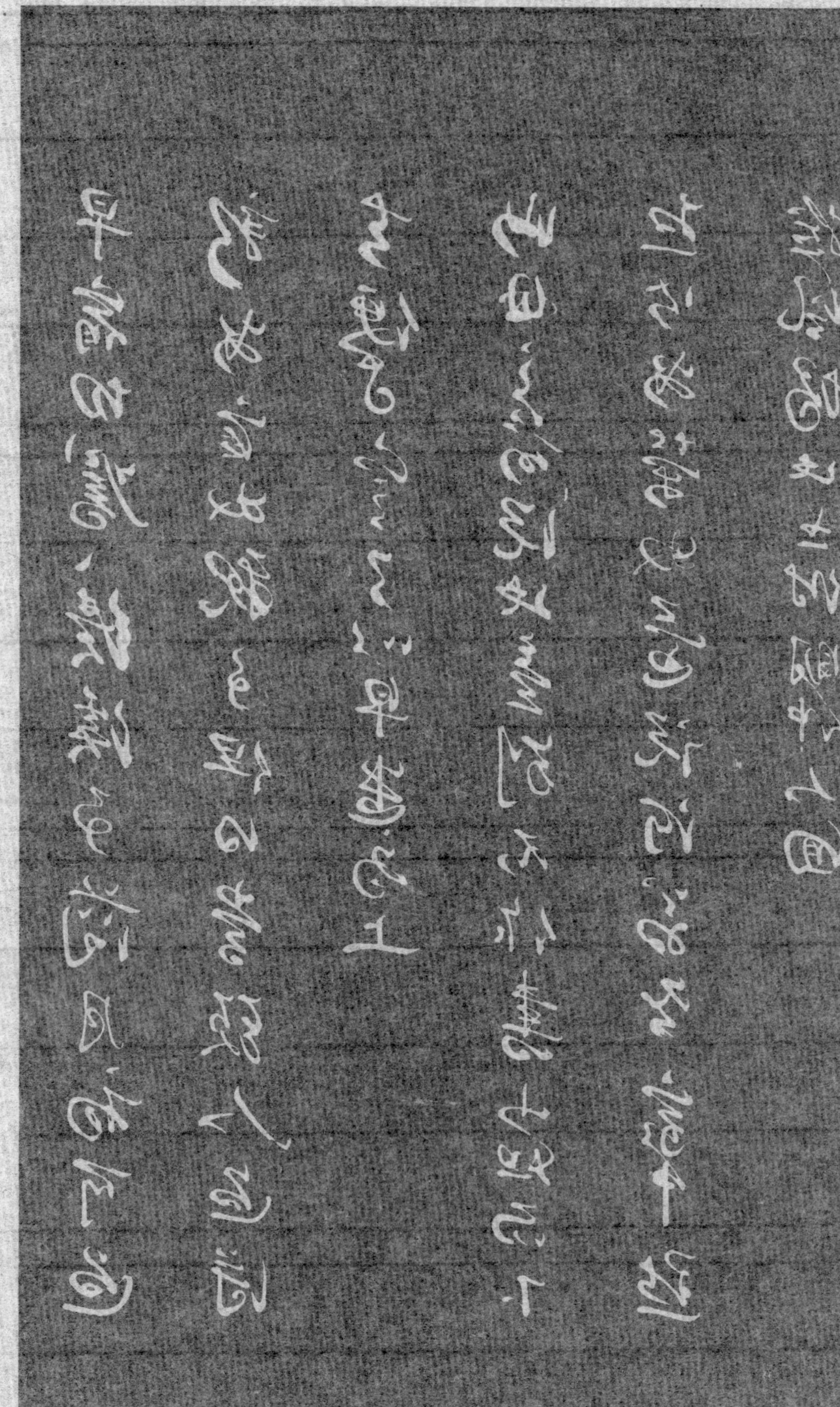

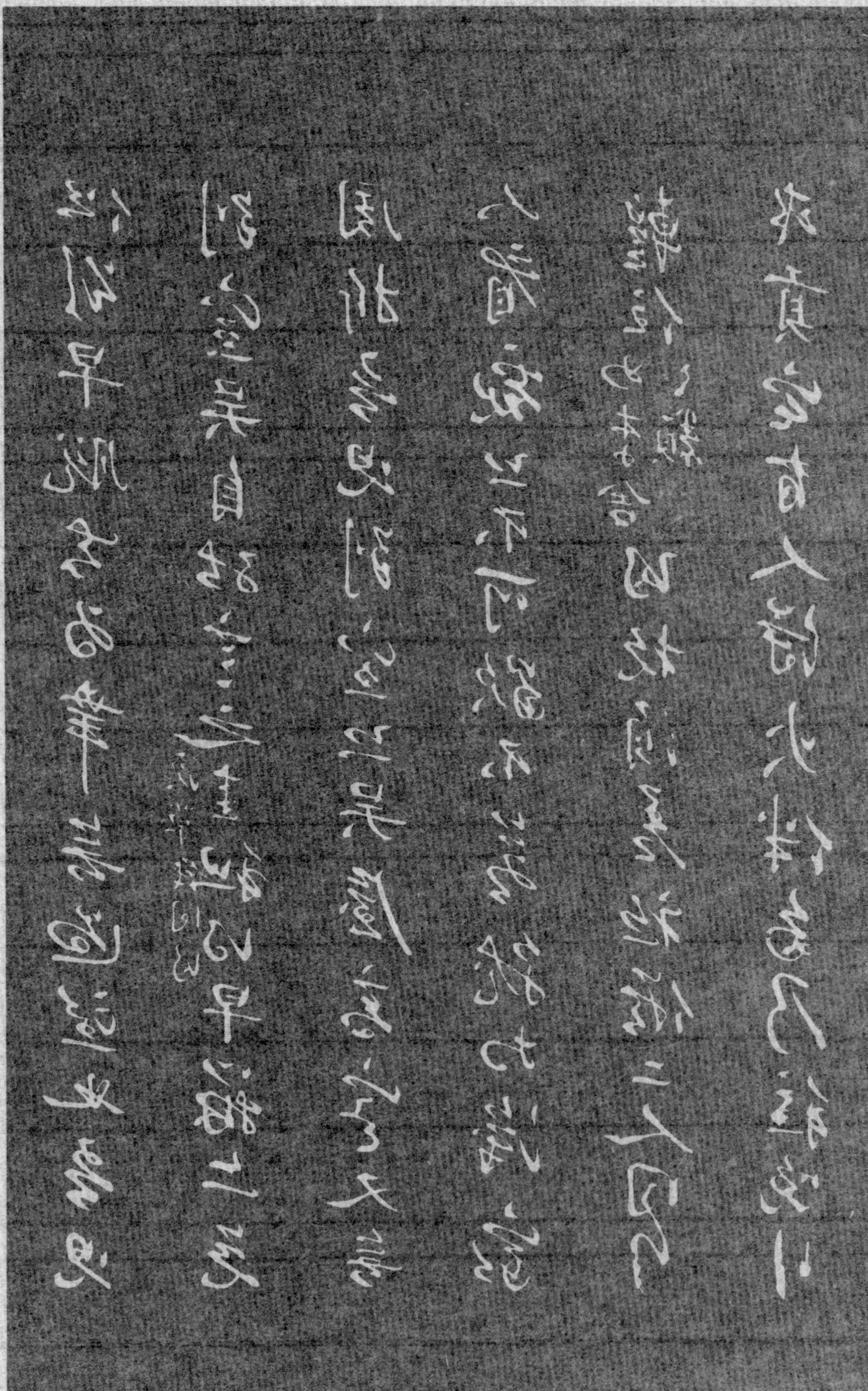

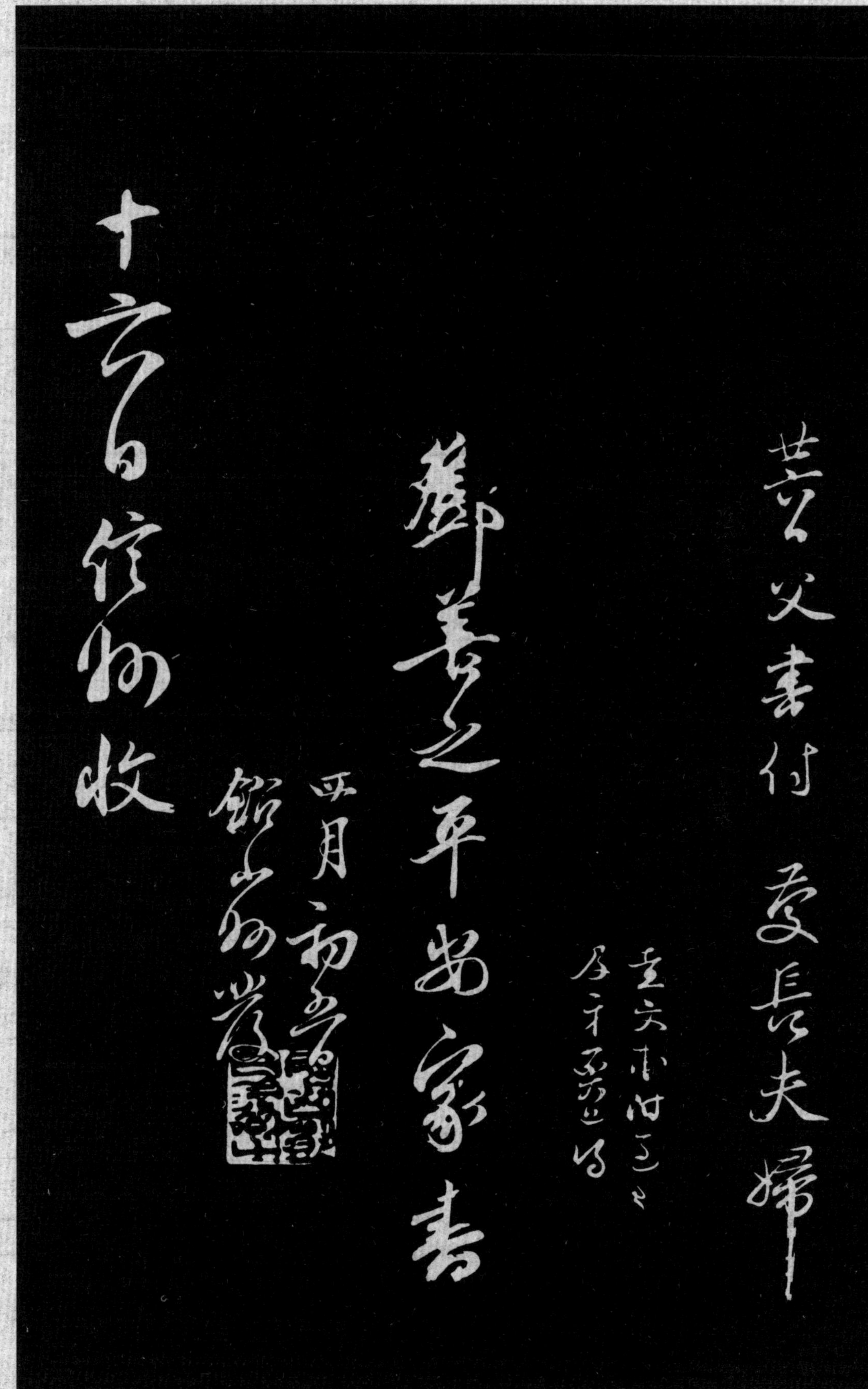

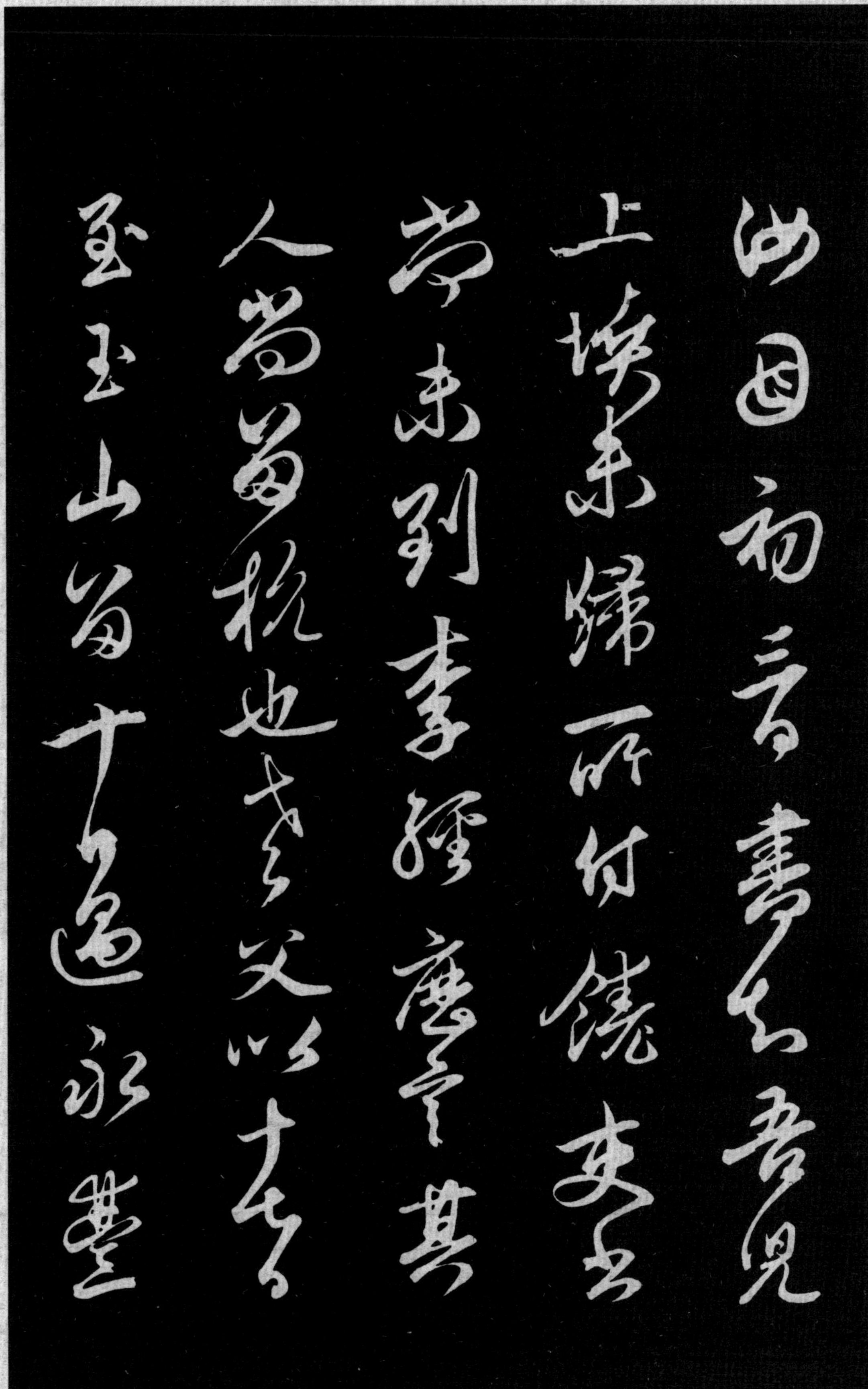

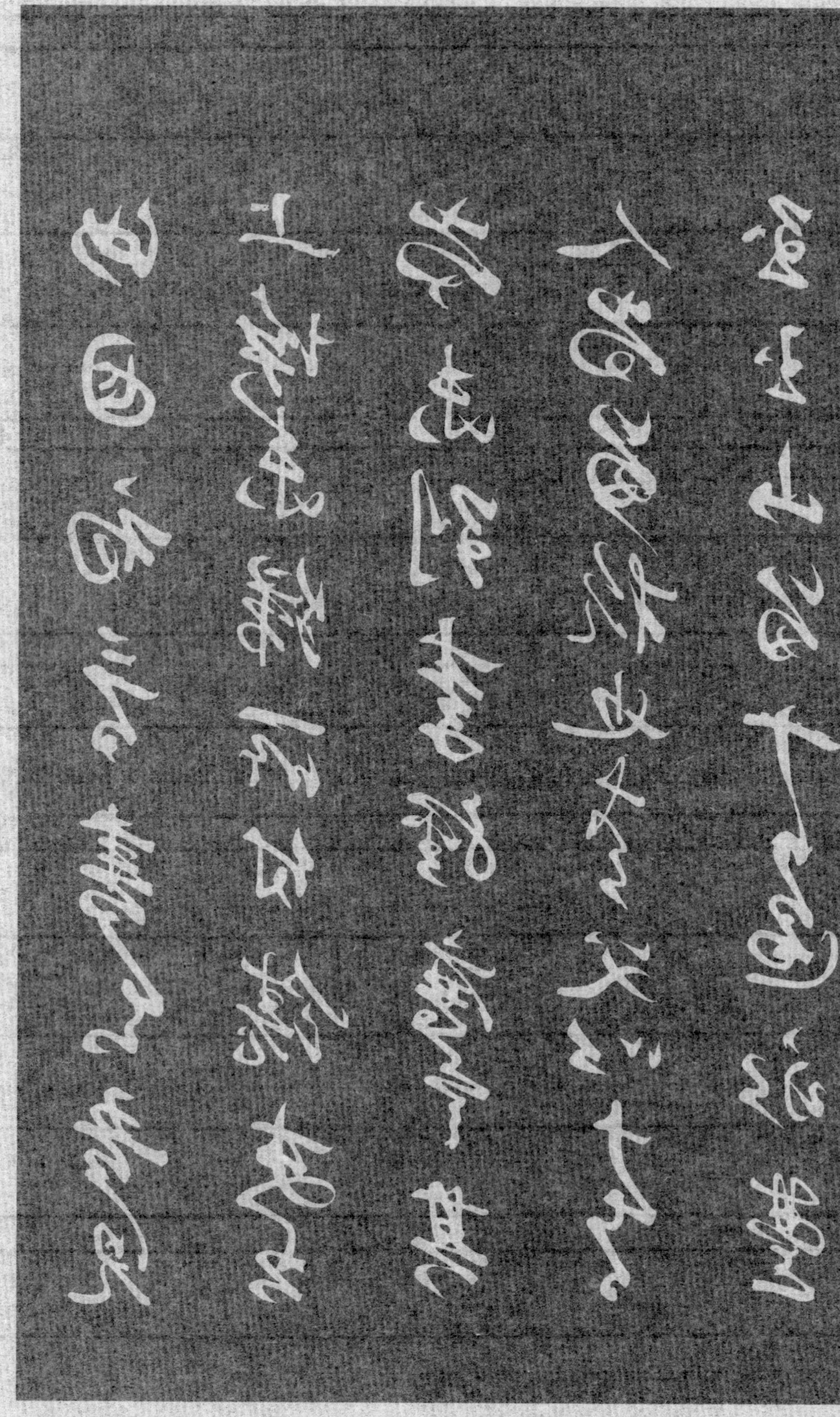

邓文原·家牛帖

邓文原·家牛帖

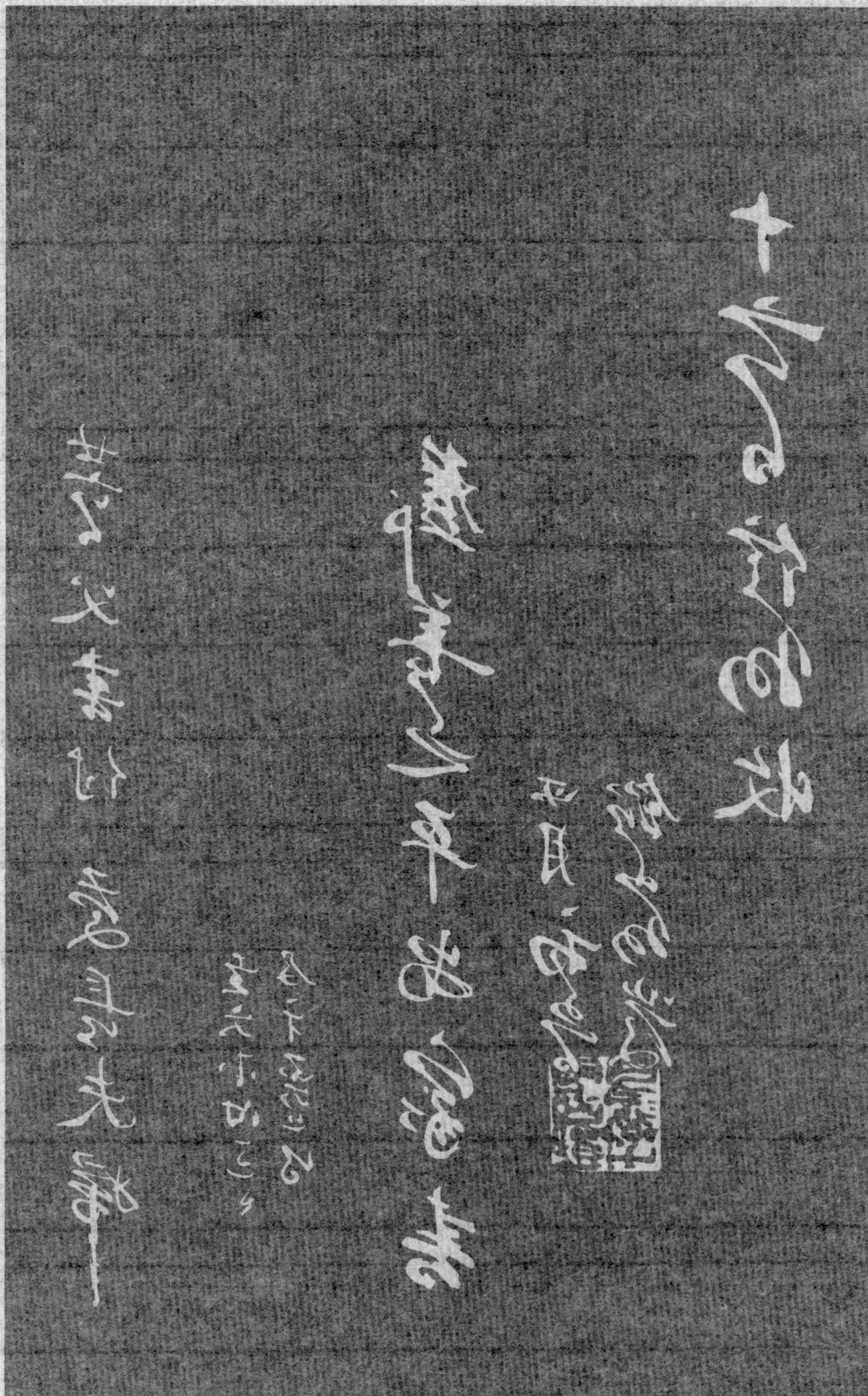

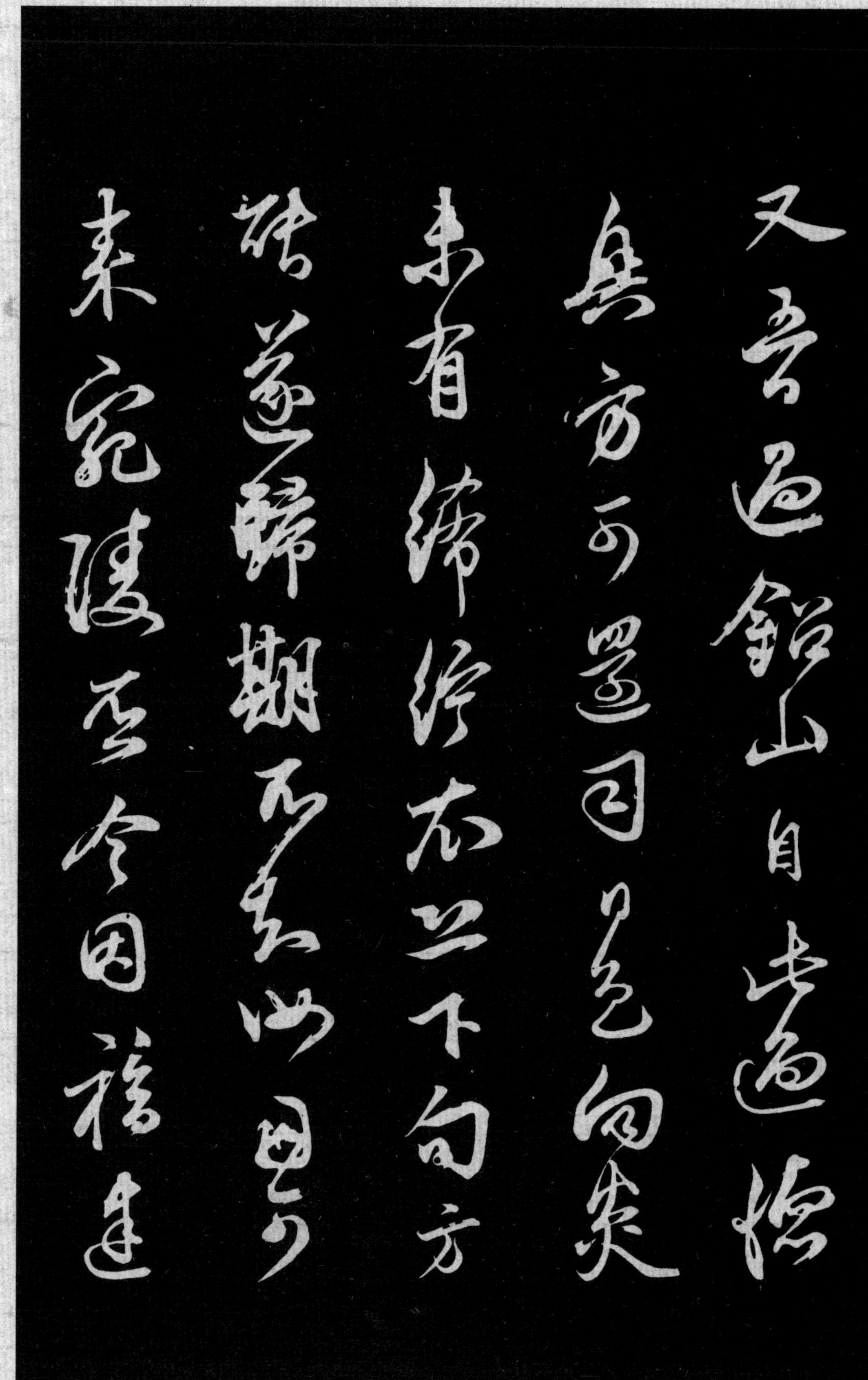

三希堂法帖

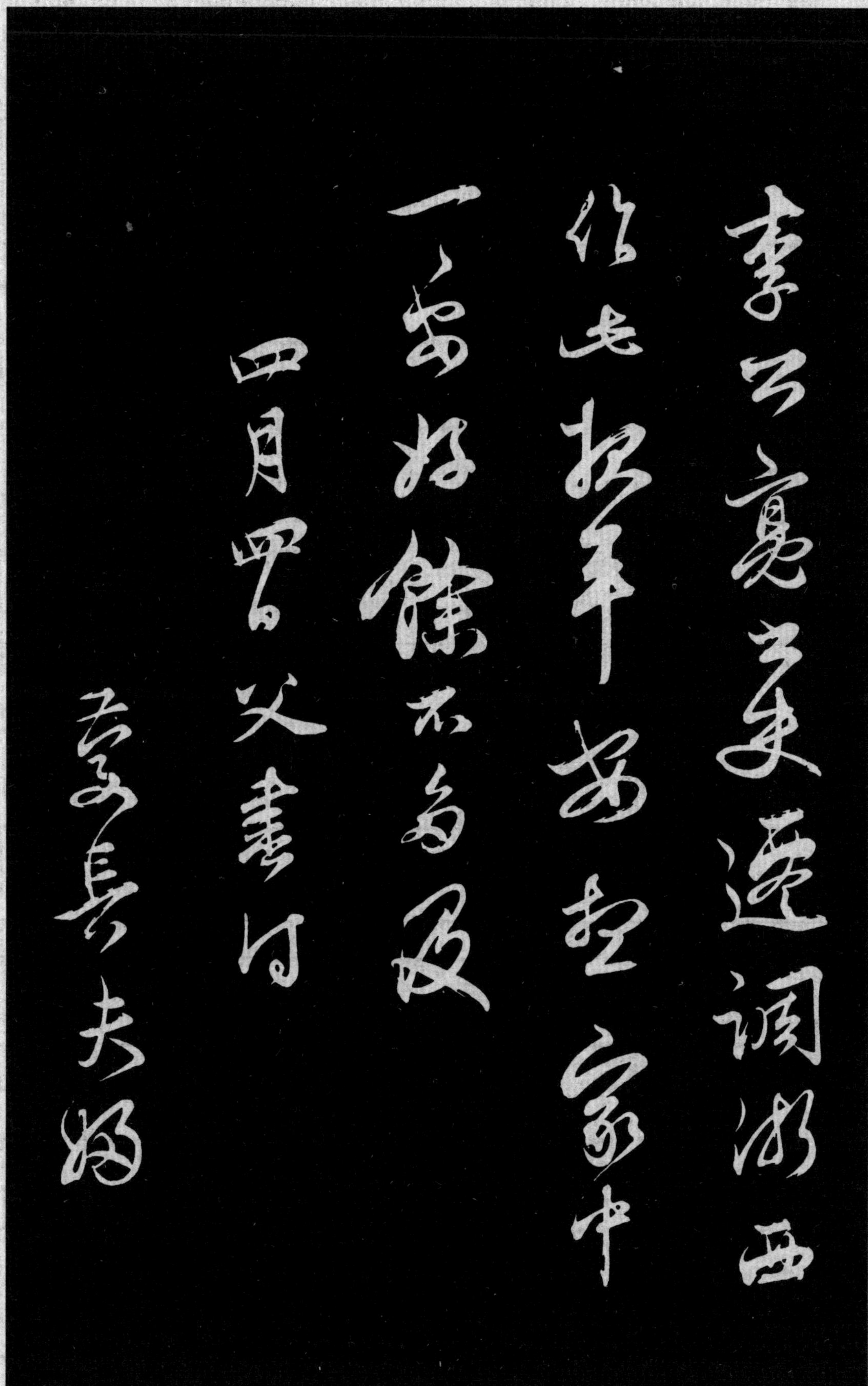

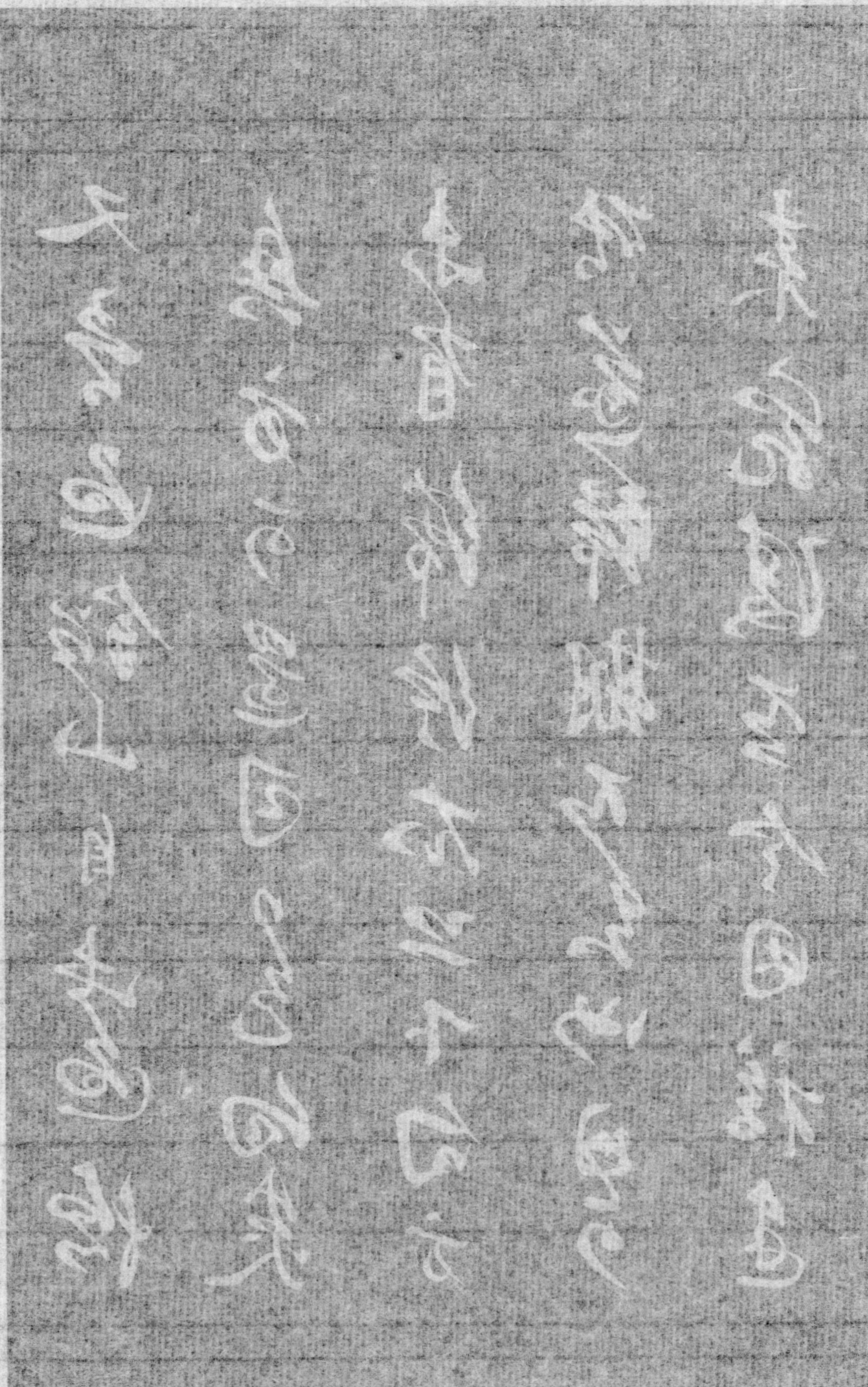

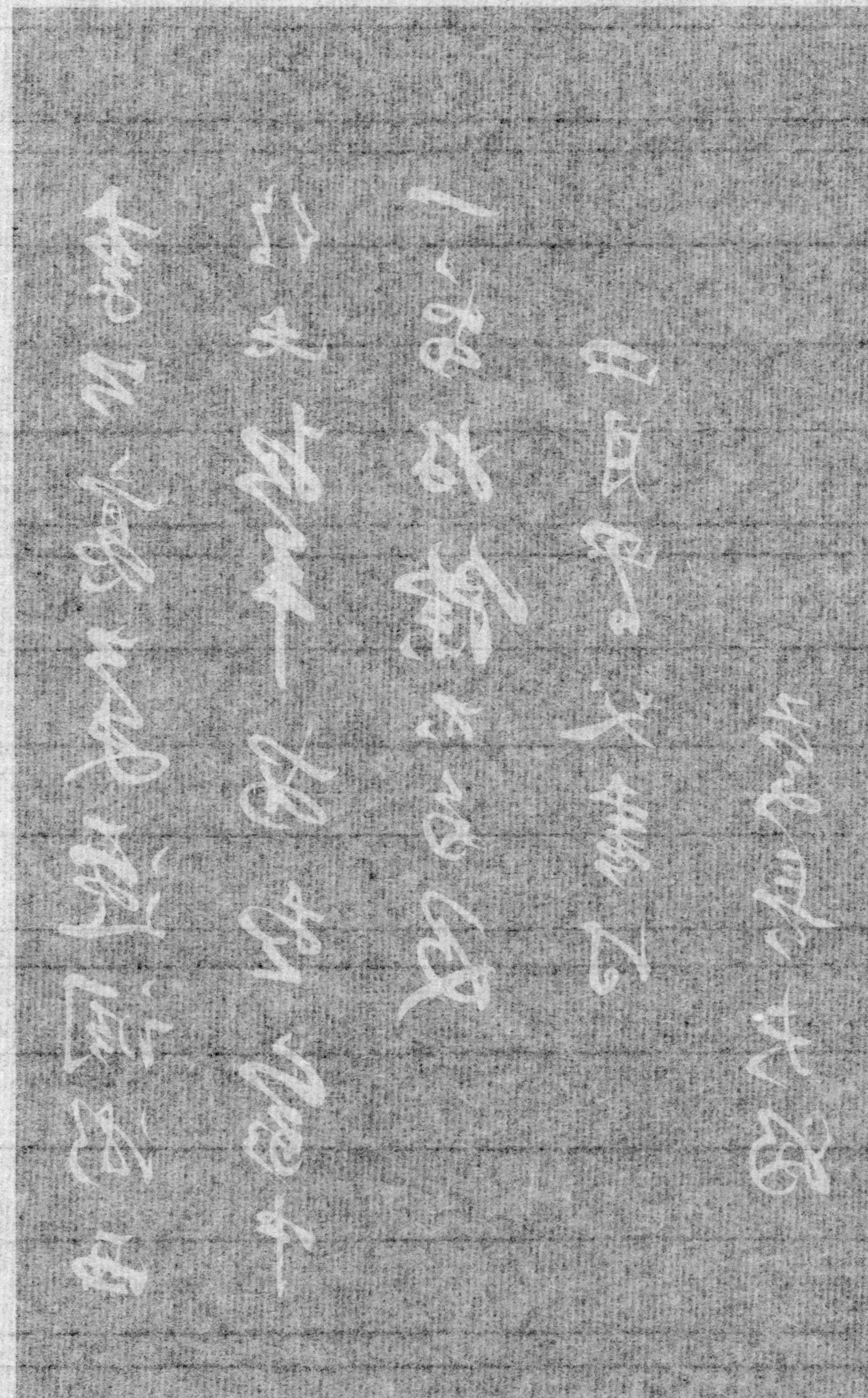

元王蒙書

蒙頓首再拜

德常尚府相公尊契

兄侍右愛厚輙有禀

白友人林靜子山吳興

人為趙氏之甥也讀書

博學多藝能而未有

成名欲權於彼學中

養贍得三石米足矣

用是求書專法望

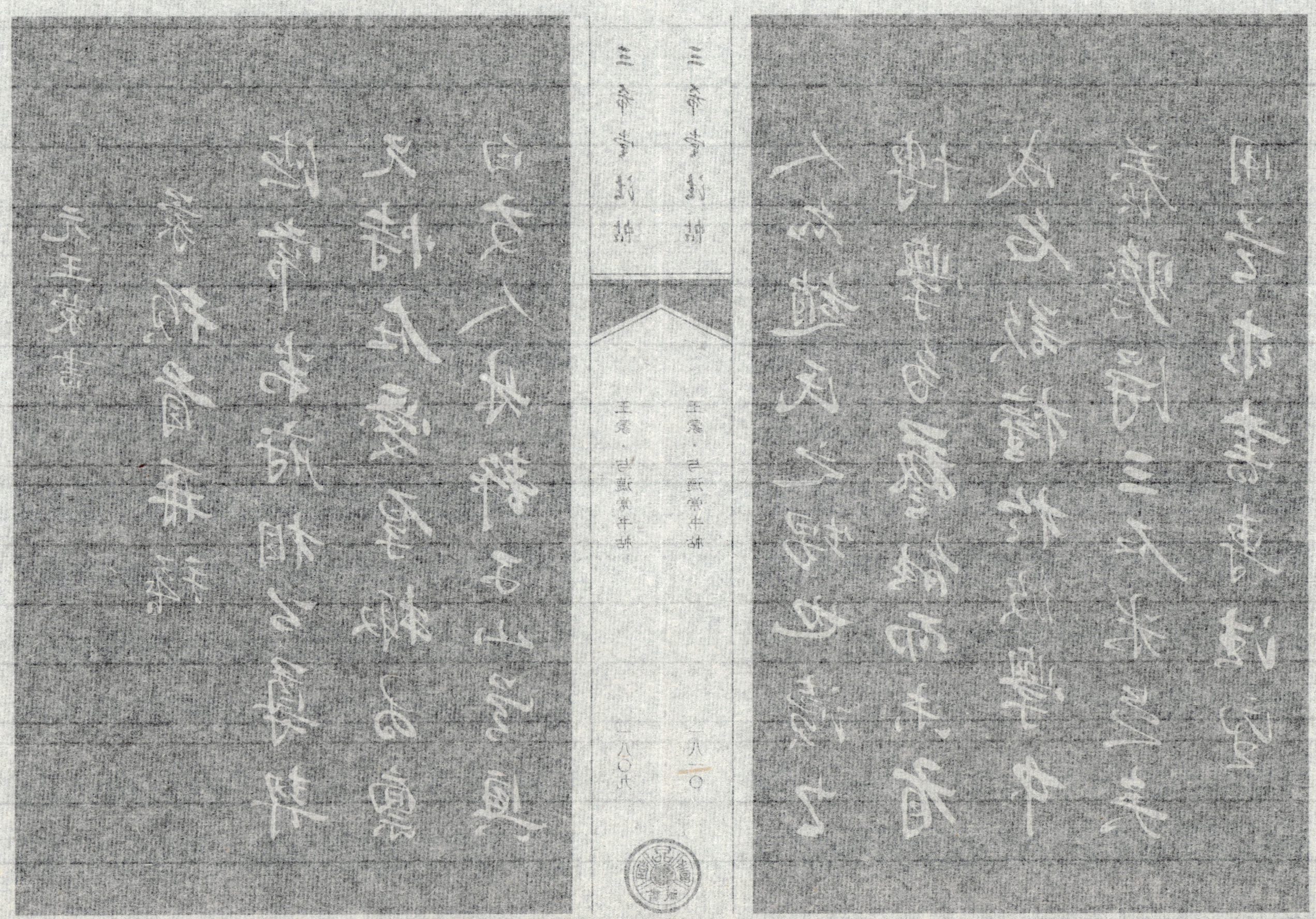

今注爲禱斯人年幼
而多學亦公家所畜
養者
王府君受意不殊乞
未由

三希堂法帖

晤會未冀
調攝以膺
峻擢不具
二月廿日
王蒙頓首再拜

三希堂法帖
王羲之 [illegible] 八二

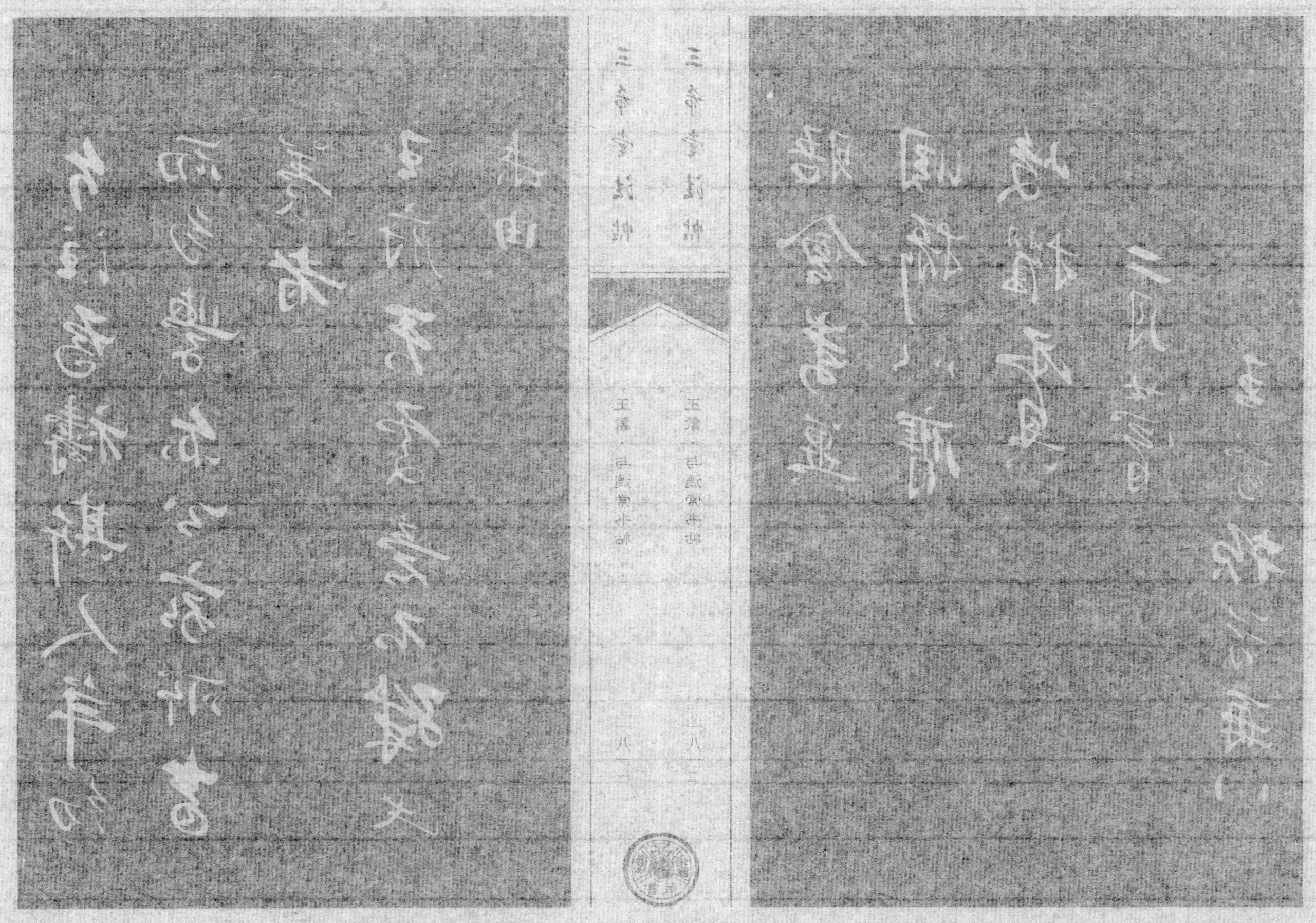

[illegible]状

衛 再拜

元衛仁近書

九成學士兄閣下

仁近啓：違甚久，殊切馳情，每欲修

問，阻便弗克。比想遠指，然耳。

新凉，惟履候勝常。賤子

愧處如舊，無足為

故人道者。少意奉餉，亦

科紙乳所製，甚精，近來

三希堂法帖

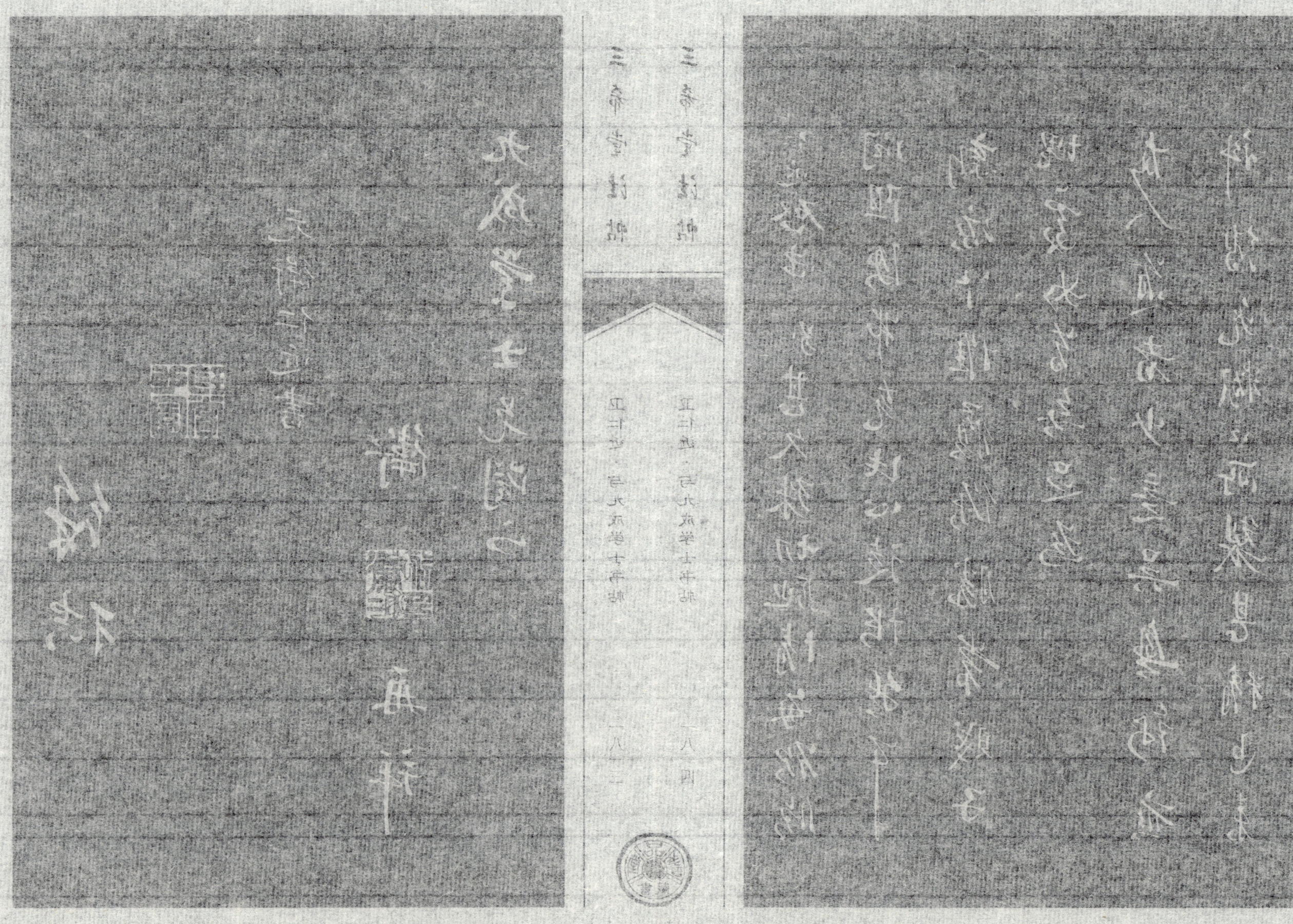

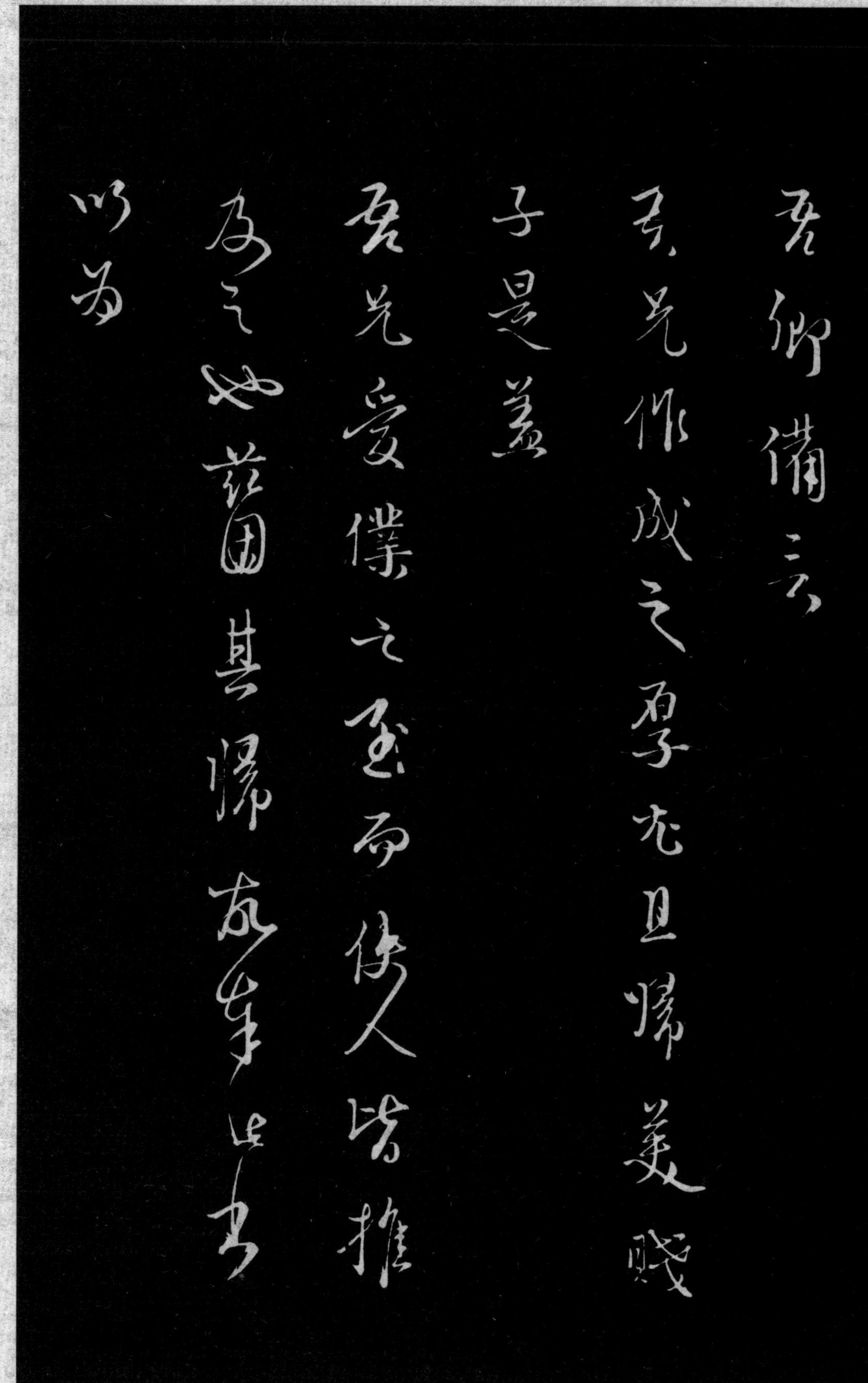

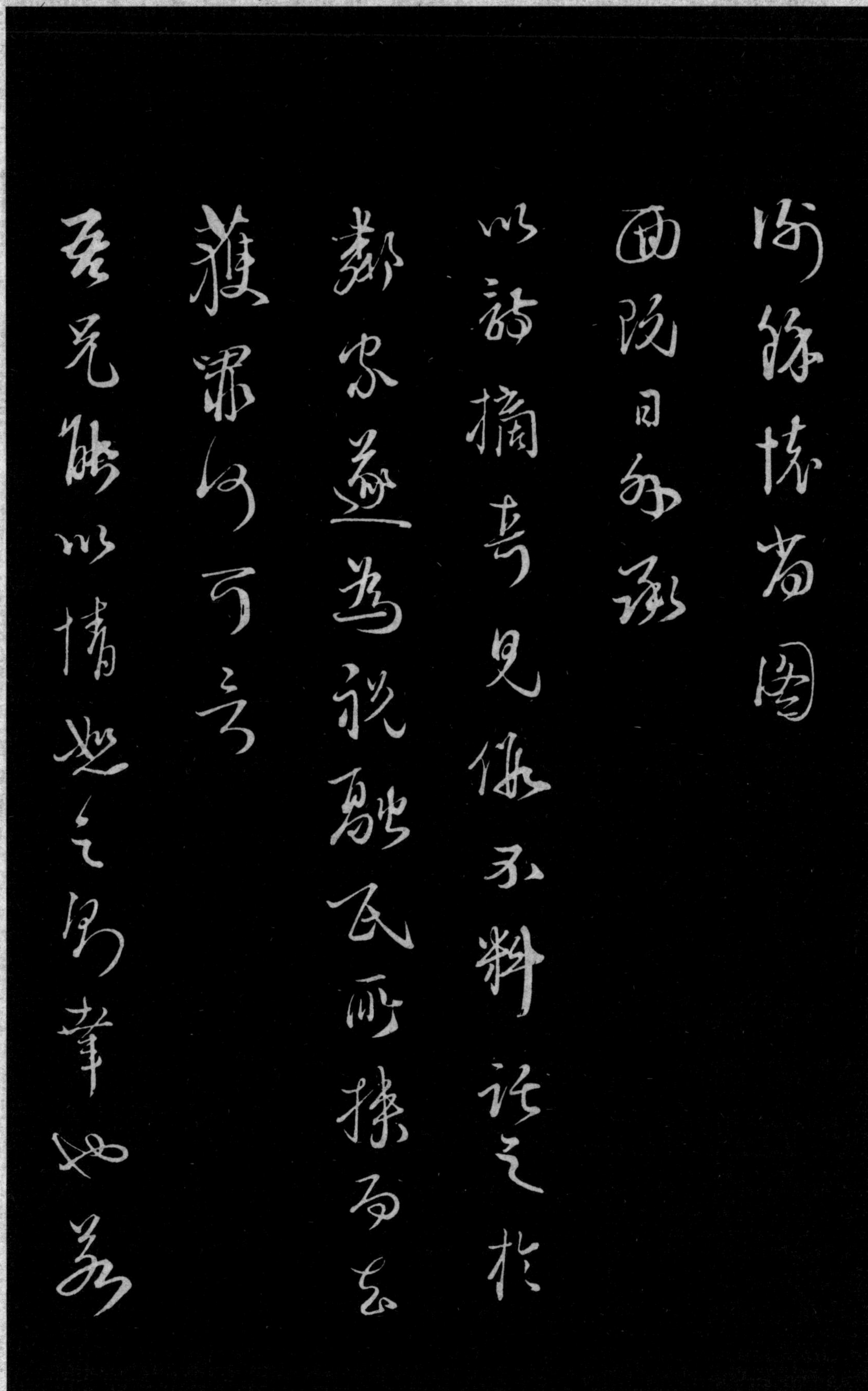

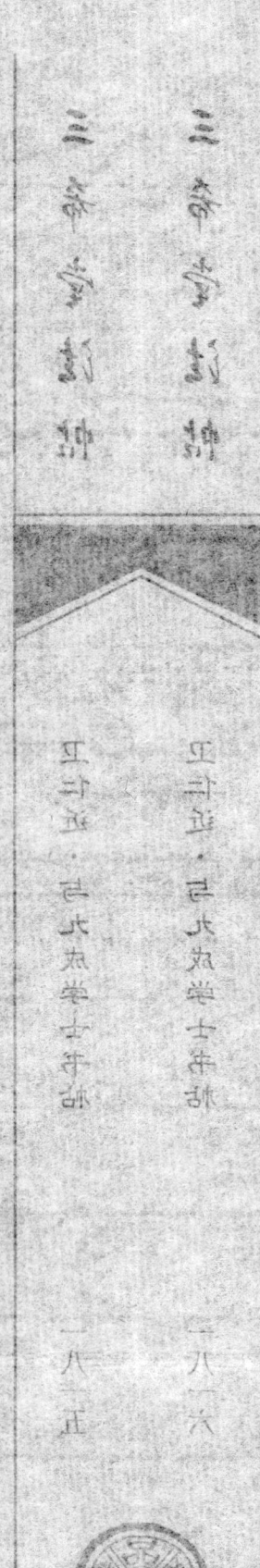

日餙辭天其肇之
形見未卜惟
慎保身思不宣 八月十七日
衛 仁近再拜
九成學士文先閣下

元吴志淳書

墨法四首錄上
南谷師一笑
吳志淳
太初墨訣在丹丘子獨求
從遊黃米兩翁後歙山來

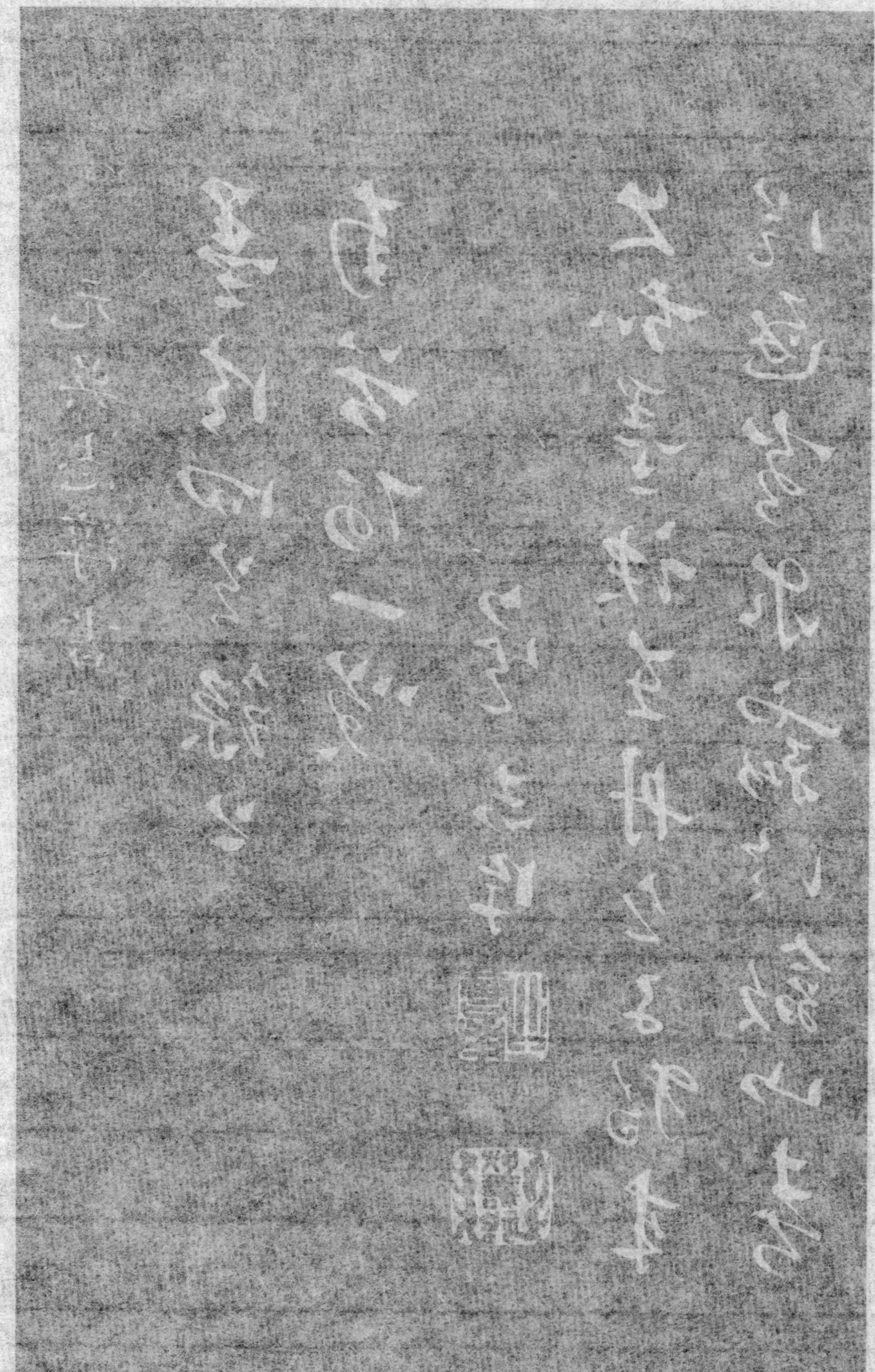

吴琚·书诗帖四首

[illegible]·与九成学士书帖

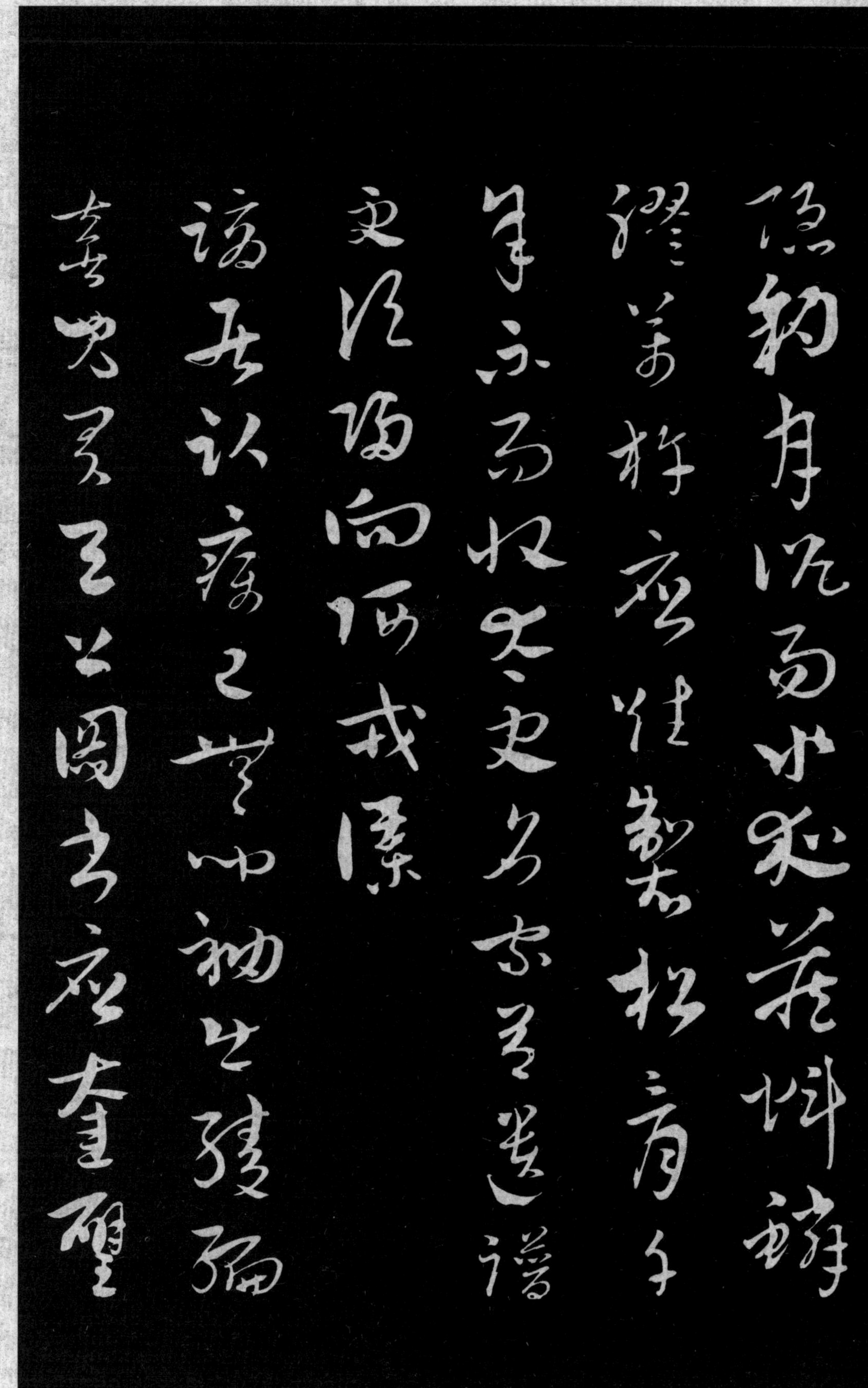

三希堂法帖

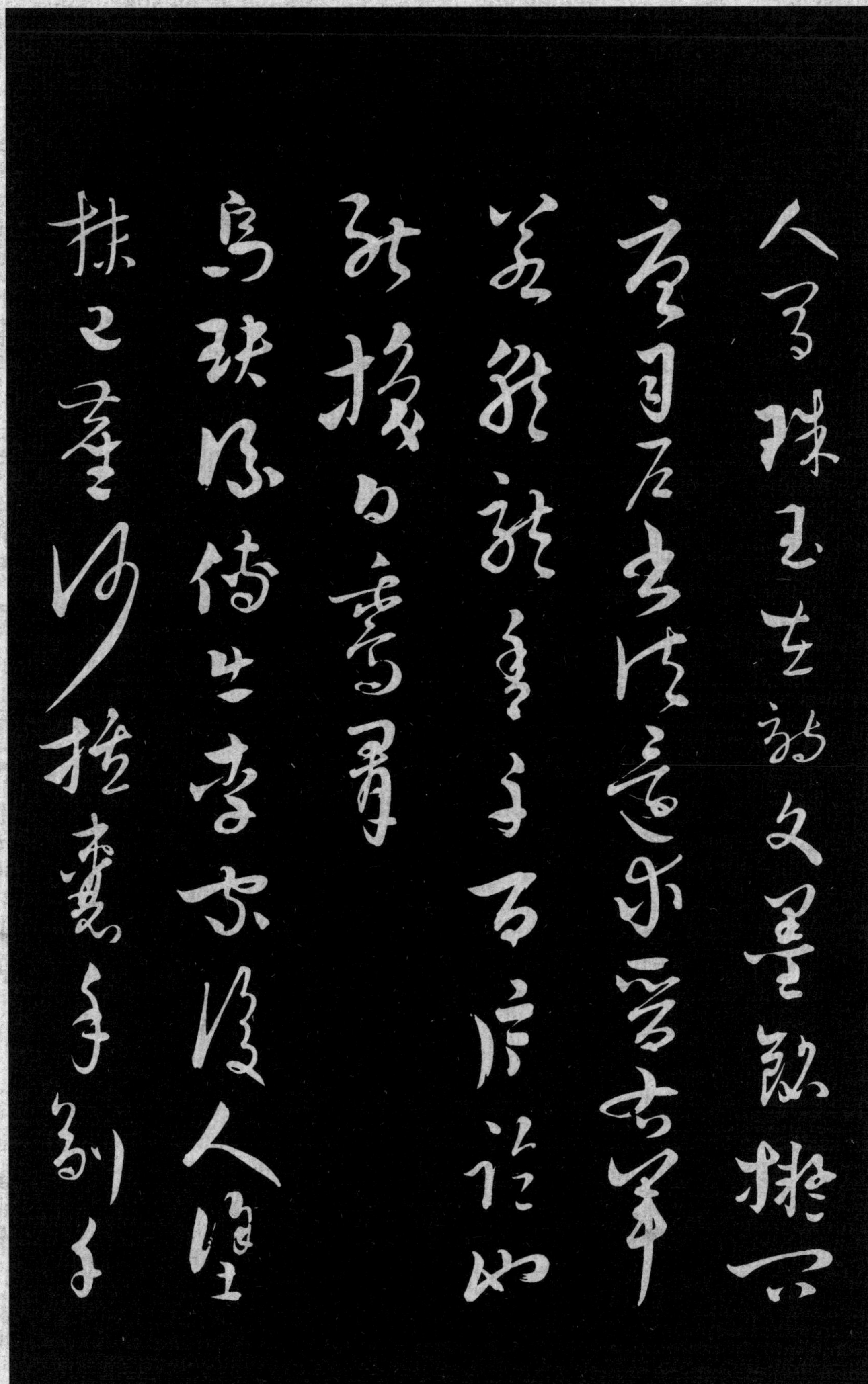

吴志淳·墨法诗四首

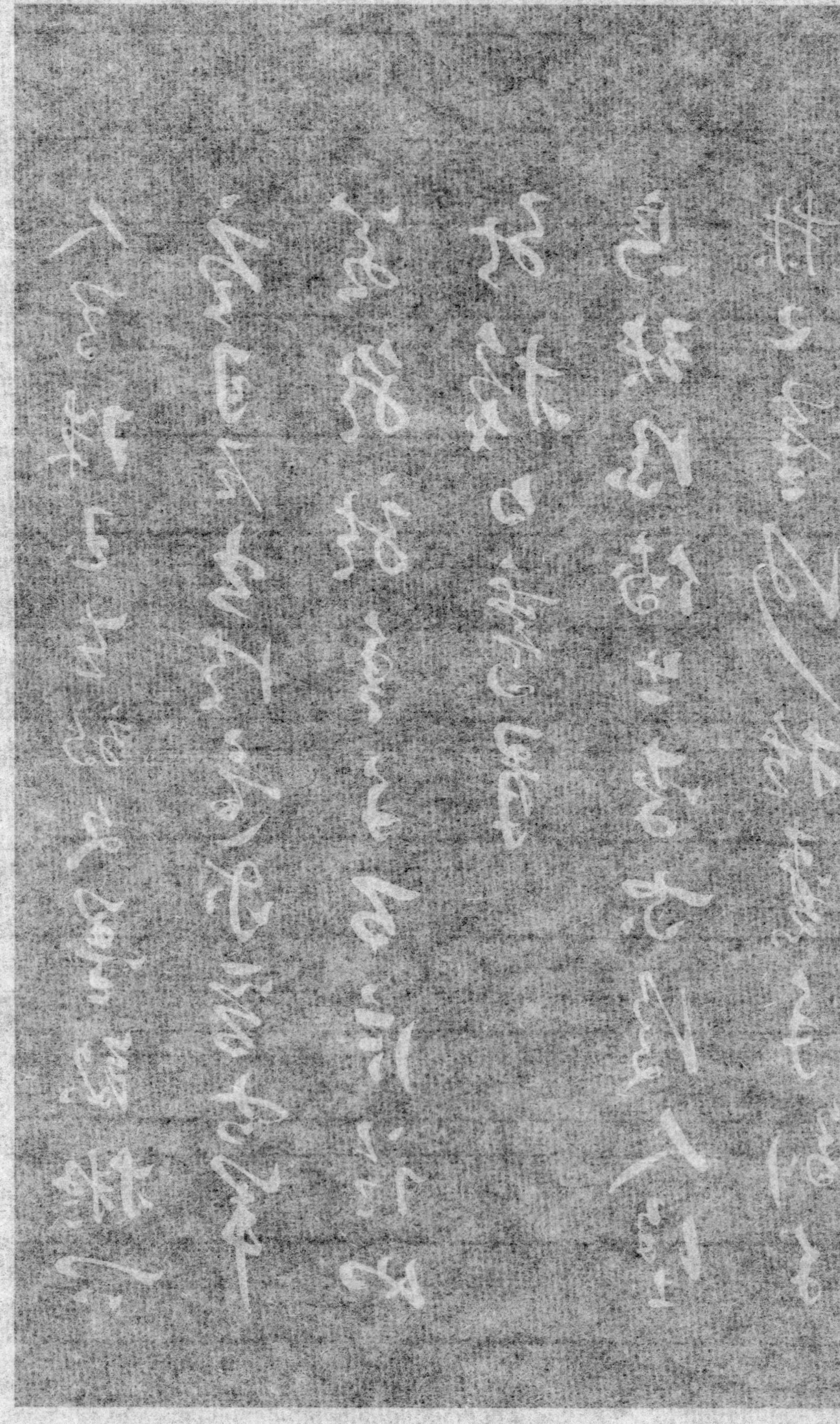

吴志淳·墨法诗四首

吴志淳·墨法诗四首

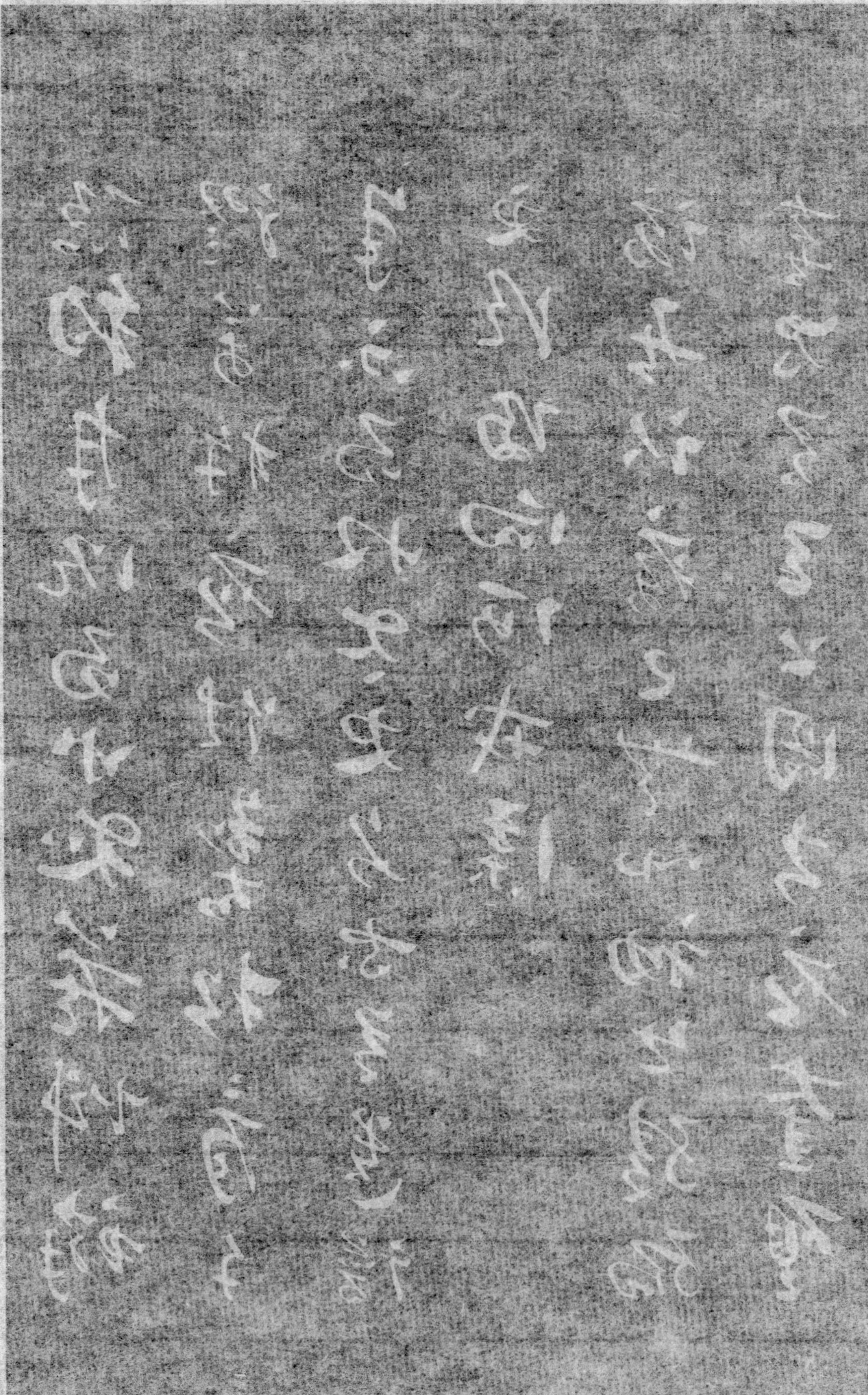

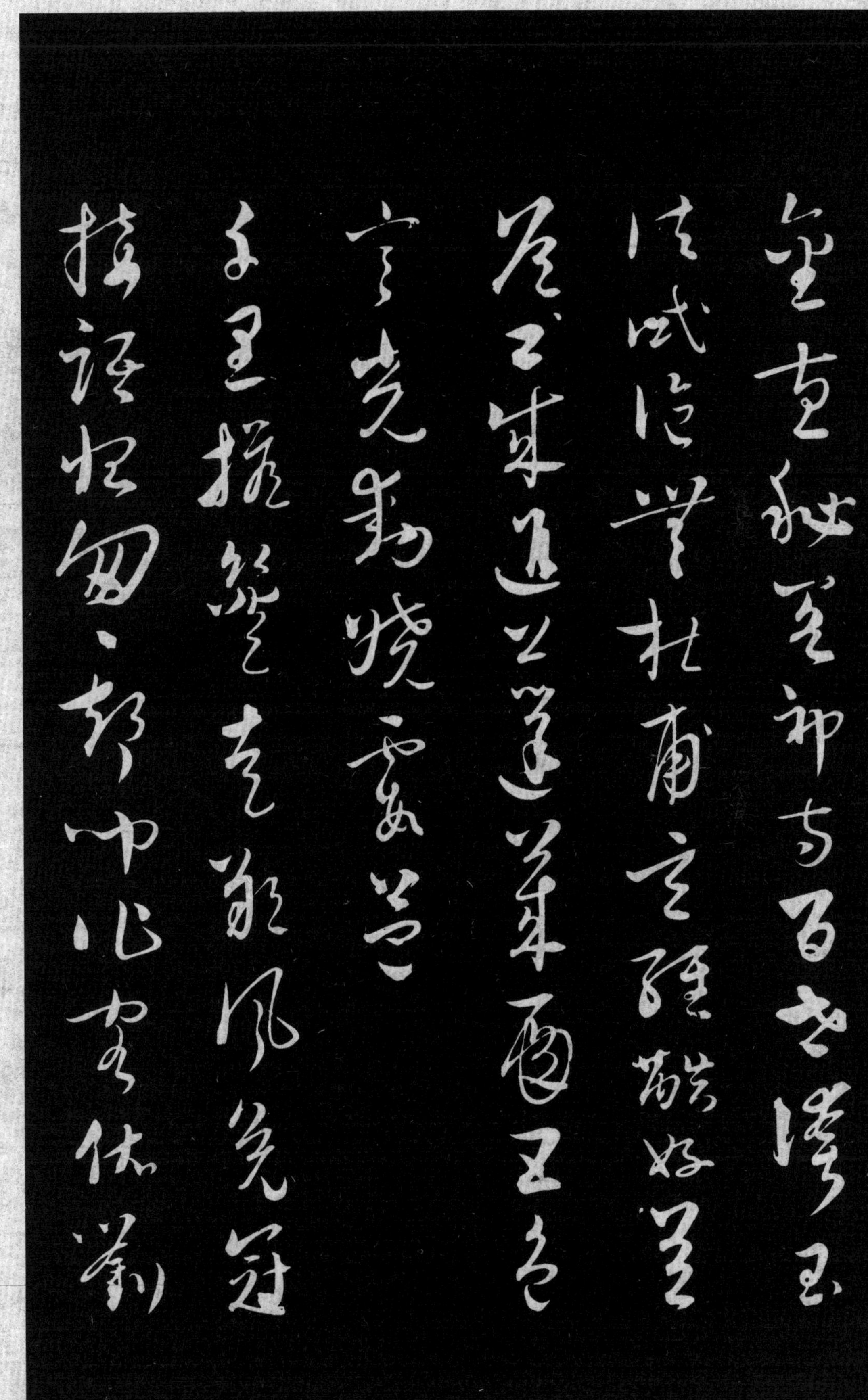

吴志淳·墨法诗四首

吴志淳·墨法诗四首

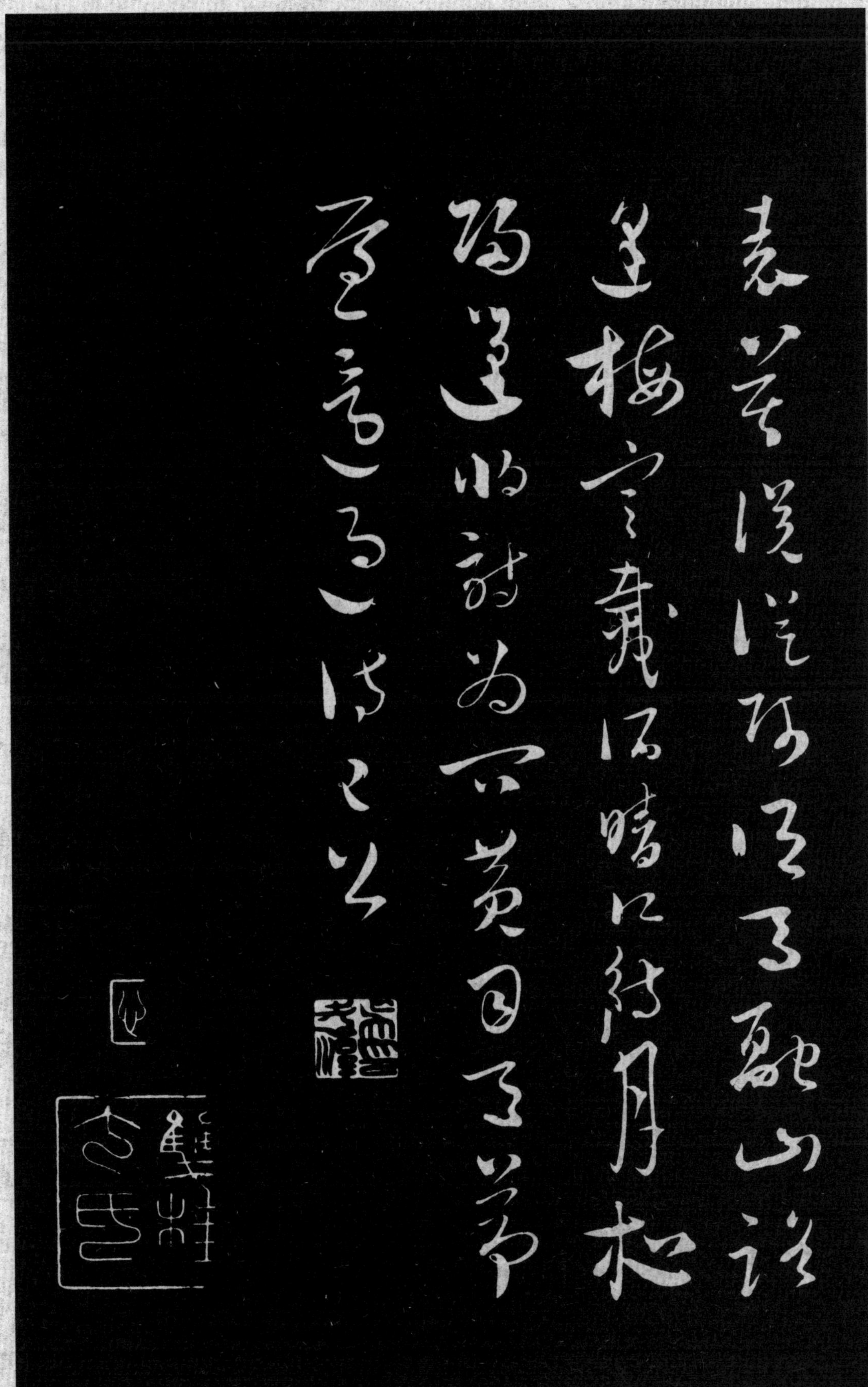

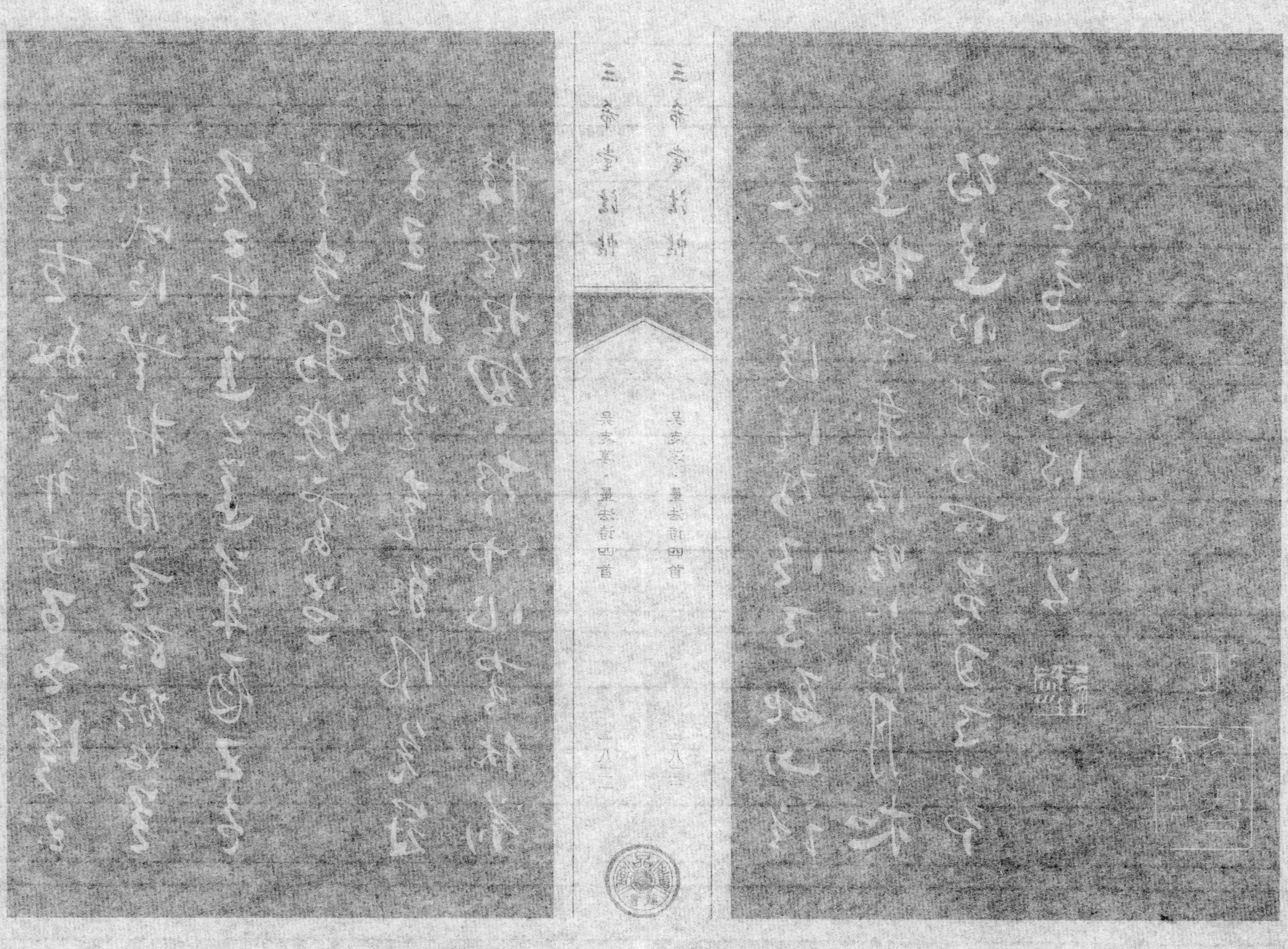

三希堂法帖

御刻三希堂石渠寶笈法帖第二十六冊

元俞俊書

石渠寶笈

俊頓首拜復

德翁尚府相公閣下　昨因

別駕廳急足端便草草不

寸牘蒞記覽佇來伏領

發帖空

深荷之約步月相望益遠

豈勝瞻馳

所囑薑生元有黑絹船舊冬

承差過海如何阻河冰凍擱

近日發回江南滄艘來京止

三希堂法帖

俞俊·复德翁书帖

三字經草書

三字經草書

一八四

一八三

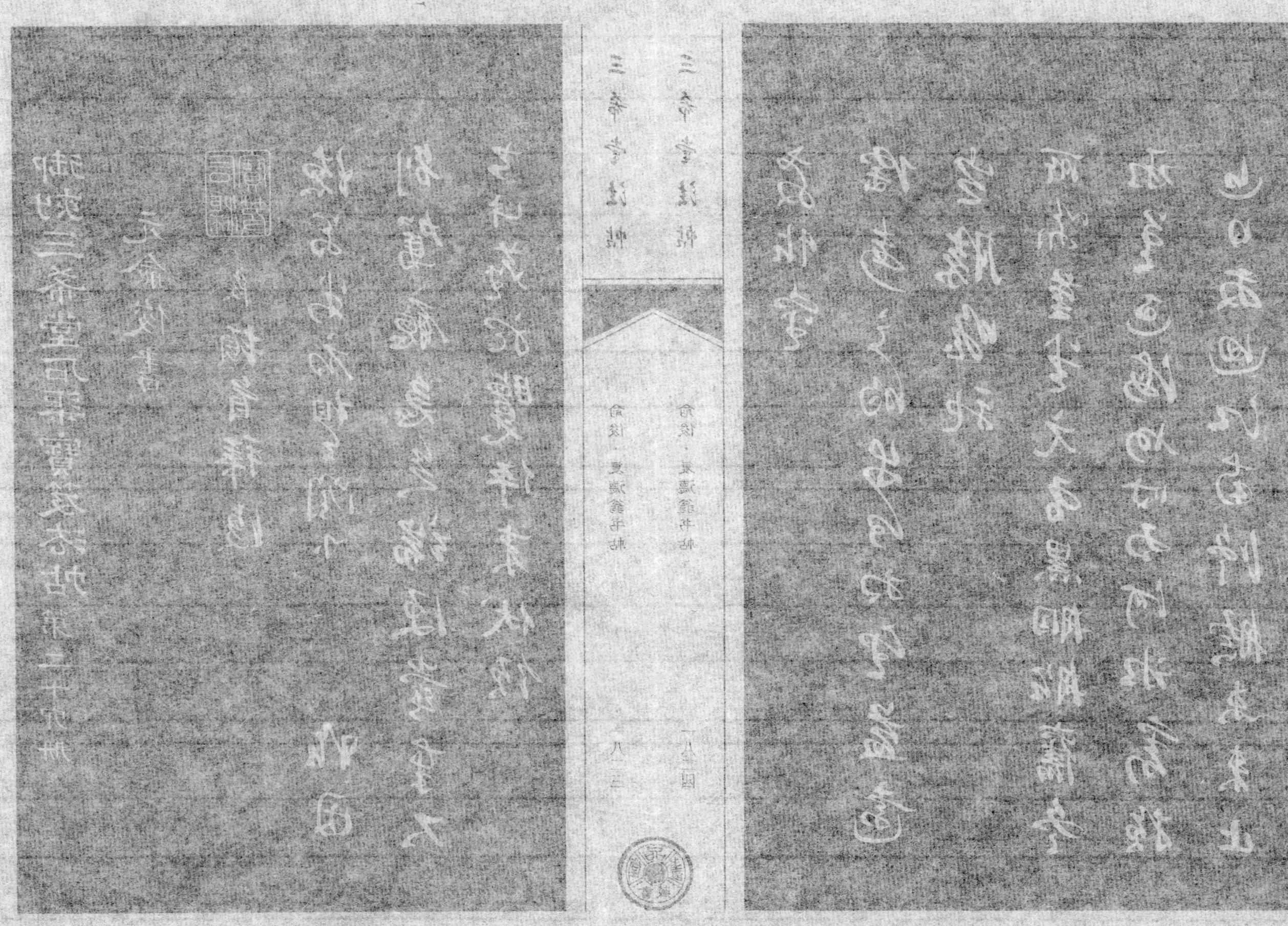

有大坐船孫家舍偏仄川李
雜物堆在其中不可移動
穉子亡無附依者莫能經紀仁
需惶悚之至妙
翁可憐華舍
原亮不宣俊
頓首

頓首拜復
安東俞
謹封
德翁判府相公閣下
元俞鎬書
鎬 頓首再拜

惟明先生大契丈侍　示见三四
月其如此仰何在屋秋气凄凉
适佳
起居清吉为慰然论书拙村
壁中一墨如此又毋之可也
尚已在道及山东弟浣海陵

归亦在途中当矣
风半且云
文架中有文苑英华集法
好事者此物亦宜当存为偿价
画留置
掷付去手领以一钱赠也

拙亦安便以遇酬纳札托
些之从何能臻此者母
评烦瞻而也无还中化字负谨
为行
原之亦具示
七月三日重百希镐再拜

後六
贱躯昨自云间至此手书未及晋见
前摩
枉顾陪增愧悚耳柒昭王墓诸
碑谨奉去馈价未得一起隋碑帖专
用归璧併乞
国玉智永千文向者演川之际被宗人

嘆謨持何要急尋不獲達更
扶玉宗價即當償價也少勝即去
滿以免不堂
惟明先生尊契侍史 錫右再拜
今本去一檢併此奉去

元沈右書

右拜復撥惟初度環臨方興蓼莪之
詩何壓齒記
蓮子八顆奉達上此彩摘者味頗
鮮美但不多耳 右
惠書錫物足見
眷存
容刀之墜不翅如折吾臂之識拄杖

帨巾〻纳無忝札張舍人〻錦織成非敢
自適其用也實慚使為人子者佩用有光進
豐有禮矣受之感著彌深適州方丈室
書來寄拜意 仁卿壺熏鑪然負〻年收
須仁卿更為禱謹奉書以
謝不宣 右書拜復

伯川倫姪契家兄文侍 米价三千
右啓數日不奉
教誨殊馳思 唐詩纂玄十一冊謹
用歸還幸
恕暴稽之罪不揆悉札僭越題
籤如不愜意換去不妨有服

三希堂法帖

宋·米芾·伯充帖

一八三

三希堂法帖

宋·米芾·中秋帖

一八四

能相過如何幸此奉
稟尚幾
親諒不備右拜啓
教授仲長尊親坐下
右頓首拜復
寓齋先生尊親執事右近

擕回已而久公處這回呈
澤遂得風約
別來旬餘正若懷仰而
手書亦遠媿慕之教勵
先生學具行稱侍坐小館
非指使（童子）交業而不肯亦得

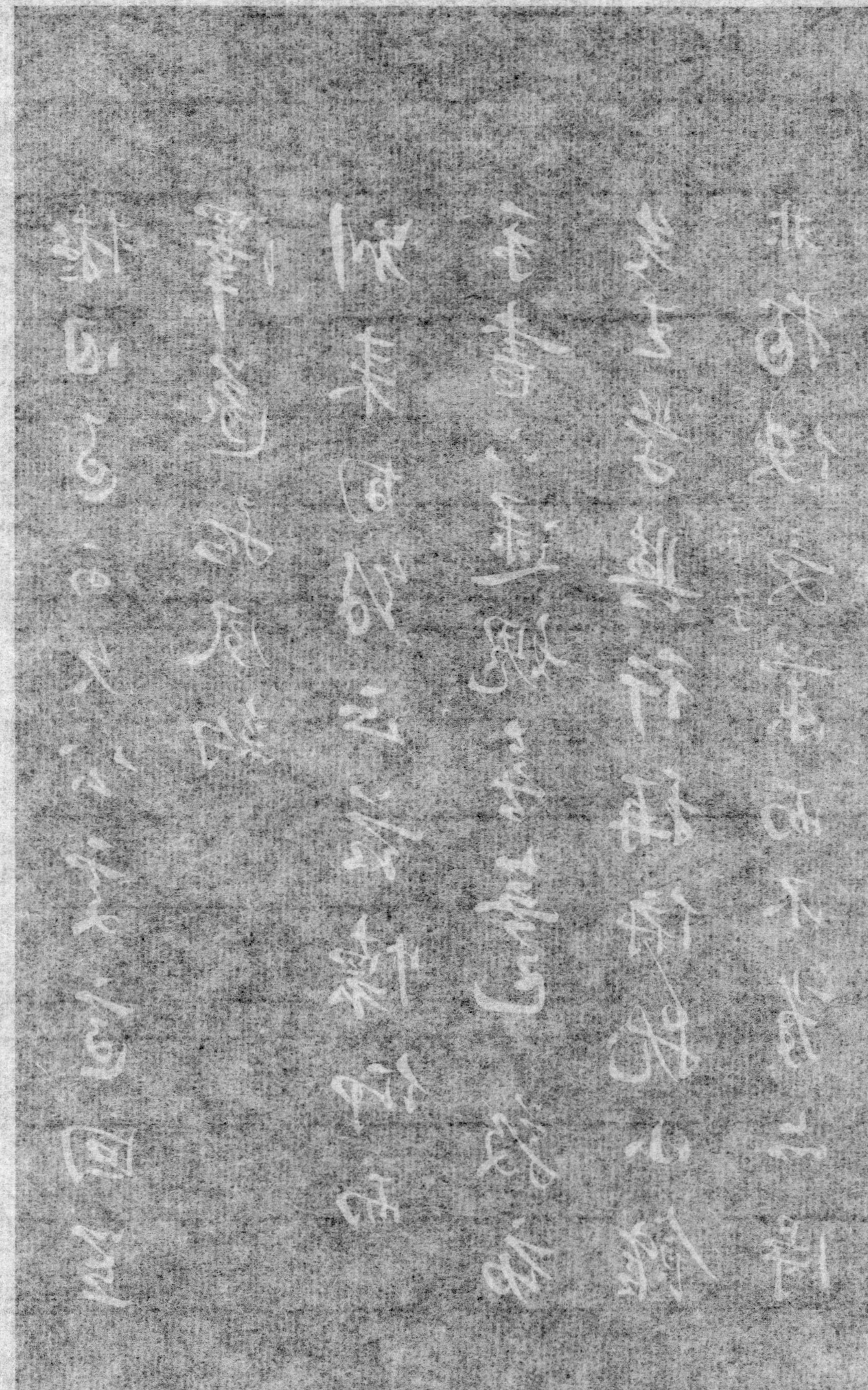

[illegible]

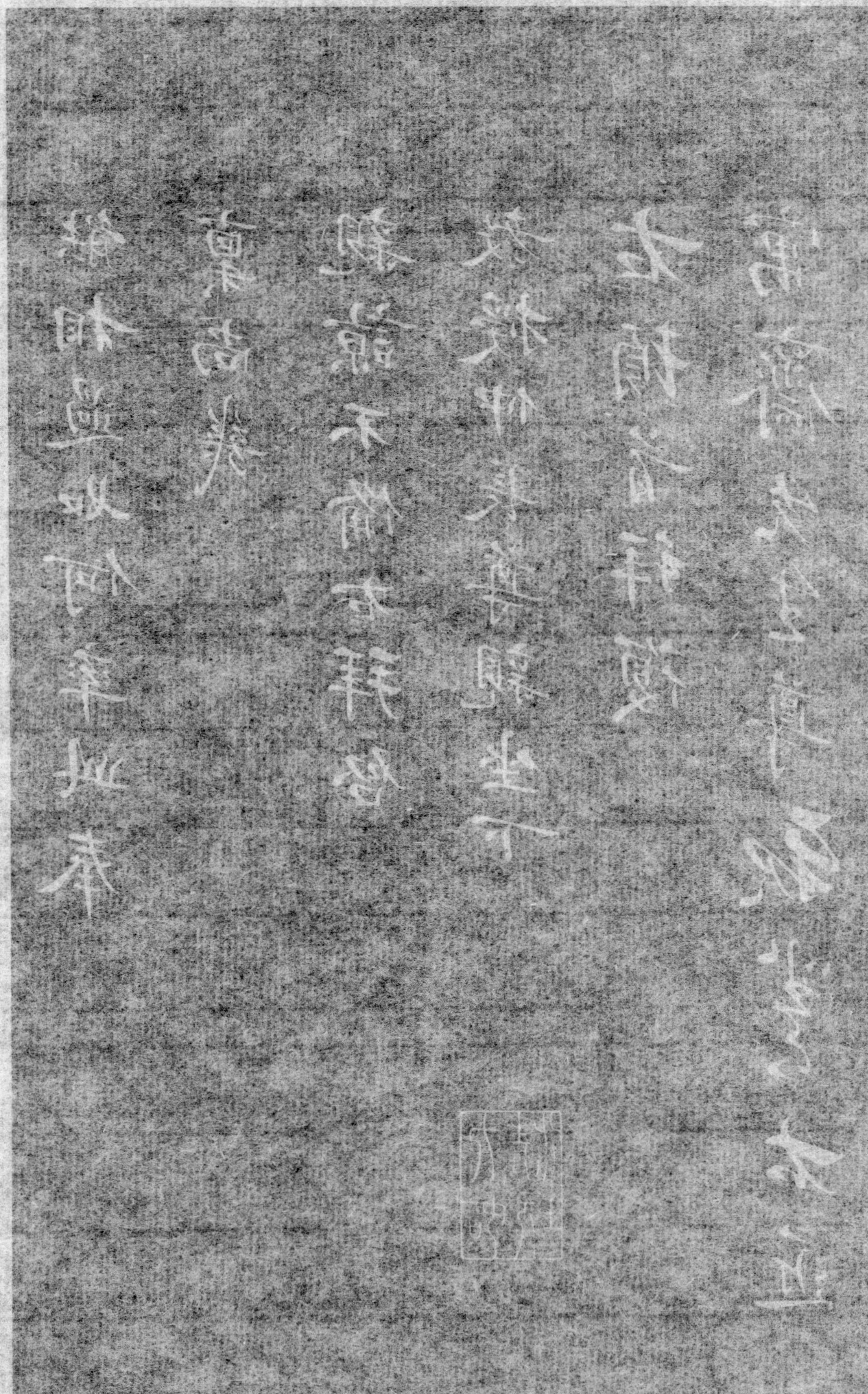

[illegible]

邪多聽教爲手多矣以非
先生作成何以得此外承
葉去如相公欲借玉海須賤
老入城倩用送去
會買先乞引賤名仲致
因致劭歸函此奉書

不具右[illegible]扣復
頓首拜復
寓齋先生尊親坐下
沈右謹完
元禮實書
禮實頓首肅拜奉書

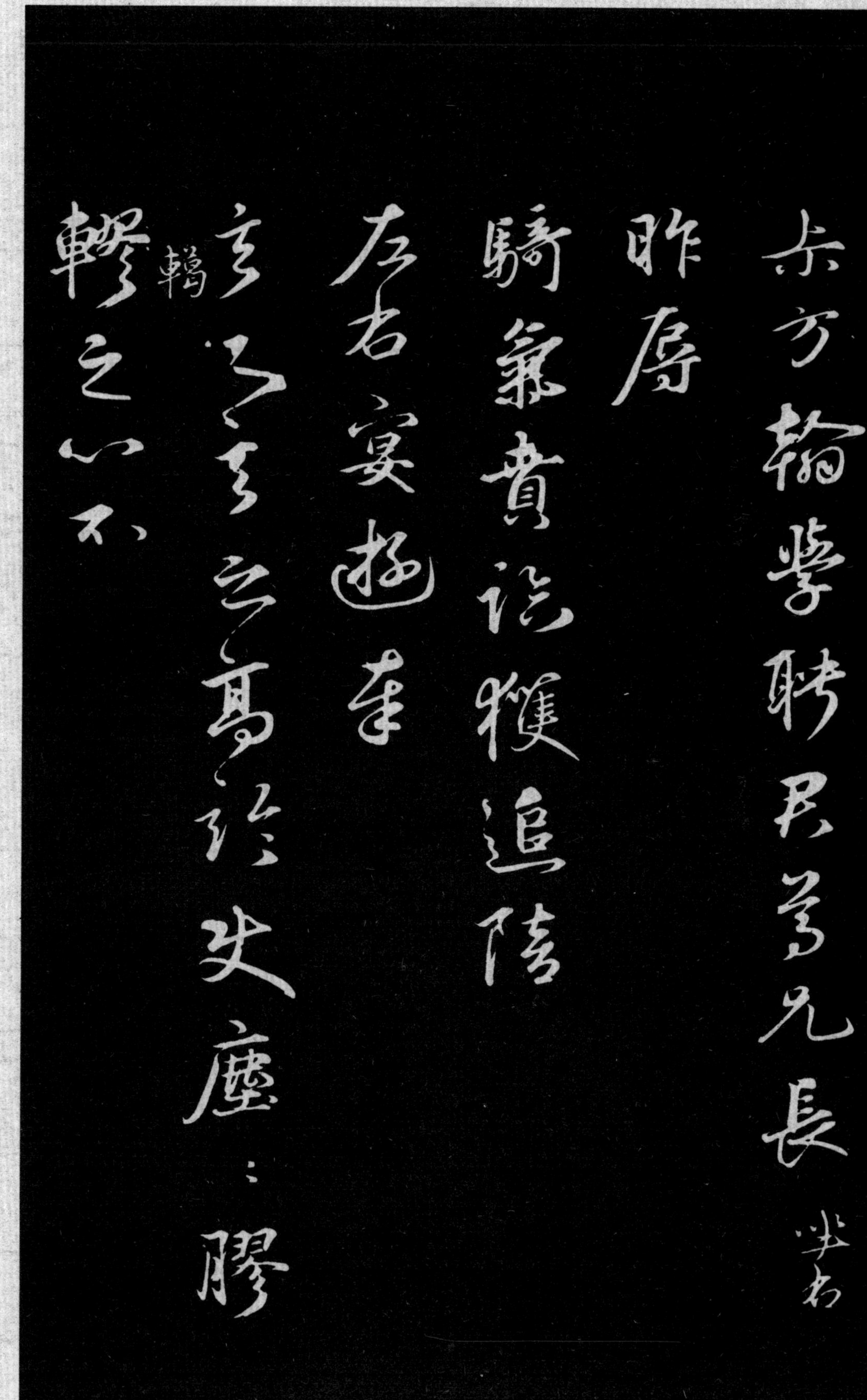

三希堂法帖

礼实·与叔方书帖

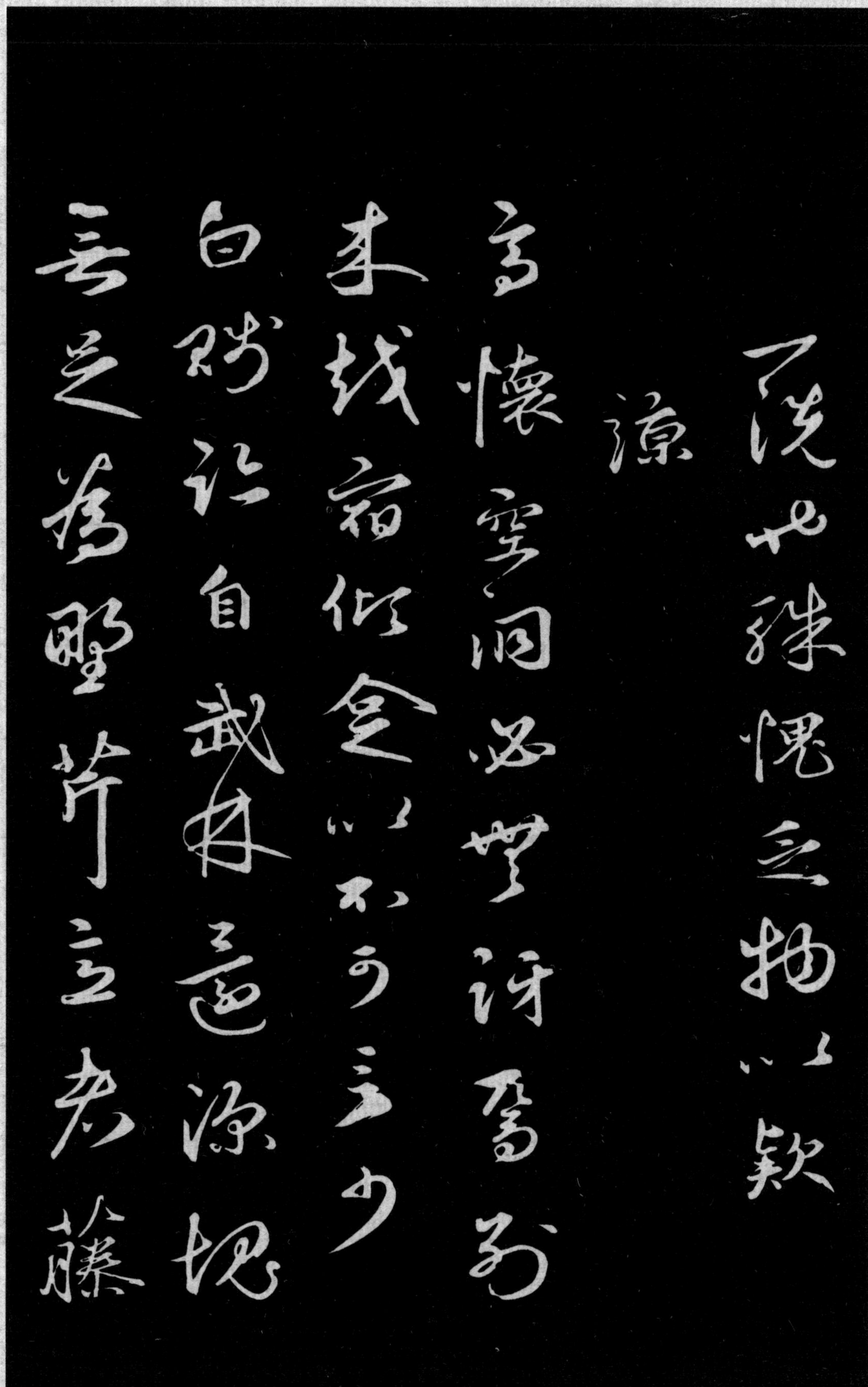

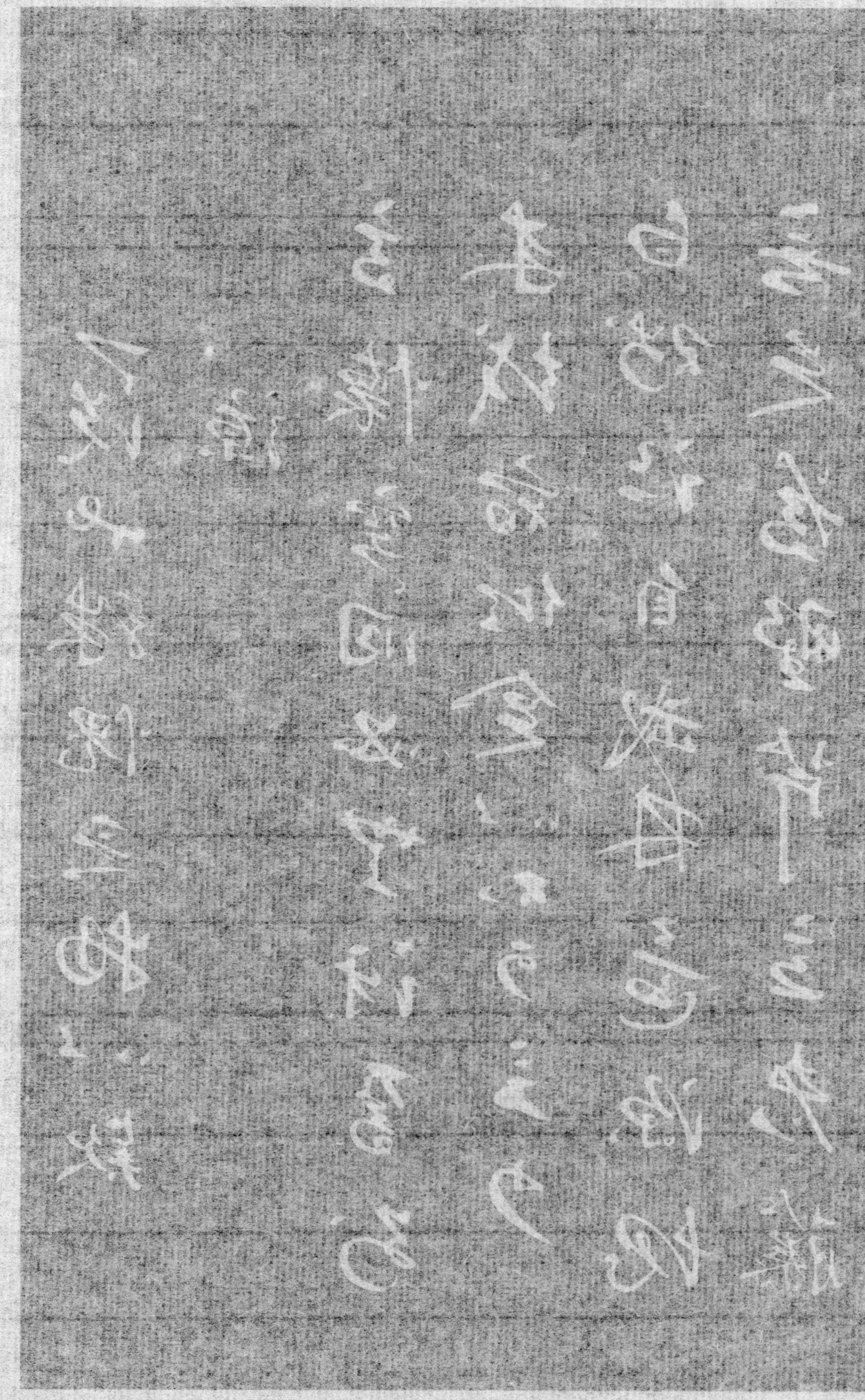

宋·石延年帖

宋·石延年帖

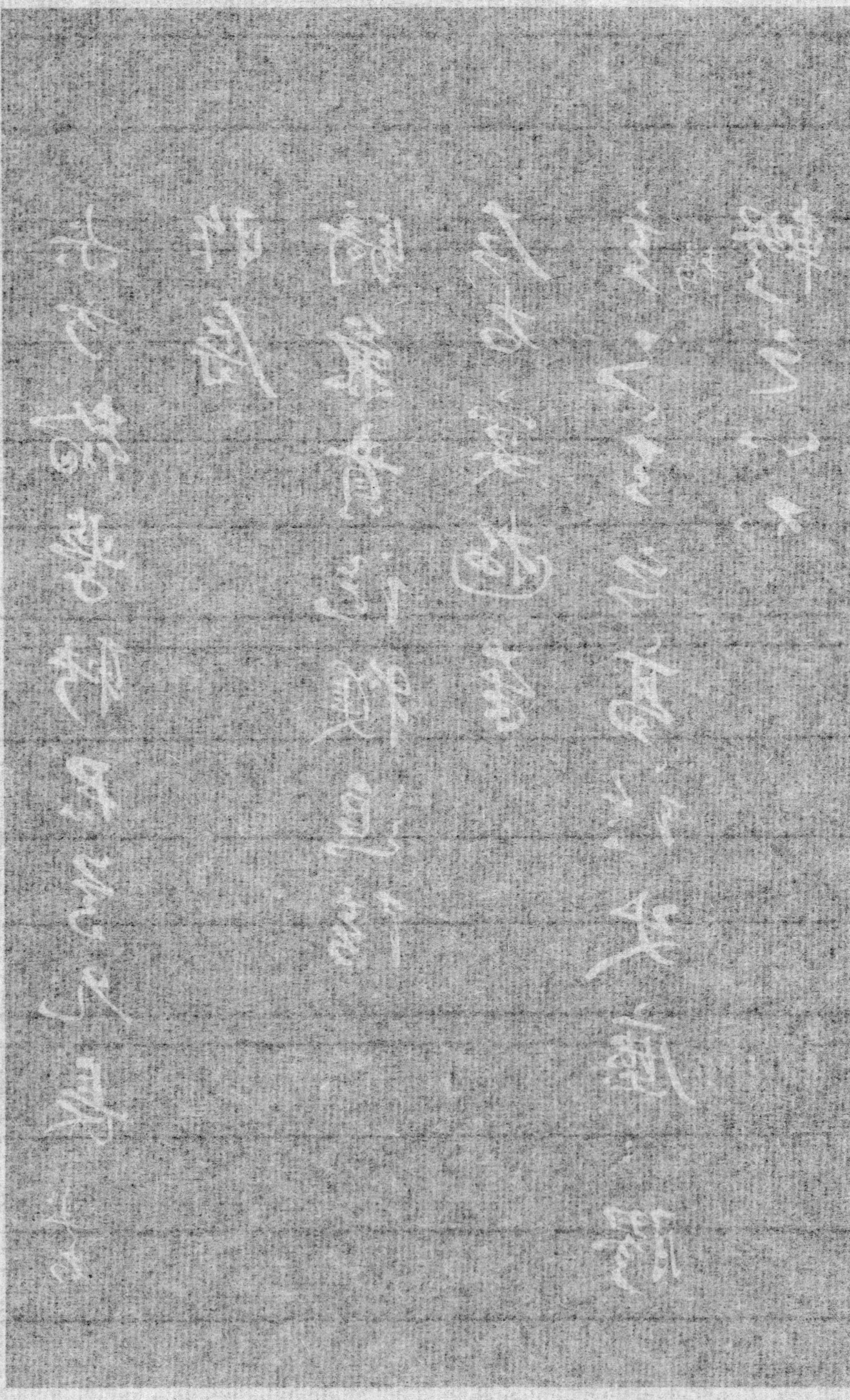

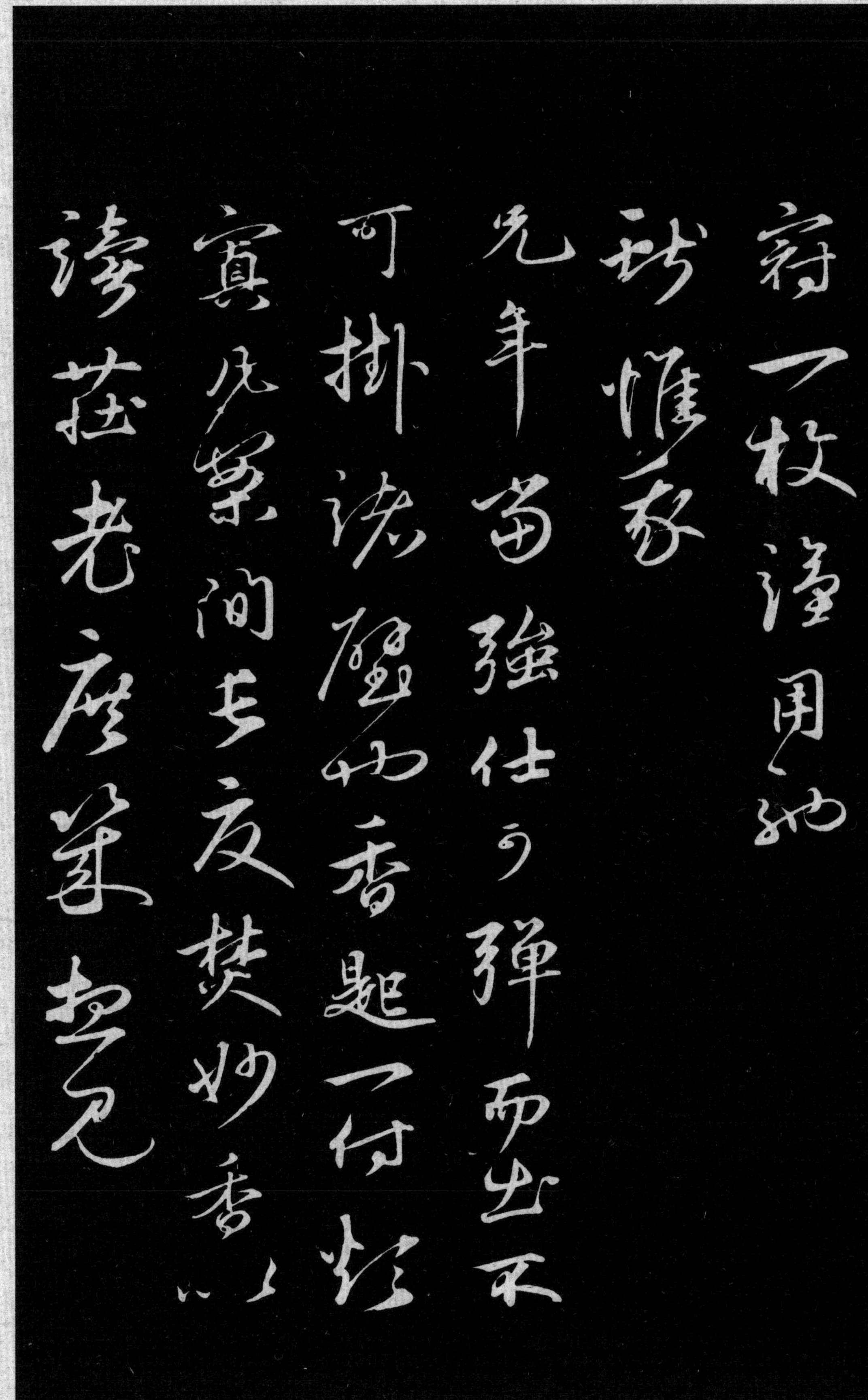

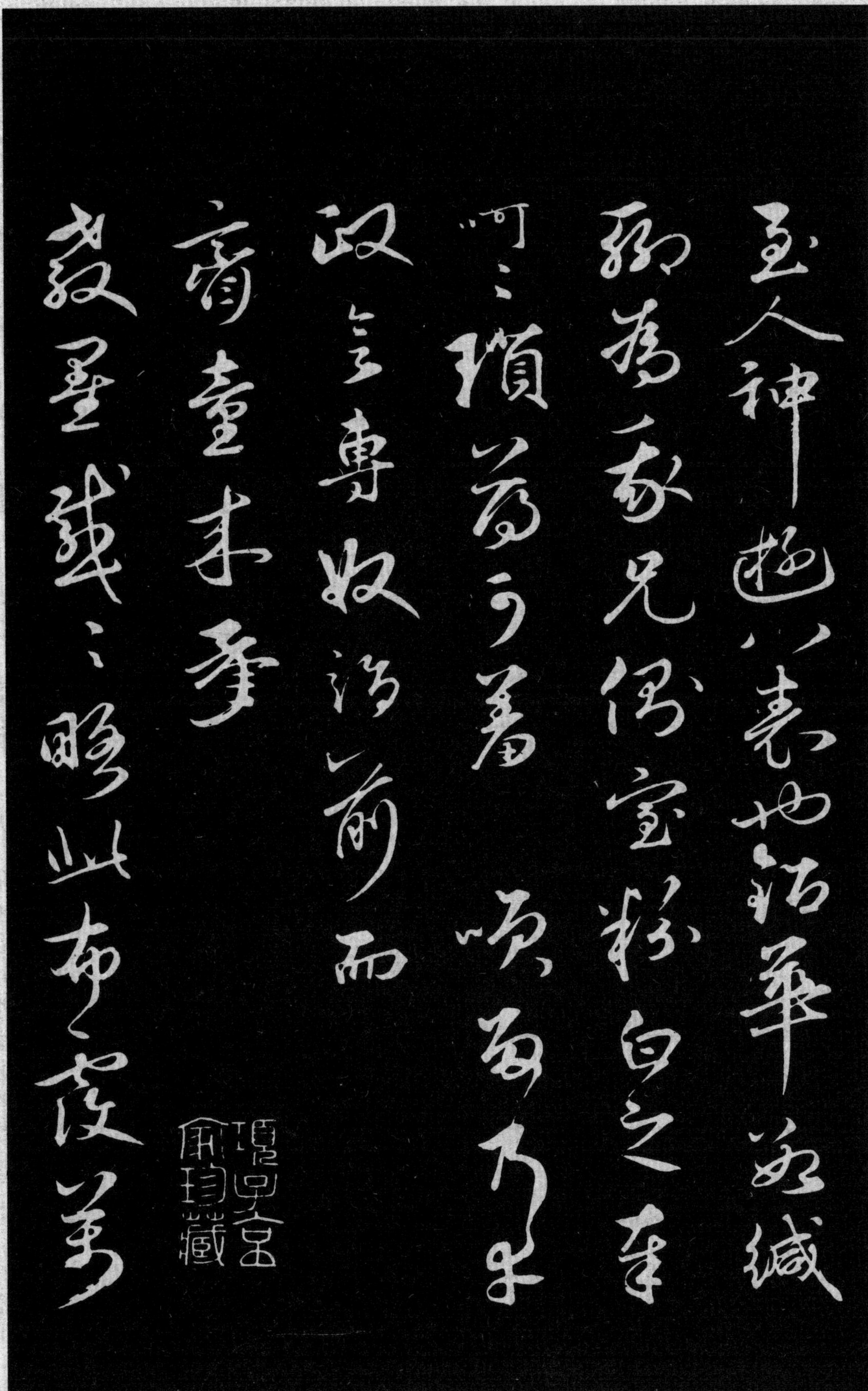

三希堂法帖
礼宾·与叔大书帖
一八四

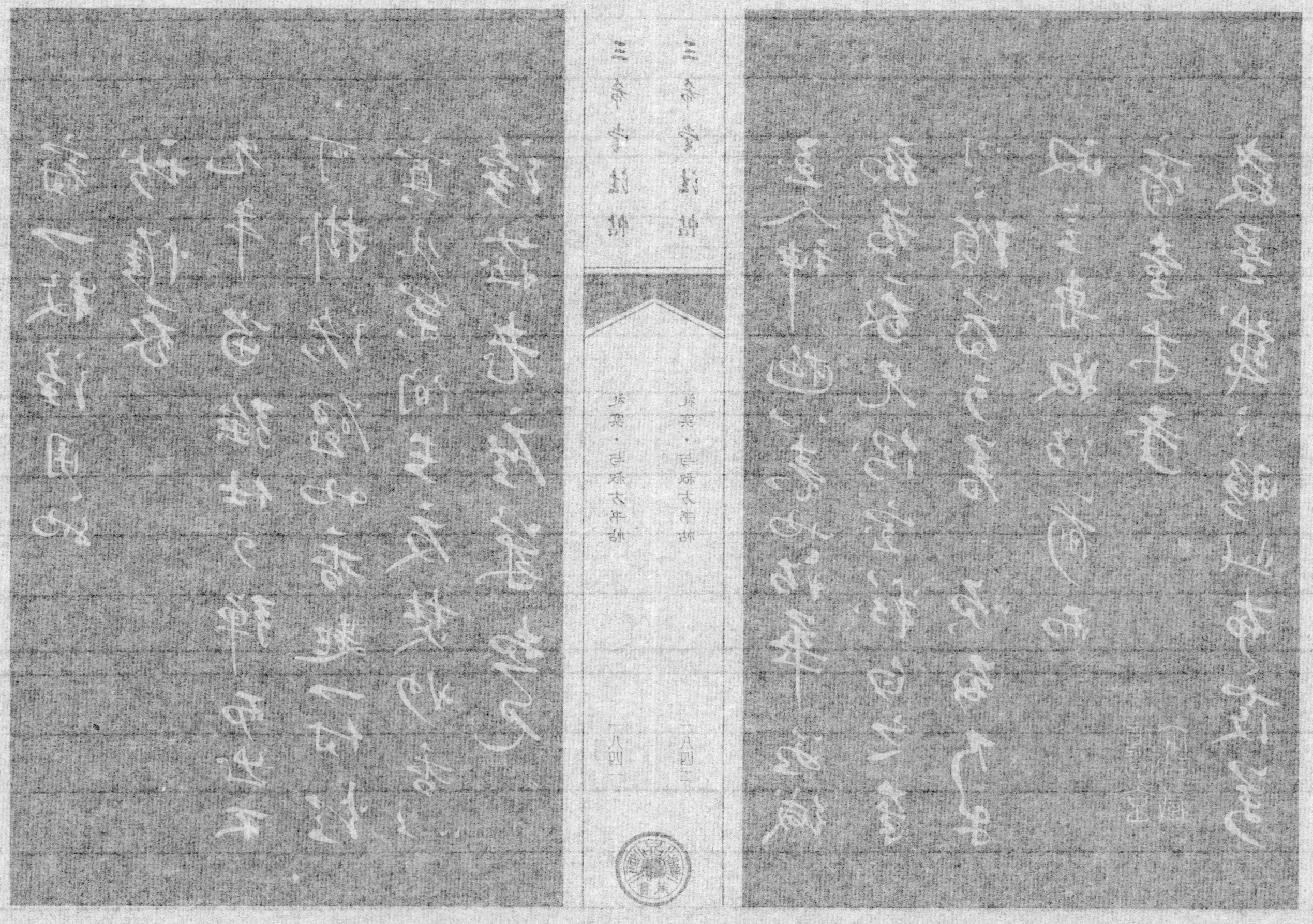

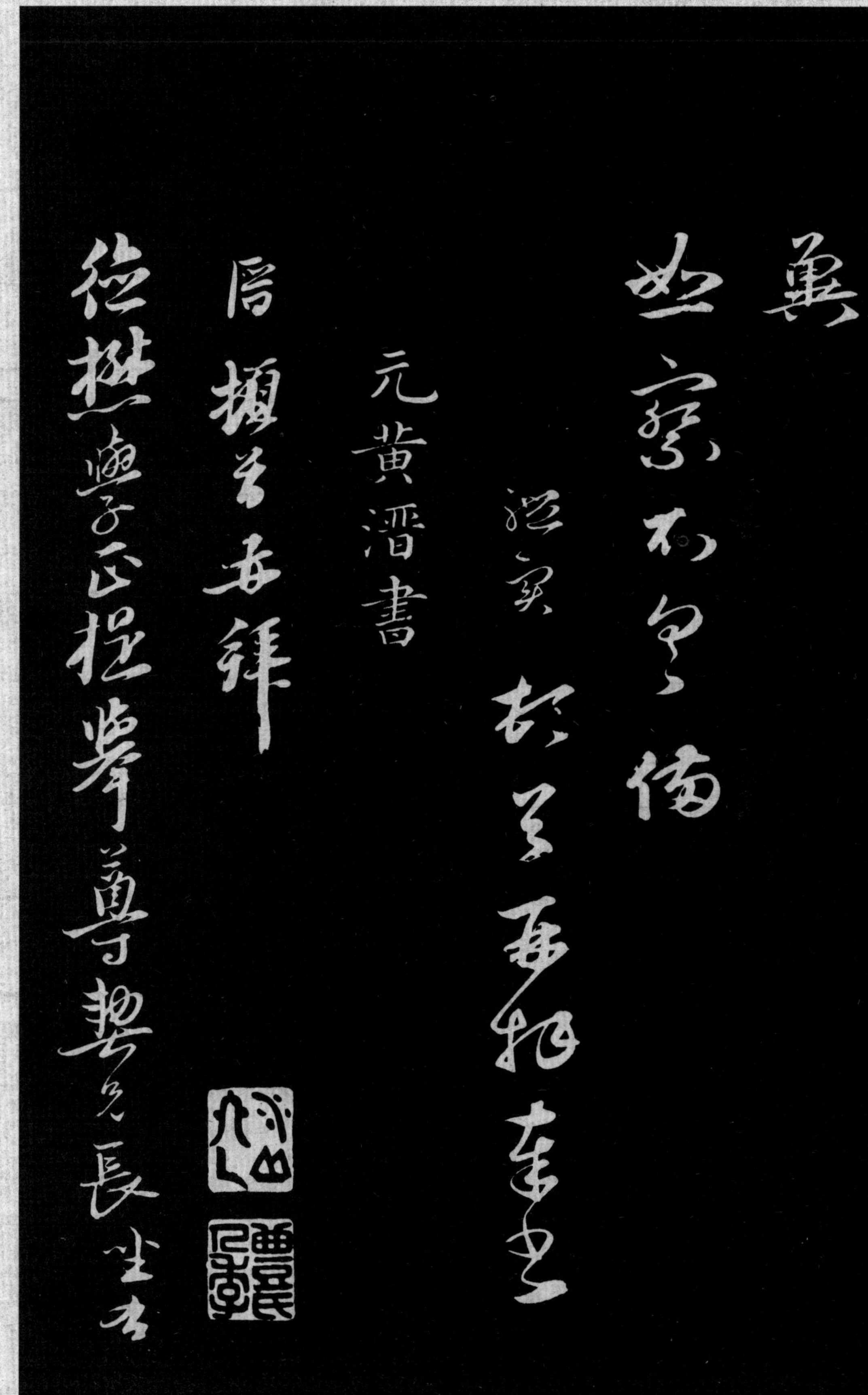
元黃溍書

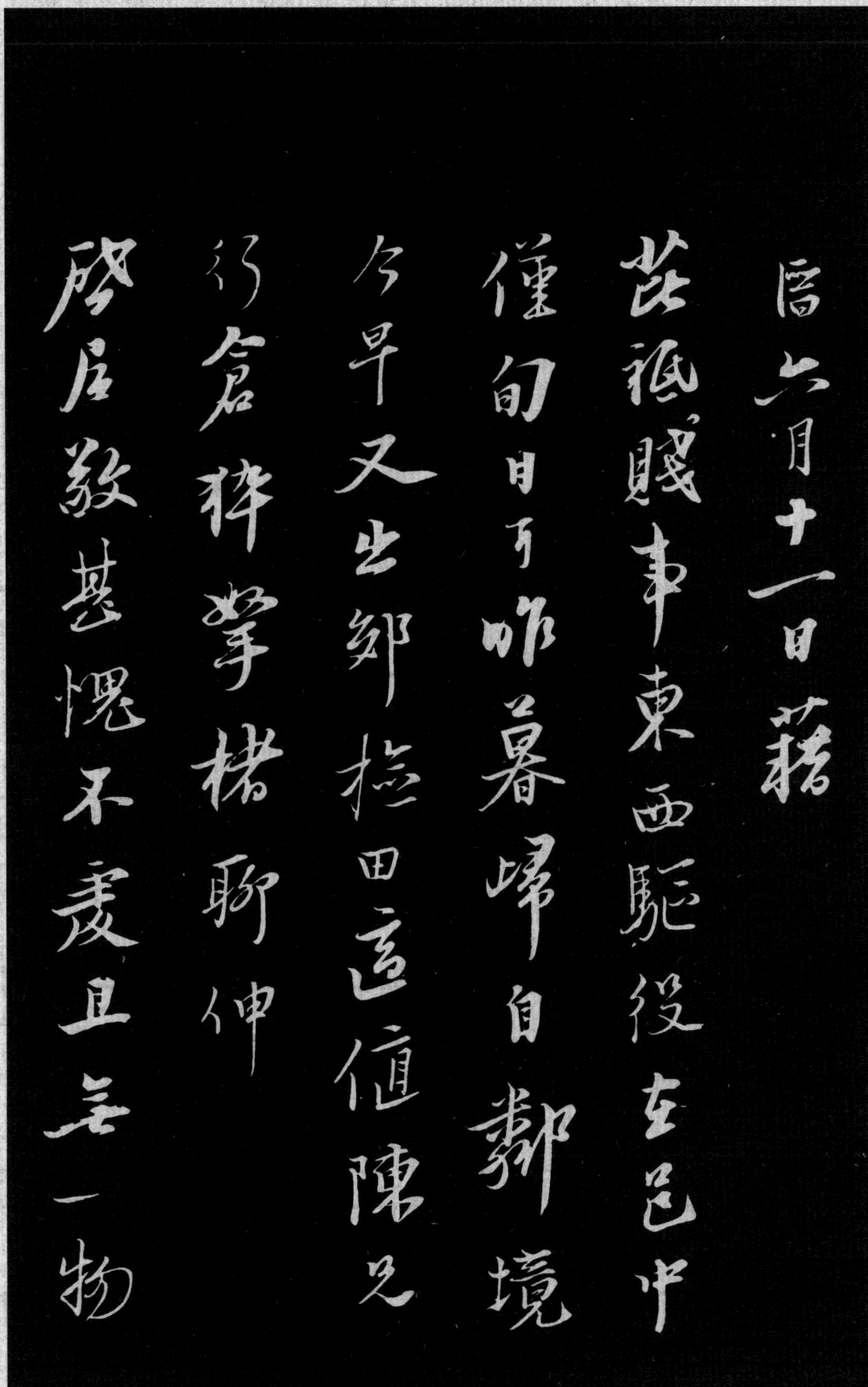

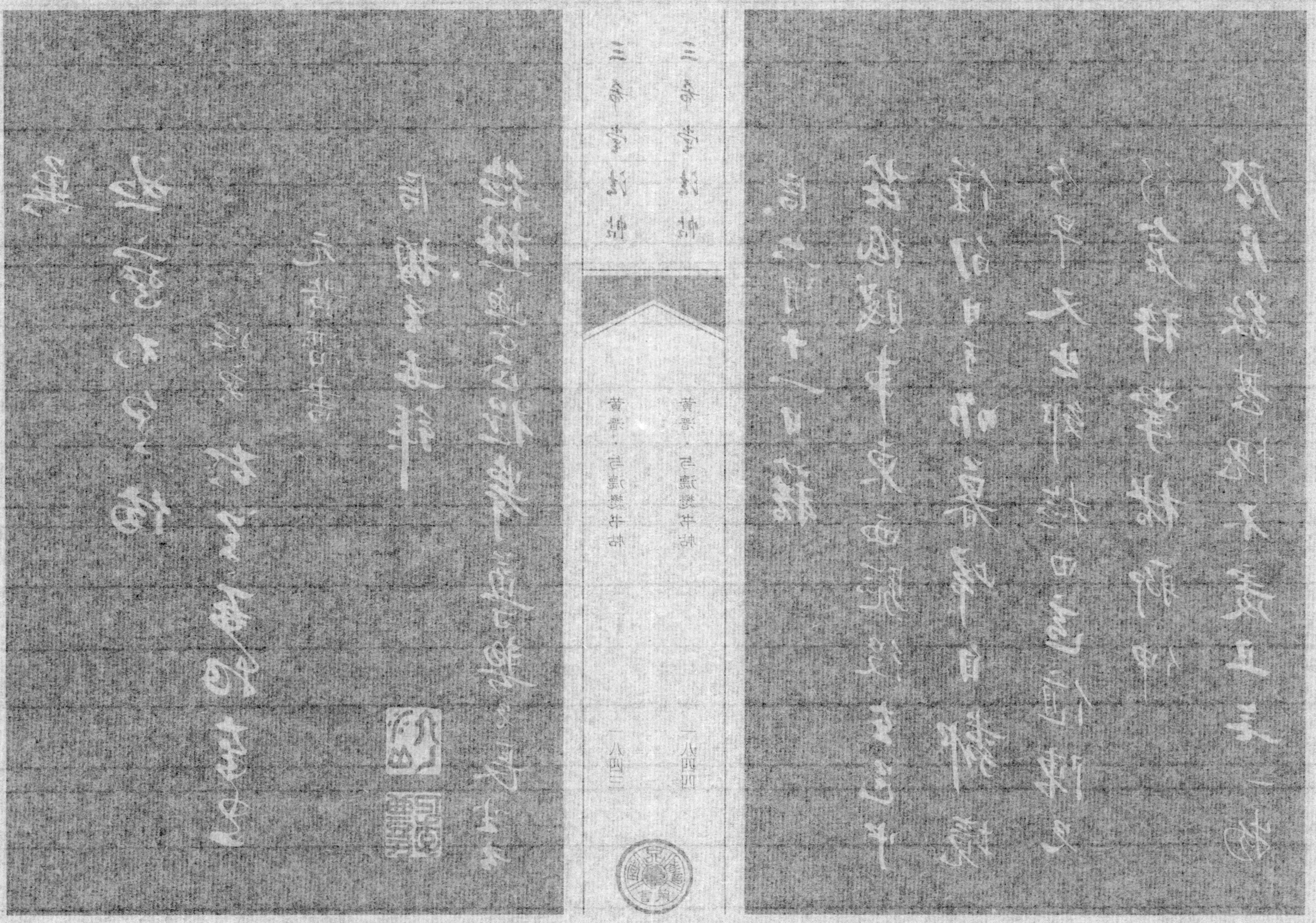

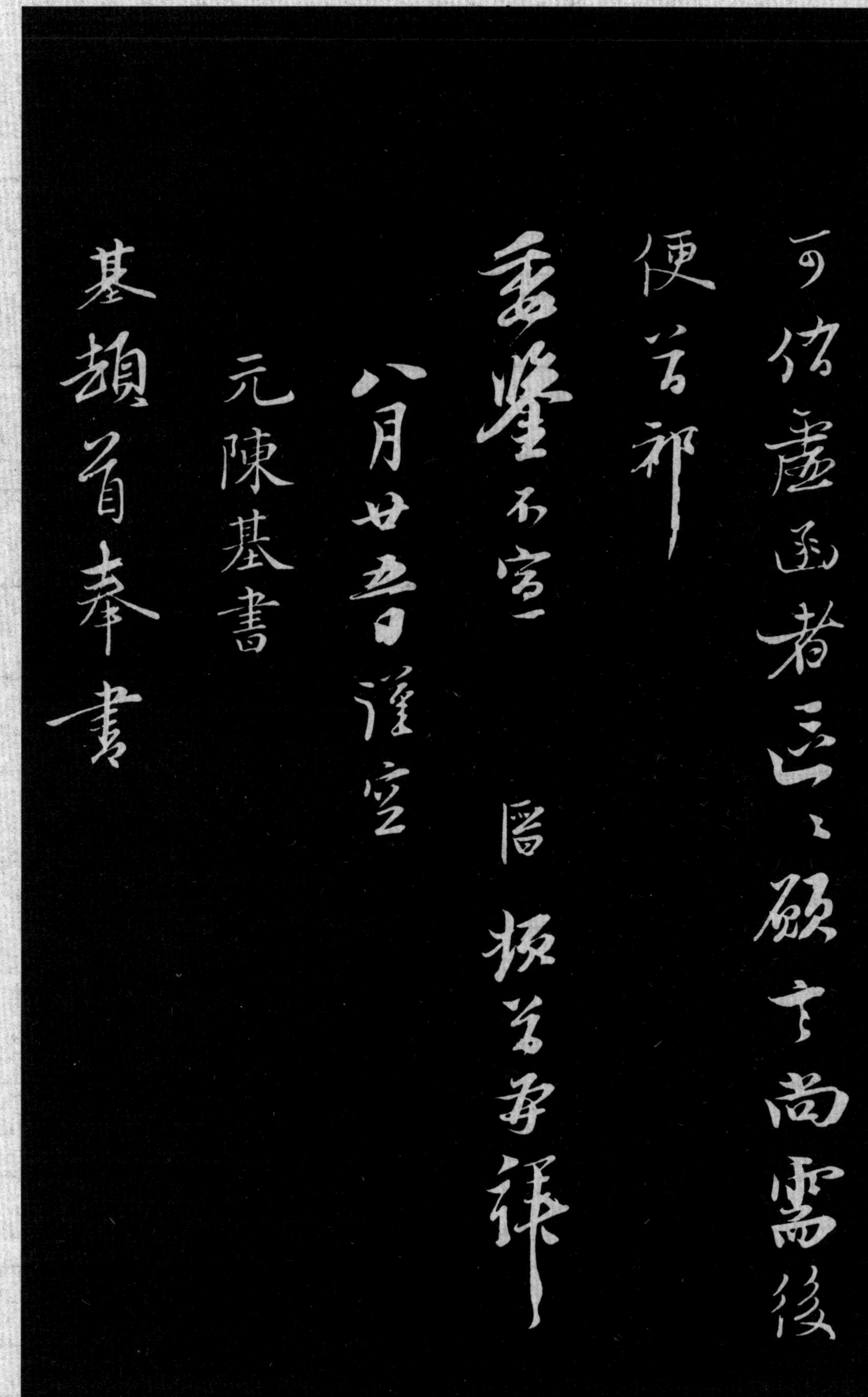
基頓首奉書
元陳基書

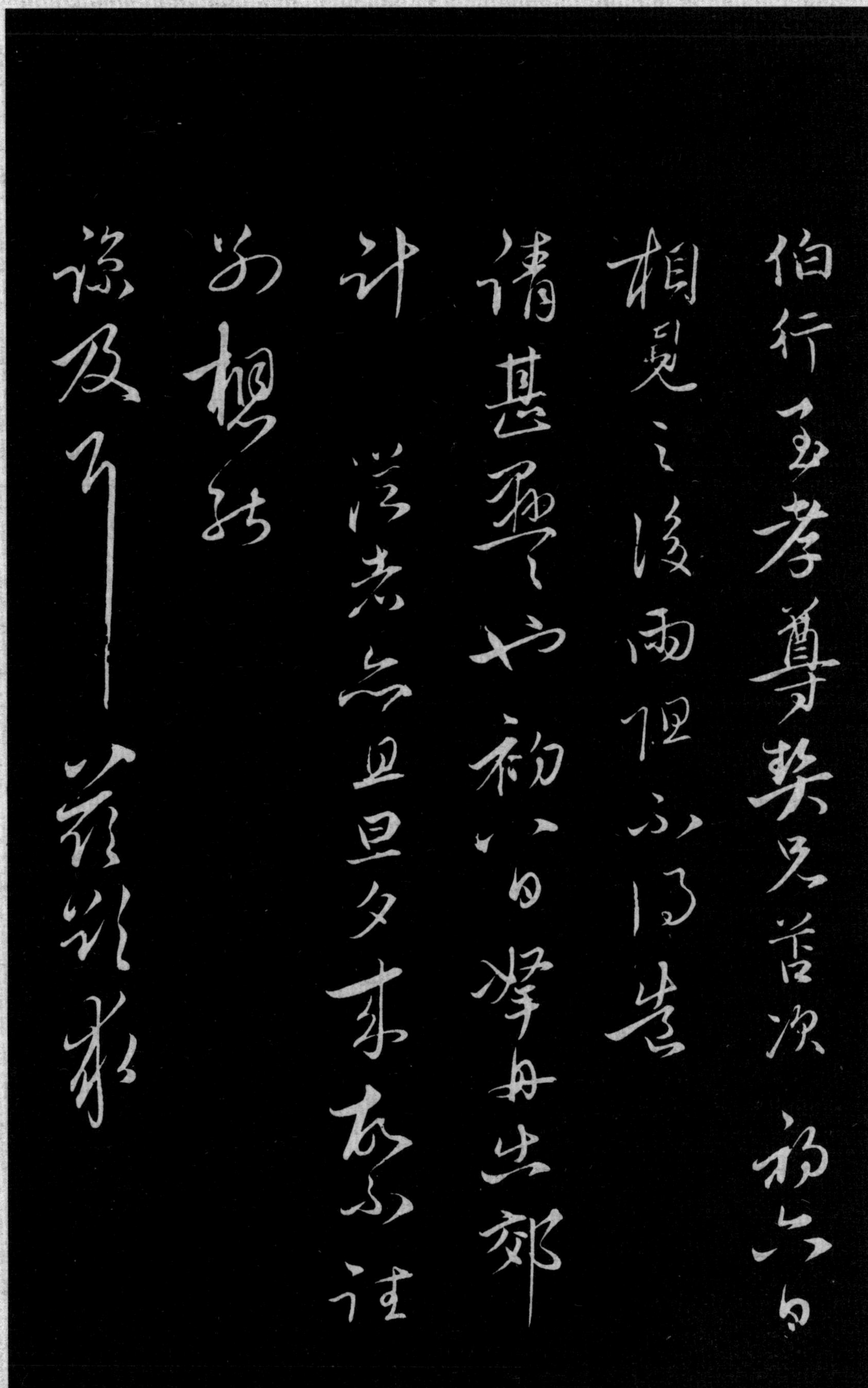

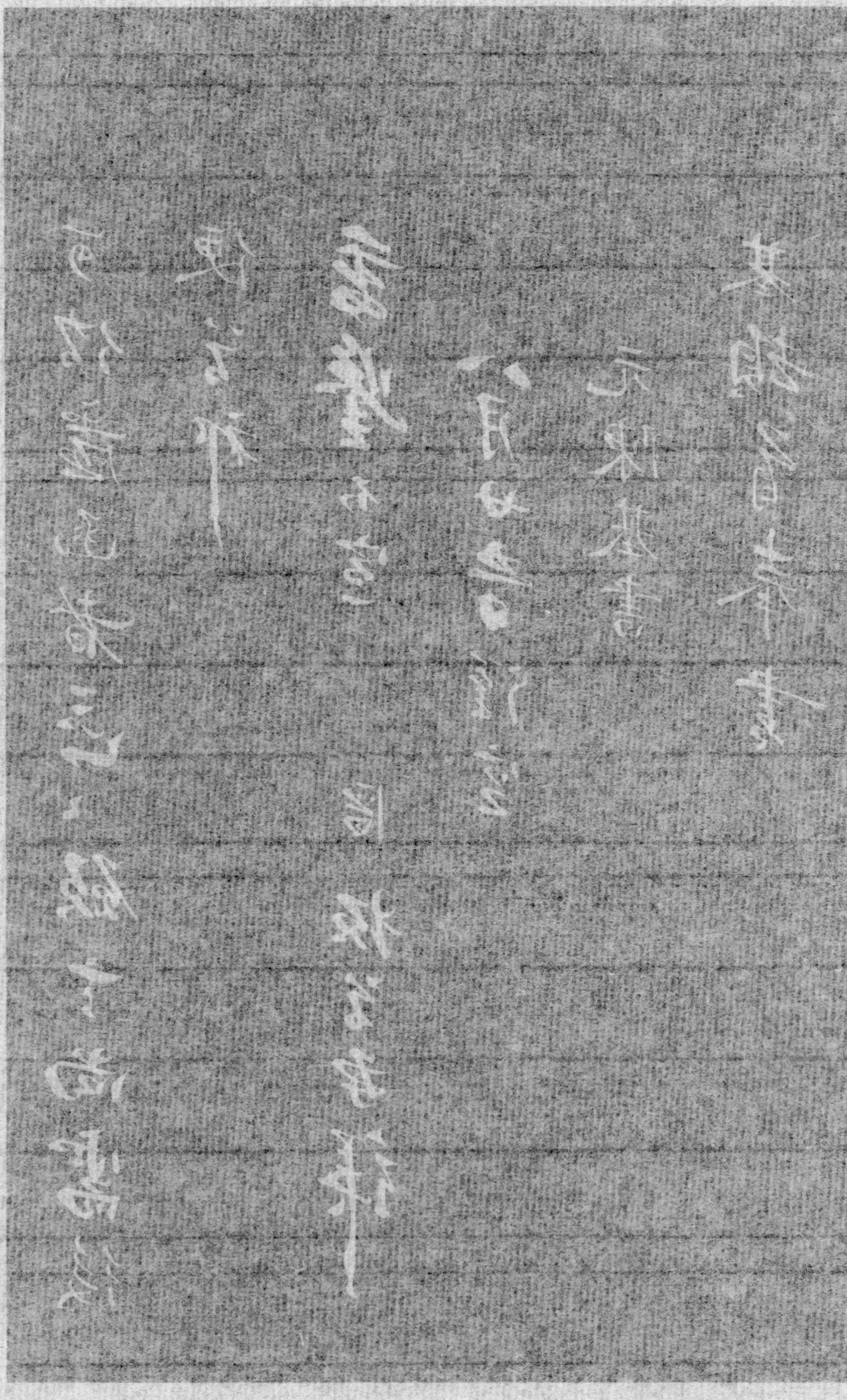

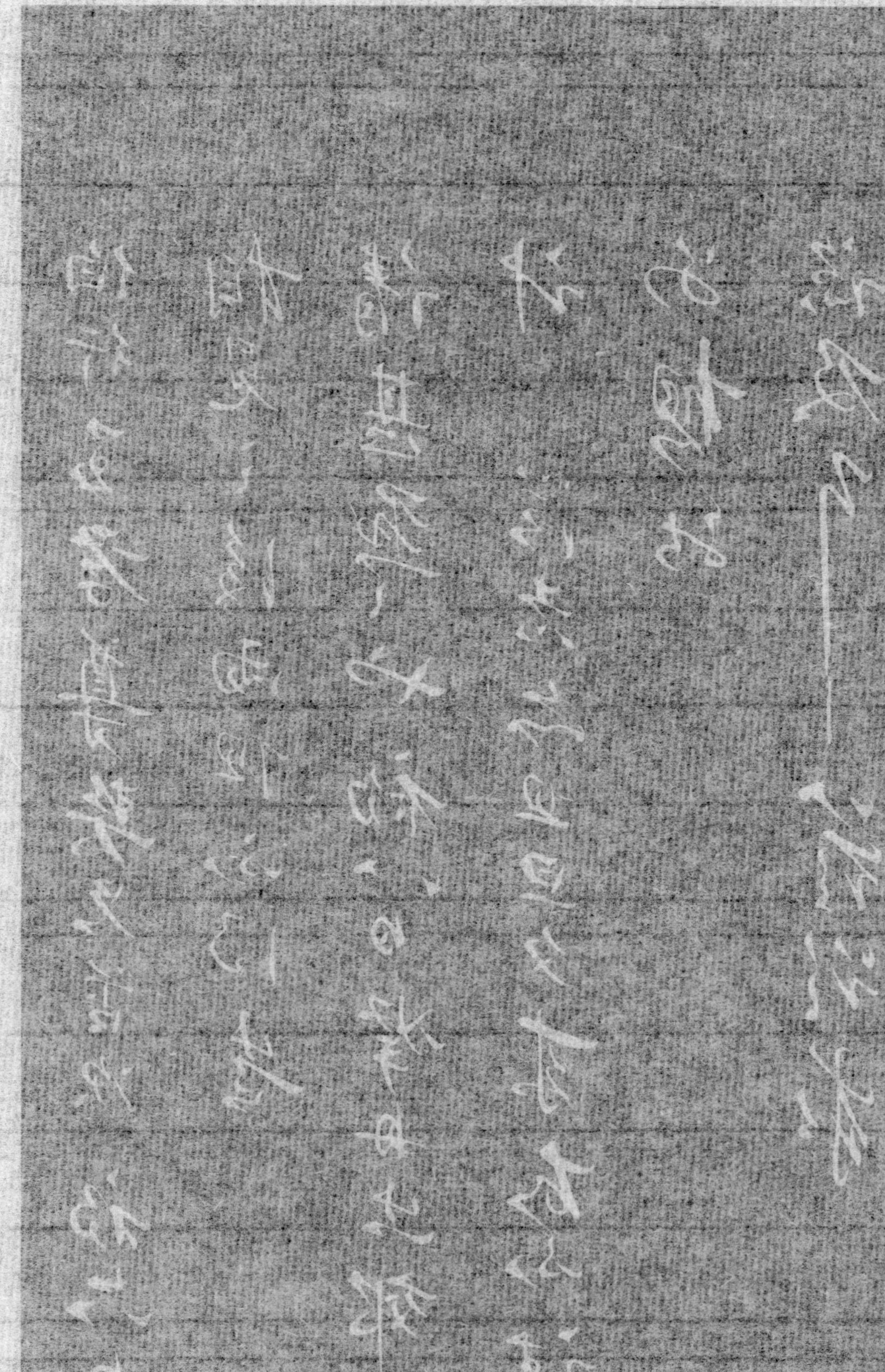

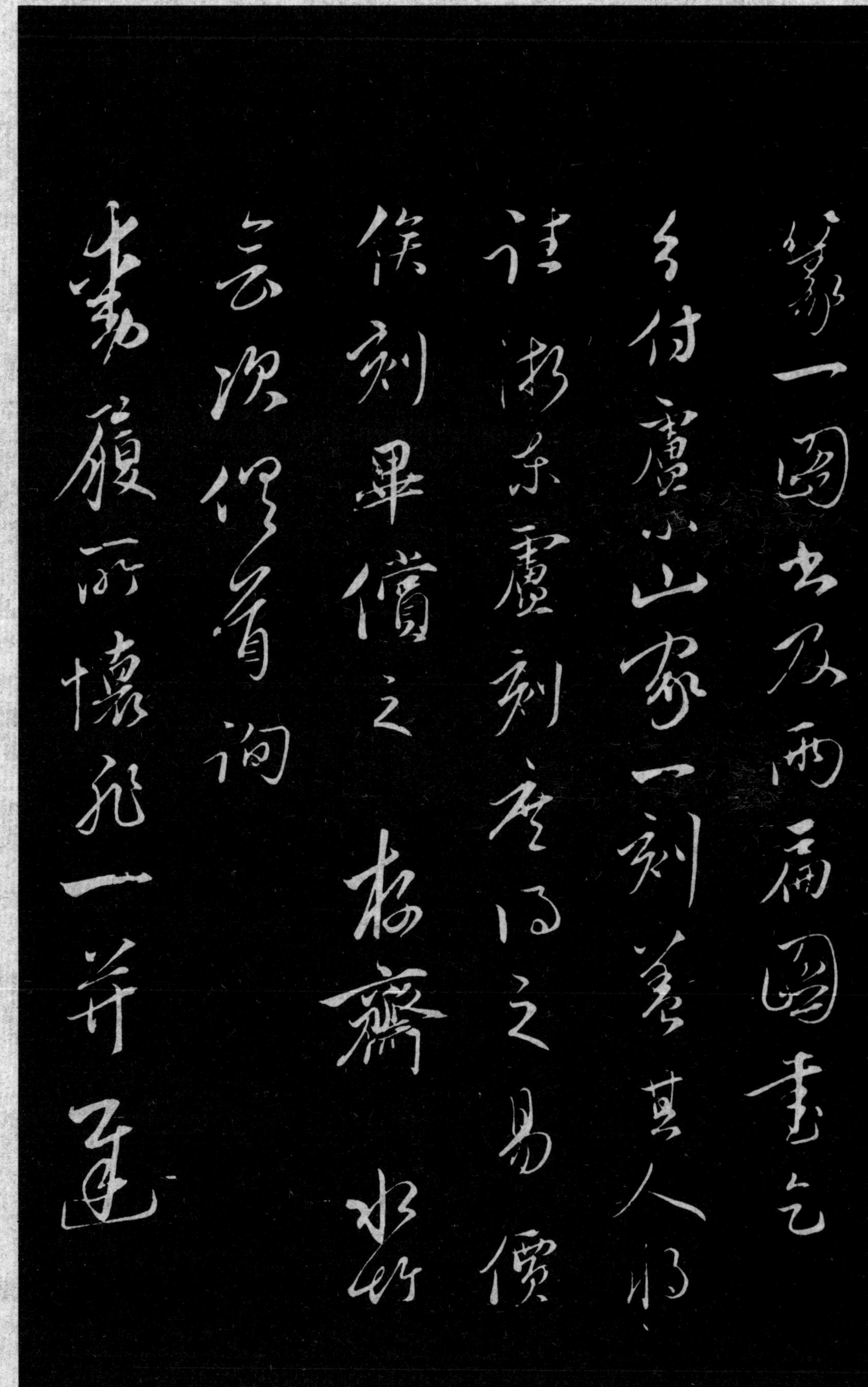

三希堂法帖

陈基·与伯行书帖

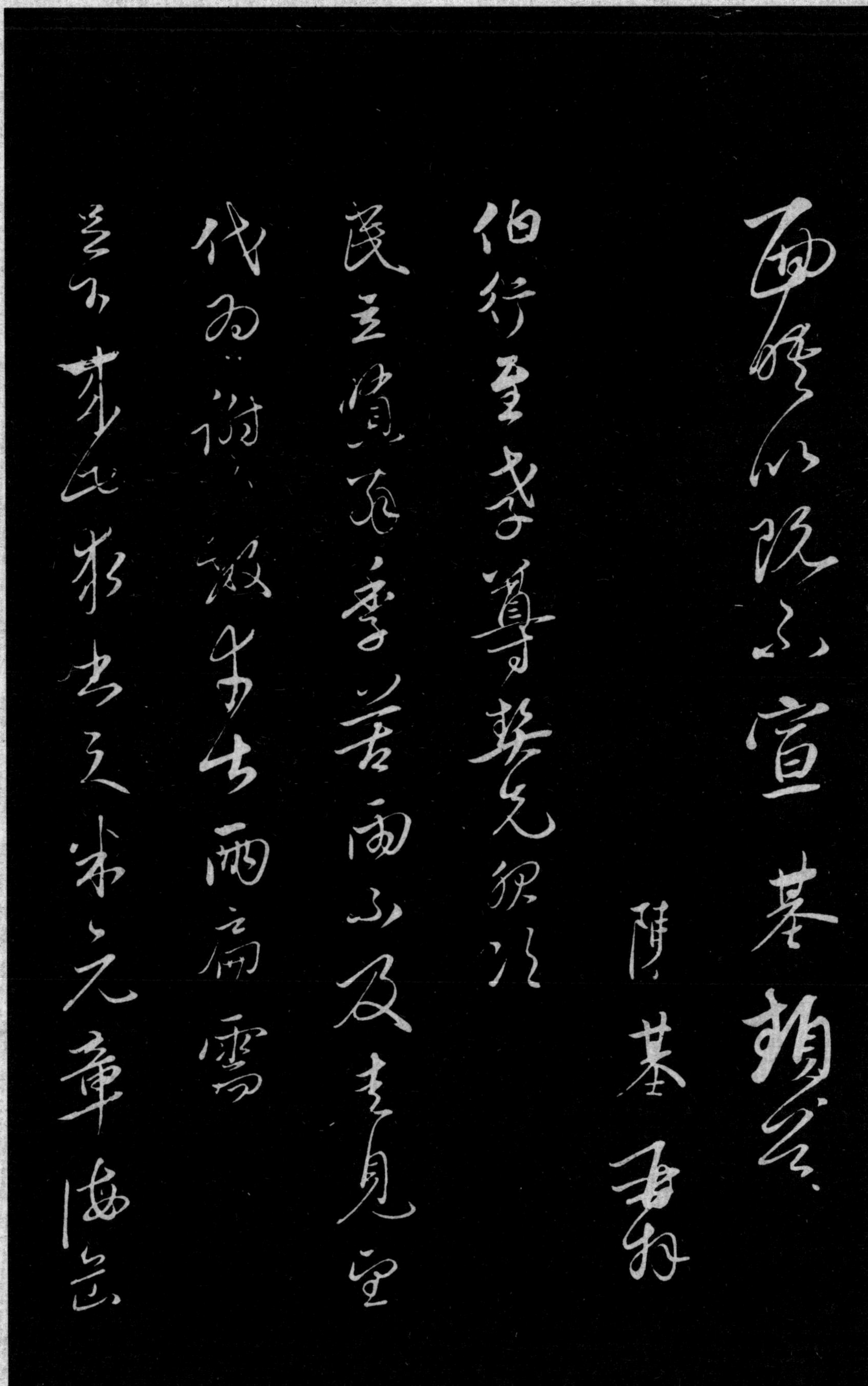

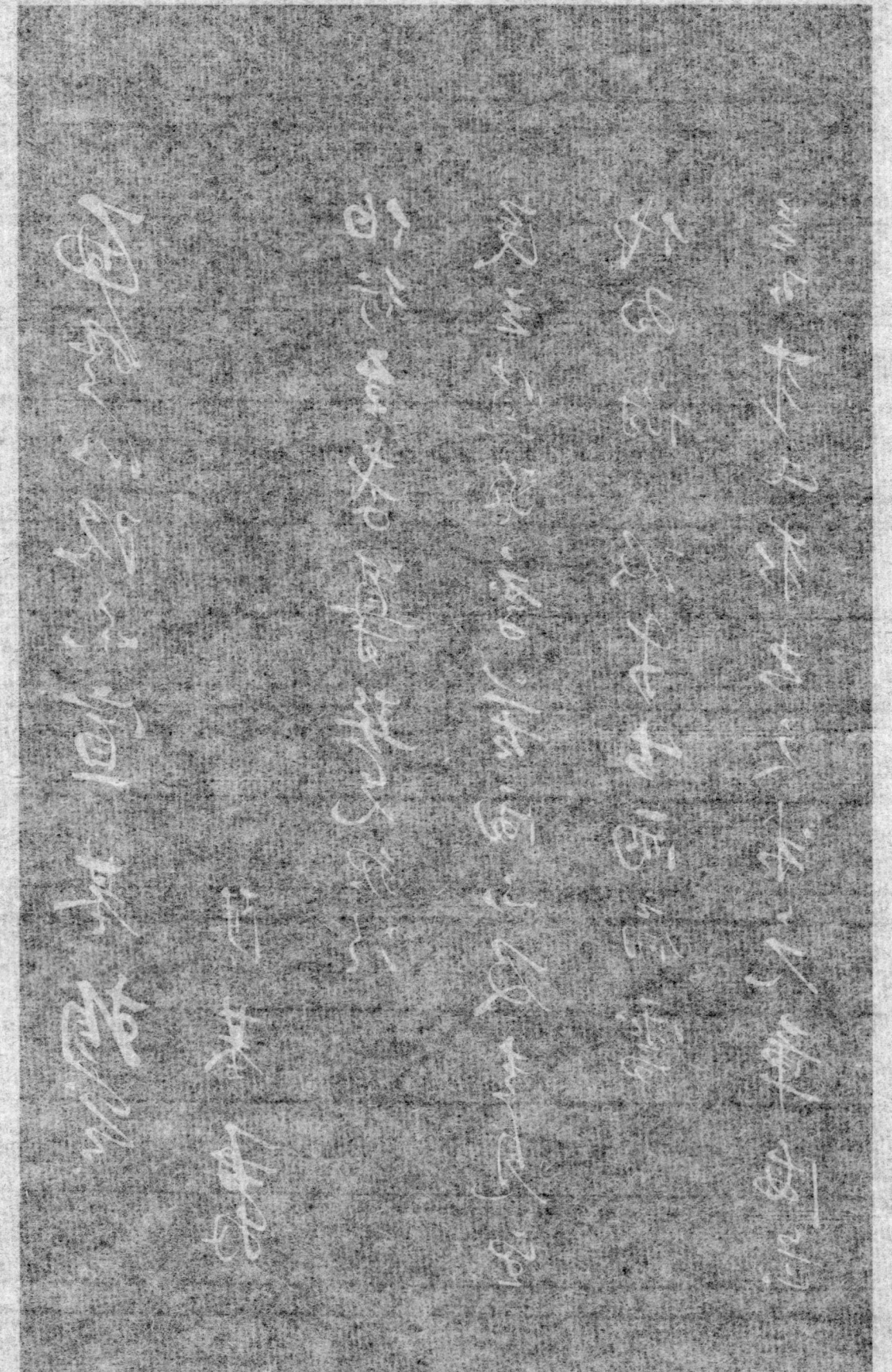

蓬圖書閣 州方先生處看之
次書謂不但別頌 遺何謹從
方前處叢一本攜至至麓
存齋捲捲於其祖夫人處寄舊
兄及 仲開先生看恩渠意於
申之 倘見 閩父乞言及之二言点

簽在多處處郎
基再拜

潘令虞卿總好文 定知誰弟復
誰昆春來詩思隨芳草緩步
江頭每日曛
雲錦機頭五色紋 杼聲札札

動衡門龍鸞織就工善用空
向深閨拭淚痕
欲買草堂溪上住東風籬
落醉芳叢青絲絡馬黃金勒
繡韉長安十二街
兩〻輕鷗晴泛渚雙〻新鷰

暖銜泥上林堂如梧桐樹只許
物傍綵鳳棲
微步輕盈不動塵綉羅為
襪錦為茵春風一曲清平調十
二樓頭第幾人
黃金為剪〻春衣白苧如霜

三希堂法帖

陈基·次韵十绝

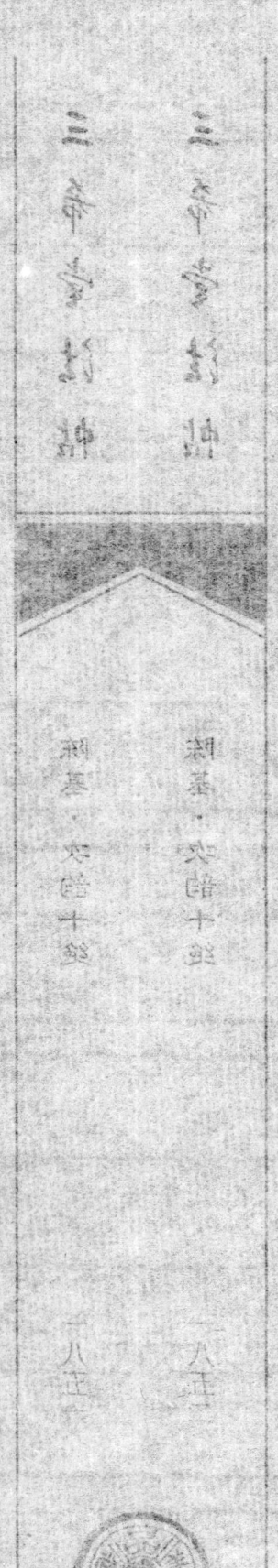

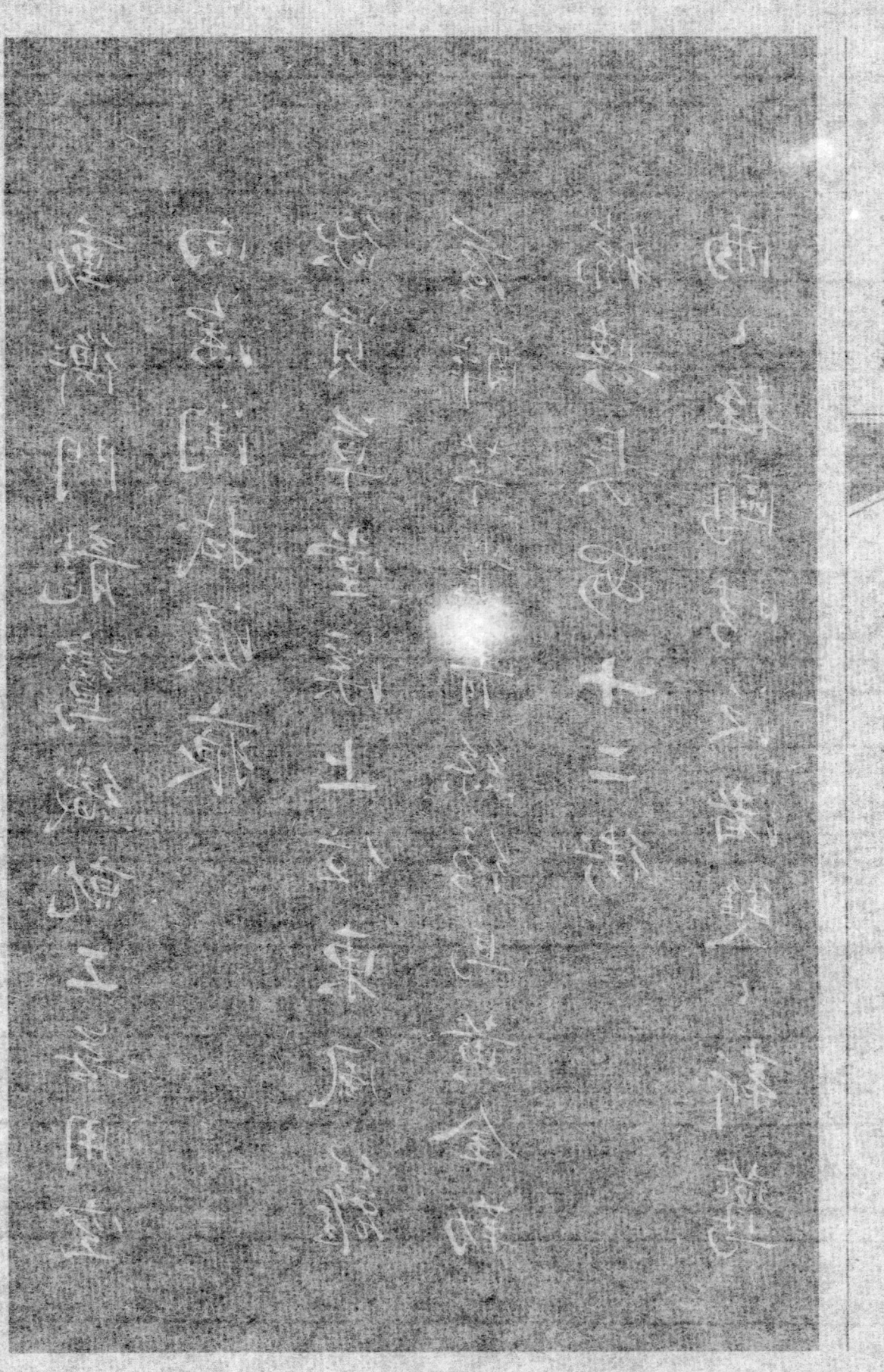

姓脱樓綠墅堂前尋竹去平泉莊上看華歸
隱隱蕉桐餘曉靄洛洛獨出
冰蠶如有一倡仍三歎太古希聲雅與南
蕭蕭引子眠幽竹翡翠移巢

占小堂他手好香傳圖畫言
人題華子岡
瀼東瀼西天氣晴舍南舍北
春水生一雙胡蝶穿花去百
囀流鶯隔葉鳴
我欲振衣千仞岡天風吹落松

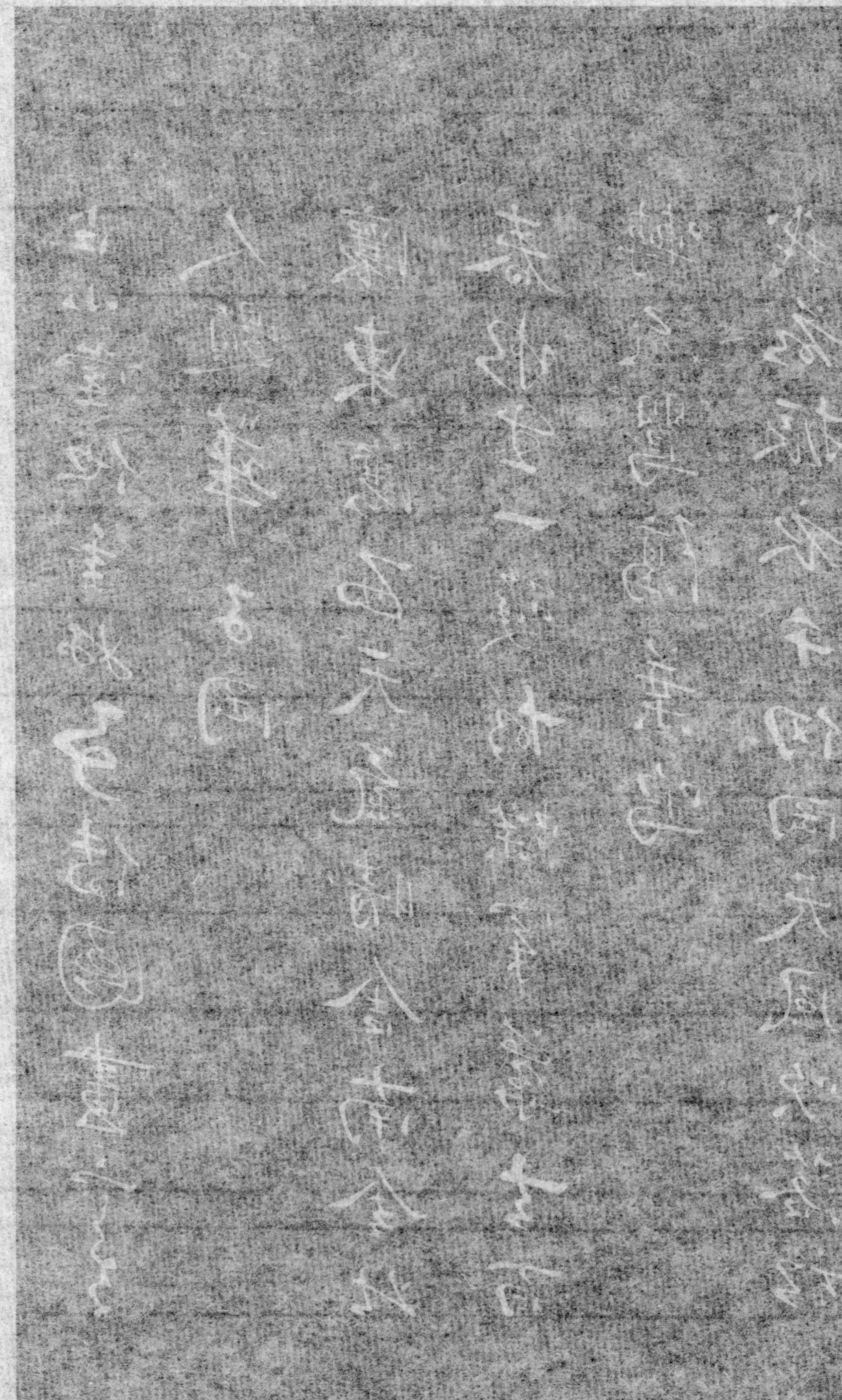

陳基·次韻十四

三希堂法帖
陳基·次韻十五

花香朝騎〻鳳暮黄鶴應
覽九州窮八荒
陳基謹次韻

元張雨書

對雨

為耽春酒饒春困睡裏

三希堂法帖

张雨·为孔昭书四诗

雨聲如蜜甜老錐栽松
寧有待枯腸食筍獨無
饜諸峯洗出如新油幕一
水飛来作舊谷簾吾愛吾廬
聊復尔少留佳日在茅簷

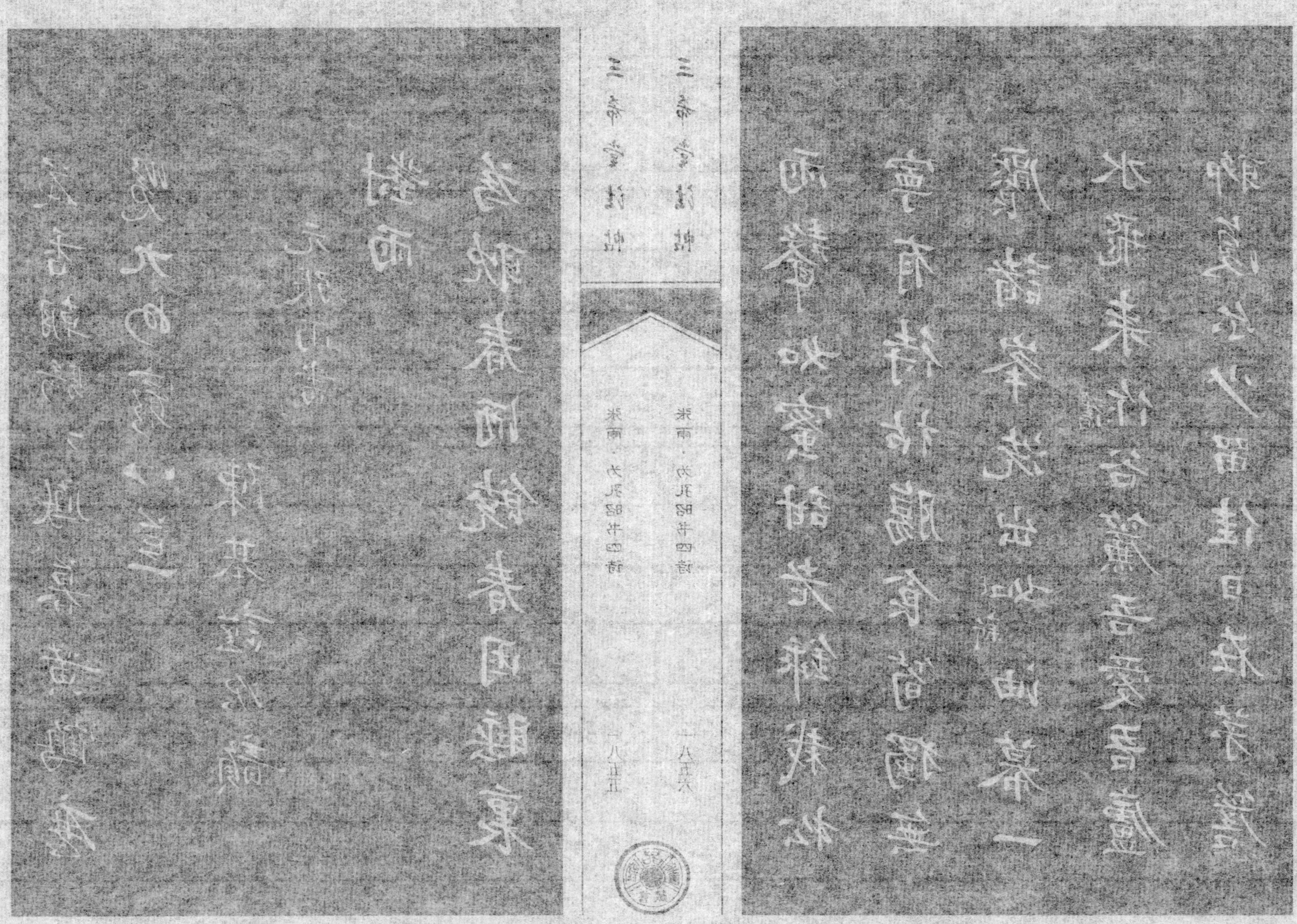

送趙伯容之京師

翩：濁世佳公子玉立身長要羽衣野鶴樊籠那肯住鯉魚尺素莫教稀八分字許千金直萬斛舟隨五

三希堂法帖
张雨·为孔昭书四诗

兩飛對御譚玄能事了明年春草約来歸

贈夏商隱法師

扈蹕行營三十載侯门不

送[illegible]酒船小東歸
翻酒中淮上王以身尽
要羽衣野鶴横[illegible]那宿
濯纓魚入春流放棹一去
守論千金宜萬斛舟隨[illegible]

西飛對
御讀古敘事一明年春草
訪來謁筆
瑠夏酒隱法師
厄驛千話三十藏深門不

肯戴長裾間從角里先生飲
与說圯橋父老書花外飛丸
紅叱撥月中採藥白蟾蜍殘
歠尚有刀圭分會向南山訪
獘廬

三希堂法帖

张雨·为孔昭书四诗

畫碧桃華
碧桃開向青天上彷彿僊人
萼綠華借問傳金流水處
春風一片落誰家

舊詩四篇為孔昭書　登善菴主

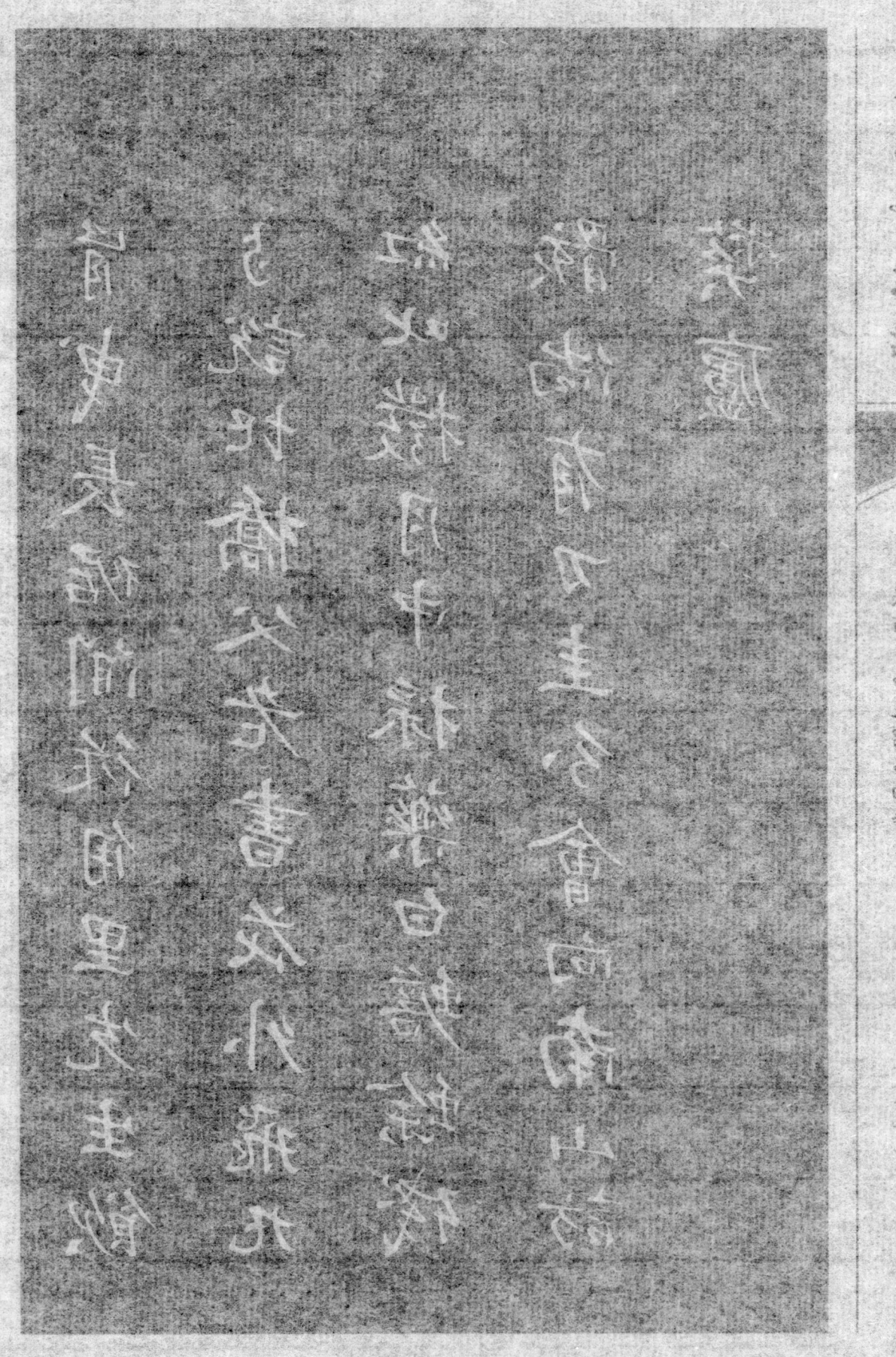

張雨

句曲外史賦聽泉亭絶句

疊石為山小結亭皋

白水浸空青要知奥

鳥忘情地却是無

聲最可聽

元倪瓚書

昨日承蔬筍不托之供稷接

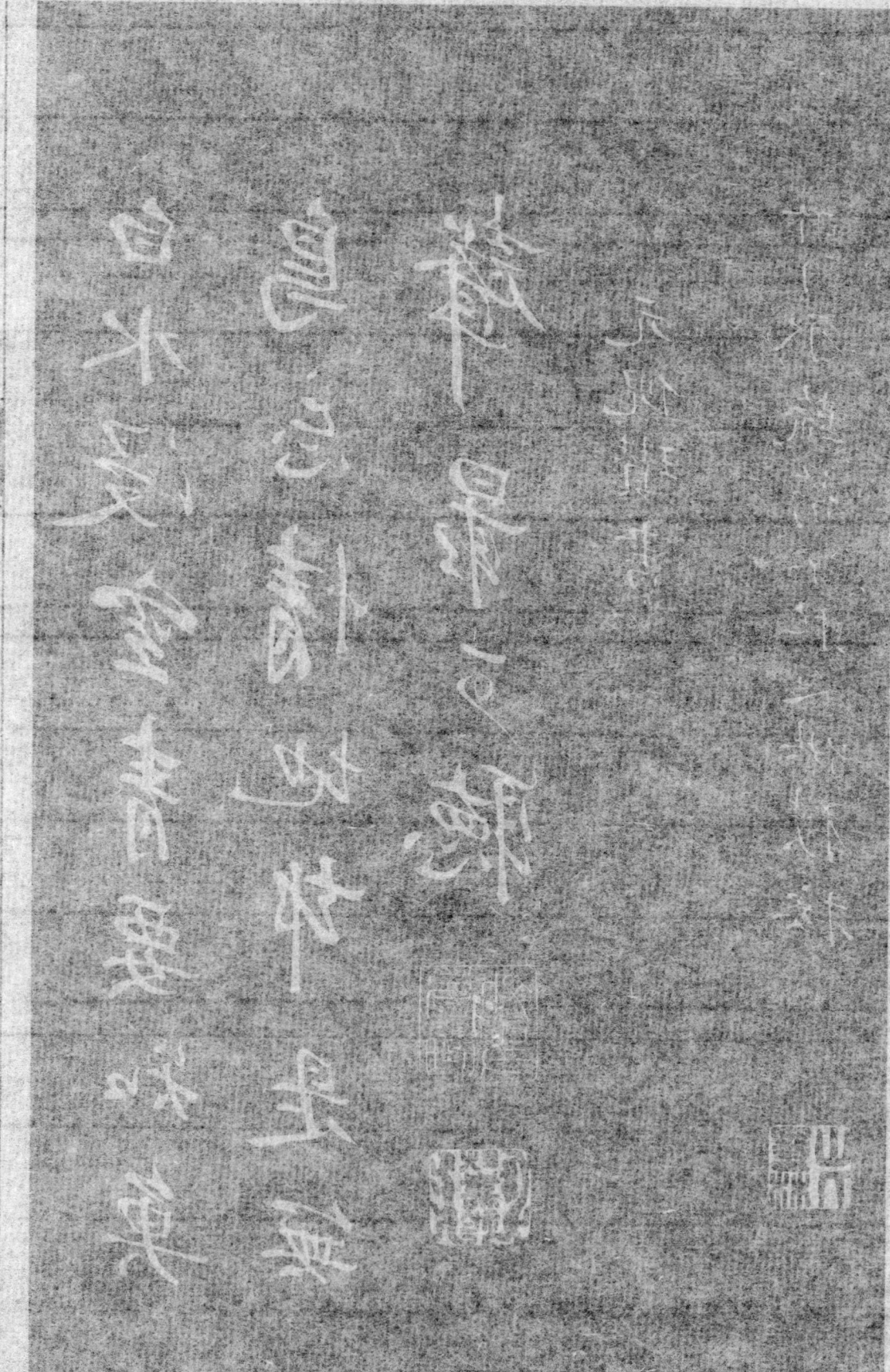

清言永日也别後與毛舉洲陽携琴
過普渡精舍相與盤礴林影水光
中而令子来始知從者散步韓墅
橋急遣一介往候則從者興盡已
返矣經宿不面旦来雷雨大作想惟
動静輕安昨見尊俎間韭菘萬菜

之屬今日得雨必是苗芽怒長更佳也
秀色繁然
况蒙許送久伺不見至戲作小詩促
之瓚頓首
黙菴有道先生
韭菘抽苗鋪翠玉晚經雷雨更敷腴

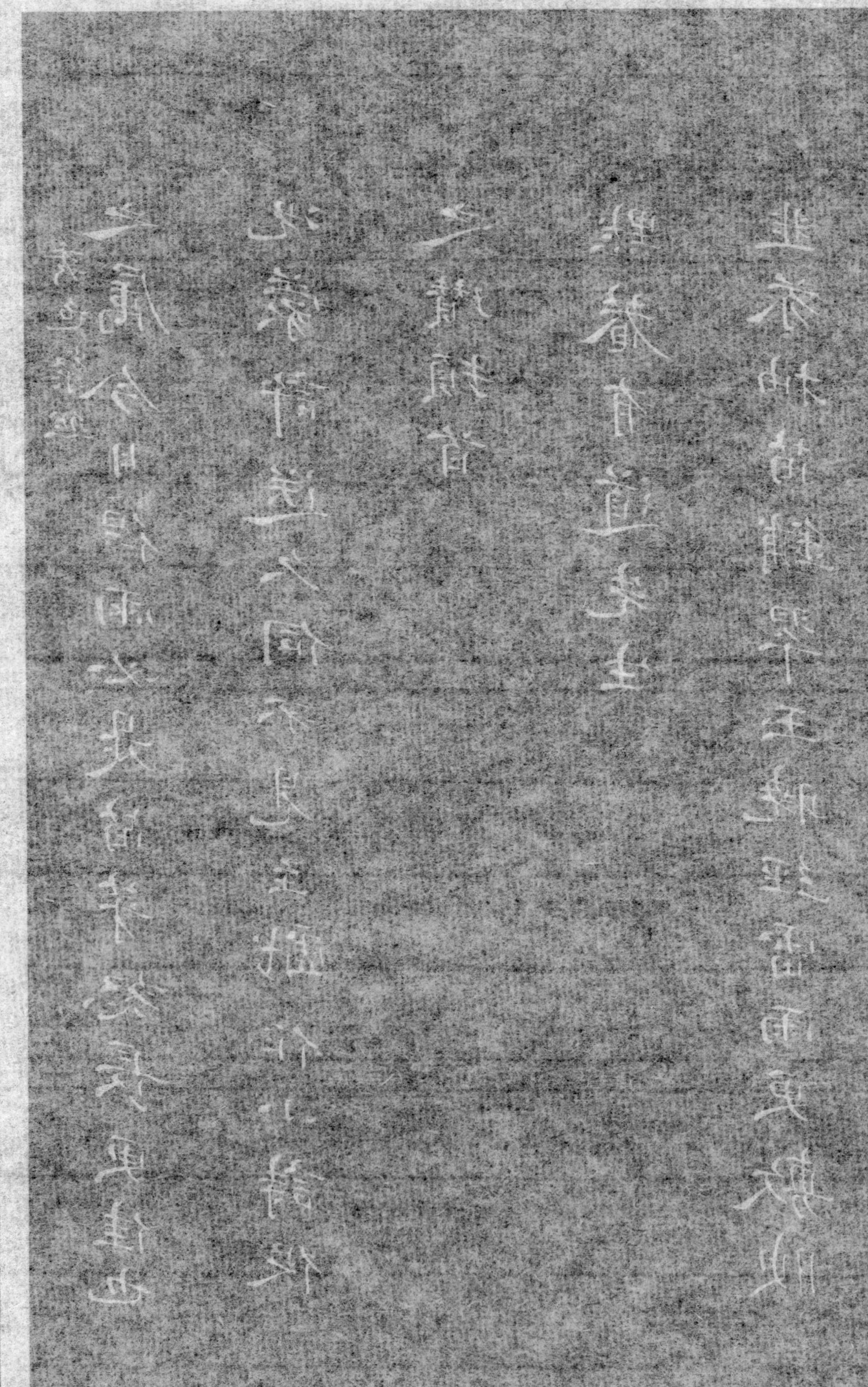

莫嗔措大眼孔小乞取先生一餉餘
枯腸嗜酒復畏醉既醉渴心真欲
狂為解曉酲喉吻痛大金花劑性
偏涼

早間覺喉吻痛甚恐是酒熱大金花丸神芎
丸各求一兩服也煩聒得、罪、瓚　廿二日
藥乞封寄也

元迺賢書

南城詠古

至正十一年龝八月既望太史宇文公太
常危公偕燕人梁處士九思臨川黄君殷
士四明道士王虚齋新進士朱夢炎与余
凡七人聯鑣出遊燕城覽故宮之遺蹟凡其
城中塔廟樓觀臺榭園亭莫不裵徊

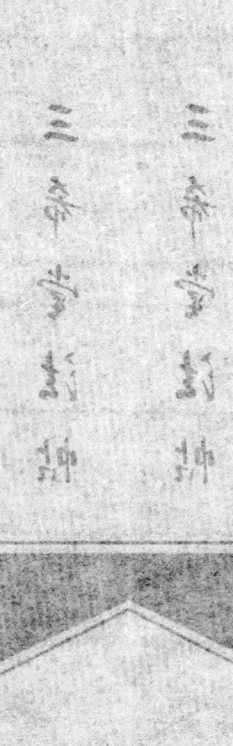

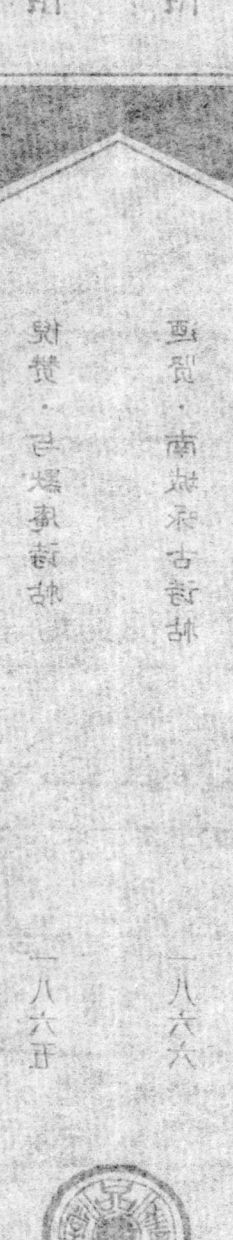

瞻眺拭其殘碑斷柱為之一讀指其廢興而論之余七人者目為人生出處聚散不可常也解后一日之樂有足惜者豈歎感慨陳蹟而已哉各賦詩一首以紀其事庶來者有所徵焉河朔外史廷賢易之

黃金臺

落日燕城下高臺草對秋千金何足惜一士固難求滄海誰青眼空山盡白頭還憐易河水今古只東流 臺在大悲閣東南隗臺坊內

憫忠閣

高閣秋天迥金仙寶珞齊青山排闥現紫氣隔城迷朱栱浮雲濕璚檐落照低回懷百戰士惆悵立層梯 唐太宗憫征遼士而建

三希堂法帖

三希堂法帖
西晋·南北朝古诗帖

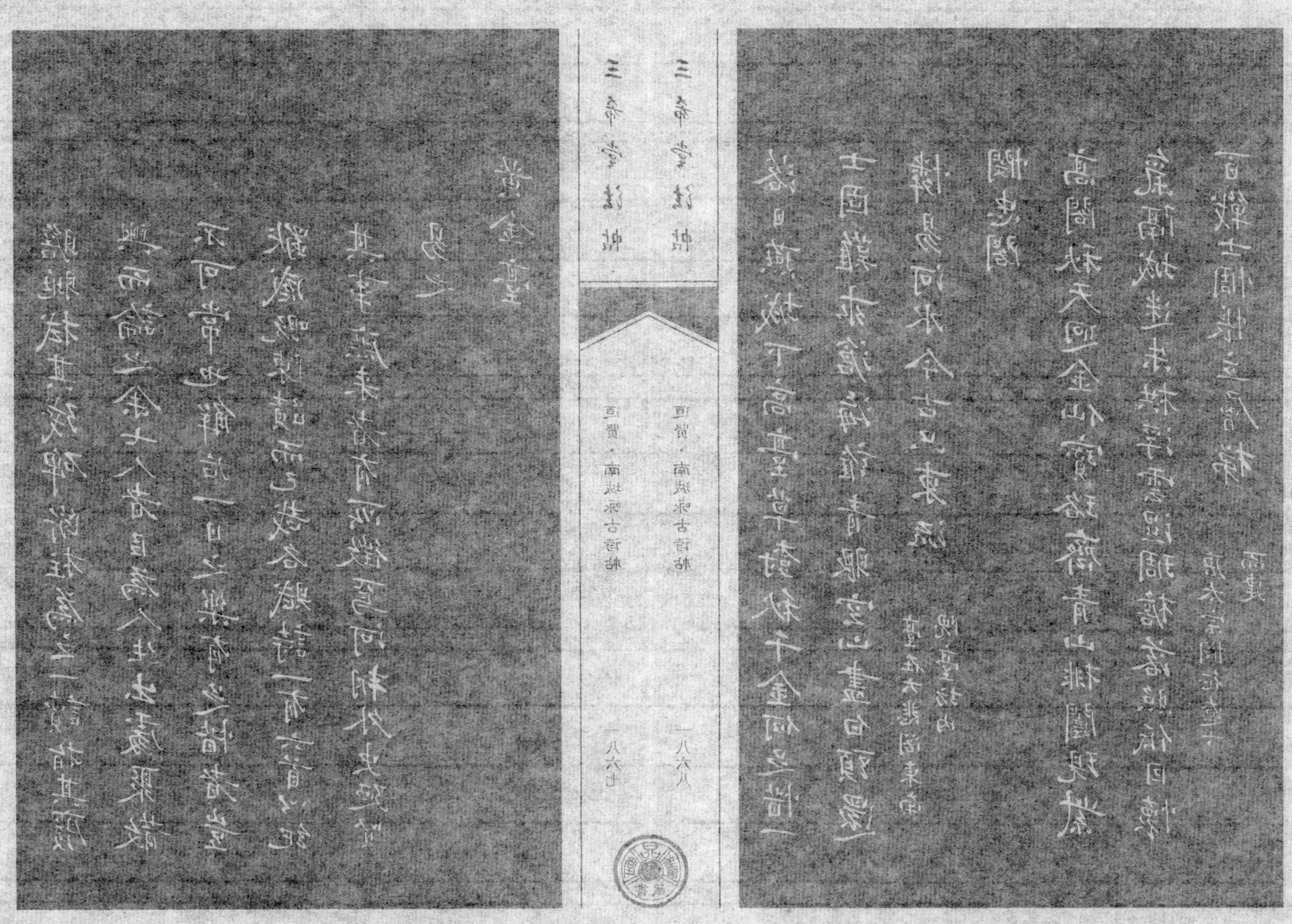

壽安殿

夢斷朝元閣來尋賣酒樓野花迷輦路落葉滿宮溝風雨青城暮河山紫塞愁老人頭雪白扶杖話幽州 殿基今為酒家壽安樓

聖安寺

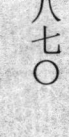

蘭若城幽處聰鑣八月來寶華旛蓋合袞冕畫圖開斷碣蒼苔暗空庭落葉

飢鳶不避客攫食下生臺 寺有金世宗章宗像

大悲閣

閣道連天起丹青飾井幹如何千手眼只著一衣冠金牓飯龍扶琱甍吻獸攢憑高天萬里白竚不勝寒 閣牓為虞學士書

鐵牛廟

燹人重東作鎔錢像牛形角斷苔華碧

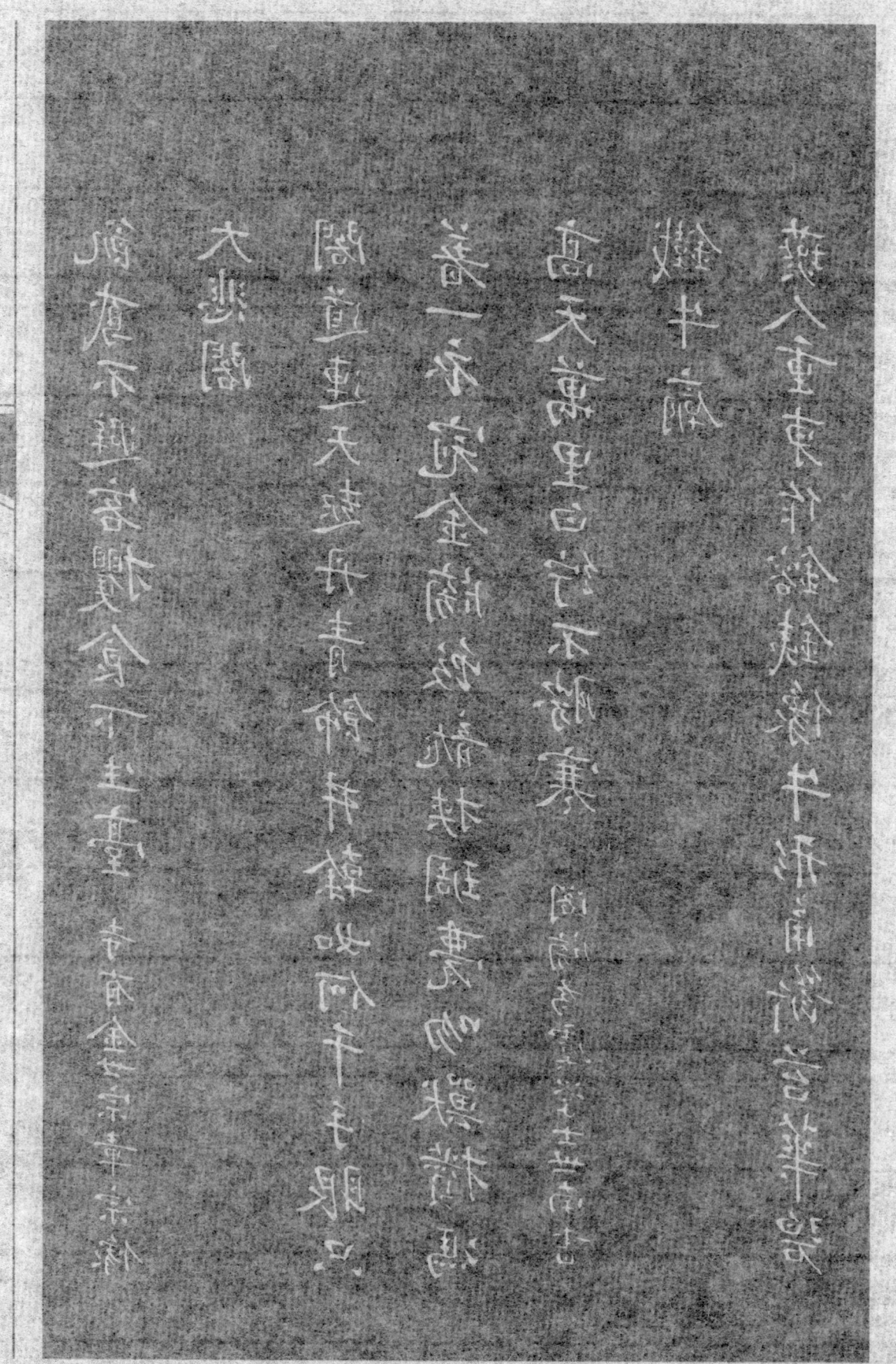

虢穿土鏽腥遺蹤傳野老古廟託山靈一酹壺中酒穰穰黍麥青

雲僊臺

臺殿青冥外團團海月涼隔簾聞鳳管秉燭奏霓裳銅雀晨霞眩金盤夕露瀼僊人不復返愁殺海生桑

即金之望月臺

長春宮

羸驂躅秋日迢遞謁琳宮松子花飄落谿流板閣通樓臺非下土環珮憶高風草昧囏難日神仙第一功

全真丘神仙處機之居太祖嘗召至西域之雪山講道勸上以不殺

竹林寺

城南天尺五祇對給孤園甲第王侯去精藍帝釋尊老僧浮塔影稚子斸松根

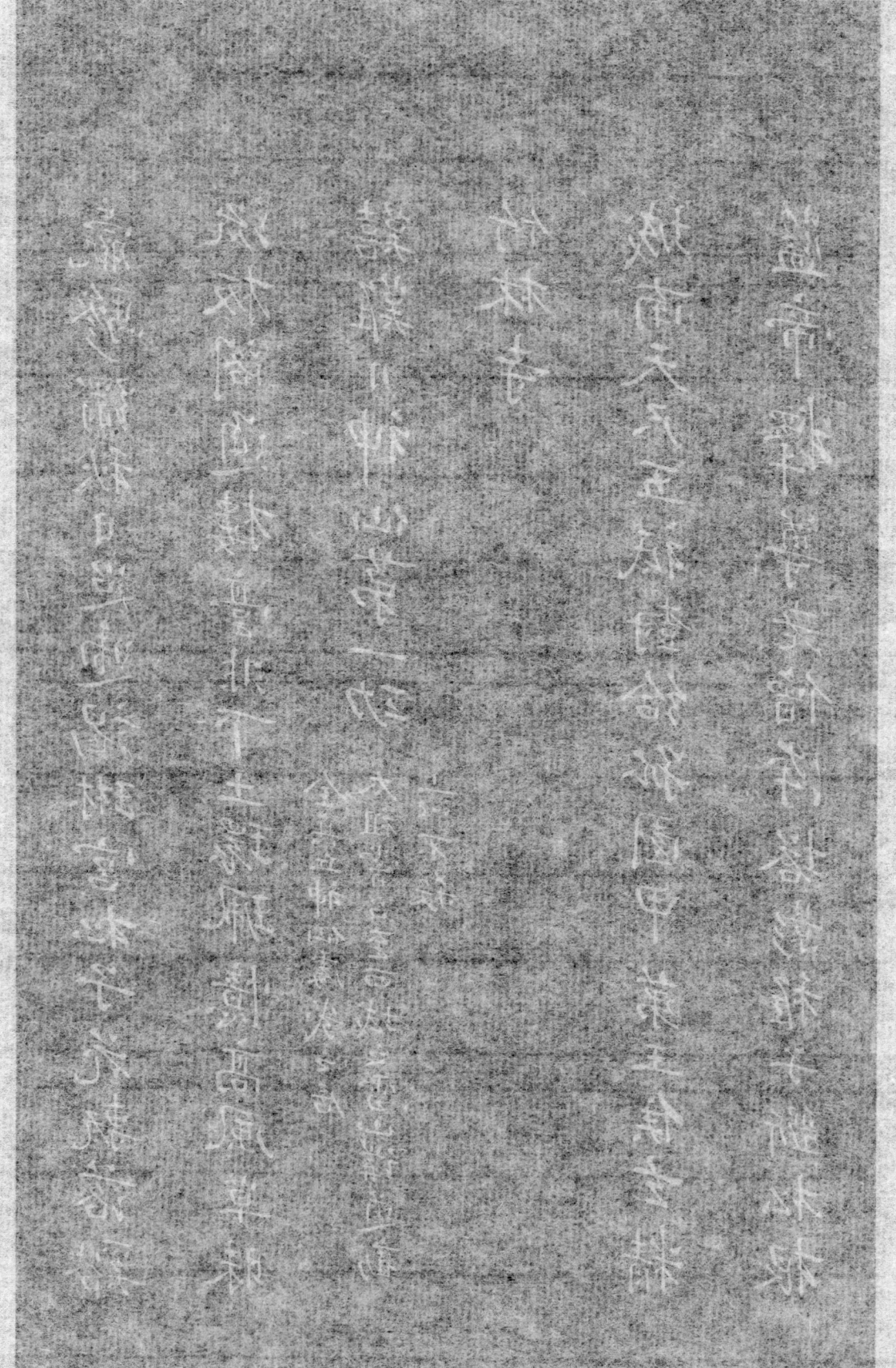

何日天台路相從一問源
金熙宗駙馬宮也寺僧云菩妄影

龍頭觀

傳館紅塵外龍頭得借看開函雲氣濕
近席雨聲寒碧血凝螺黛香涎逼麝
檀牙藏認題字猶是建隆刊
龍頭懸一牙藏題曰建隆元年

妝臺

虜苑鶯聲盡荒臺燕麥生韶華如逝

水粉黛憶傾城野菊金鈿小秋潭玉鏡清
誰憐舊時月曾向日邊明
金章宗為李妃所築嘗與妃露坐臺上章宗戲云二人土
上坐妃應聲對曰一月日邊明章宗大悅臺在昭明觀後

雙塔

安史開元日千金構塔基世尊寧妄福天
道自無私寶鐸遊絲罥銅輪碧蘚滋

停驂指遺蹟含憤立多時 安祿山史思明所建 在閔忠寺前

西華潭

秋水清無底涼風起綠波錦帆非昨夢玉

樹憶清歌帝子吹笙絕漁郎把釣多磯

頭浣沙女猶已是宮娥 即金之太液池

白馬廟

祠宇當城角霜蹄刻畫真房星何日墜

駿骨自能神曾蹴燕山雪思清瀚海塵

長嘶化龍去騰躍上雲津

萬壽寺

皇唐開貝搆歷劫拒金時絕妙青松障

清涼白玉池長廊秋屧響高閣夜鐘遲

猶有乘閒客扶藜讀舊碑 寺有許道寧畫屏

玉虛宮

樓觀迴深巷松枝夾路低拾薪供早爨
抱瓮灌春畦經向琅函讀詩從石鼎題
白須張道士送客過桃谿 主宮張真人號甚清古
是月廿日辱
夢炎進士再訪余於金臺
寓舍索書前詠爲書之 賢記

元陸繼善雙鉤書
永和九年歲在癸丑暮春之初
會于會稽山陰之蘭亭脩稧
事也羣賢畢至少長咸集
此地有崇山峻領茂林脩竹又有
清流激湍暎帶左右引以爲

流觴曲水列坐其次雖無絲
竹管弦之盛一觴一詠亦足
以暢敘幽情是日也天朗氣
清惠風和暢仰觀宇宙之大
俯察品類之盛所以遊目騁
懷足以極視聽之娛信可樂

也夫人之相與俯仰一世或取
諸懷抱悟言一室之內或因
寄所託放浪形骸之外雖趣舍
萬殊靜躁不同當其欣於所
遇暫得於己快然自足不知
老之將至及其所之既惓情

随事遷感慨係之矣向之
所欣俛仰之間以為陳迹猶
不能不以之興懷況脩短随
化終期於盡古人云死生亦
大矣豈不痛哉每攬昔人
興感之由若合一契未嘗不

臨文嗟悼不能喻之於懷
固知一死生為虛誕齊彭殤
為妄作後之視今亦由今之
視昔悲夫故列敘時
人錄其所述雖世殊事異
所以興懷其致一也後之攬

三希堂法帖

晉 王羲之 又《[illegible]》

一八八

三希堂法帖

晉 王羲之 又《[illegible]》

一八八

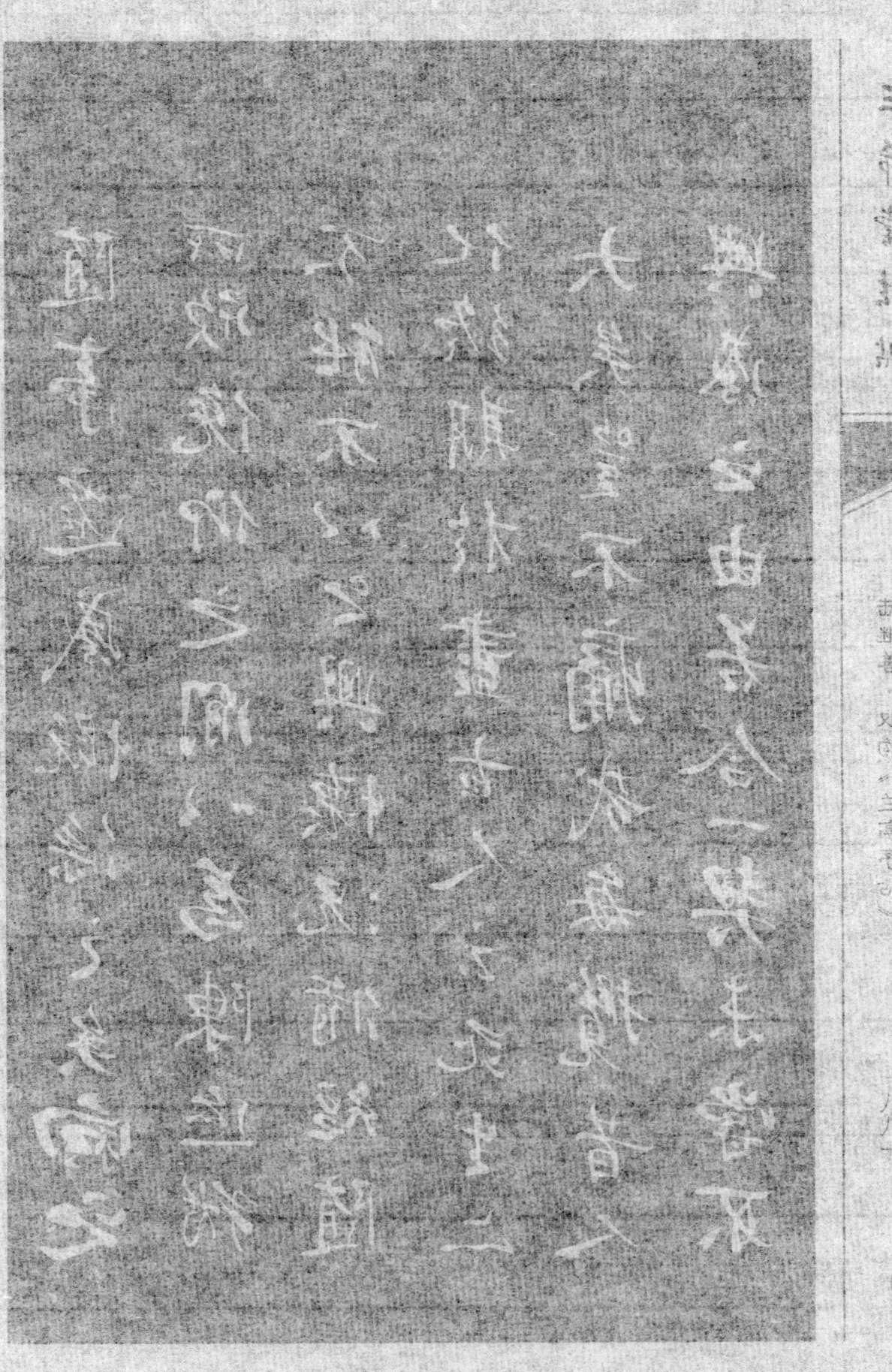

者亦將有感於斯文

先兄子順父得唐人摹蘭亭叙三卷其一迺東昌高公家物余竊慕焉異日兄用河北鼠豪製筆精甚因念嘗侍先師筠菴姚先生文敏趙公聞雙鉤填廓之法遂從兄假而效之前後凡五紙兄見而喜輒懷去已而兄卒其所藏皆散逸至元戊寅夏得此於兄故隸家既喜且慨吁吾兄不復生唐摹不復見余年已中亦不復可為據卷增歎是年十月十又五日甫里陸繼善識

右甫里陸繼之摹右軍蘭亭叙
唐太宗既得蠒紙真本命當時
羣臣能書者榻賜諸王予平日
所見何啻數十本求其真能
存右軍筆意者蓋亡二三耳此
乃自褚河南本中出飄撇縕藉

大有古意一洗定武之習爲可尚也
今世學書者但知守定武刻本之
法寧知蠒紙龍跳虎卧之遺意
哉蠒紙既不可復見得是唐摹斯
可矣唐摹世亦艱得〻保茲卷賸
世傳石刻多矣當有精於賞鑒

[illegible]

[illegible]

以吾言為然至元後己卯歲三月廿
二日 醞
奎章閣學士院鑒書博士柯九思跋

右陸繼之鈎摹蘭亭叙一卷紙
以支遁道林雪馬法觀之

方可得其精神於筆墨
畦徑之外此上人可一清賞
也至元五年己卯四月廿有
揭傒斯觀

鈎填摹搨之法盛宋時惟米南宮薛紹彭
能之蓋深得筆意者然後可以造此否則

三希堂法帖
陆继善·双钩《兰亭序》帖

用墨不精如小兒學描未可繼之親承姚先生
先生與趙文敏皆知書法故今摹搨褚河南脩
禊帖筆意俱到非深得其法者未易至此但不
入俗子眼也至元五年九月十五日繼之訪予無錫
村居出此卷相示㢟玩久之遂題于後陳方

舊見馮承素米禮部及趙文敏公所臨禊帖未嘗苟同
今觀此本筆勢翩翩風神峻發又絕異欲以參較之而不
能不以四者之難并為恨也至正元年冬十有二月庚申
黃溍書

蘭亭蠒紙固不可得見苟非唐世臨摹之多後之
人寧復窺其彷彿哉今觀陸玄素雙鉤一卷筆意
具在㢟玩不忍舍置也至正二年正月十日句吴倪瓚

唐摹下真迹一等耳此卷得唐摹遺法
趙吳興所謂專心學之遂可名世者宋時
聚訟可謂多事天啓四年九月晦日董其
昌觀于苑西回題

三希堂法帖
陆继善·双钩《兰亭序帖》

御刻三希堂石渠寶笈法帖 第二十七册

明俞和書

急就奇觚与衆異羅列諸物名姓字分別部居不雜廁用
日約少誠快意勉力務之必有憙請道其章宋延年鄭子

方衛益壽史步昌周千秋趙孺卿爰展世高辟兵第二鄧
萬歲秦眇房郝利親馮漢彊戴護郡景君明董奉德桓賢
良任逢時侯仲郎由廣國崇惠常烏承祿令狐橫朱交便孔
何傷師猛虎石敢當所不侵龍未央伊嬰齊第三翟回
慶畢稚季昭小兄柳堯舜藥禹湯淳于登費通光柘
恩舒路正陽霍聖宮顏文章莞財曾偏呂張魯賀憙
灌宜王程忠信吳仲皇許終古賈友倉陳元始韓魏唐
第四掖容調柏杜楊曹富貴李尹桑蕭彭祖屈宗
談樊愛君崔孝襄姚得賜燕楚嚴薛勝客聶邪將

求男弟過說長祝恭敬審無妨龐賞䒾士梁成博好
范建羌閭驩喜第五寧可忘苗貞夫茅涉臧田細兒
謙內黃柴桂林溫直衡奚驕叔邴勝箱雍弘敞劉若
芳毛遺羽馬牛羊尚次倩丘則剛陰賓上翠鴛鴦庶
霸遂萬段卿泠幼功武初昌第六褚回池蘭偉房減
罷軍橋竇陽原輔福宣棄奴殷滿息充申屠夏脩俠
公孫都慈仁他郭破胡虞尊偃憲義渠蔡游威左
地餘譚平定孟伯徐葛咸軻敦錡蘓耿潘扈第七錦
繡縵旄離雲爵乘風縣鐘華洞樂豹首落莽兔

三希堂法帖
俞和・急就章

雙鶴春草雞翹鳧翁濯鬱金半見霜白蕍縹綟
綠紈皁紫硟烝栗絹紺縉紅繎青綺羅縠靡潤鮮
綈絡縑練素帛蟬第八絳緹絓紬絲絮綿幣囊
橐不直錢服瑣緰䘣與繒連貰貸賣買販肆便
資貨市贏匹幅全絡紨枲縕裹約纏綸組縌綬以高
遷量尺丈寸斤兩銓取受付予相因緣第九稻黍秫
稷粟麻秔餅餌麥飯甘豆羹葵韭蔥薤蓼蘇薑
蕪荑鹽豉醯酢醬芸蒜薺芥茱萸香老菁蘘何
冬日藏梨柿柰桃待露霜棗杏瓜棣饊餳園菜果蓏

三命通會
命相·星命類

助米糧第十甘麩殊美奏諸君袍襦表裹曲領帬
襜褕袷複褶袴褌單衣蔽膝布無尊箴縷補袒
撻緣循履舄沓裒越緞紃靸鞮卬角褐韤巾裳韋
不借為牧人完堅耐事愈比倫第十一屐蕎絜麤羸
窶貧旃裘索擇蠻夷民去俗歸義來附親譯導
贊拜稱妾臣戎貉總閱什伍陳廩食縣官帶金銀
鐵鈇錐鑽釜鍑鍪鍛鑄鉛錫鐙鐎錠鈴鏞鉤銍斧
鑿鉏第十二銅鍾鼎鈃鋗匜銚釭鐧鍵鉆冶錮鐈竹
器簦笠簟籧篨笆篙箯筥籅簁篝箅箕帚

筐篋簍橢盂槃案桮閜椀蠡斗參升半卮觛槫榼
椑榹匕籫缶甂盆瓮甕罃壺第十三甑瓽甌瓨
甖盧纍繘繩索紡絞纑簡札檢署槧牘家板柞
所產谷口茶水虫科斗䵷蝦蟇鯉鮒鯡鱣鮐鮑鰕
妻婦聘嫁齎媵僮奴婢私隸枕牀杠蒲蒻藺席
帳帷幢第十四承塵戶簾絛繢縱鏡籢梳比各異
工蕡薰脂粉膏澤筩沐浴揃搣寡合同襐飾刻
畫無等雙係臂琅玕虎魄龍壁碧珠璣玫瑰甕
玉瑉環佩靡從容射魃辟邪除羣凶第十五竽

[illegible]

[illegible]

瑟空侯琴筑箏鍾磬鞀簫鼙鼓明五音雜會
歌謳聲倡優俳笑觀倚庭侍酒行解宿昔醒厨
宰切割給使令薪炭萑葦爨孰炊生膹膾炙胾
各有刑酸鹹酢淡辨濁清第十六肌臠脯腊魚臭
腥沽酒釀醪稽檠程棊局博戲相易輕冠幘簪
黃結髮紐頭額頞準麋目耳鼻口母指手胂腴
脣舌齗牙齒頰頤頸項肩臂肘卷捥節搔母指手
胂腴匈脅喉膺髃第十七腸胃腹肝肺心主脾腎五
臧膍齊乳尻寬脊膂要背僂股腳膝臏脛為柱腨

三希堂法帖

踝跟踵相近聚矛鑲盾刃刀鉤鈒鎩鈹鎔劍鐔鍭
弓弩箭矢鎧兜鍪鐵垂杖棁柲殳第十八輜軺轅軸輿
輪康輻轂輨鎋桑櫨棗軹軾軨苓轙納衡蓋橑捭棿
戹縛棠轡鞅鞨絆羈韁茵茯薄杜寋鑣鍚靳靷茸
鞊色焜煌草畫縣漆猶黑倉室宅廬舍樓殿堂第
十九門戶井竈廡囷京橝樘薄盧凡屋梁泥塗堊
墍壁榦垣墉榦楨板栽度貟方屏廁溷渾糞土壤
墼絫廥廄庫東箱碓磑扇隤舂簸揚頃町界畞
畦畤窳彊畔畷佰耒犁鉏第廿種樹收斂賦稅穮穫

三希堂法帖

俞和・急就章

秉把臿枝杷桐梓樅松榆樗檿槐檀荊棘葉枝扶
騂騩騅駮驪騮驢騏䮘馳騁怒步超牂羖羯羠羝羭
六畜蕃息豚彘豬豭豶狡狗野雞雛第廿一犙犻特犗
羔犢駒雄牝牡相隨趚糟糠汁滓藁莝芻鳳爵
鴻鵠 鶩雉鷹鷂鴇鴰翳貂尾鳩鴿鶉鴳中罔死鳶
鵲鴟梟驚相視豹狐距虛豺犀兕貍兔飛鼯狼麋
麈第廿二麇麈麢麀皮給履寒氣泄注腹臚脹痂
疕疥癘癡聾忘癰疽瘛瘲痿瘀疢疝瘕顛疾狂
失虐瘚痛痳溫病消渴歐懣欬逆讓癉熱瘻痔眵

眼篤癃衰癈迎醫匠第廿三灸刺和藥逐去邪黃芩伏
令礜茈胡牡蒙甘草菀藜蘆烏喙付子椒元華半夏
皁莢艾橐吾弓竆厚朴桂栝樓款東貝母董狼牙
遠志續斷參土人亭歷桔梗龜骨枯第廿四雷矢
雚菌蕘兔盧卜夢譴祟父母恐祠祀社保菆獵
奉 觴塞禱鬼神寵棺椁槥櫝遣送踊喪弔悲
哀面目種哭泣醊祭墳墓冢諸物盡訖五官出宦學
諷詩孝經論第廿五春秋尚書律令文治禮掌故底
癘身知能通達多見聞名顯絕殊異等倫超擢推舉

白黑分積行上究爲牧人丞相御史郎中君進近公卿
傅僕勳前後常侍諸將軍第廿六列侯封邑有土臣
積學所致無鬼神馮翊京兆執治民廉潔平端撫順
親變化迷惑別故新姦邪並塞皆理馴更卒歸城
自詣因司農少府國之淵援衆錢穀主誰均第廿七
皐陶造獄法律存誅罰詐僞劾罪人廷尉正監承古
先總領煩亂決疑文關變殺傷捕伍鄰游徼亭長共
雜診盜賊繫囚榜笞髕朋黨謀敗相引牽欺誣詰狀
還反真第廿八坐生患害不足憐辭窮情得具獄

堅籍受驗證記問年閭里鄉縣趣辟論鬼新白粲
鉗鈦髡不肯謹慎自令然輸屬治作谿谷山箛篍起居
課後先斬伐材木斫林株根第廿九犯禍事危置對曹
謾訑首匿愁勿聊縛覊脫漏亡命流攻擊劫奪檻車
膠嗇夫假佐扶致牢疻痏保辜謕呼獋之興猥逮詗
讂求輒覺沒入檄報留受賕枉寃忿怒仇第三十讒
諛爭語相抵觸憂念緩急悍勇獨迺肯省察諷諫
讀江水涇渭街術曲筆研投筭膏火燭賴赦救解貶
秩祿邯鄲河間沛巴蜀潁川臨淮集課錄依恩汗擾

三希堂法帖

俞和·急就章

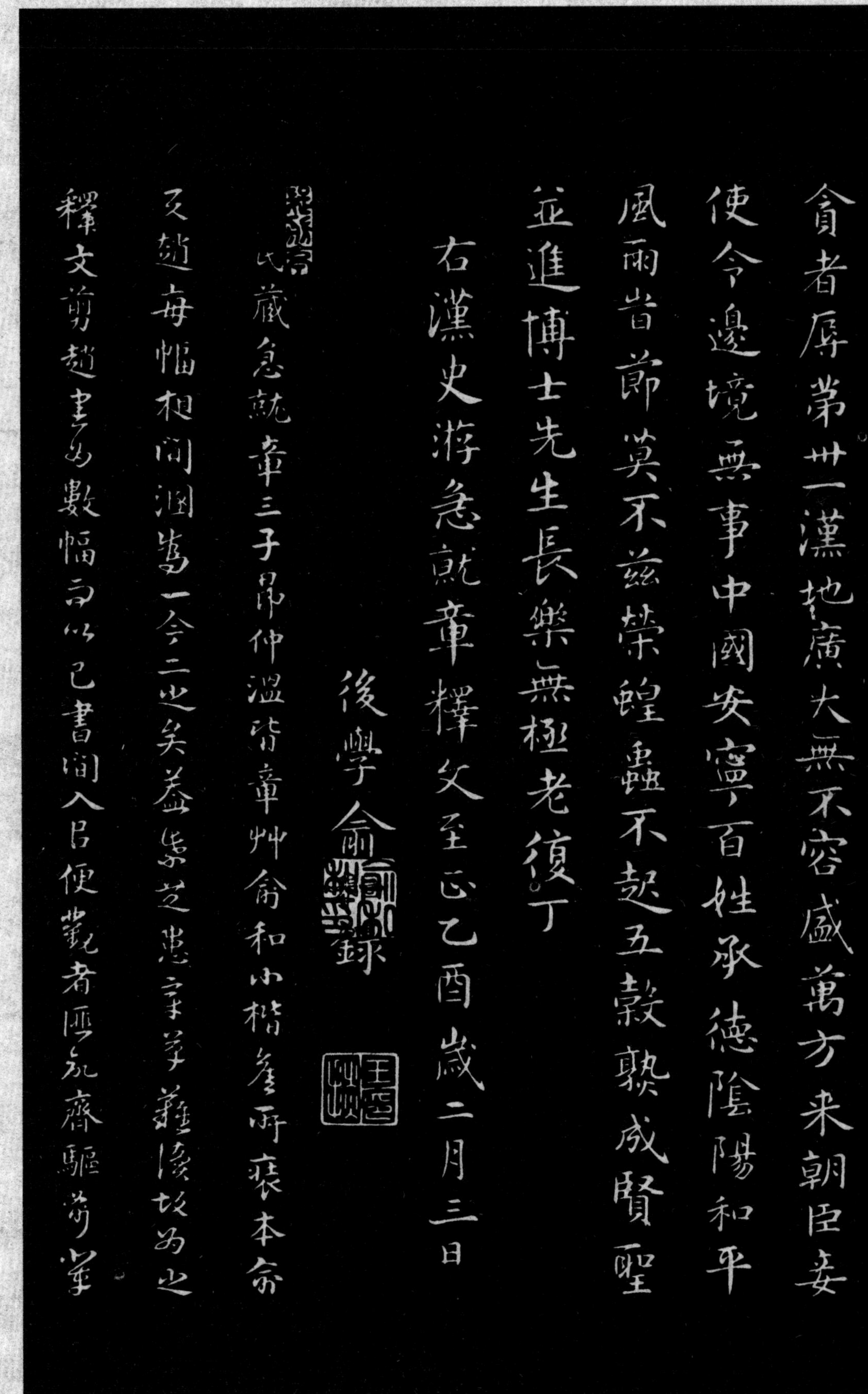
貪者孱苐卅一漢地廣大無不容盛萬方来朝臣妾
使令邊境無事中國安寧百姓承德陰陽和平
風雨旹節莫不兹榮蝗蟲不起五穀孰成賢聖
並進博士先生長樂無極老復丁
右漢史游急就章釋文至正乙酉歲二月三日
後學俞和錄
氏藏急就章三子昂仲溫皆章艸俞和小楷奎府裒本余
又趙每幅相間涸為一今二也矣蓋集芝患章草難後故為之
釋文剪趙書為數幅而以己書間入之便觀者歷氣齊驅茀掌

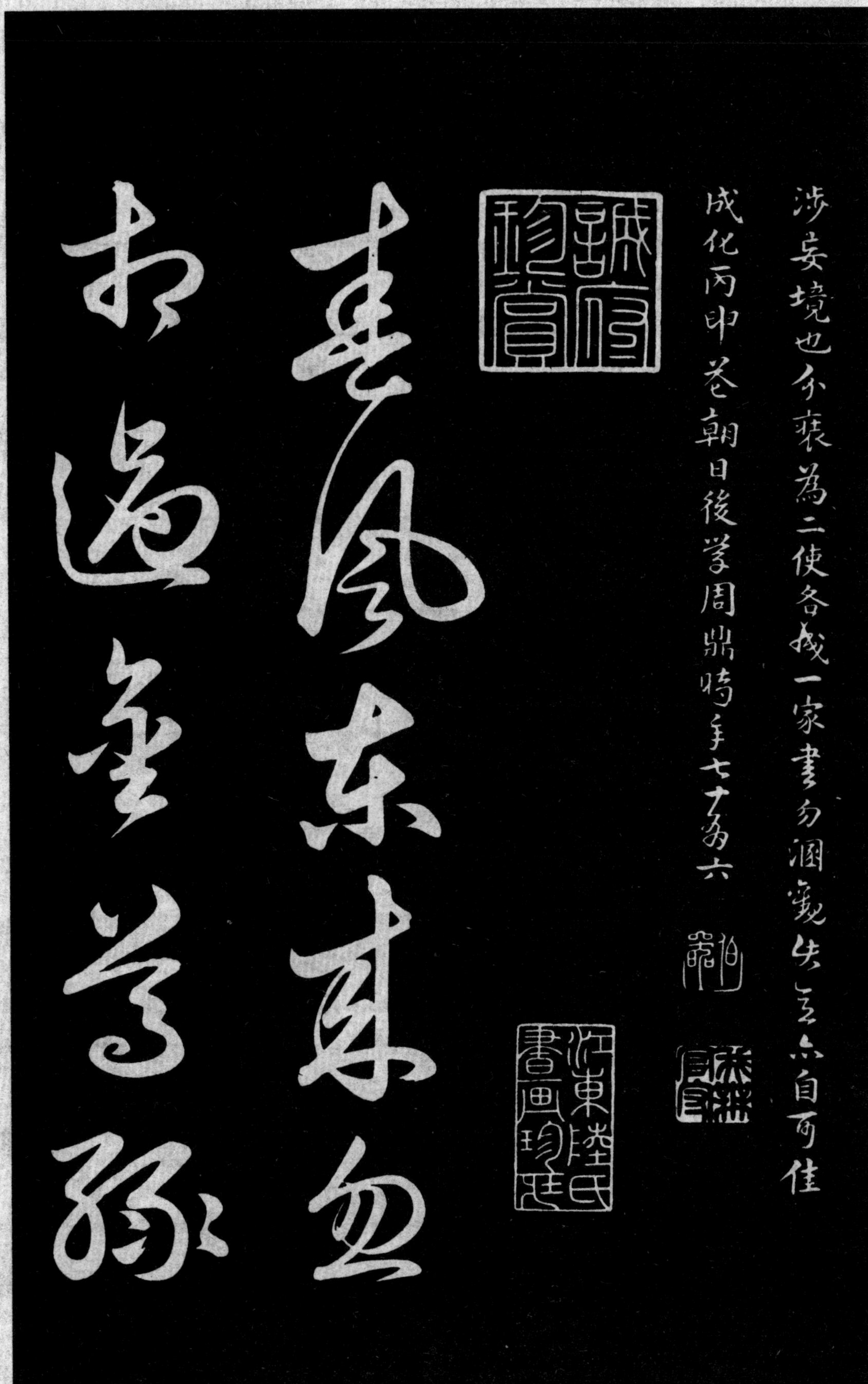
春風東来忽
相過金尊淥
涉妄境也余裒爲二使各成一家書为涸觀失之亦自可佳
成化丙申巻朝日後學周鼎時年七十有六

三希堂法帖　俞和·前有尊酒行　一九〇六

三希堂法帖　俞和·急就章　一九〇五

酒生微波落
花紛紛稍覺
多美人欲

三希堂法帖
俞和·前有尊酒行

醉朱顏酡
青軒桃李
能幾何

俞和·府有意酒行

三希堂法帖
俞和·府有意酒行

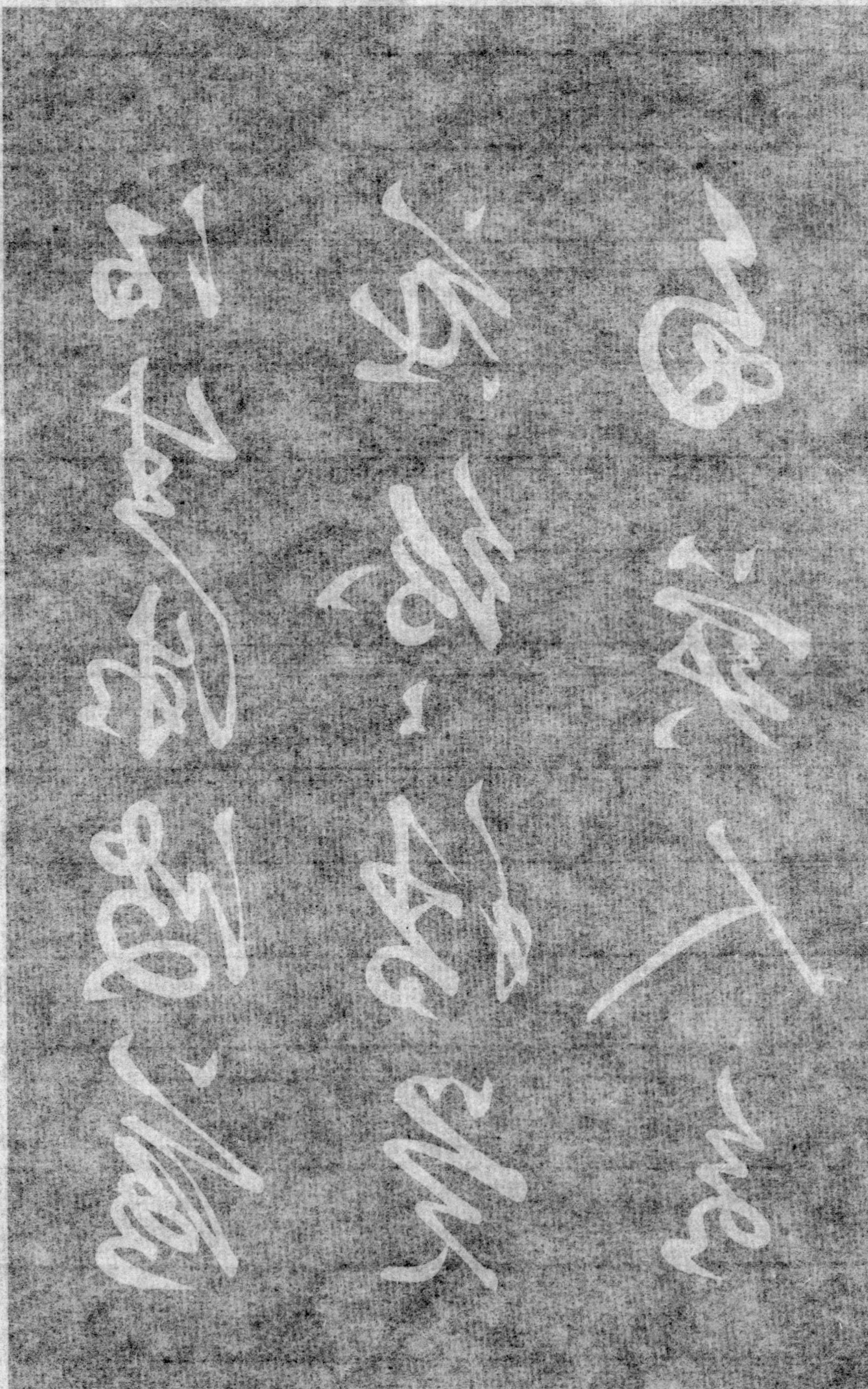

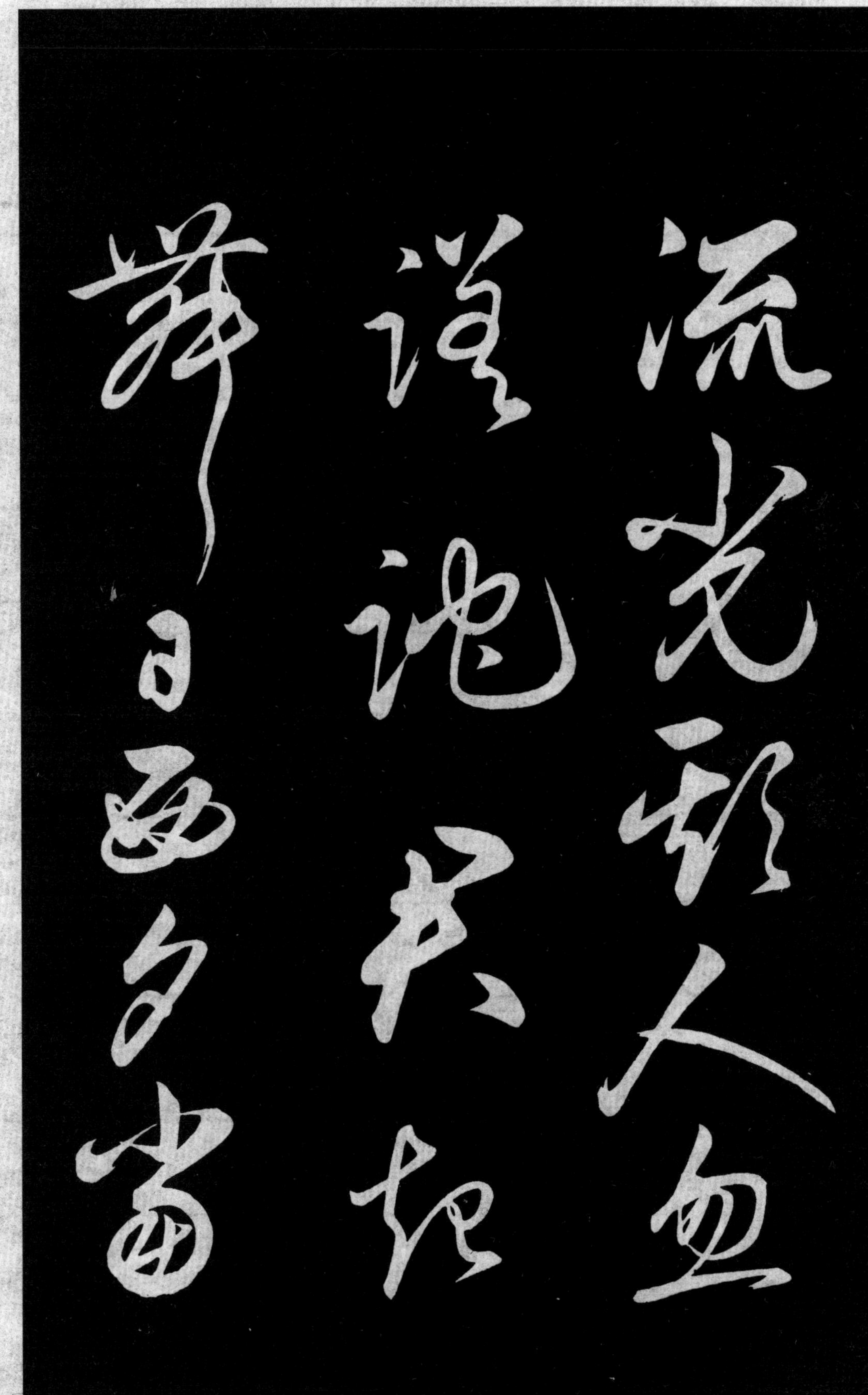

三希堂法帖
俞和·前有尊酒行

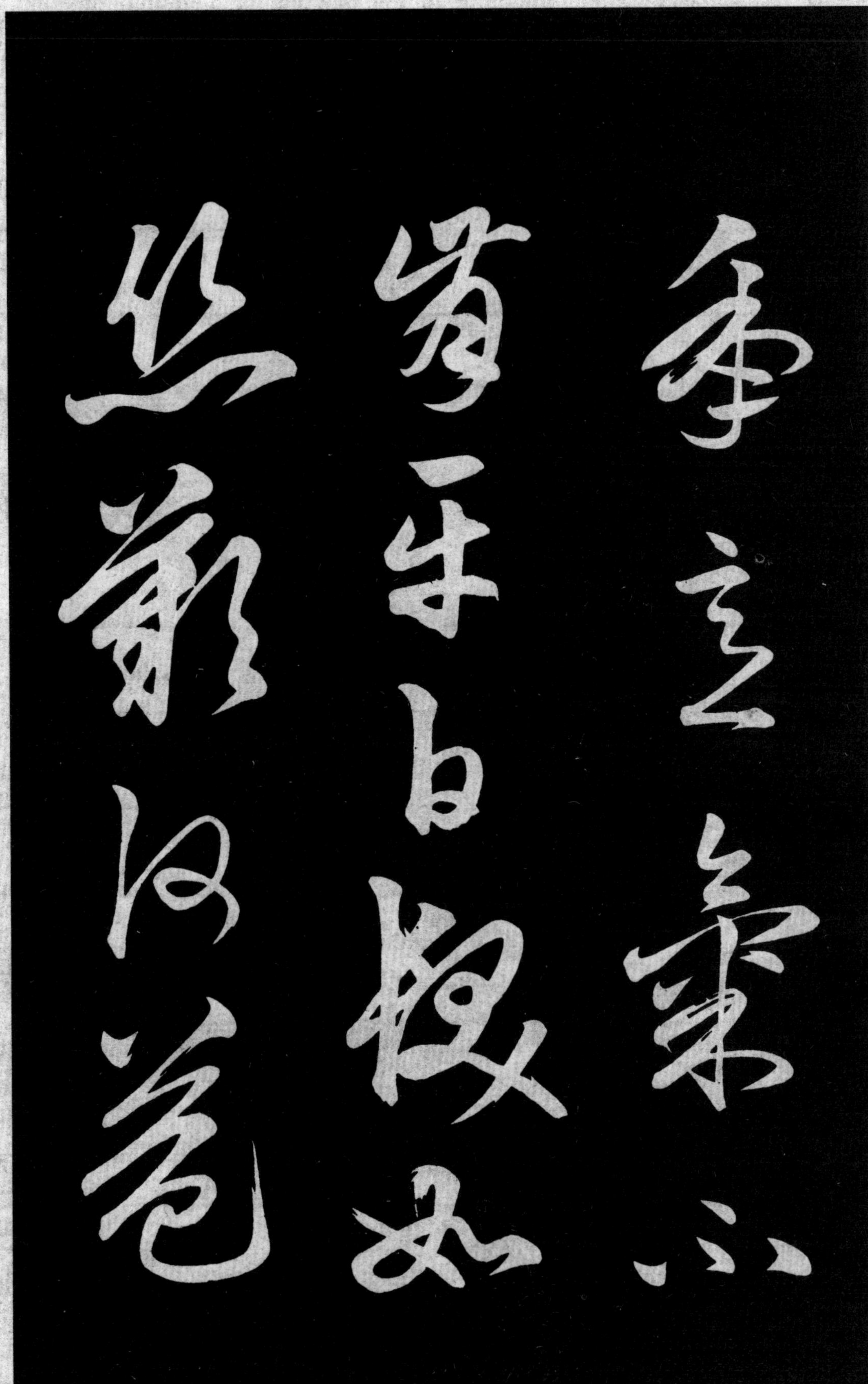

俞和 臨古草書四行

俞和 臨古草書四行

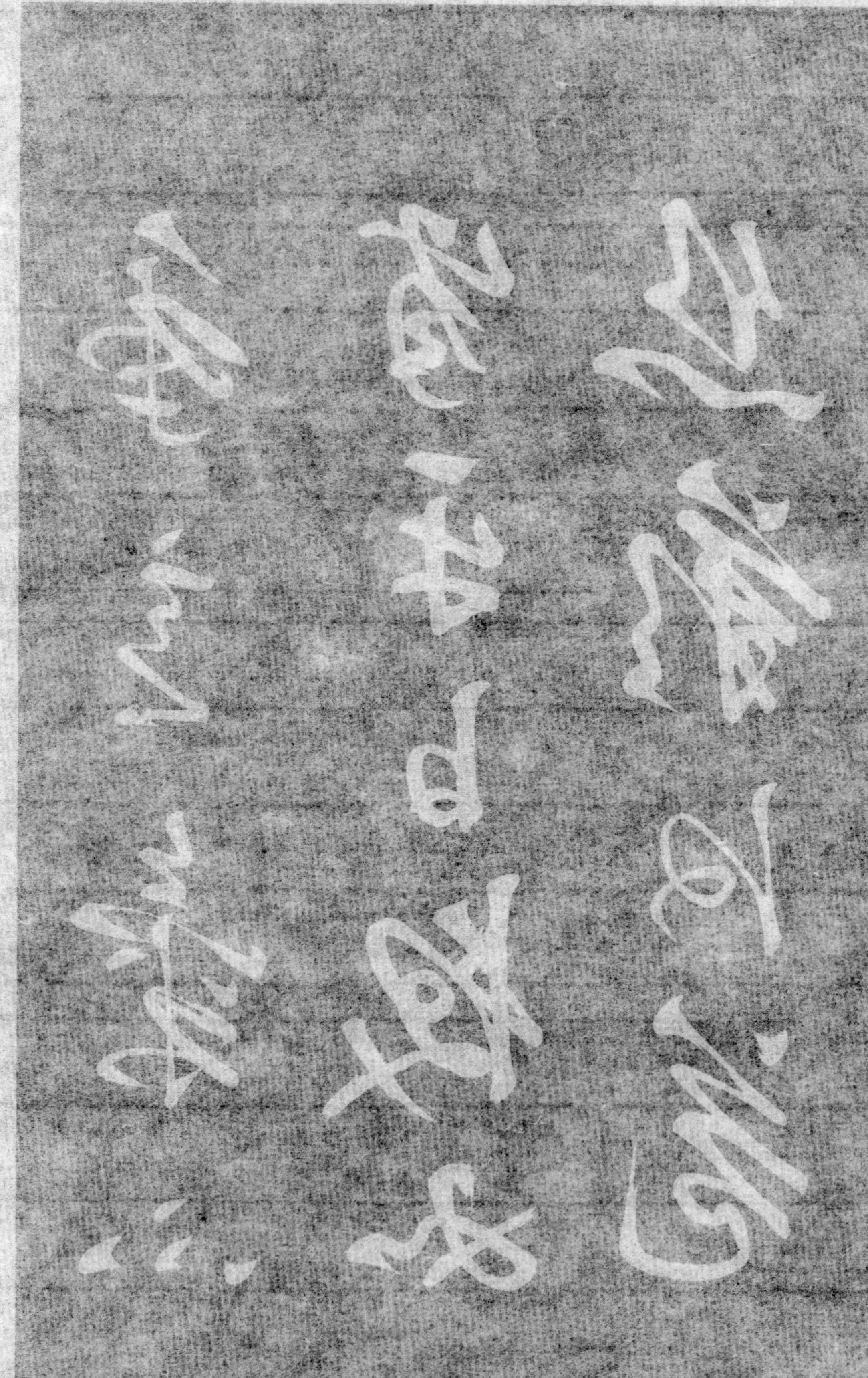

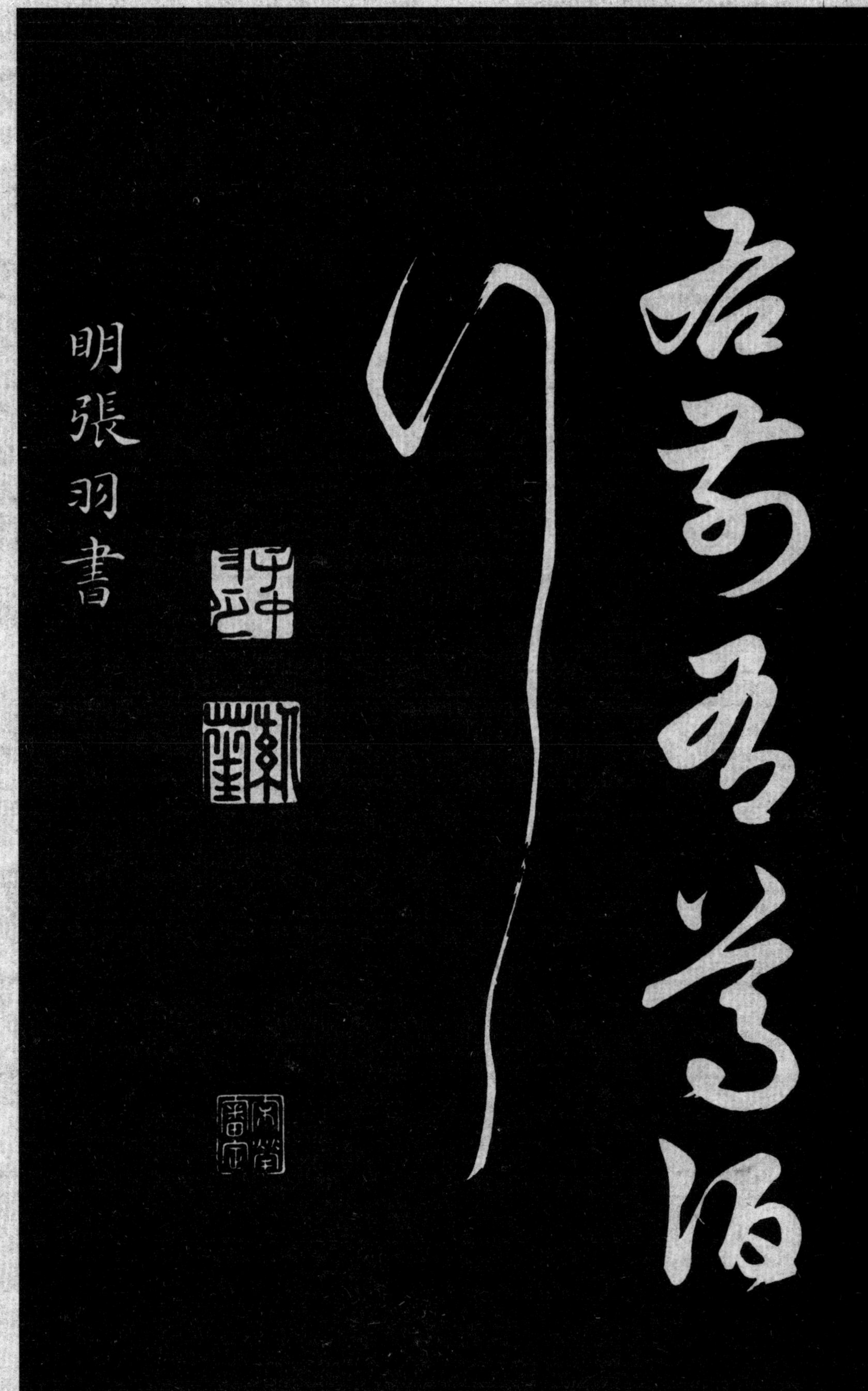

懷友詩并序

同道方䟽猶謂伐木陶情無慕尚賦停雲況屬時艱久乖所好於懷契闊實籍篇章自牛文學而下得廿三首因懷成詠不以爵齒爲序仍簡賦用繼末篇

牛文學諒

北人南仕久學無不諳知多難居家無媒擇婦遲名高登第後俸微貴親時號令雖嘗有今成異國也

三希堂法帖

张弼·林文诗

张弼·林文诗

一九二

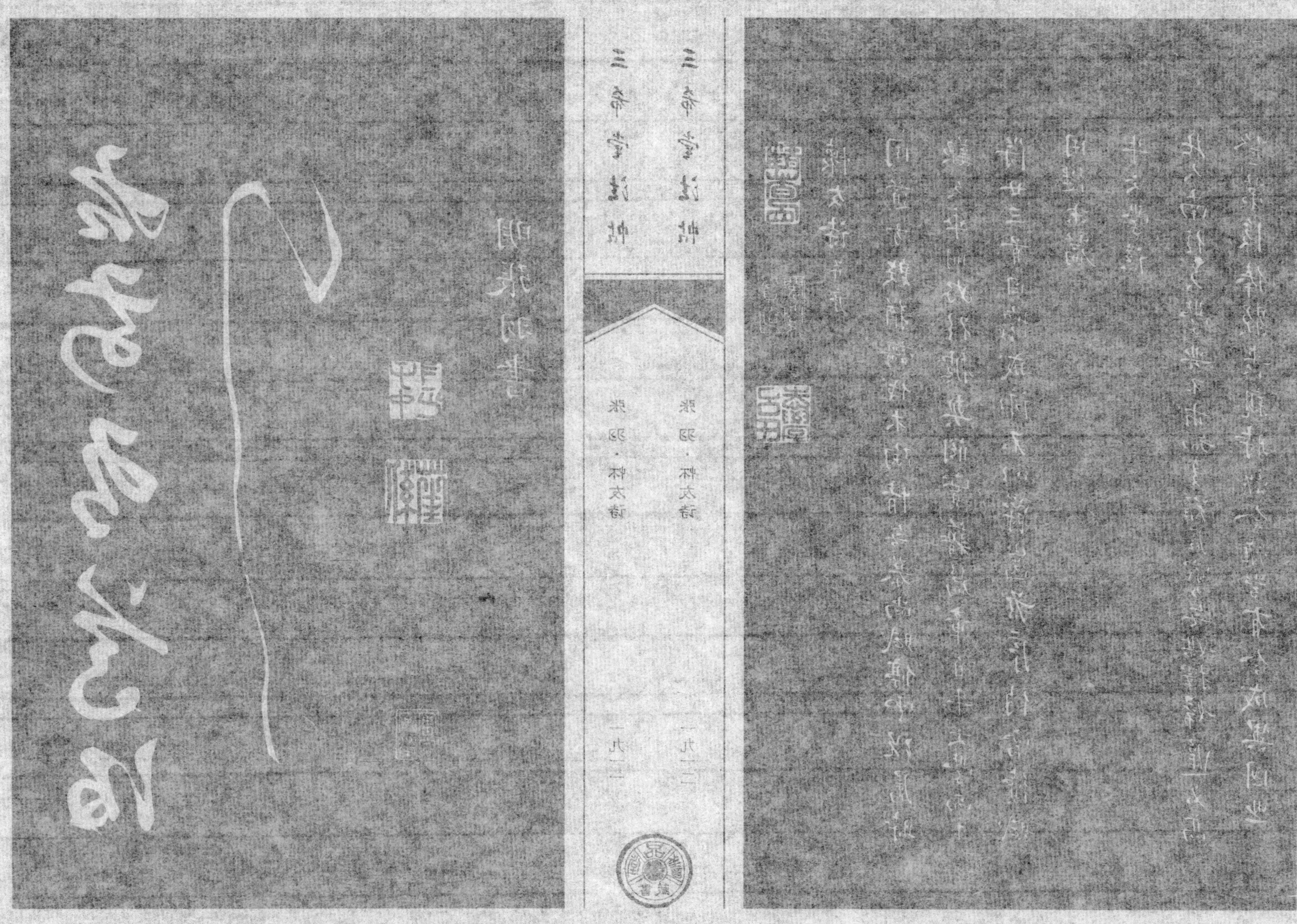

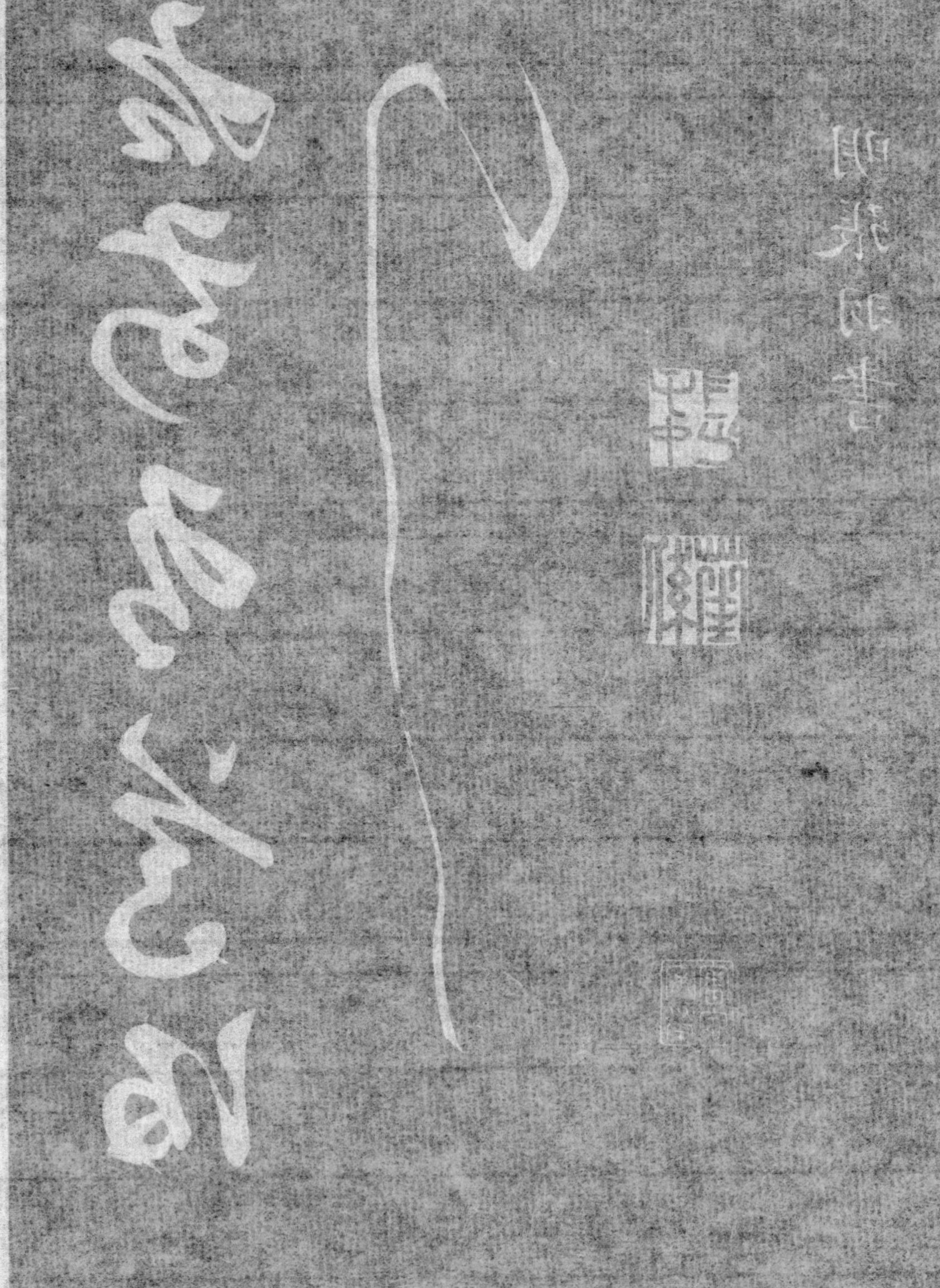

馮明府允中

單騎之官縣畬家傍海居政留譜日久仕祿薄似前除

井稅重科外公田宿儲後札甜無處問斜日下烟墟

王主簿欽

官小常拘檢家貧未棄閒好吟依近體避謗喜清班積

雨平湖浪殘陽遠郭山傷心舊遊地併在亂離間

韓徵君相

念君多晏節亂後更悠悠古巷吾衿散空閨白髮禿

近書無片紙田業有何毋最憶相尋處柴門獨樹秋

華孝廉野

破宅臨湖住閒身逐鶴長逢人矜俠氣過鄰恥儒裝有婦

頻修藥世無兒懶持觴從來多遠志今日在何鄉

周先輩復

辭鄉懷薄祿失意却空回暮雨留琴別秋風雪帛來前

程唯信命後進獨稱才憶爾何由見荒城起暮埃

陳茂才恂

習誦通三傳科名行輩期早孫能育弟蒙自學當勞師門

宅尋村遠收書出郭遲可憐從亂日姓名少人知

陳進士克啓
憶得前春霽亭皋晚煙短橋青舫外疏柳白門前
詩禮由先世科名乃少年從來風骨瘦紀書定誰怜
莫秀才世南
今歲無知己儒官作掾來盡精唯律學斷當見詩材白晝
中畫青年鏡畫催年時猶澗卷遺紀書信堪哀
方曹長彝
作吏風塵際長懷隱遁情偷閑頻謁告處處似擬歸耕
月幌當窗臥花宮諳宮行心書空滿遠移覓柏沾纓

年記室曾
蜀人吳郡住文采擅儒林謾赴諸侯辟時探本土音空
談通外學薄祿愧初心憶爾添惆悵今人行解簪
葉孩書廣居
載筆趨戎幕風塵折壯懷相如本不富方朔語多諧實
井安書攜閒恒達藥齋瘦妻並弱子紀如能偕
唐助教肅
送別記初春書來報喪親干戈方滿目鄉異未離身文體
高如命官稱拙似人曾聞舊徒說懷德易沾巾

三希堂法帖
宋四·林希诗

安文學處善

南中游宦魏巽羽漸能除去不學旁行字曾借二計書婦

貿貿有饌官給出每車聞說華亭七人傳尚迎虛

朱記室武

青年獨奴游馬孫遍諸州書記中堪取將軍意未酬停

盃知曲譜草筆擅詩壽料得思親苦逢人淚不收

宇文從事材

解後秋風裏憐高堂兼安德帷省書發鸞報伏門安慰理鋒

邛郲臧來日生留致莫時因六從此別宵息雨難知

董琳君在

遠道終鄰去歸來理舊編文章流輩許意氣眾人憐一

子成童日便親迫暮年不知逃難日漂泊向誰前

倪山人瓚

洒掃空齋住傳忘應世情身閒成道性家散剩詩名古

器邀人玩新畫揀寶呈家愴山水興老去失時平

沙門懷渭

曾向潛龍地逢人話昔緣許高生作敘法勝悟師

傳沙名聽朝梵胡奴伴夜禪未應愁未劫塵想自成捨

沈茂寧夢麟
命合閒中老誰令有宦情以廬官長思賦拙夫人輕好疾
悲來發新詩假裏成何緣知在延落日閒畫日城
胡茶以彰
華鬢過時流塵沙擦弊裘從交通俠士長揖說諸侯夜
雨菱湖館秋風剡水舟從來爲客慣漂泊又無愁
潘茂恩牧
後生多好武不獨好文章出贅因秦俗行歌效楚狂愁來些
甚短衆書無身長料得寧親去留家守海鄉

李逸人衲
風骨多儒相爲師不欲貧買書高着價避酒屢辭巡
從學傳門第從來舉里人旅居華棹舊寧比異鄉親
至正丁未六月一日岩軒高士過予命書鄙作懷友
詩時天氣鬱暑時事紛紛極無歡悰姑此塞
命稍暇當别繕寫
尋陽張羽頓首
岩軒高士先生

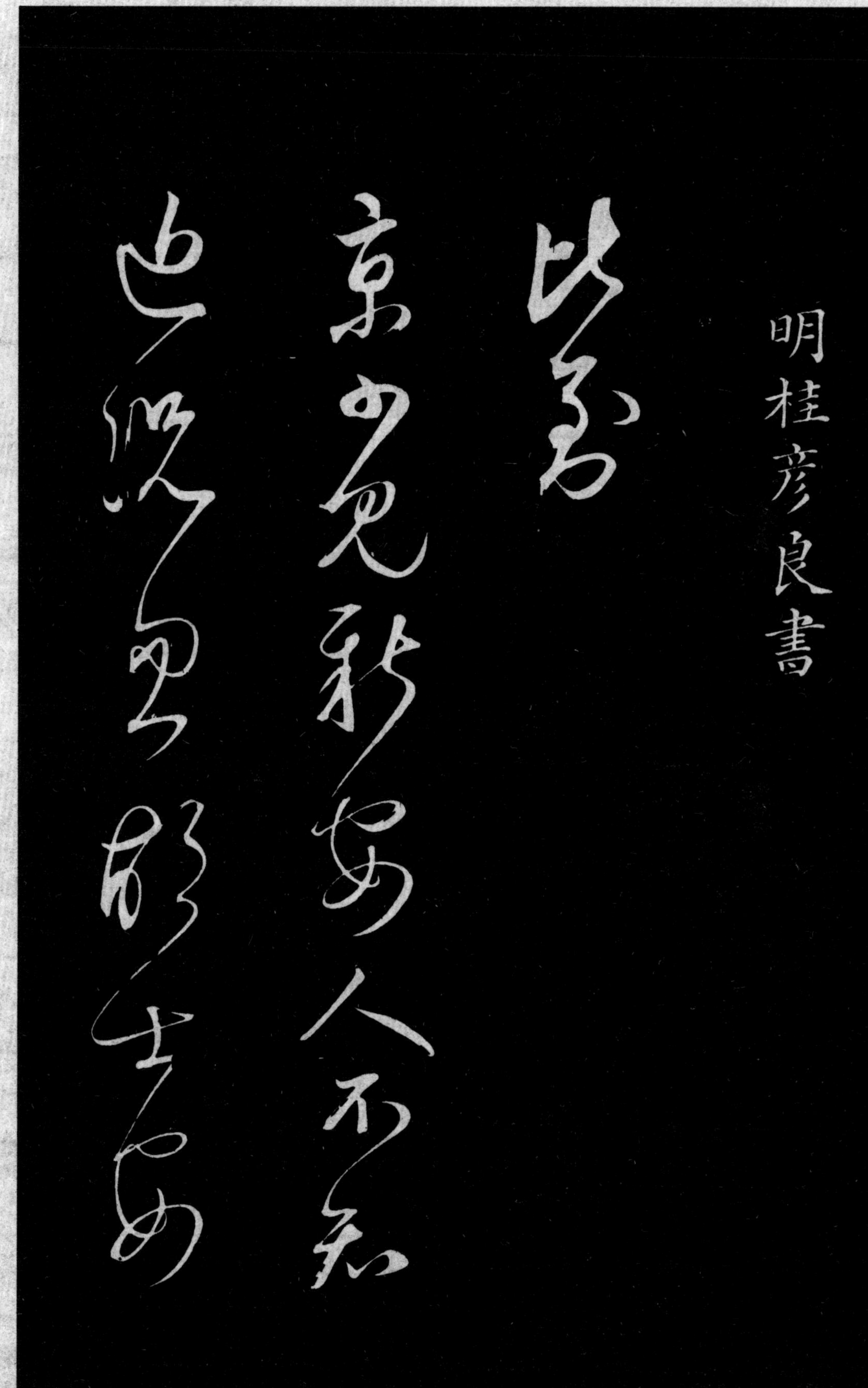

三希堂法帖

桂彦良·答彦充书帖

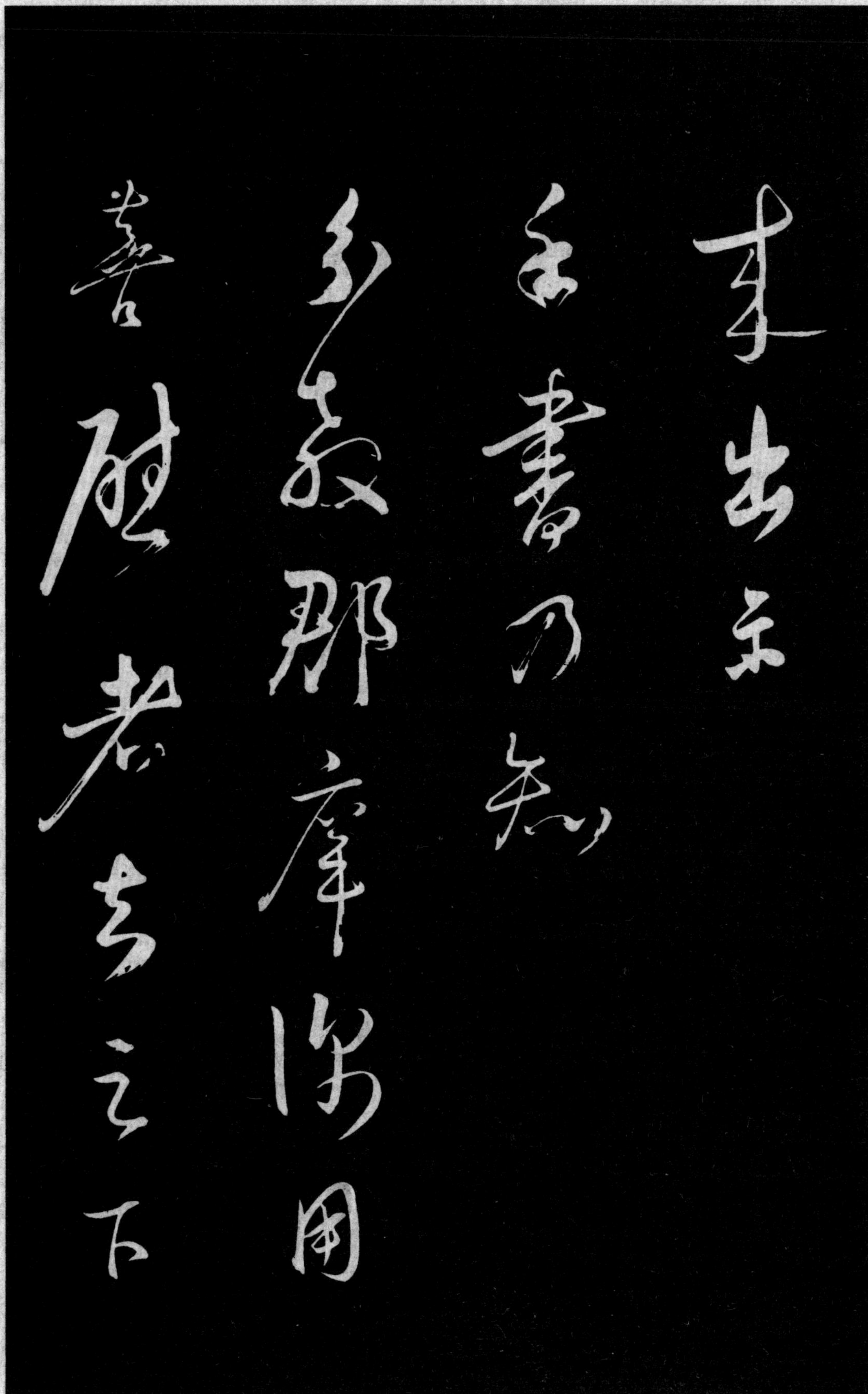

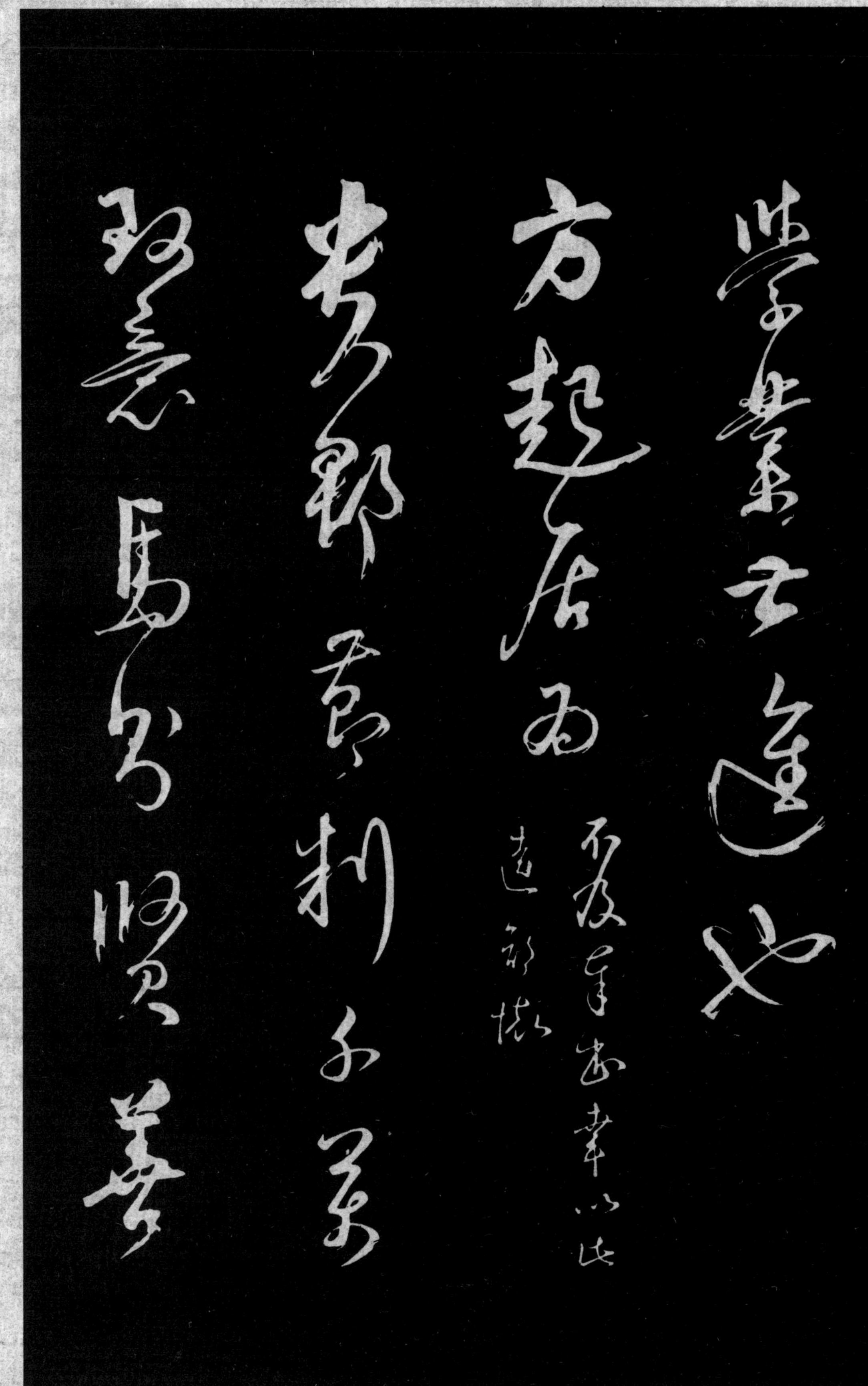

三希堂法帖

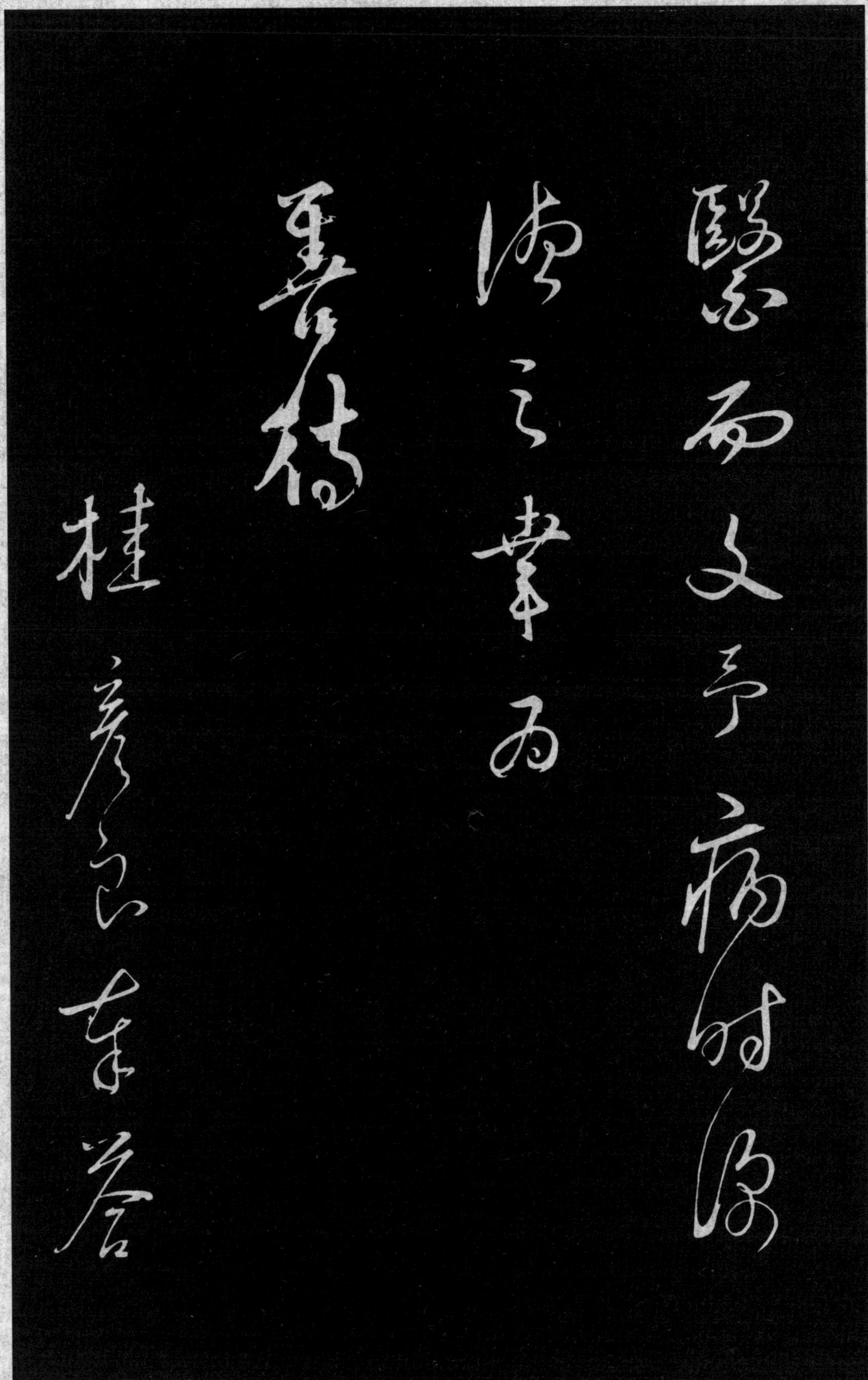

桂彦良·答彦充书帖

三希堂法帖

桂馥·答友人书帖

一九二四

三希堂法帖

桂馥·答友人书帖

一九二三

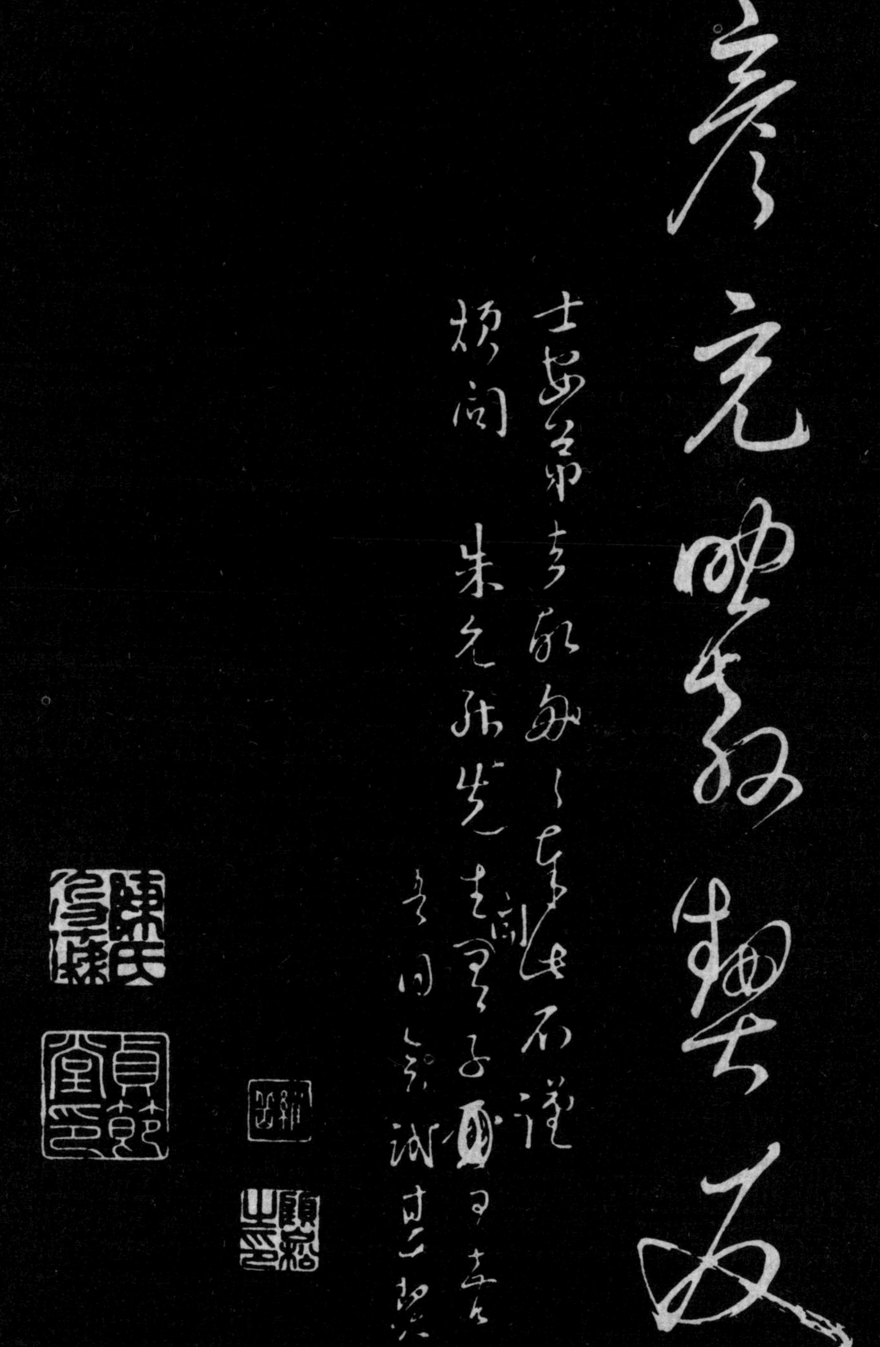

明宋璲書

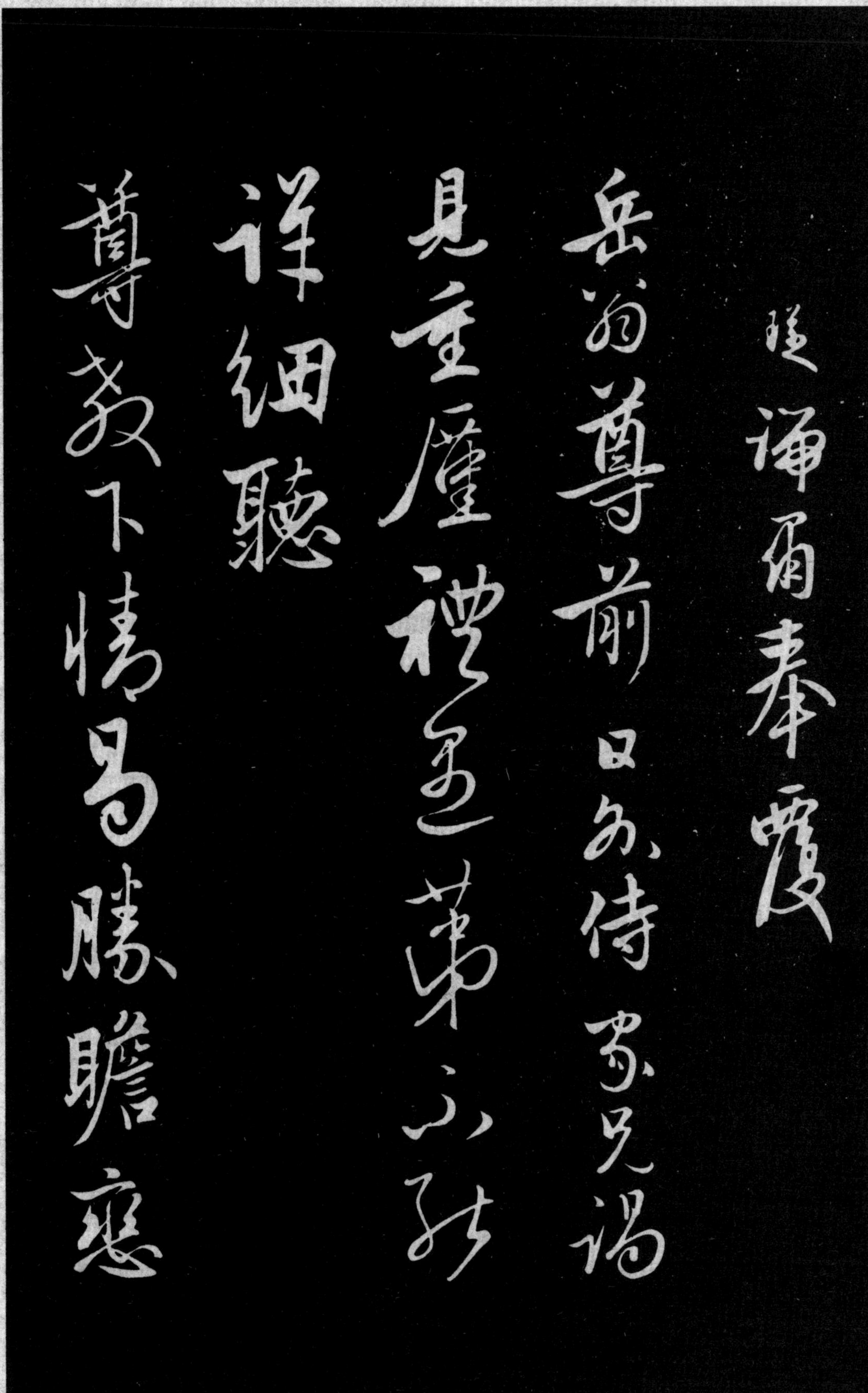

宋璲・复岳翁书帖

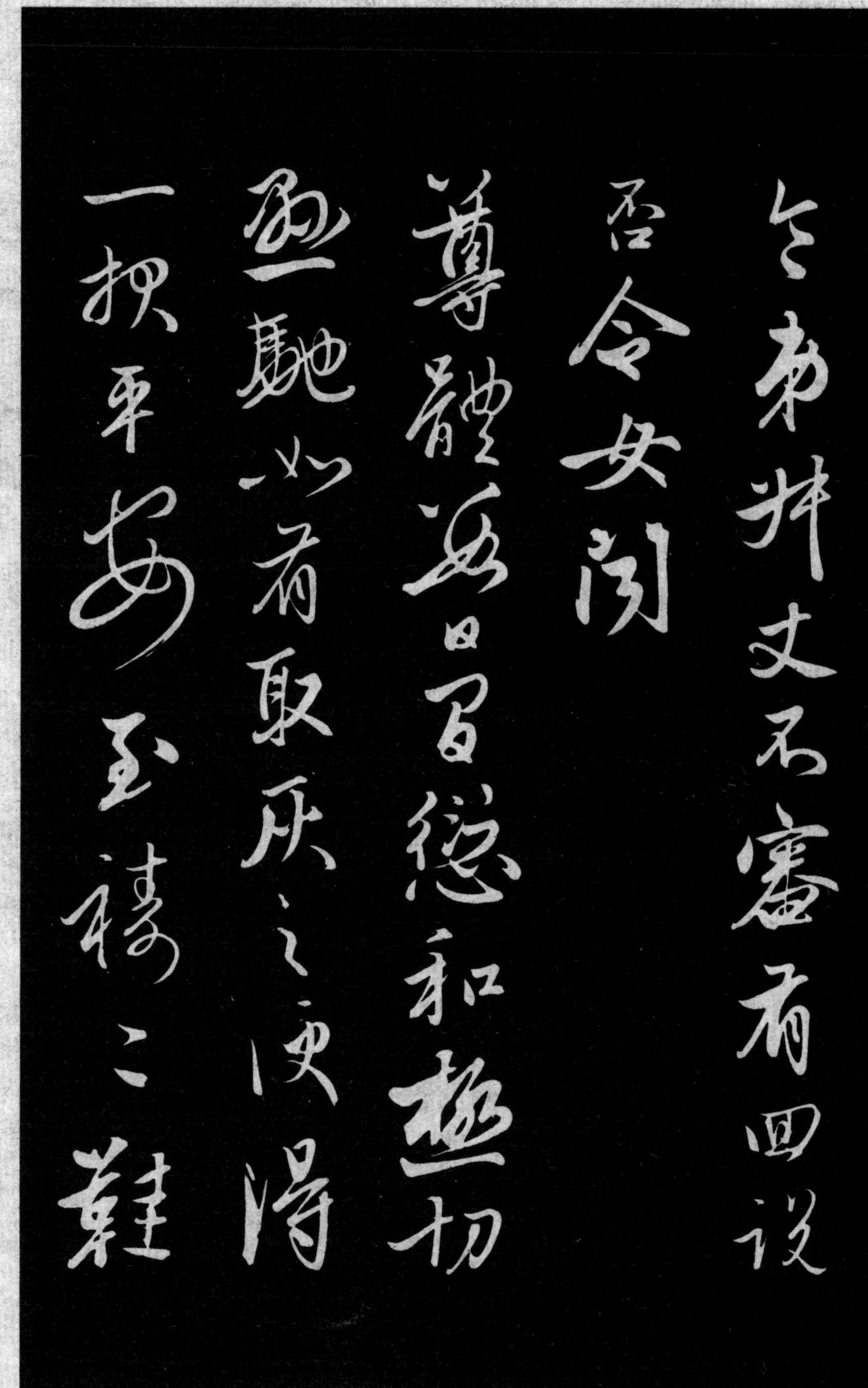

三希堂法帖

周砥・送书方诗帖

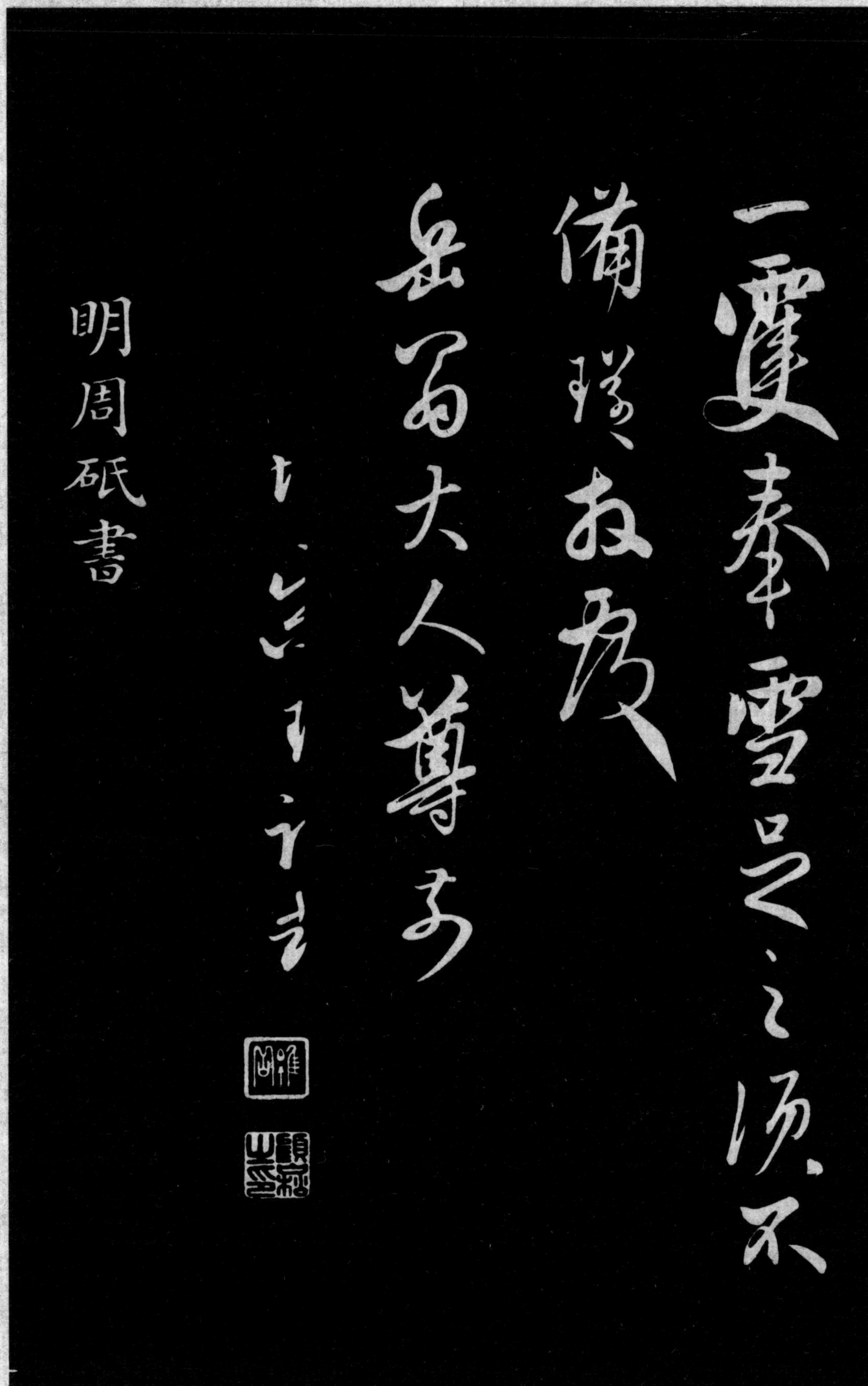

明周臣书

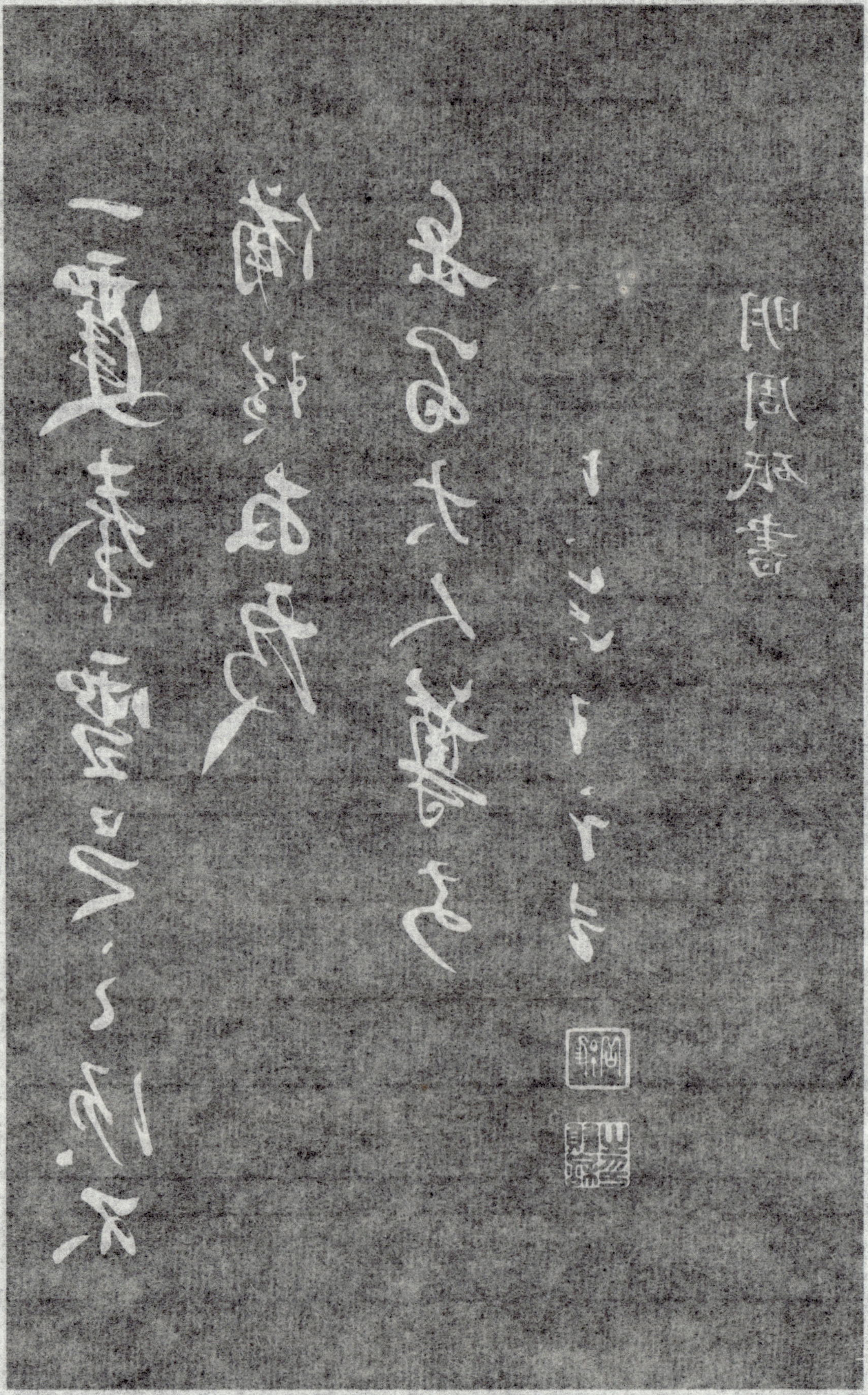

周臣·送中方诗帖

一九二八

宋琪·星岳翁书帖

一九二七

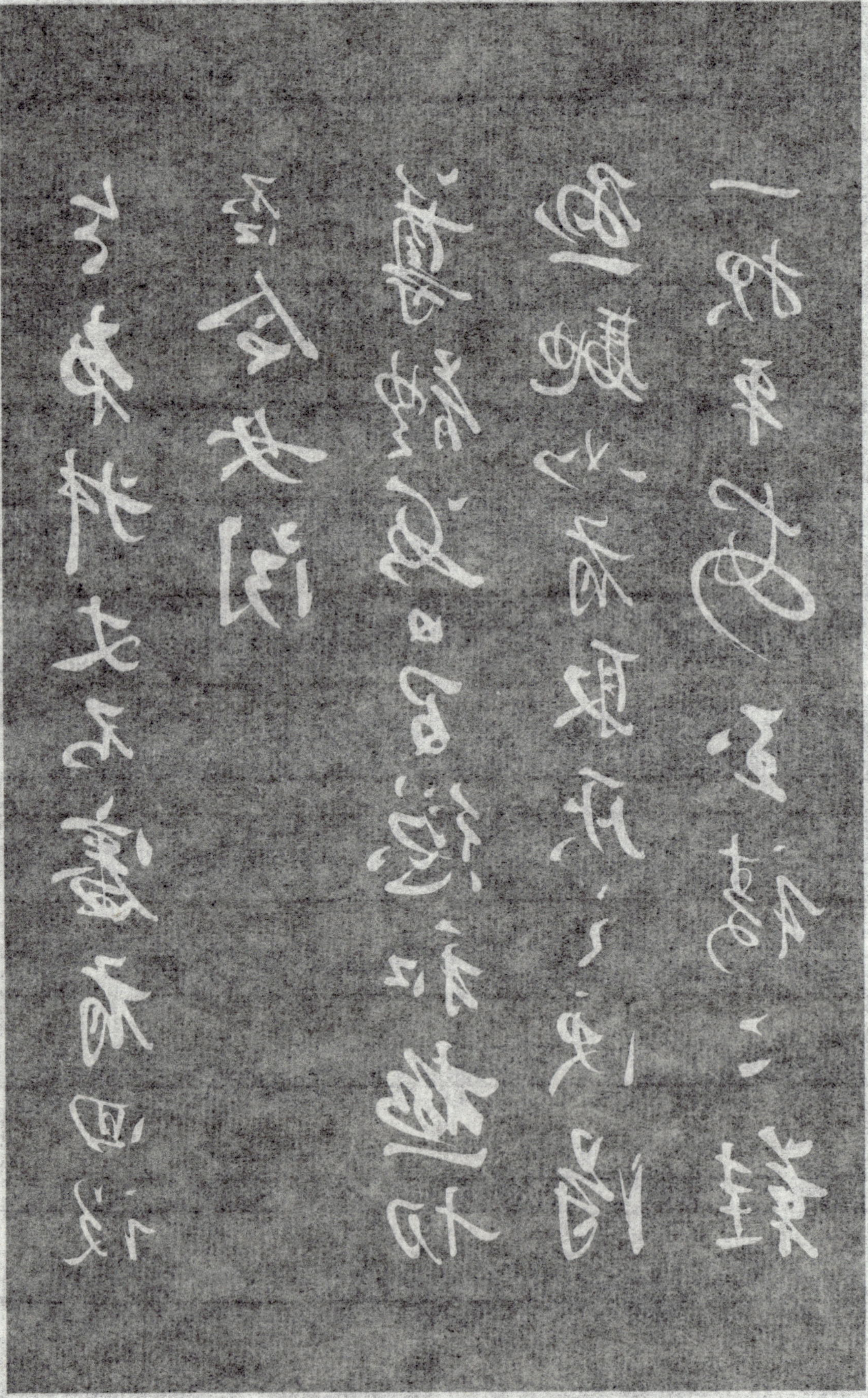

奉送
卅方先生之笠澤兼簡
雲林居士一咲
吳人周砥再拜
獨客天涯歲已窮相逢一

向恨匆匆三杯又是尋常
事幾日重陪七十翁竹月
半灘停雨樣江雲千里
送孤鴻憑君再四勤
迂叟五字詩成絕世工 頃

三希堂法帖

周砚·送牛方诗帖

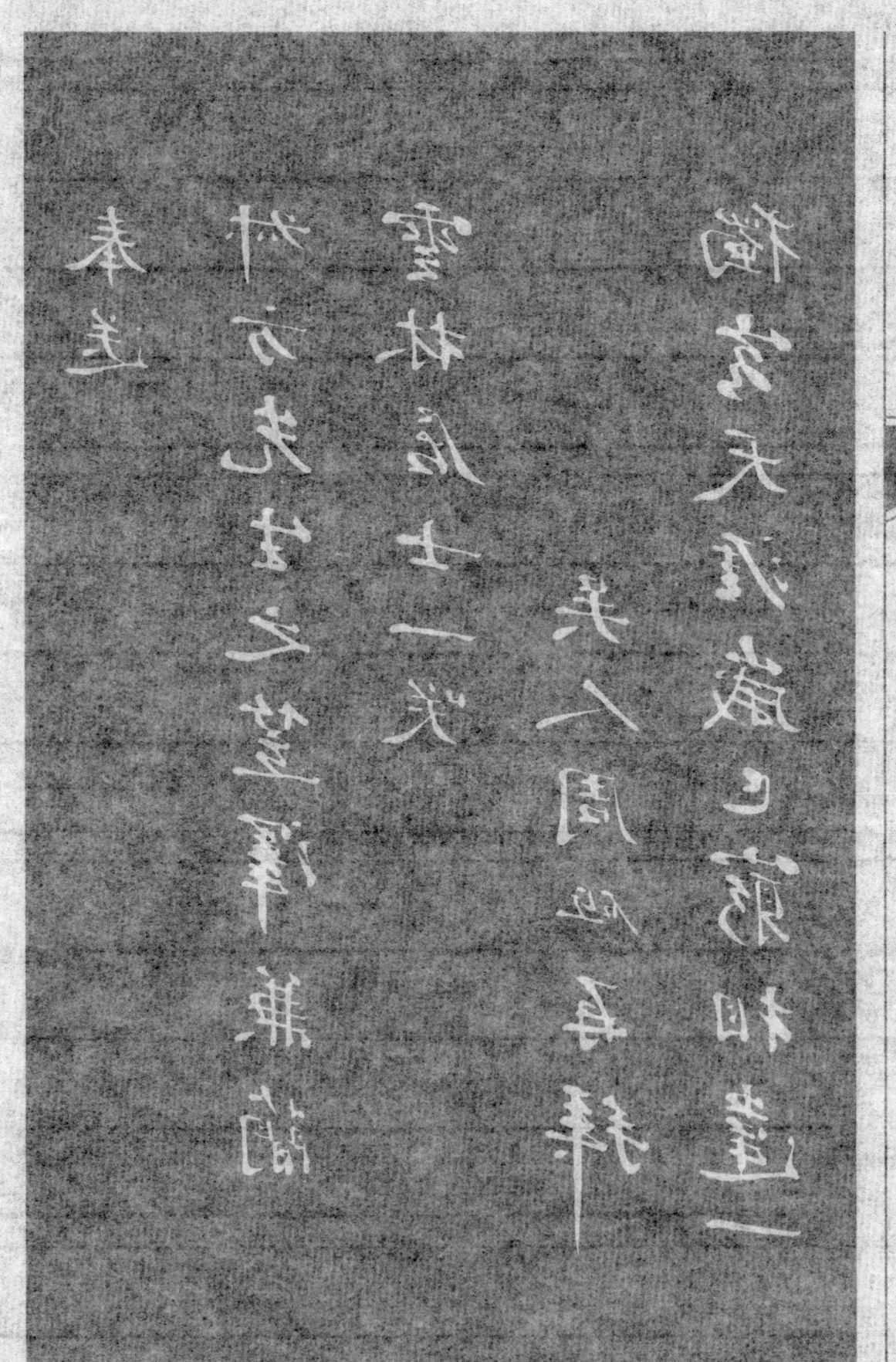

明解縉書

去歲端陽

歲以盡矣不得來陪一游
聊寫此為別
雲林丰度苦〻在夢春初別
圓生於所舍同道此砥

青吉

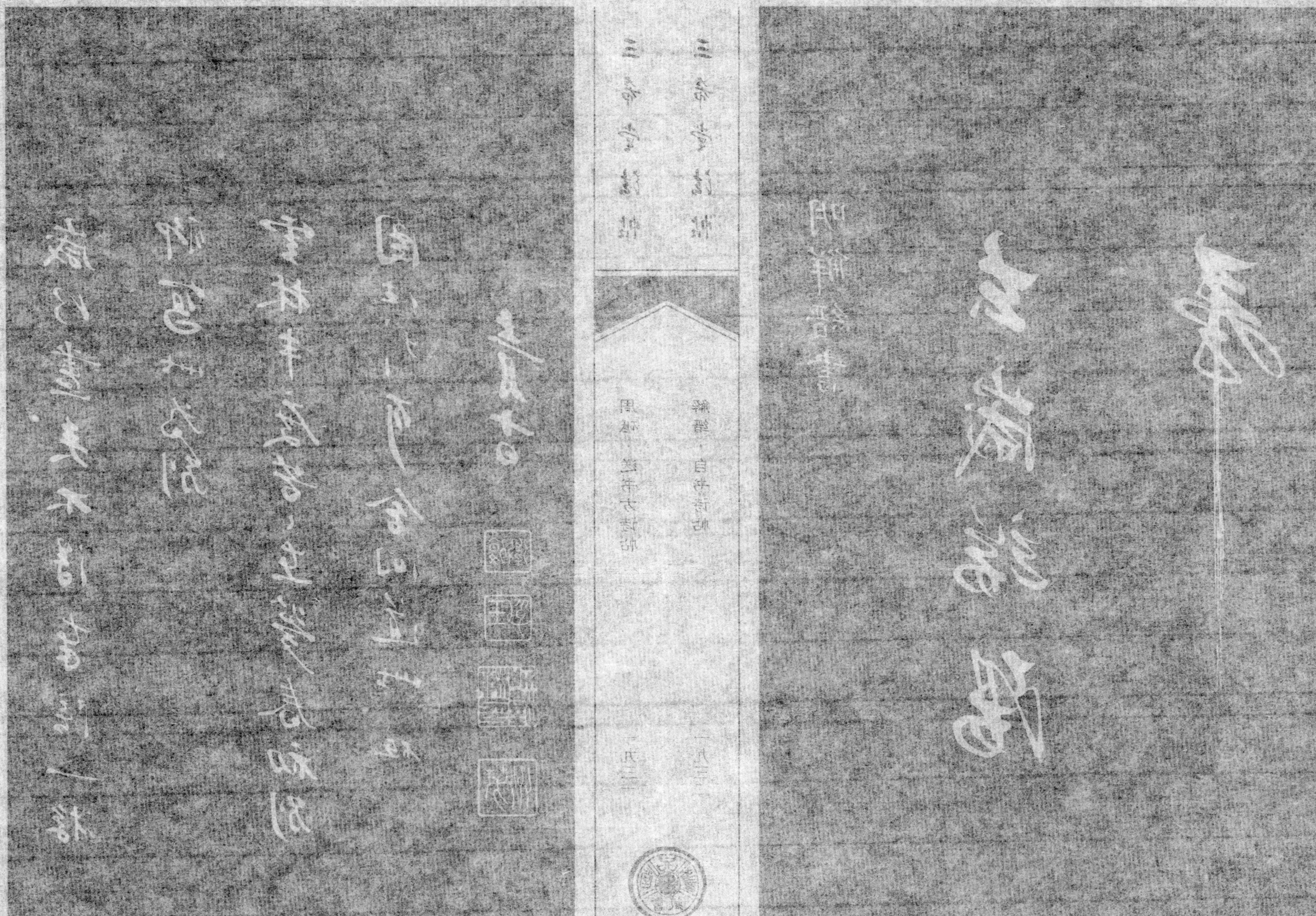

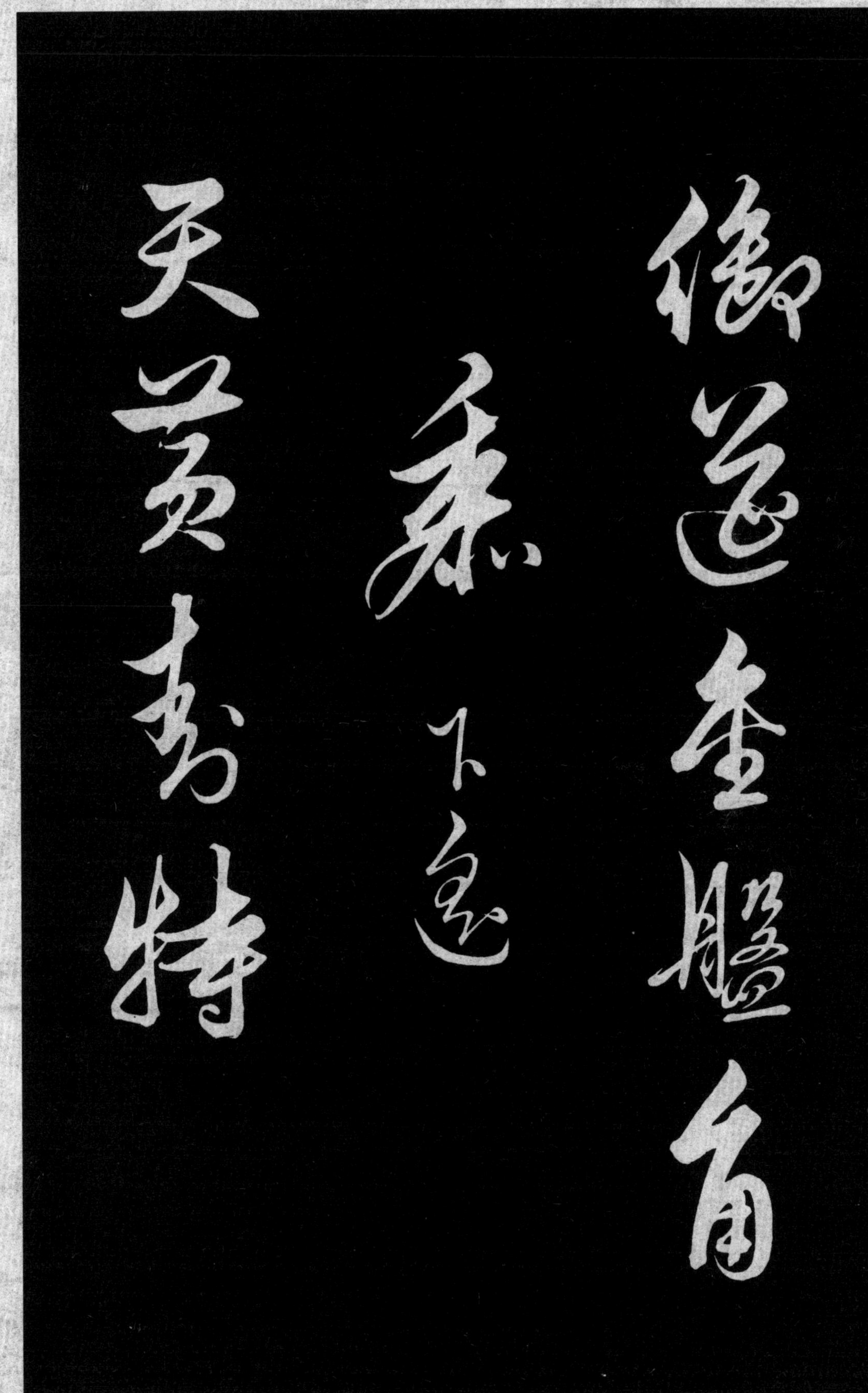

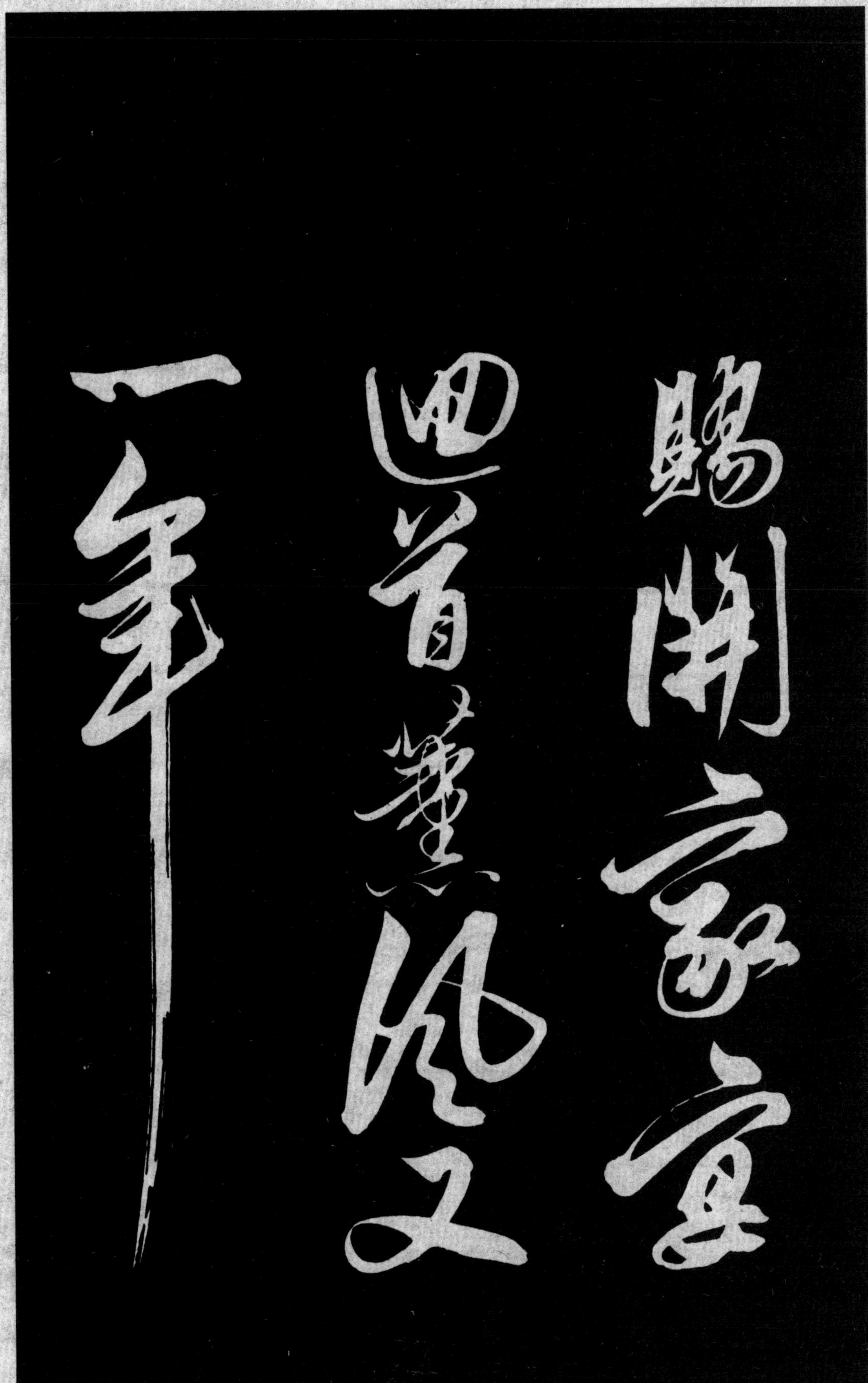

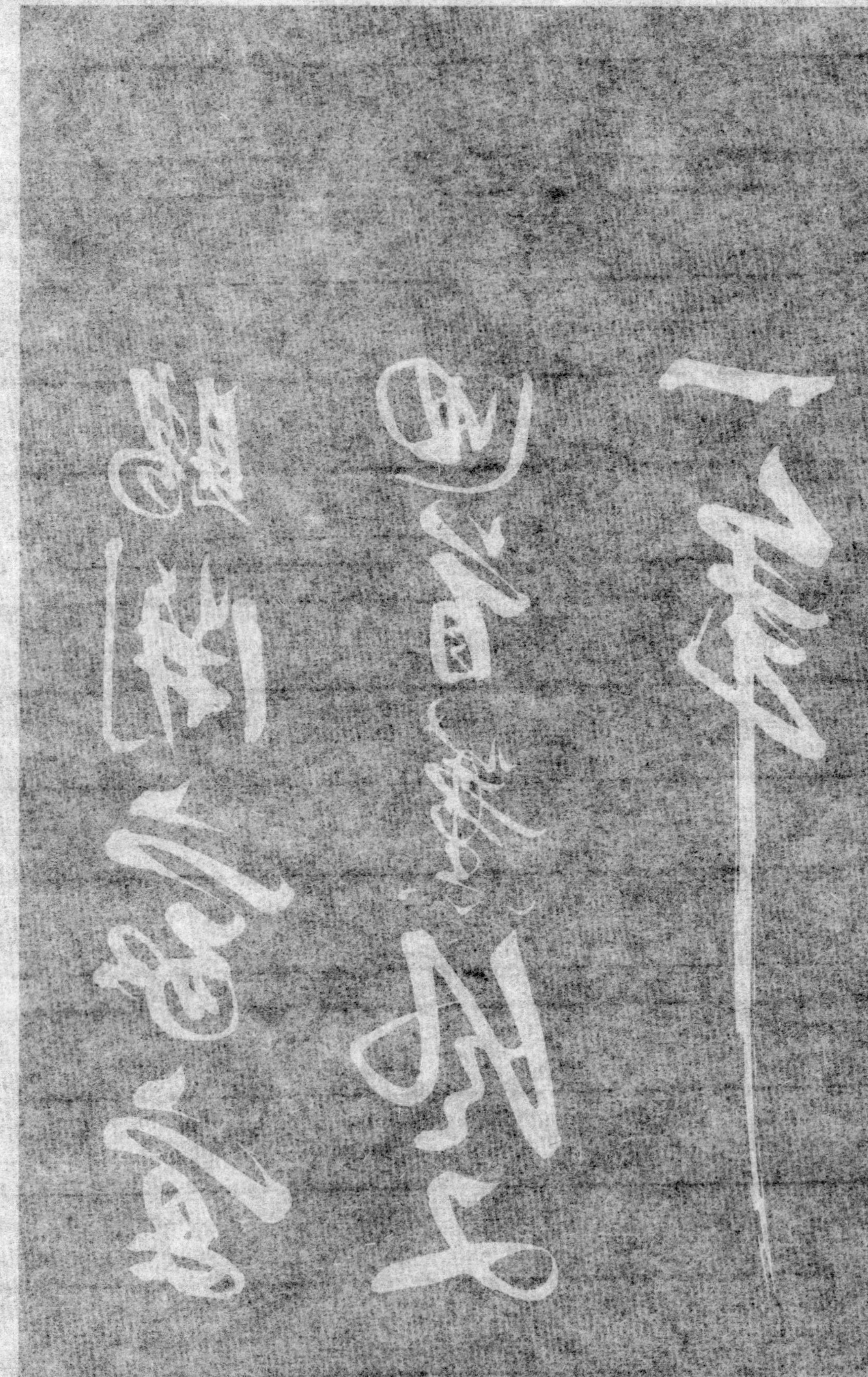

三希堂法帖
釋文·白石詩帖

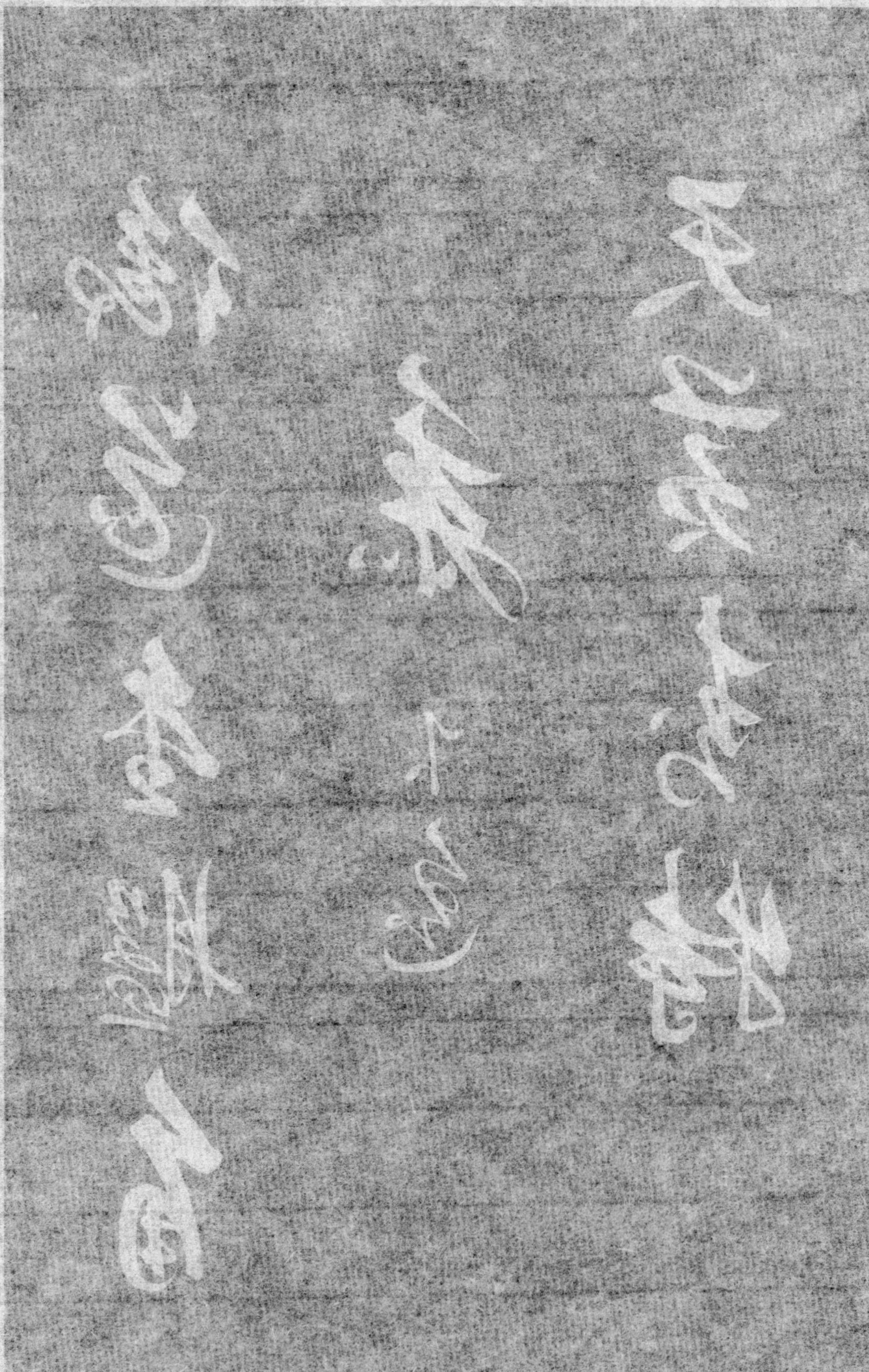

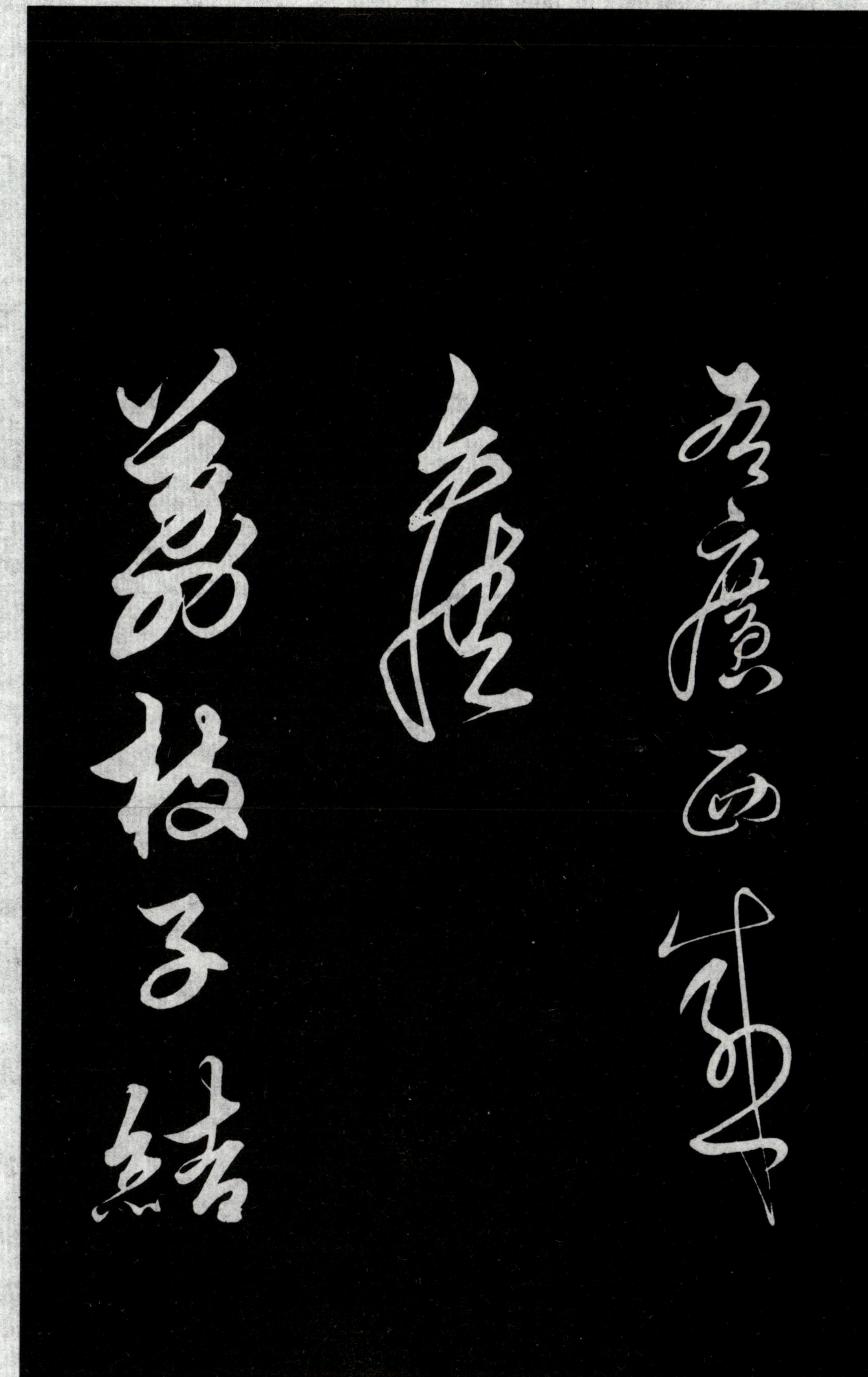

三希堂法帖

解缙·自书诗帖

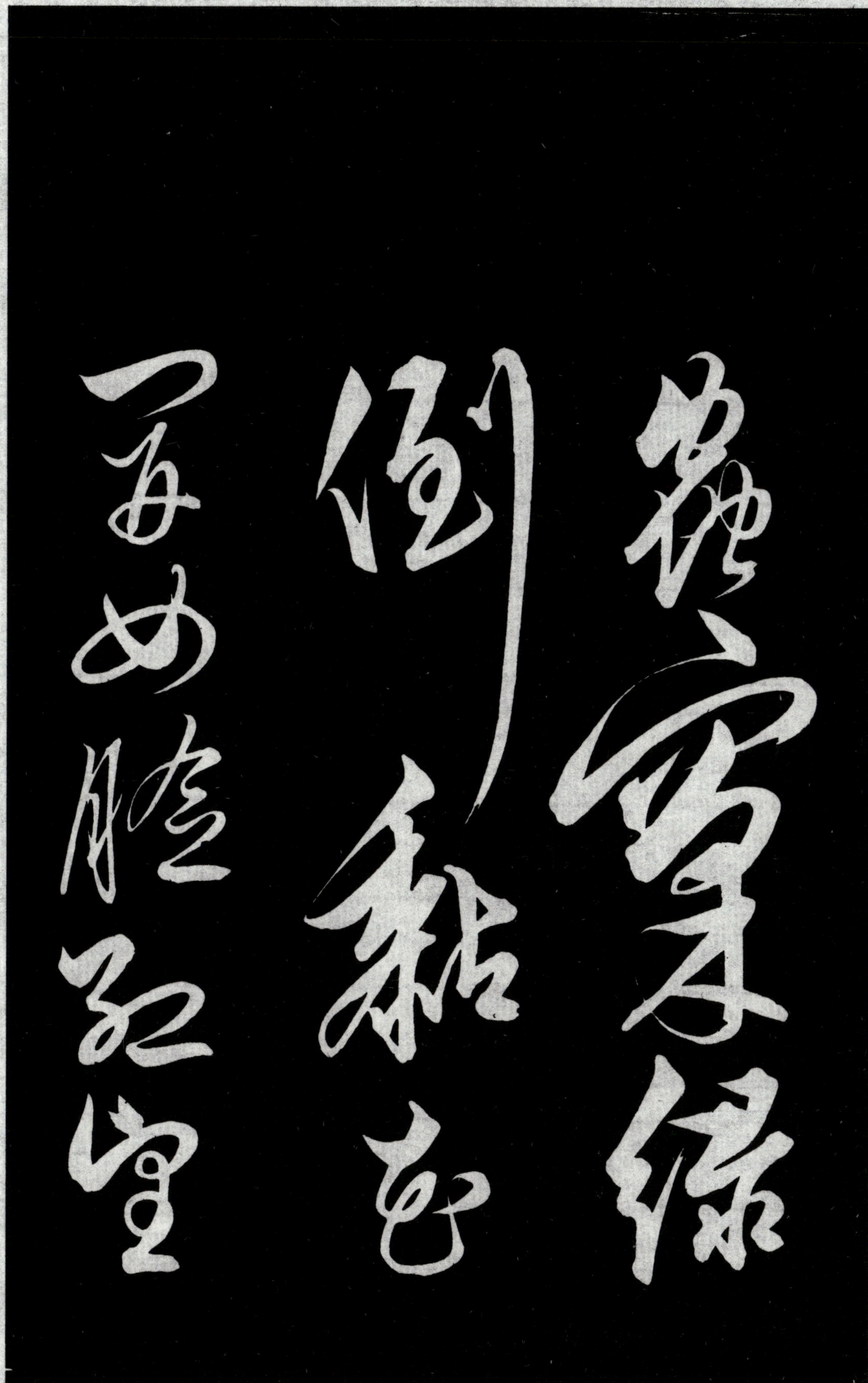

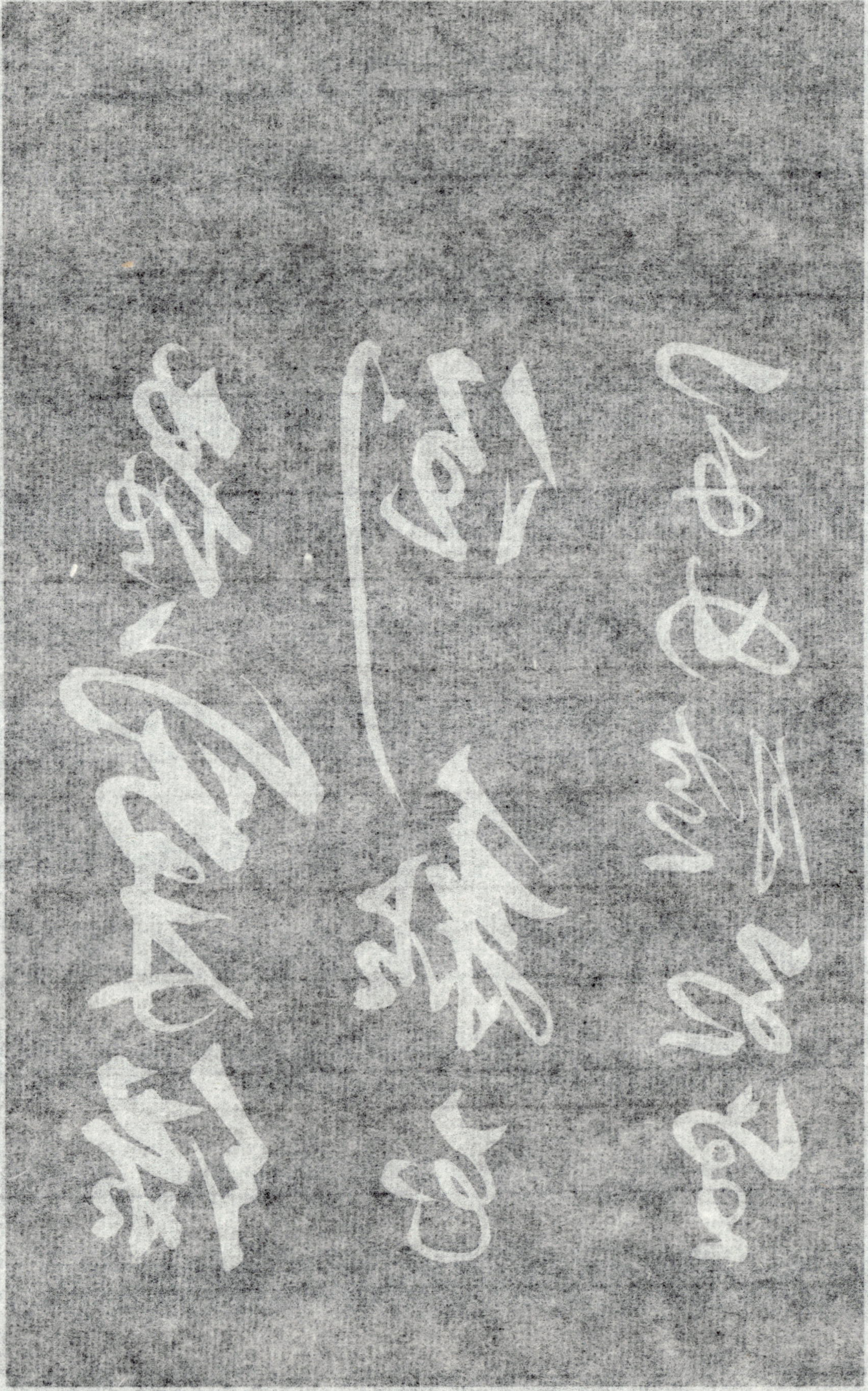

解缙·自书诗帖

解缙·自书诗帖

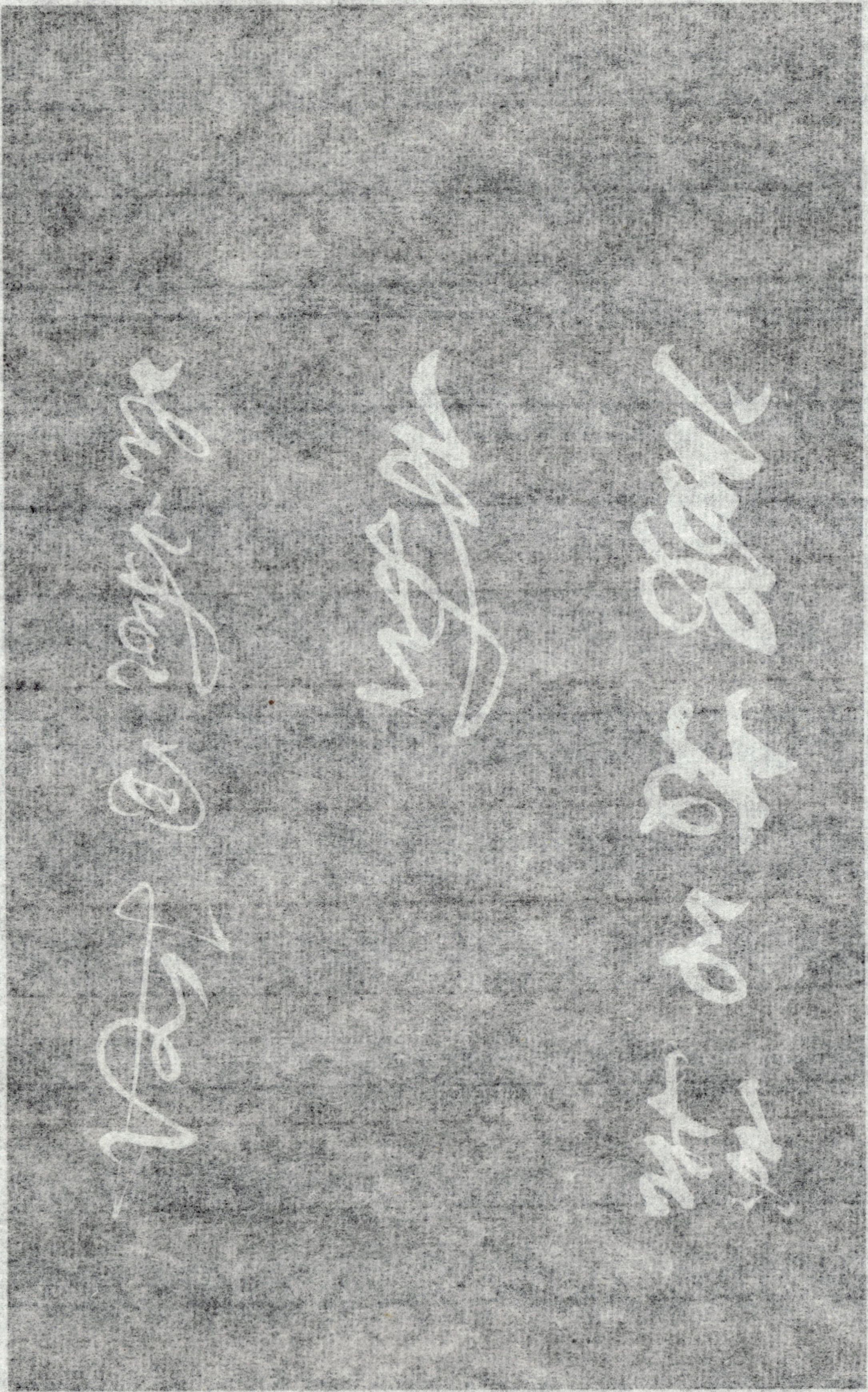

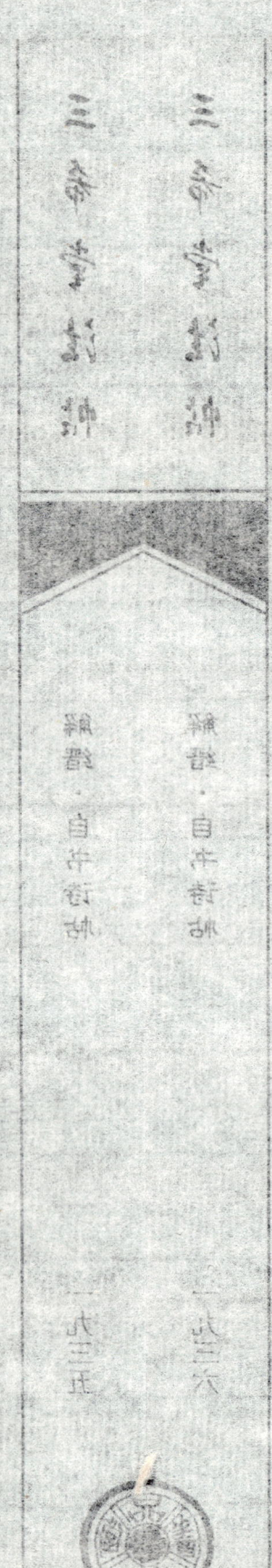

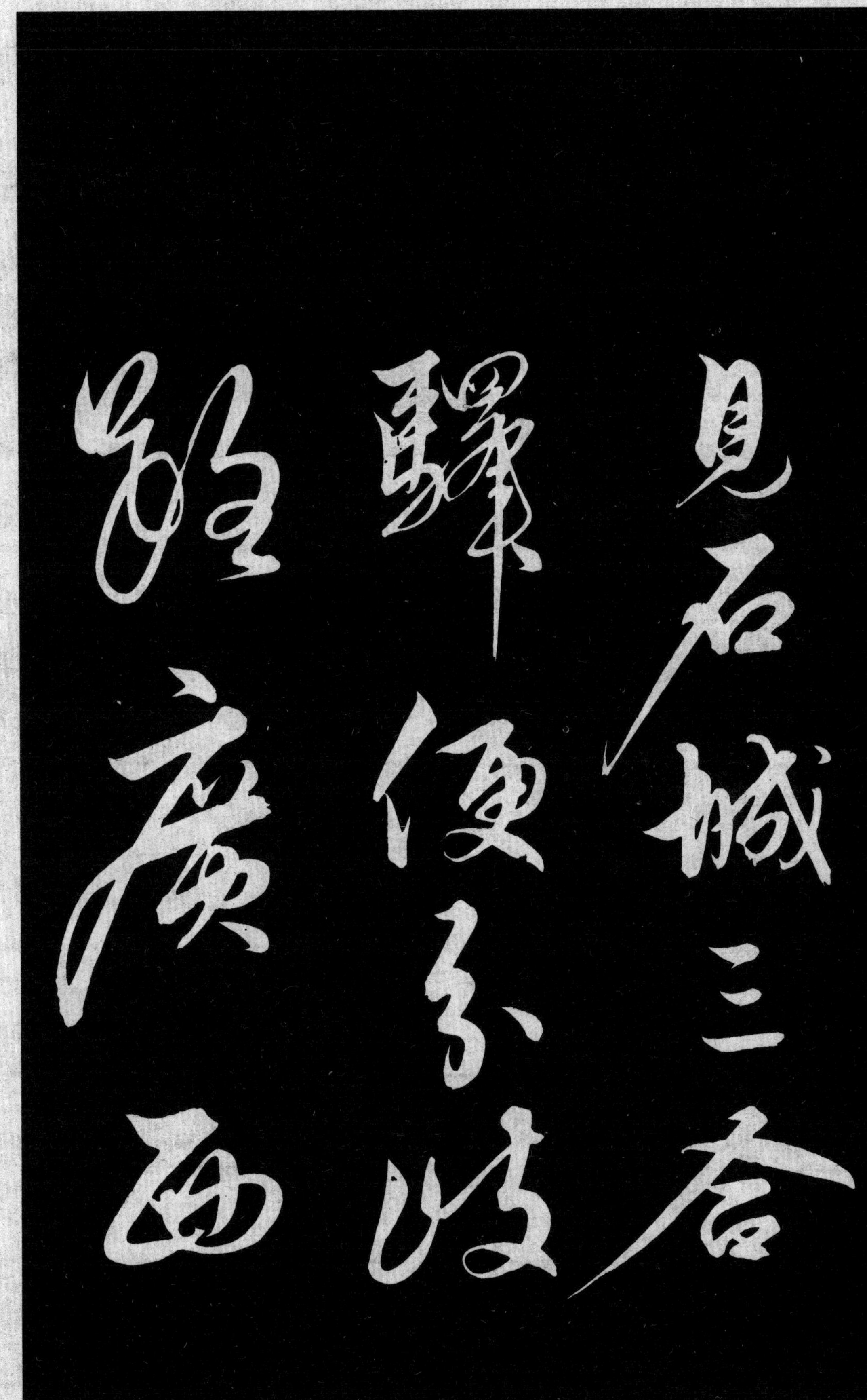

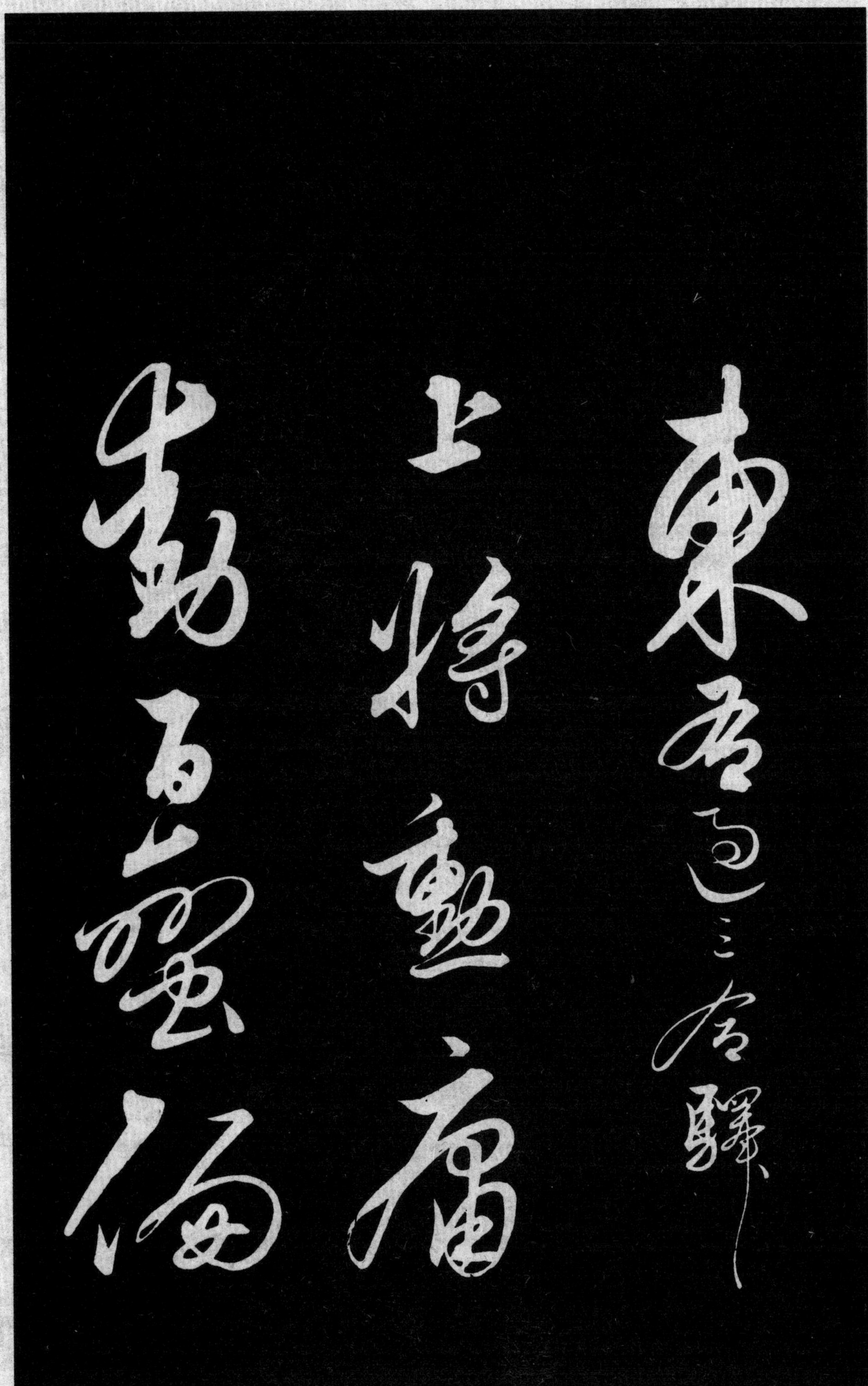

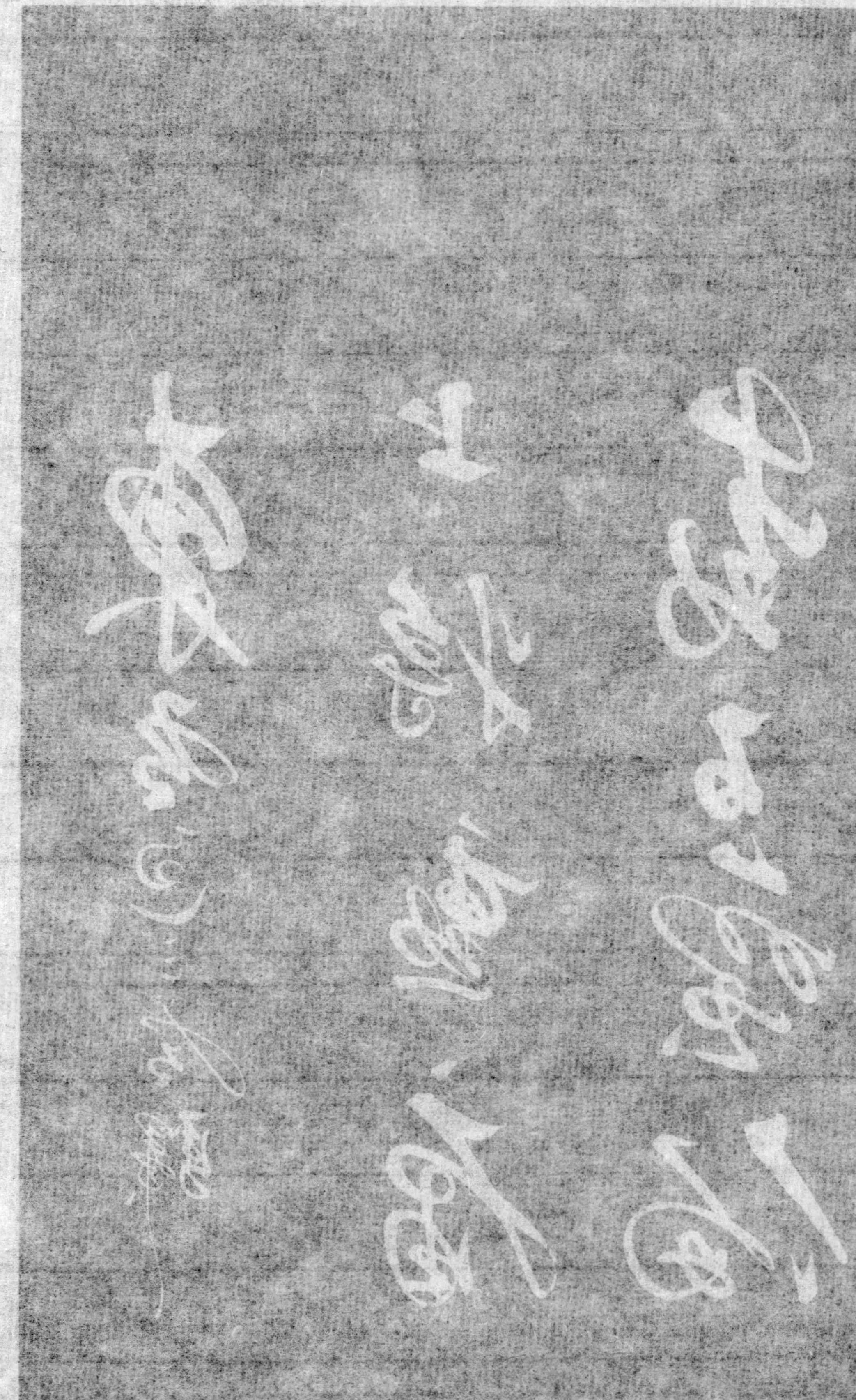

三希堂法帖

蔡襄·自书诗帖

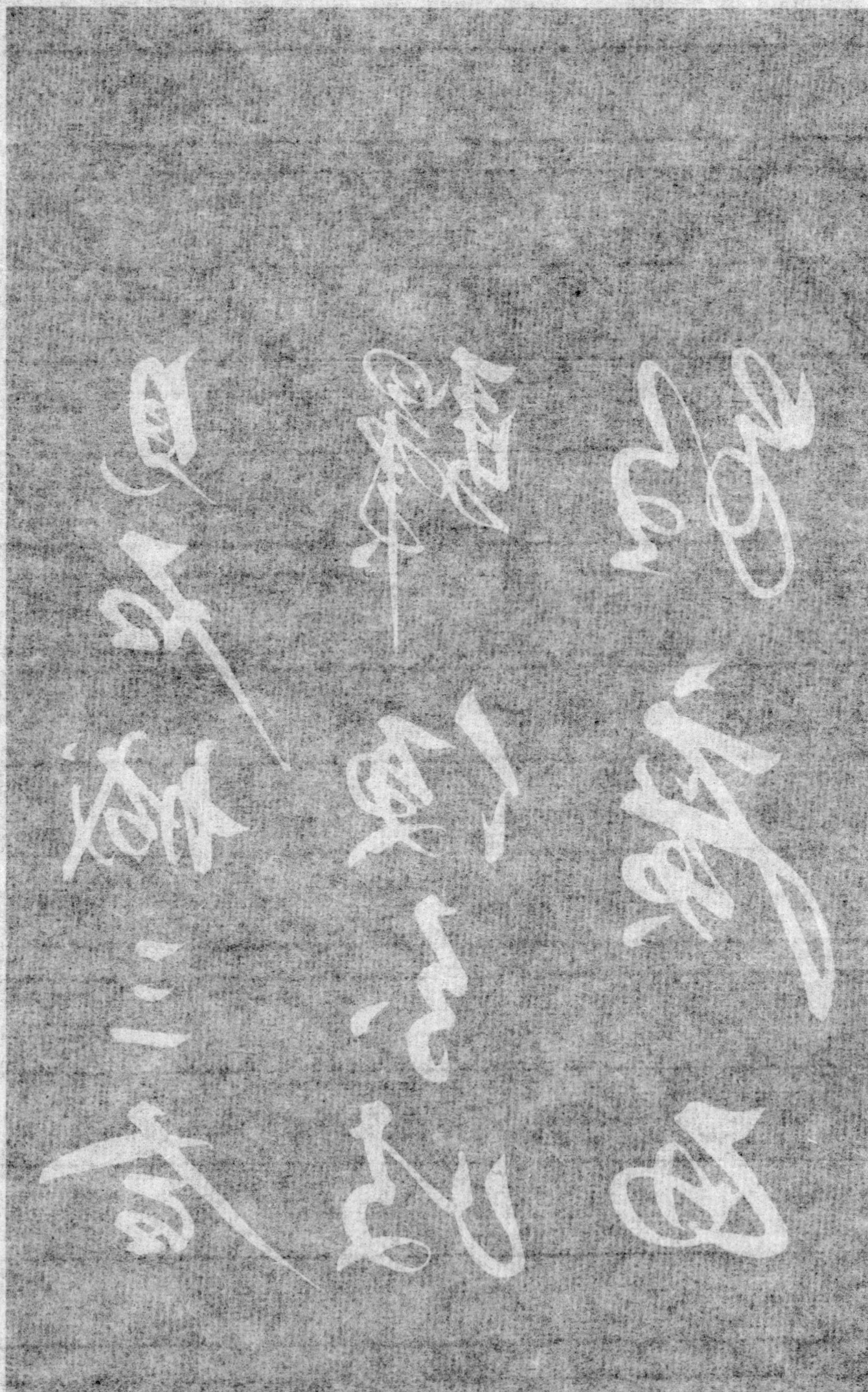

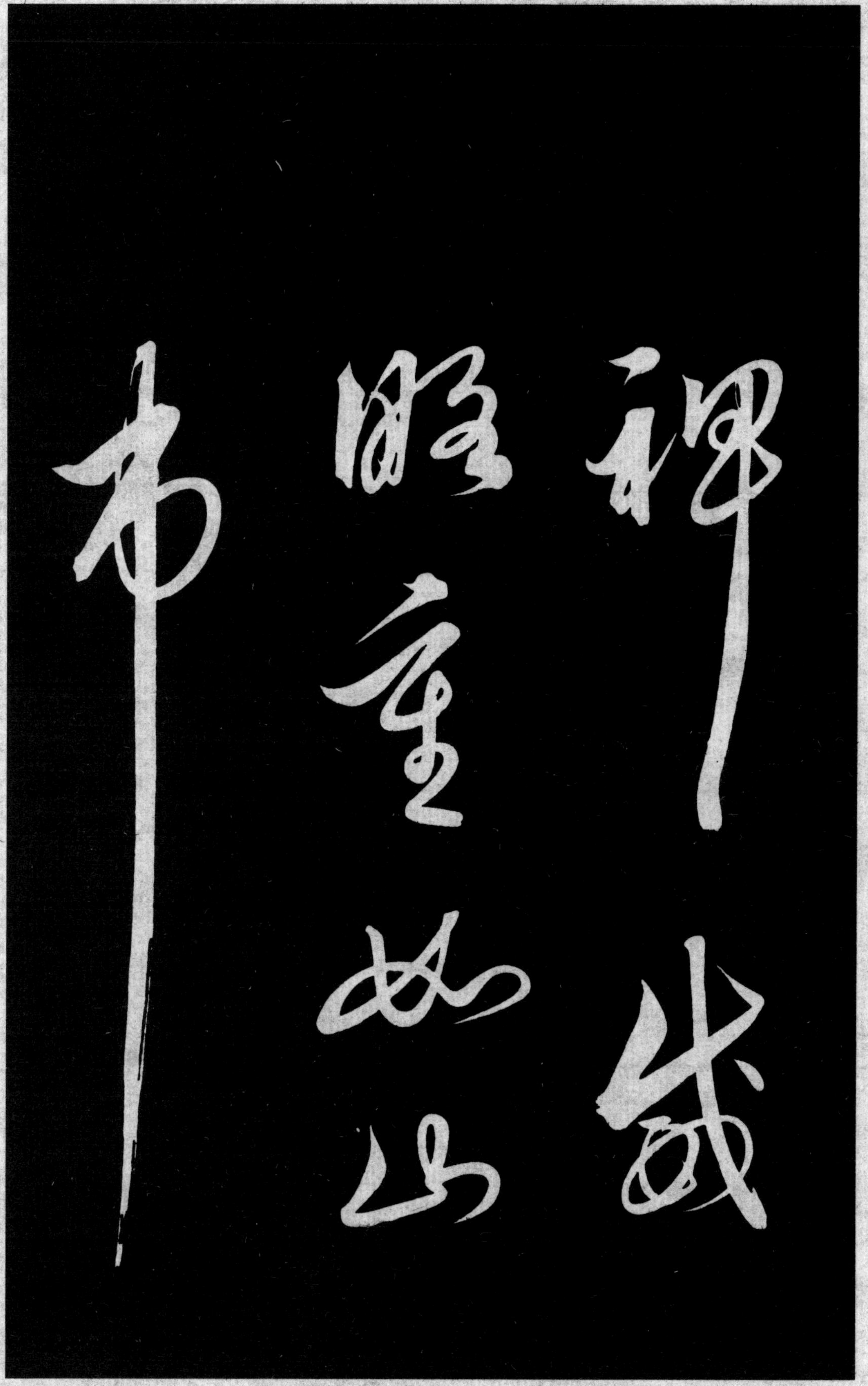

三希堂法帖
解缙·自书诗帖

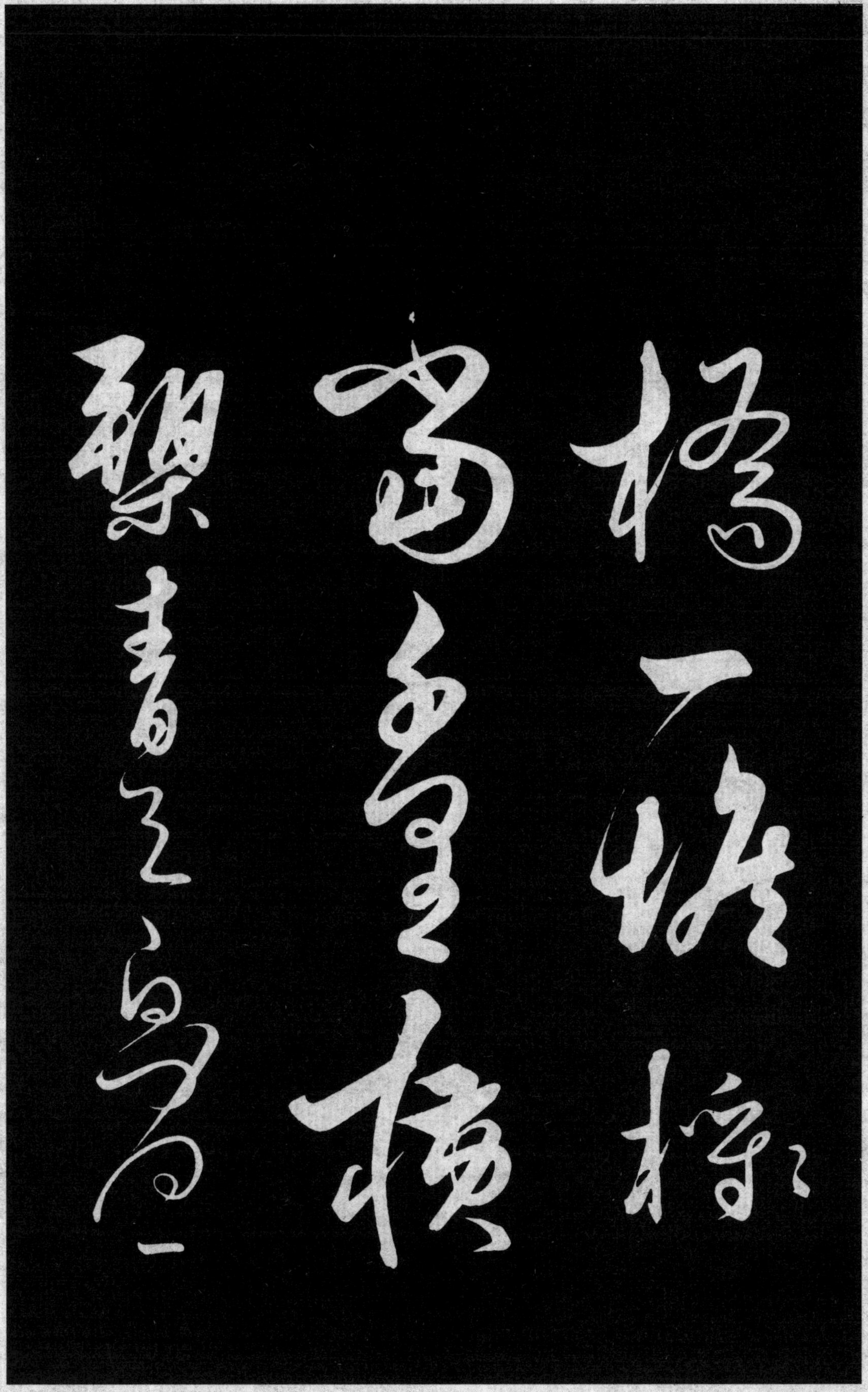

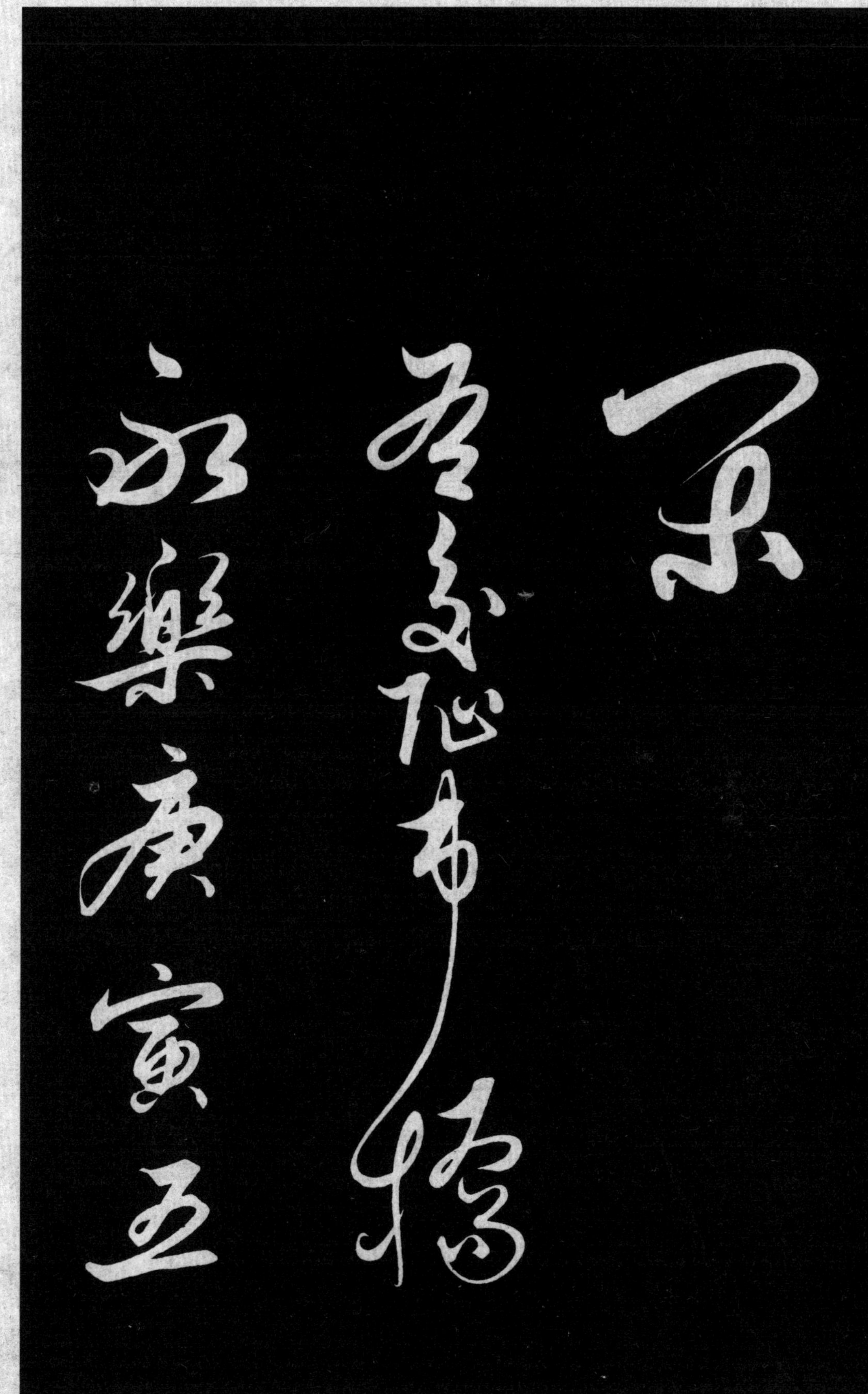

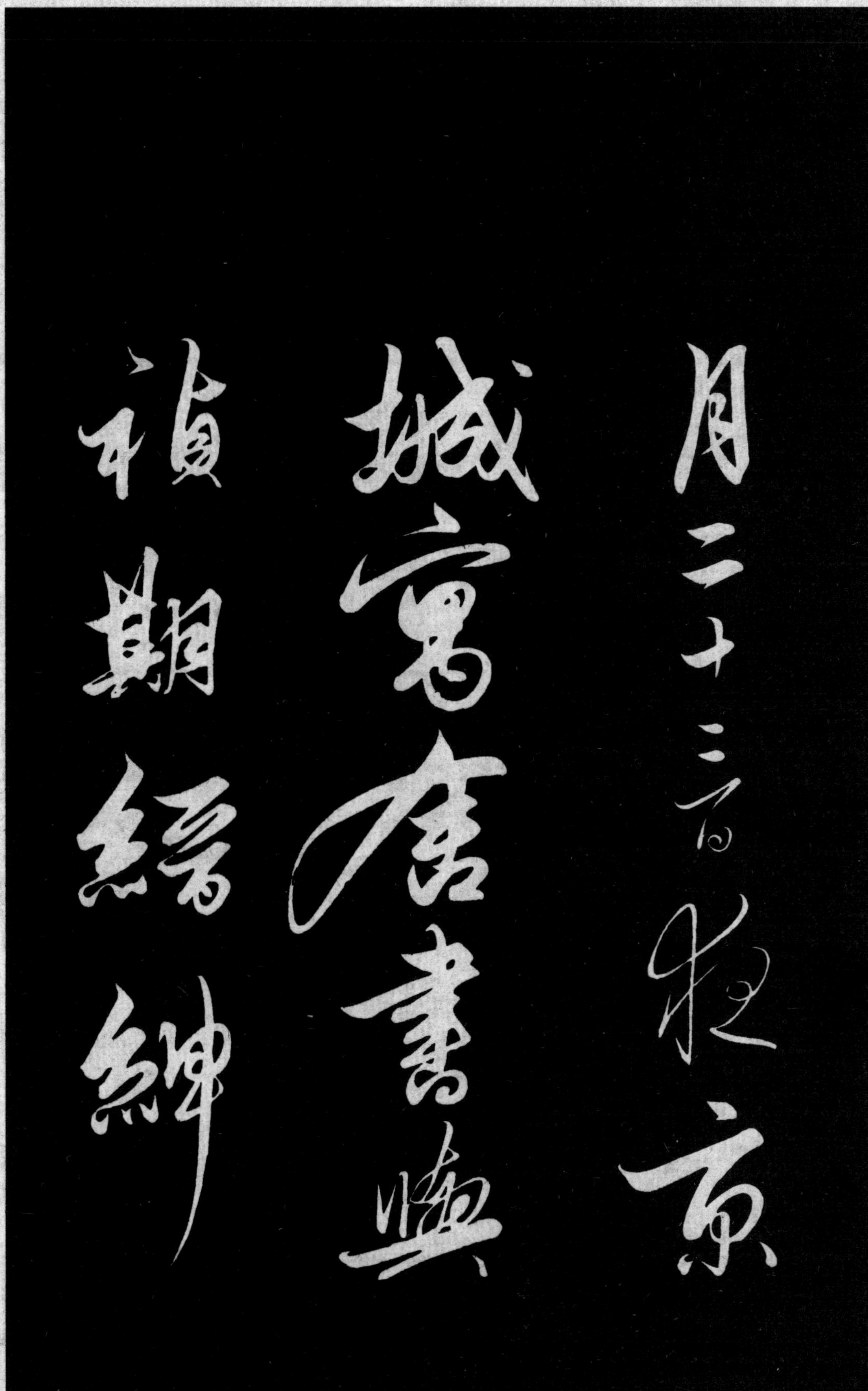

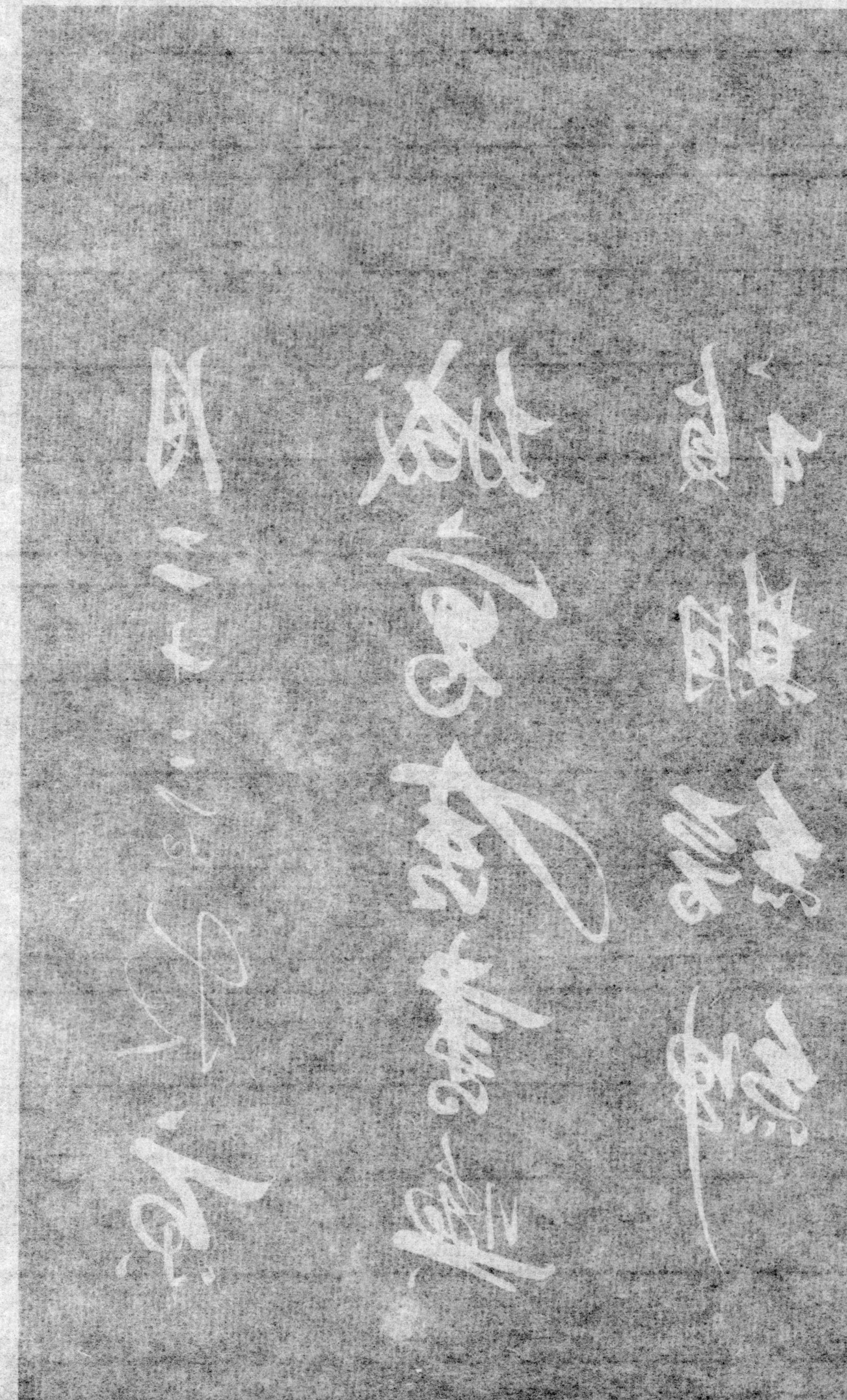

澂

解學士書灑縱放詩亦淋浪々々

蒼鶻脫韝之意氣此卷蓋其左遷及歸

田時作故尤悲憤感歎抑鬱不平所謂

借此以洩其磈礧者耶　李將軍罷

郡臥藍田無所事々乃誤石為虎射

之飲無沒羽視之石也再射則矣躍已

續其事大類戲劇古來豪士被屈

往々抑々游戲以消歲月王叟仲歌

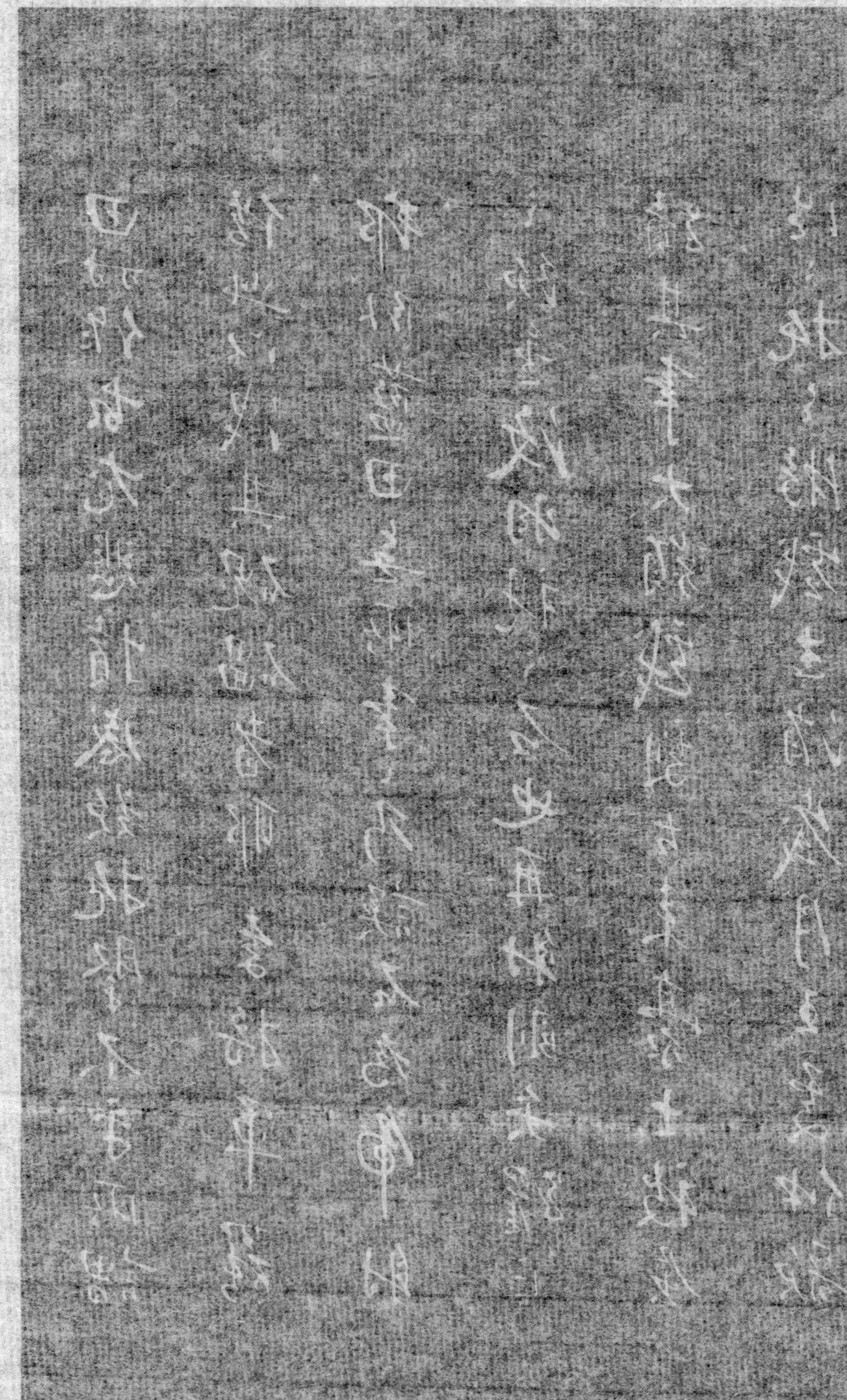

三希堂法帖

蘇軾 · 自书诗帖

老驥伏櫪擊唾壺盡缺觀其無謂
翁先生為此文子慈也壬午仲月
十二日王穉登書

王穉登印　王氏百穀

明金幼孜書

別來深切懸企獲詢
履況安適為慰僕庠

庇粗遣屢蒙
惠茶至軍中感荷極至此收
人矜念之深要使及此為白便
翔先此中意係回京面
得展不隆寒更冀
保愛不宣幼孜頓首奉字

文轩院判先生执事

九月廿六日谨封

文轩院判先生乃令侄出示前书

明王孟端書

孟端再拜奉復

拜訓有道先生文几 僕向在鄉

里時聞

令壻藉甚而不得面惟士大夫稱

卷軸來 京師漫見高文偉什

輒望風馳仰則勤耳 今春季

遂來辱 惠書存問 謝因風契

感佩良多 承以味易齋卷徵

畫并詩 非惟旅窗塵集 不能辭

三希堂法帖

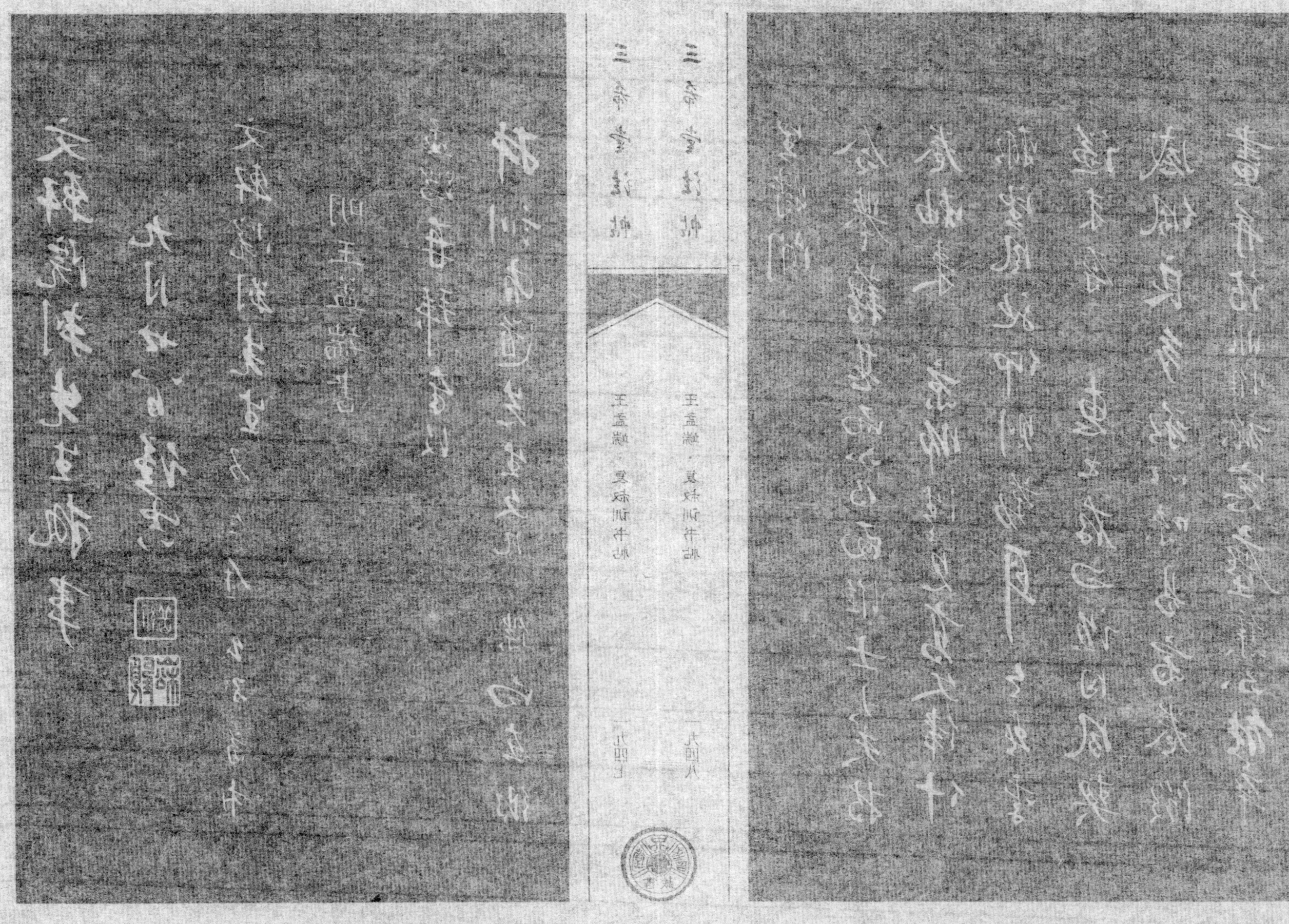

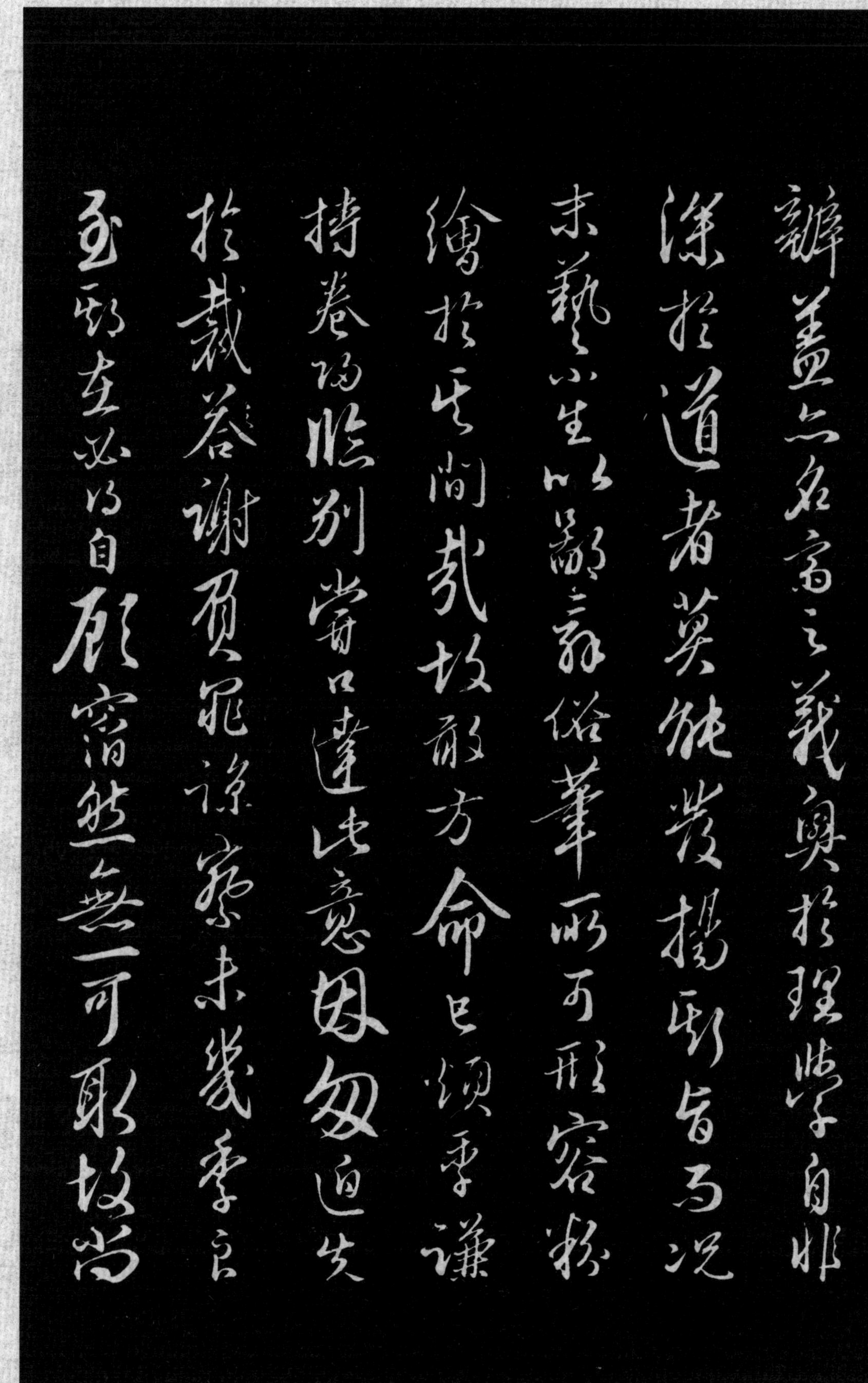

三希堂法帖

王孟端·复叔训书帖

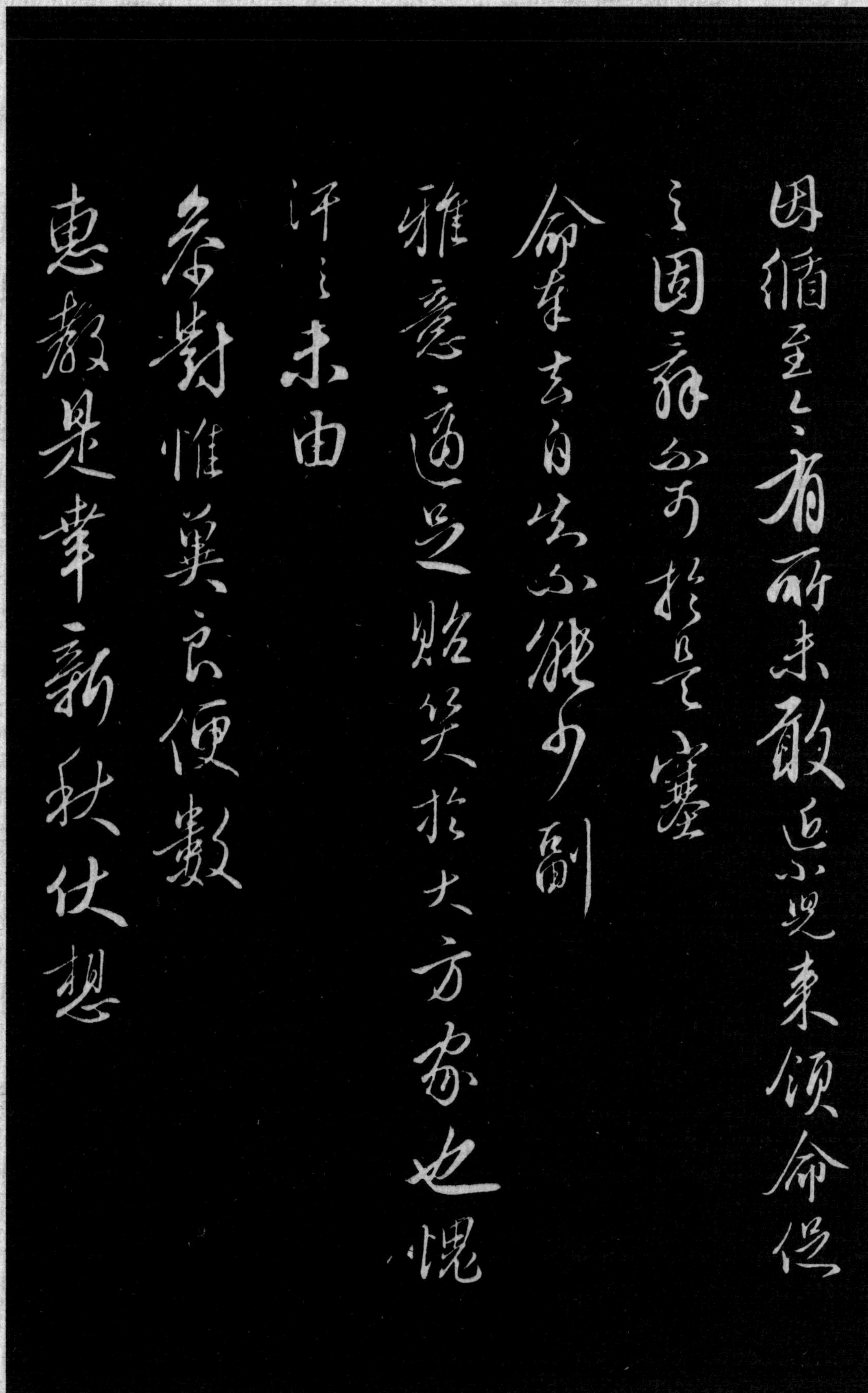

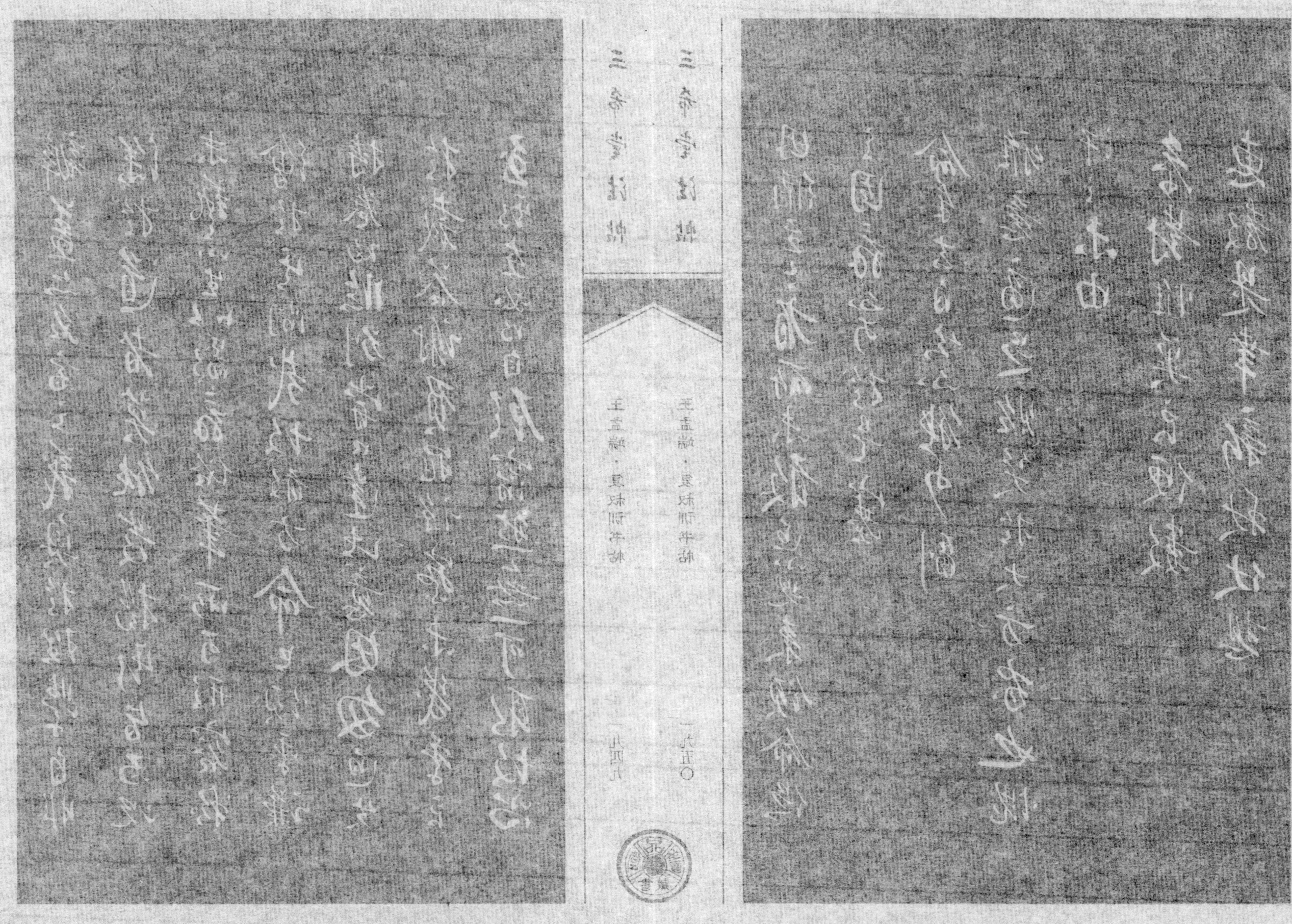

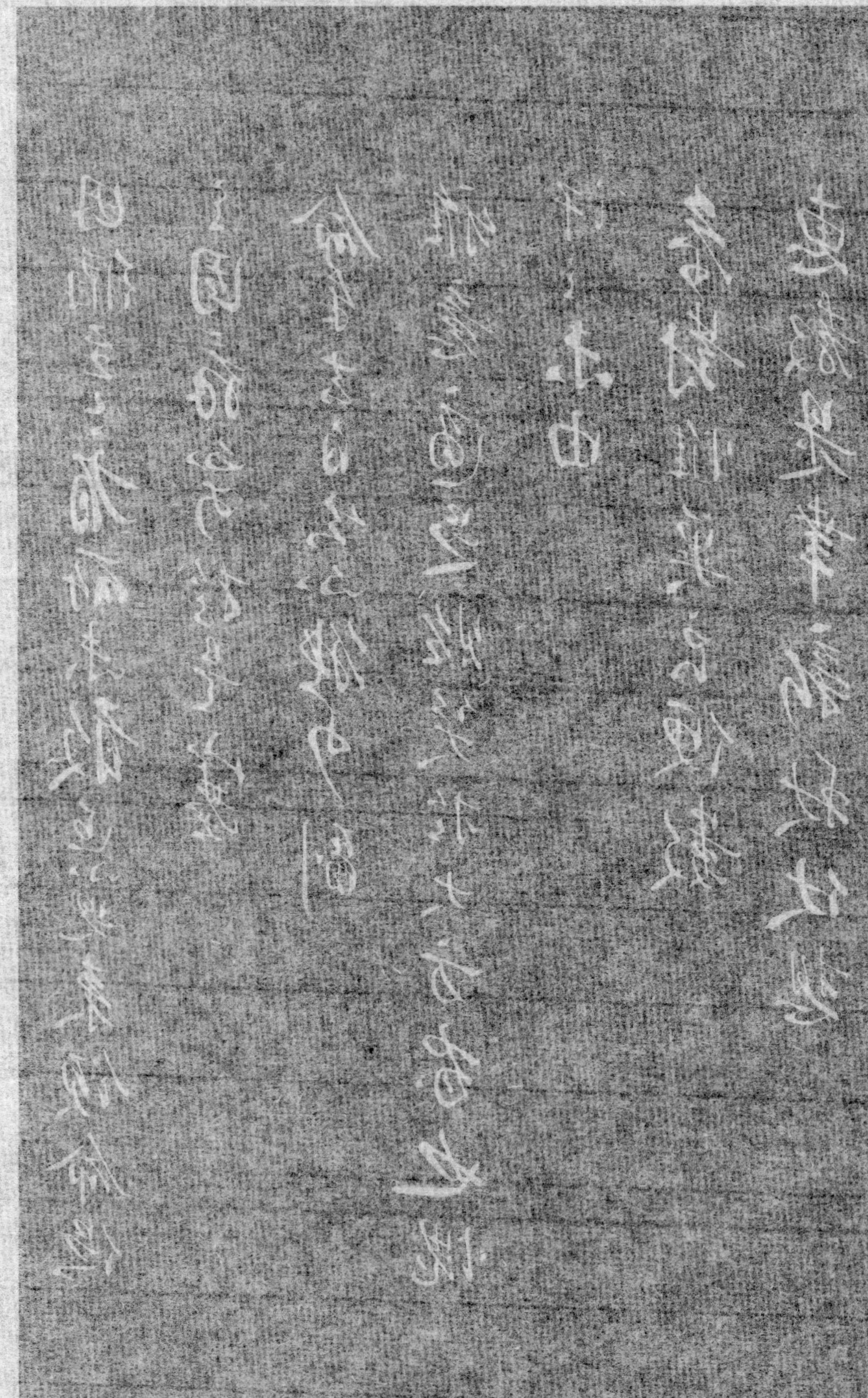

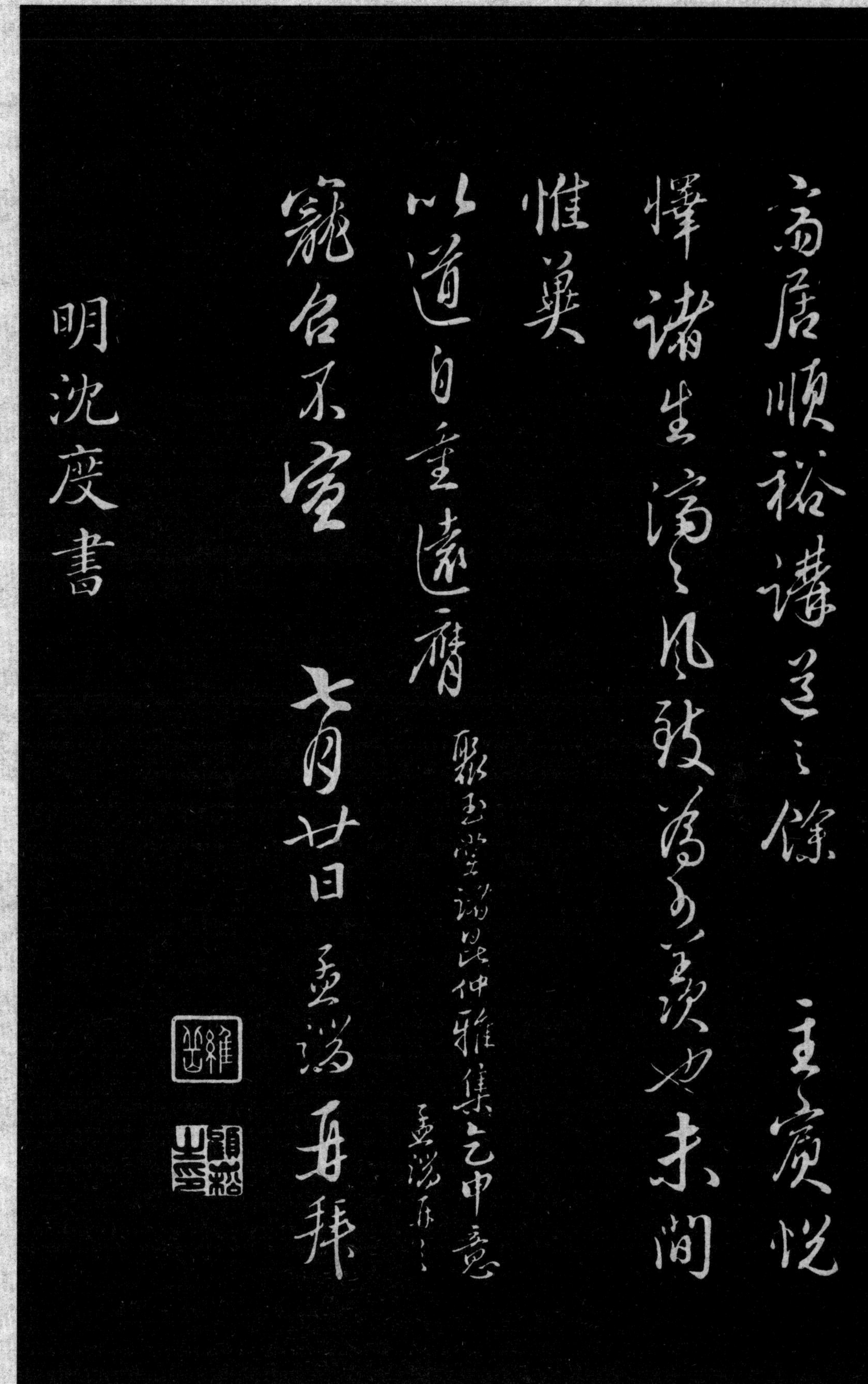

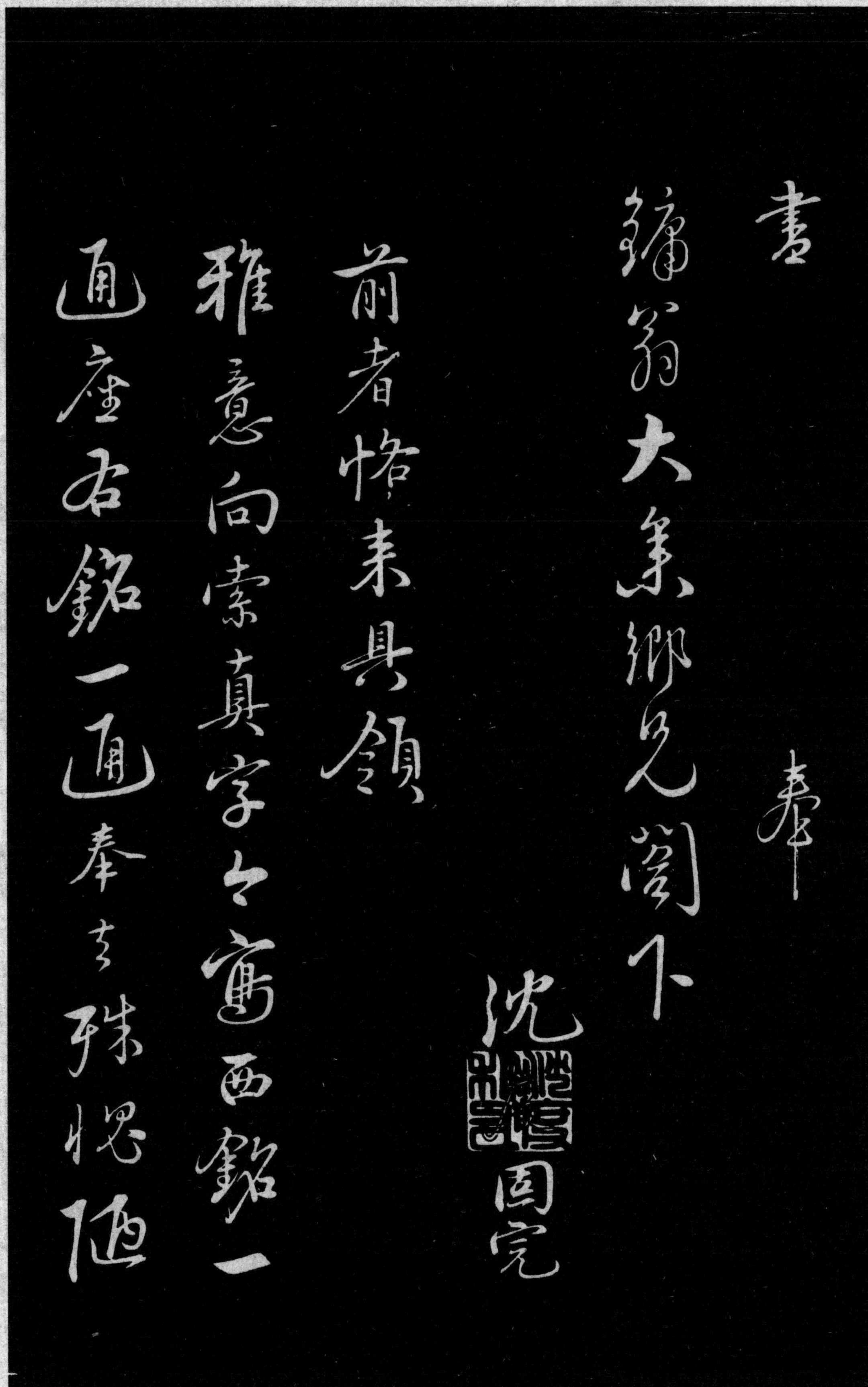

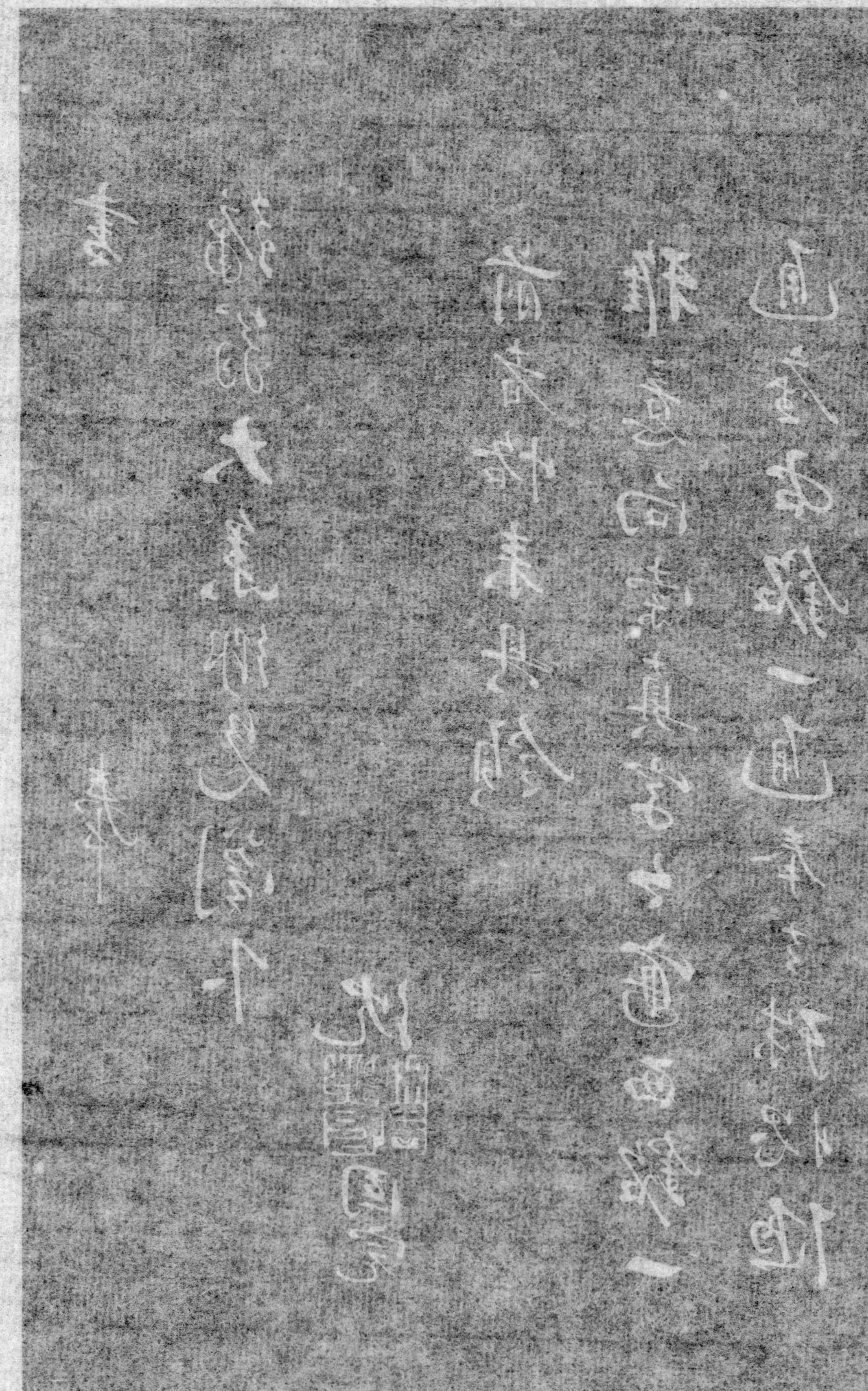

三希堂法帖

苏英
見教後次人便回上
孔廟梁鵠隸一二紙墨色
精明甚是罕得未易伏惟
心照不宣
十二月廿四日友生度奉

三希堂法帖

鏞翁大參尊兄閣下

視箴
心兮本虛應物無迹操
之有要視為之則蔽交
於前其中則遷制之於

於前其中則遷制之於外

之有要視爲之則蔽交

心兮本虛應物無迹操

視箴

吳說書

[illegible]

三希堂法帖

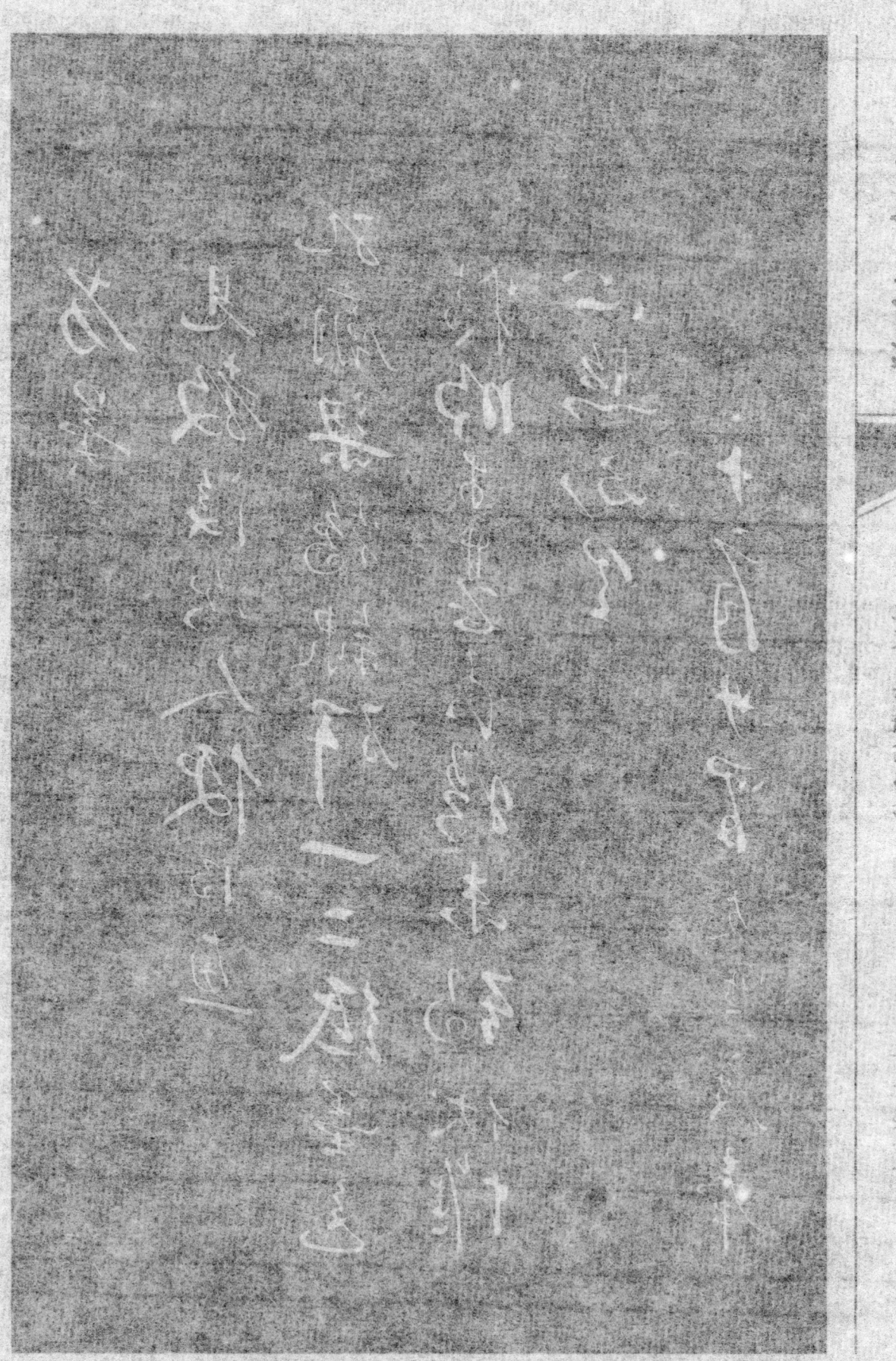

外以安其内克己復禮久而成誠矣

聽箴

人有秉彝本乎天性知誘物化遂亡其正

卓彼先覺知止有定閑邪存誠非禮勿聽

言箴

人心之動因言以宣發禁

外以安其內克己復禮
久而成誠矣
聽箴
人有秉彝本乎天性
知誘物化遂亡其正

卓彼先覺知止有定
閑邪存誠非禮勿聽
言箴
人心之動因言以宣發

躁妄內斯靜專矧是樞機
興戎出好吉凶榮辱惟其
所召傷易則誕傷煩則支
己肆物忤出悖來違非法
不道欽哉訓辭

動箴
哲人知幾誠之於思志
士勵行守之於為順理
則裕從欲惟危造次克
念戰兢自持習與性成

躁妄內斯靜專矧是樞機興戎出好吉凶榮辱惟其所召傷易則誕傷煩則支己肆物忤出悖來違非法不道欽哉訓辭

動箴

哲人知幾誠之於思志士勵行守之於為順理則裕從欲惟危造次克念戰兢自持習與性成

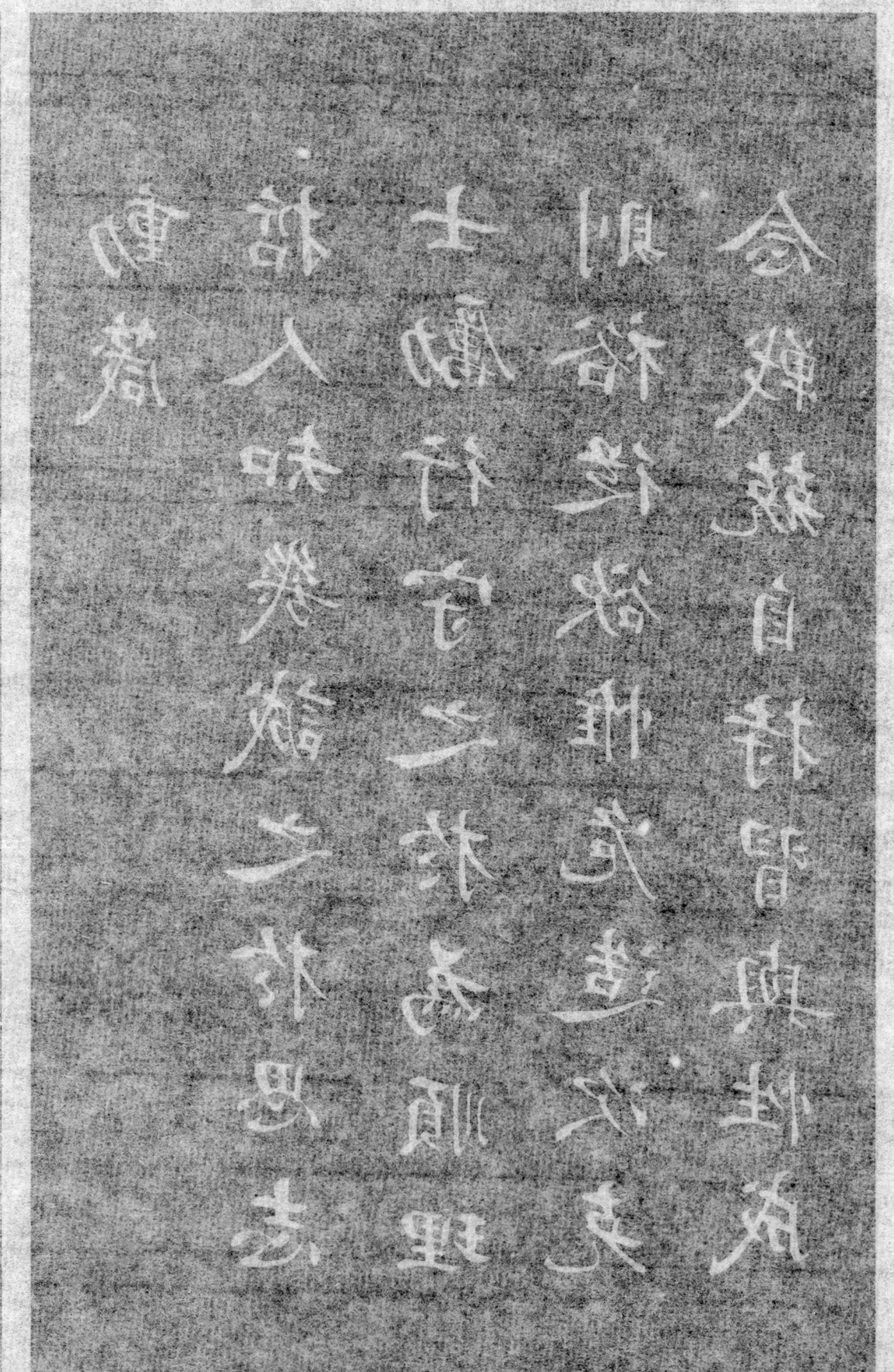

聖賢同歸

明沈粲書

端溪硯

鏤金花函硯背書題歲月官名

天眷儒臣寵數新賜來端硯自楓宸金函寶相花偏異奎翰雲章世共珍色炫紫霞光映日潤凝香霧細含津馬肝龍尾那堪比銷辟連城湯價傳

龍香墨

新樣龍香墨製佳九重頒賜倍光華團團玄玉真無價馥馥烏雲自起花永鎮文房爲無

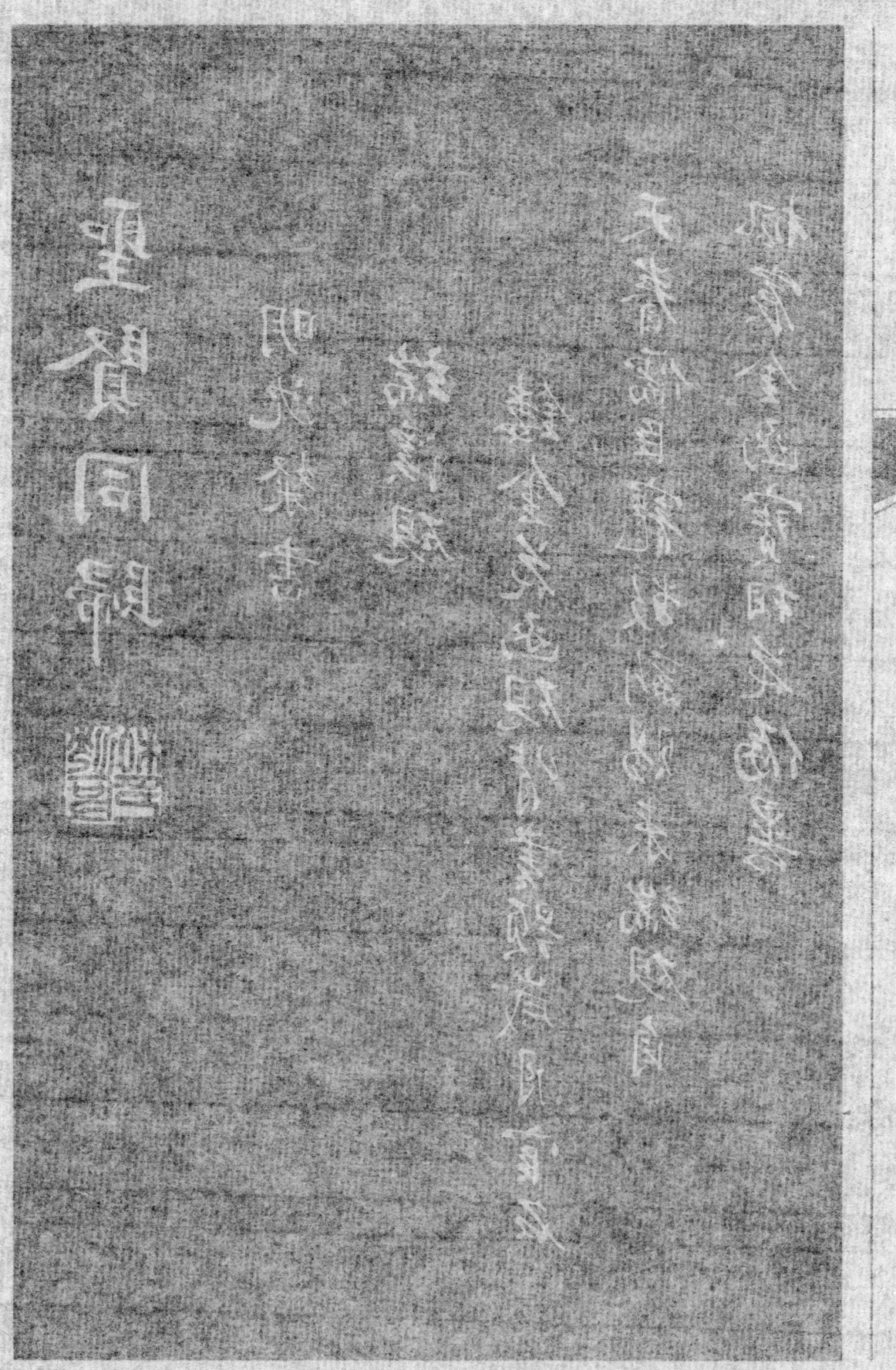

寶便書

國史進

皇家珍藏什襲重加護感激

異恩豈有涯

金花箋

賜出新箋錦作囊金花發彩雲黄

製勻蘂經春冰滑粉膩魚紋雪浪

三希堂法帖

香展向芸窗光旖旎書來鐵畫

墨勢飛揚儗我

聖代皇明頌愧之風流謝二王

黄封筆

妙製華黄封五采彰特承

宣賜釋

明光蒼翠尚帶湘烟潤紫穎猶含月

桂魚新製錦棠花萬點巧裝綵
縷翠千章小臣不敢尋常用留寫
天書壽
聖皇
筆架山
烏木之為海外珍良工追琢逾
丹宸巧排五老碧巖峯小低亞三湘翠

三希堂法帖

管自每與陶泓同出處轉於毛穎
家交親久為自此增光價知是
天庭賜近臣
石硯墨紙筆山宣德丙午所
賜臣粲者間成五詠以寓感
恩頌德之萬一云時
宣德五年九月望日書一通奉

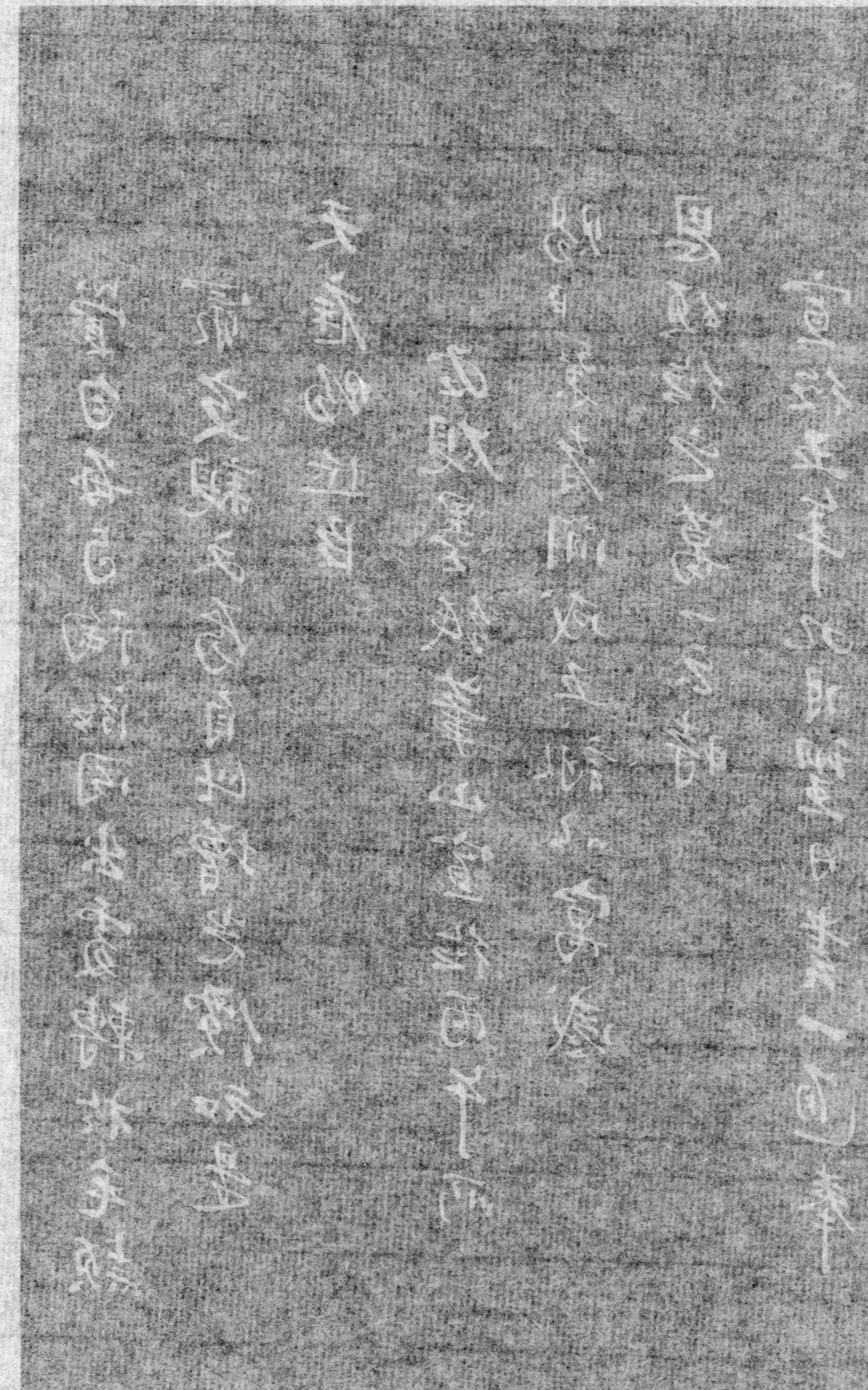

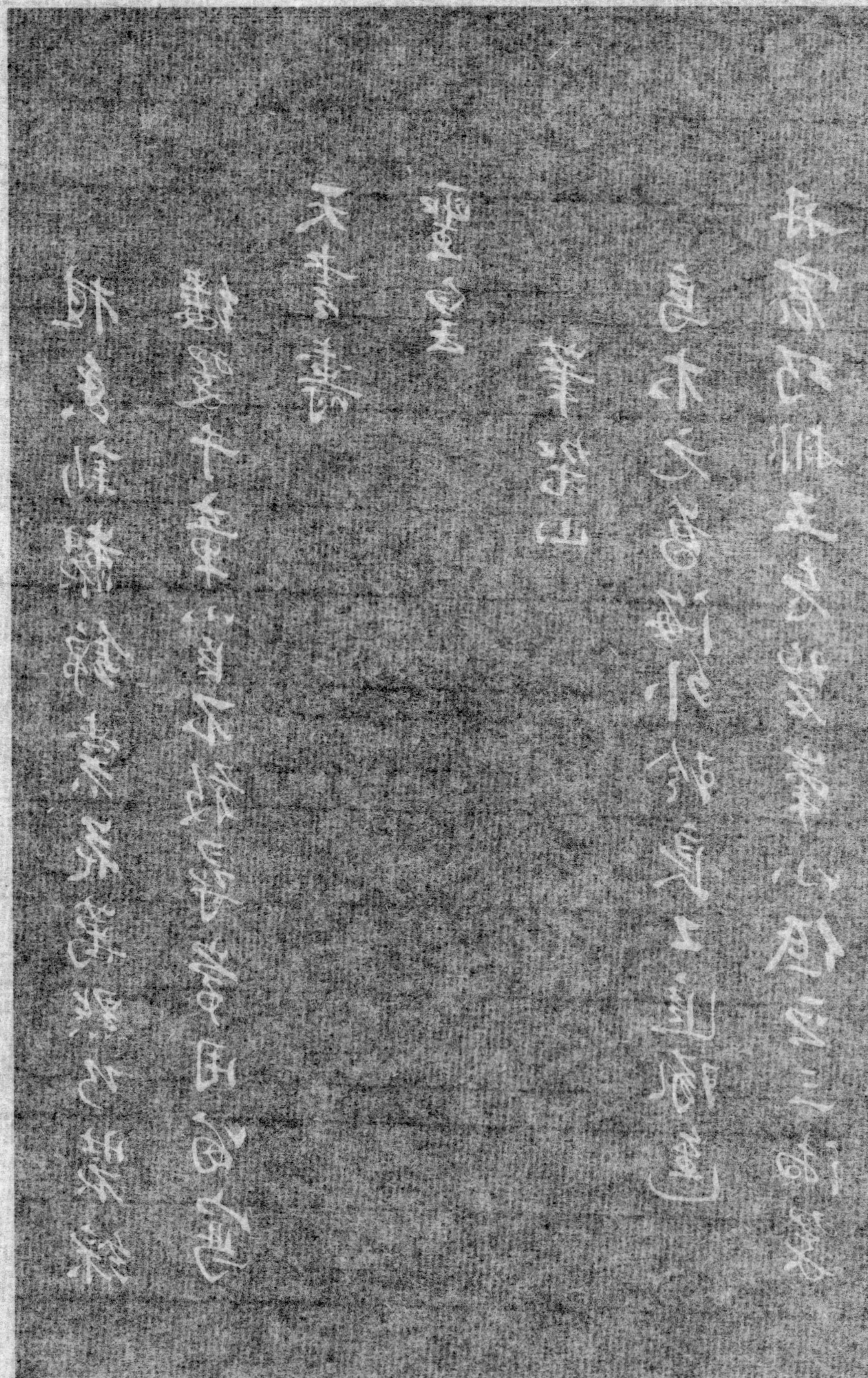

寄晚菴師一喚雲間沈粲識

明沈藻書

橘頌

后皇嘉樹橘徠服兮受命不遷生南國兮深固難徙更壹志兮

三希堂法帖
沈藻・橘颂帖

綠葉素榮紛其可喜兮曾枝剡棘圓果摶兮青黃雜糅文章爛兮精色內白類任道兮紛緼宜脩姱而不醜兮嗟爾幼志有以異兮獨立不遷豈不可喜兮深固難徙廓其無求兮蘇世獨立橫而不流兮閉心自慎終不過

橘頌

明沈藻書

后皇嘉樹橘徠服兮受命不遷
生南國兮深固難徙更壹志兮

[illegible]

綠葉素榮紛其可喜兮曾枝剡
棘圓果摶兮青黃雜糅文章爛
兮精色內白類任道兮紛緼宜
修姱而不醜兮嗟爾幼志有以
異兮獨立不遷豈不可喜兮深
固難徙廓其無求兮蘇世獨立
橫而不流兮閉心自慎終不過

失兮秉德無私參天地兮願歲
并謝與長友兮淑離不淫梗其
有理兮年歲雖少可師長兮行
比伯夷置以為像兮

華亭沈藻書

明林佑書

唐玄宗親書脊令頌藏于宋秘
府徽宗時有鶺鴒萬數集于後
苑龍翔池遂出此書以示蔡京蔡
卞京卞曰題于後宋已流落民間
指揮方侯明謙以錢數萬購得
之余嘗謂玄宗有一李林甫徽宗

余為諸生時有一卷其直跋於
請得方屏以絹一幅錢蘇易歸吾
往京來日過予，復示此流落人間
竟流觀之，遂於此書，不發寶藏
宜識第時有靈物護持集之後
人其寶惜無替今後歲于茲哉
明 林甫書

過兮秉德無私參天地兮願歲
并謝與長友兮淑離不淫梗其
有理兮年歲雖少可師長兮行
比伯夷置以為像兮
華亭沈遼書

有一蔡京正鴟梟蔽日鳳凰深
避之時雖有耆令數萬何益於
治亂存亡哉雖然此書字畫凝
重猶為書家所取云
洪武丁卯冬十有二月望日
天台林佑題

明曾棨書

天馬賦

方唐牧之盛有天骨之超俊勒四十
萬之數而限方以分色焉此馬居其中
以為鎮目星角以電發歸桃路以風
迅鬐龍顧而孤起耳鳳聳以雙峻
翠華建而出步閶闔下而趨噴任駑

明·宋·天乃跋
清·林佶跋帖

羣而不斷横秋風以揭韻若夫躍溪
舒急冒紫沍叛直突而建德項藝横弛
而世充頡斷咸絶材以比埒所向獬以
致吞皇肯浪遂金粟之堆故常下視
八坊之駿高標雄跨也獅子擭擇逸氣
下乗而照夜歛穩於是風鬣格頸色妙
寸駘入仗不動終日如坏乃得玉為嚙飾

三希堂法帖

繡作鞍僊秉秣粟豢肉脹筋埋其報
德也蓋不如偷靈燈盜策蹇騰崇鑄貢
竭而吐水畫白澤而除実但覺驍垂就
節鼠伏防精妍以雒屬馴骅期諧謦俛
首以畢世未伏聽以興懷所謂美風頭畫
化長常挑嗟乎若不帝駿骨致龍媒如
此馬者一旦天子巡朔方升喬岳掃四夷之

三希堂法帖

三希堂法帖

曾棨·天马赋

一九七三

一九七四

塵鞍岐陽之標則飛黃騰裊躡雲追電

有所從而邇來何所從而遠來

永樂十二年春三月上巳日曾棨書于

晴雲閣